ДАНИЭЛА СТИЛ

ДРАГОЦЕННОСТИ

ИЗДАТЕЛЬСТВО
Москва
1999

ББК 84 (7США)
С80

Danielle Steel
JEWELS
1992

Перевод с английского

Серийное оформление А.А. Кудрявцева

**Печатается с разрешения автора и его литературных
агентов Morton L.Janklow Associates
и "Права и переводы"**

Стил Д.
С80   Драгоценности: Роман / Пер. с англ. – М.: ООО
"Фирма "Издательство АСТ", 1999. – 432 с.

ISBN 5-237-01601-4

Перед глазами Сары Вайтфилд проносится вся ее жизнь –
неудачный брак, разбитые надежды, счастье новой любви и нового
замужества, война и кошмар оккупации, боль утраты, когда супруг
Сары, блестящий английский герцог Вайтфилд, пропал без вести
на фронте, и отчаянная вера в его возвращение, борьба с
безжалостной судьбой и непоколебимая верность своему чувству...

Глава 1

Воздух был так тих под ослепительным летним солнцем, что пение птиц и каждый звук были слышны за мили. Сара задумчиво сидела у окна и любовалась великолепным парком, который был разбит Ле Нотром* наподобие Версальского. Кроны могучих деревьев зеленым балдахином обрамляли парк замка Шато де ля Мёэ. Сам замок стоял уже четыре столетия, а Сара, герцогиня Вайтфилд, жила здесь пятьдесят два года. Она приехала сюда с Вильямом почти девочкой. При этом воспоминании она улыбнулась, наблюдая, как два пса сторожа гонялись друг за другом. Представив, какую радость молодые овчарки доставят Максу, она расцвела в улыбке.

Сара всегда ощущала умиротворение, глядя на парк, в который было вложено столько труда. Вновь вспоминалось отчаяние военных лет, бесконечный голод и пустые поля, отдавшие им все, что они могли дать. Ей казалось, что это было совсем недавно... хотя с тех пор прошло пятьдесят лет... половина столетия. Она опустила взгляд на руки, на два перстня с прекрасными крупными изумрудами, с которыми почти никогда не расставалась. Она никак не могла привыкнуть к своим постаревшим рукам. Хотя они, хвала Всевышнему, все еще сохраняли красоту и изящество, тем не менее это были руки семидесятилетней женщины.

Она жила долго и счастливо, слишком долго, думала она иногда... слишком долго без Вильяма... И всегда нужно было что-то сделать, увидеть, подумать о чем — то, что-то спла-

* Ле Нотр, Андре — французский архитектор, мастер садово-паркового искусства, создатель парка в Версале, Тюильри и др.

нировать, присмотреть за их детьми. Она была благодарна за прожитые годы, и даже теперь у нее не было ощущения, что жизнь для нее кончилась. Судьба вдруг делала еще один неожиданный поворот, случалось еще какое-нибудь событие, которое невозможно предусмотреть и где необходимо было ее участие. Казалось странным, что они все еще нуждались в ней, хотя часто они обращались к ней для того, чтобы дать ей почувствовать, что она по-прежнему нужна им и может быть для них полезной. А еще были их дети. Она улыбнулась, вспомнив и о внуках. Со своего излюбленного места она могла видеть, как они подъезжали к замку... видела их лица, улыбающиеся и смеющиеся или обеспокоенные, когда, выйдя из автомобилей, они с надеждой смотрели вверх на ее окна. Казалось, они почти всегда знали, что она будет стоять там, наблюдая за ними. Несмотря на все дела, которые ей предстояло сделать, в день их приезда она всегда находила, чем заняться в своей маленькой изысканной гостиной наверху, пока ждала их. И даже после стольких лет, хотя все они уже были взрослыми, она всегда испытывала легкое волнение, видя их лица, слушая их рассказы и обсуждая их проблемы. Она беспокоилась о них, она любила их, так же, как любила их всегда, и в какой-то степени любовь к каждому из них была крошечной частью их огромной любви с Вильямом. Какой он был замечательный человек, лучше, чем можно себе вообразить и о чем можно мечтать. Даже после войны он имел влияние и с ним считались, он был человеком, которого каждый, кто знал его, запоминал навсегда.

Сара медленно отошла от окна, прошла мимо белого мраморного камина, у которого часто сидела холодными зимними вечерами, размышляя, делая записи, или сочиняла письмо кому-нибудь из своих детей. Она часто звонила им в Париж, Лондон, Рим, Мюнхен, Мадрид, но очень любила писать письма.

Она стояла, глядя на стол, покрытый поблекшей парчой, прекрасный образец старинной работы, которую купила много лет назад в Венеции, и осторожно поднимала наугад фотографии, чтобы лучше разглядеть их. И перед ее мысленным взором ожил тот самый момент в день их свадьбы. Вильям смеялся над какой-то шуткой, сказанной одним из гостей, а она смотрела на него влюбленными глазами, застенчиво улыбаясь. Счастье переполняло ее, и ей казалось, что сердце не выдержит и разорвется от нахлынувших на нее чувств. На ней было бежевое атласное платье, отделанное кружевом, модная кружевная шляпа с небольшой вуалью, в руках она держала букет орхидей. Их обвенчали в доме ее родителей. На небольшой церемонии бракосочетания кроме них присутствовали лишь близкие друзья ее родителей. Томпсоны устроили скромный, но изысканный прием, на котором собралось около сотни гостей. На этот раз не было подружек невесты, не было шаферов, не было огромного праздничного торжества, юношеской неумеренности. Только сестра в прекрасном голубом платье из атласа и роскошной шляпе от Лили Даше сопровождала ее. Их мать была в коротком изумрудно-зеленом платье. Сара улыбнулась при этом воспоминании... платье матери было почти такого же цвета, как два ее изумруда. Как довольна была бы мать ее жизнью, если бы она только была жива.

Здесь стояли также другие фотографии, фотографии ее детей в детстве... чудесная фотография Джулиана с его первой собакой... и Филиппа, который выглядел ужасно взрослым, хотя ему тогда исполнилось только девять лет, когда он впервые попал в Итон. И Изабель на юге Франции, когда ей не было еще двадцати... и каждый из них на руках у Сары, когда они только что родились. Вильям всегда брал эти фотографии, стараясь скрыть набежавшие на глаза слезы, когда он смотрел на Сару с новорожденным малышом. И фотография крошечной Элизабет... стоящая рядом с Филиппом, фотография была такой желтой, что ее с трудом можно было рассмотреть. И как всегда, слезы выступали на глазах Сары, она рассматривала фотографии и предавалась воспоминаниям. Ее жизнь была счастливой и полнокровной, но не всегда легкой.

Она долго стояла, глядя на фотографии, вспоминая те мгновения, думая о каждом из них, осторожно приводя их в порядок и в то же время пытаясь отогнать те, что больно ранили.

Она была высокой и грациозной, с гордо посаженной головой. Когда-то черные как смоль волосы теперь стали снежной белизны. Огромные зеленые глаза были такого же цвета, как ее изумруды. Только Изабель унаследовала от матери такие глаза, но даже у нее они не были такими темными, как у Сары.

Но никто из них не обладал ее силой и величием, ни у кого из них не было ее твердости, решительности, той силы, которая помогла ей выдержать все, что выпало на ее долю. Их жизненные пути оказались легче, и она была благодарна за это. Однако Сара задумывалась, не смягчило ли их ее постоянное внимание, не была ли она слишком снисходительна к ним и не сделала ли этим их слабее. Но никто не назвал бы слабым Филиппа... или Джулиана... или Ксавье... и даже Изабель... однако у Сары было то, чего не было ни у кого из них, такая сила духа, которая, кажется, исходила от нее, когда за ней наблюдали. Таким же был и Вильям, только более экспансивным и с большим жаром наслаждающийся жизнью. Еще он был бесконечно добр. Сара отличалась спокойным характером, преображаясь только в обществе Вильяма. Он пробуждал в ней все лучшее. Она часто говорила, что он ей в жизни дал все. Она улыбнулась, глядя на зеленые газоны, вспоминая, как все начиналось. Казалось, что прошло всего несколько часов... несколько дней с тех пор, как все началось. Трудно поверить, что завтра ей исполняется семьдесят пять лет. В замок съезжались дети и внуки, чтобы отпраздновать ее юбилей, а послезавтра прибудут сотни знаменитых и важных гостей. Торжество все еще казалось ей ненужным, но дети настояли на своем. Джулиан все организовал, и даже Филипп звонил ей из Лондона полдюжины раз, чтобы убедиться, что все проходит гладко. А Ксавье поклялся, что где бы он ни был, в Ботсване или в Бразилии, или Бог знает, где еще, он прилетит непременно. Теперь она с волнением ждала их, стоя у окна и затаив дыхание.

На ней было старое, хорошего покроя простое черное платье и великолепный жемчуг, при виде которого у людей понимающих перехватывало дыхание. Он принадлежал ей с войны, и, если бы она продала его сегодня, это принесло бы около двух миллионов долларов. Но Сара никогда не помышляла об этом, она просто носила его, потому что любила и потому что Вильям настаивал, чтобы она сохранила его. «Герцогиня Вайтфилд должна иметь такой жемчуг, моя любимая», — подтрунивал он над ней, когда она впервые примеряла его на старый свитер мужа, который она надела, чтобы поработать в нижнем саду.

«Стыдно сказать, жемчуг моей матери кажется пустяком по сравнению с этим», — заметил он.

Она засмеялась, он прижал ее к себе и поцеловал. Сару Вайтфилд окружали прекрасные вещи, и она прожила чудесную жизнь. И она была необыкновенной женщиной.

Когда, наконец, Сара отвернулась от окна, она услышала, как первый автомобиль проезжал последний поворот аллеи. Это был черный «роллс-ройс» с затемненными окнами, и она не могла разглядеть, кто в нем сидел. Автомобиль остановился прямо перед главным входом замка, почти под ее окнами, и, когда водитель вышел и поспешил открыть дверь, она в изумлении покачала головой. Ее старший сын выглядел, как всегда, великолепно и очень, очень по-английски, пытаясь в то же время скрыть беспокойство, когда вслед за ним из автомобиля вышла женщина в белом шелковом платье и увешанная бриллиантами, ослепительно сверкавшими на солнце. Она снова улыбнулась, отходя от окна. Это было только начало... нескольких сумасшедших волнующих дней... Трудно поверить... она не знала и могла только предполагать, что подумал бы обо всем этом Вильям... вся эта суета по поводу ее семьдесят пятой годовщины... так много и так скоро... Казалось, что промелькнули только мгновения с тех пор, как все началось...

Глава 2

Сара Томпсон, родившаяся в Нью-Йорке в 1916 году, была младшей из двух дочерей Эдварда и Виктории Томпсон и несколько менее удачливой, но исключительно приличной и уважаемой кузиной Асторов и Биддлов. Ее сестра, Джейн, в девятнадцать лет вышла замуж за Вандербилта. А ровно через два года Сара была обручена с Фредди ван Дерингом, это произошло в День благодарения*. К этому времени ей тоже исполнилось девятнадцать, а у Джейн и Питера как раз родился первый ребенок, маленький мальчик со светлыми локонами, названный Джеймсом, которого они обожали.

Обручение Сары с Фредди не было большой неожиданностью для ее семьи, так как все они знали ван Дерингов не один год, и хотя Фредди много лет провел в пансионе, они не раз видели его в Нью-Йорке, когда он готовился в Принстон. Он окончил его в июне, в том году, когда они обручились, и был в приподнятом настроении в связи с этим знаменательным событием, но он при этом ухитрился найти время ухаживать за Сарой и обручиться с ней. Он был смышленый, живой юноша, всегда подшучивающий над своими друзьями. Он редко был серьезен и всегда шутил. Сару трогало его внимание и забавляло, что он всегда в хорошем настроении. С ним было весело, легко, а его смех и хорошее настроение передавались окружающим. Фредди нравился всем, и, кажется, никто, за исключением, может быть, отца Сары, не возражал против того, что у него не было амбиций. Но каждому было также хорошо известно, что если он никогда и не работал, то мог неплохо жить за счет семьи. Тем не менее отец Сары считал, что для молодого человека важно заниматься каким-то делом независимо от того, как он удачлив и кто его родители. Сам он владел банком и как раз перед обручением имел беседу с Фредди о его планах на будущее. Фредди заверил его, что имеет намерения приняться за какое-нибудь дело. Ему действительно предложили превос-

---

* Официальный американский праздник в память первых колонистов Массачусетса в последний четверг ноября.

ходное место у Моргана и К° в Нью-Йорке и даже еще лучшее в банке Новой Англии в Бостоне. И после Нового года он намеревался принять одно из этих предложений, что вполне удовлетворило мистера Томпсона, и он согласился на официальное обручение, которое и состоялось вскоре.

В том году у Сары выдались веселые каникулы. Они бывали на бесконечных вечеринках, танцуя почти до самого утра. Катались на коньках в Центральном парке, обедали и ужинали в ресторанах. Сара заметила, что Фредди много пил, но независимо от выпитого он оставался умен, вежлив и очарователен. Все в Нью-Йорке обожали Фредди ван Деринга.

Свадьбу назначили на июнь, и к весне Сара разрывалась между примерками подвенечного платья, вечеринками, которые давали друзья, и свадебными приготовлениями. У нее кружилась голова. За все это время она почти не виделась с Фредди наедине, и кажется, они встречались только на вечеринках. Все остальное время он проводил со своими друзьями, все они «готовили» его к серьезному шагу в супружескую жизнь.

Сара знала, что это было время, которым, как предполагалось, она должна наслаждаться, но, по правде говоря, она призналась в этом Джейн в конце мая, она этого не чувствовала. Было столько суматохи, казалось, все вырвалось из-под контроля, и она была совершенно измучена. Однажды поздно вечером, после последней примерки свадебного платья, она перестала плакать, и сестра спокойно дала ей свой носовой платок и нежно погладила по длинным темным волосам, рассыпавшимся по плечам.

— Все в порядке. Каждый испытывает что-то подобное перед свадьбой. Принято считать, что это должно быть восхитительное время, но на самом деле невесте приходится трудно. Так много происходит вдруг, и нет ни минуты, чтобы присесть и спокойно подумать или побыть одной... Я ужасно чувствовала себя перед нашей свадьбой.

— В самом деле? — Сара подняла огромные зеленые глаза на старшую сестру, которой шел уже двадцать первый год, и она казалась Саре намного мудрее. Сара с огромным облегчением узнала, что не только она переживала перед своей свадьбой такие же чувства.

В чем Сара действительно не сомневалась, так это в привязанности к ней Фредди, в его доброте и в том, что после свадьбы их ждет счастливая жизнь. Хотя ей казалось, что было слишком много забав, слишком много вечеринок и слишком много неразберихи. Мысли Фредди, похоже, были заняты одними светскими развлечениями. Они месяцами не разговаривали серьезно. И он до сих пор не сказал ей о своих планах относительно работы. Он только постоянно успокаивал ее. В начале года Фредди отказался от работы в банке, потому что так много дел было перед свадьбой, а новая работа отвлекала бы его. Эдвард Томпсон к этому времени скептически относился к намерениям Фредди найти службу, однако он воздерживался от разговора на эту тему со своей дочерью. Но он обсудил это со своей женой, и Виктория Томпсон выразила уверенность в том, что после свадьбы Фредди, должно быть, возьмется за что-то определенное. В конце концов, он окончил Принстон.

День их свадьбы наступил в июне, и грандиозные приготовления оказались не напрасными. Венчание проходило в церкви Св. Томаса на Пятой авеню, а прием был на Сейнт Регис. Присутствовали четыреста человек гостей, чудесная музыка не смолкала весь вечер, подавалась изысканная еда, и все четырнадцать подружек невесты выглядели очаровательно в платьях из тонкой кисеи. На Саре было изысканное платье из белого кружева и французской тонкой кисеи с длинным шлейфом и белой кружевной вуалью, которая принадлежала еще ее бабушке. Она выглядела прелестно. Фредди тоже был неотразим. Свадьба была во всех отношениях великолепная.

И такой же великолепный медовый месяц. Фредди одолжил у друзей дом и маленькую яхту на мысе Код, и они были совершенно одни в течение четырех недель. Сначала Сара чувствовала с ним смущение, но он был нежен и добр, и с ним всегда было легко и весело. Он был умен, когда позволял себе быть серьезным, что случалось редко. И оказалось, что он превосходный яхтсмен. Он пил намного меньше, чем прежде, и Сара с облегчением отметила это. Перед свадьбой его пьянство уже начало ее беспокоить. Но он объяснил, что все это было просто хорошей забавой.

Они провели прелестный медовый месяц, и ей не хотелось даже думать о возвращении в жаркий июльский Нью-Йорк, но хозяева дома, в котором они остановились, приезжали из Европы. Они подыскали квартиру на Верхнем Ист-Сайд. Но лето собирались провести с родителями в Саутгемптоне, пока маляры, архитектор, занимающийся отделочными работами, и рабочие не приведут все в порядок.

Но когда они вернулись в Нью-Йорк после Дня труда*, Фредди снова оказался слишком занят, чтобы устроиться на работу. На самом деле он то и дело встречался со своими друзьями. И по-прежнему много пил. Сара заметила это в Саутгемптоне тем летом, когда он возвращался из города. А когда они переехали в собственную квартиру, это невозможно было не заметить. Он приходил домой пьяным каждый вечер, проведя весь день с приятелями. Случалось, появлялся даже под утро. Иногда Фредди брал Сару с собой на вечеринки или на танцы и всегда был душой компании. Он был для каждого лучшим другом, и все знали, что, пока они будут с Фредди ван Дерингом, веселое времяпрепровождение им обеспечено. Об устройстве на работу уже не было и речи. Он отметал все робкие попытки Сары обсудить это. У него, казалось, совсем не было никаких планов, кроме развлечений и пьянства.

В январе Джейн обратила внимание на необычную бледность Сары и пригласила ее на чай, чтобы выяснить, что происходит.

— У меня все прекрасно, — она пыталась изобразить удивление тем, что ее сестра огорчена, но когда подали чай, Сара побледнела еще сильнее и не смогла сделать ни глотка.

— Дорогая, что случилось? Пожалуйста, скажи мне! Ты должна сказать! — Джейн беспокоилась о ней с Рождества. Сара казалась необыкновенно спокойной в доме родителей за рождественским обедом. Фредди очаровал всех рифмованными тостами о каждом члене семьи, включая слуг, которые работали у них не один год, и Юпитера, собаку Томпсонов, которая

* Первый понедельник сентября.

лаяла, когда все аплодировали вполне законченным стихотворениям Фредди. Каждый был доволен, и то, что он был немного навеселе, казалось незаметным.

— В самом деле, у меня все прекрасно, — настаивала Сара, но в конце концов расплакалась и, рыдая, оказалась в объятиях сестры, признавшись, что у нее все совсем не прекрасно. Она была несчастна. Фредди никогда не бывал дома, постоянно где-то пропадал, все время проводил с приятелями, но Сара умолчала о своих подозрениях — иногда его друзьями бывают даже женщины. Она пыталась добиться, чтобы он больше времени уделял ей, но безуспешно. Он стал больше пить и убеждал Сару, что это не проблема. Он называл ее «своей чопорной маленькой девочкой» и, забавляясь, отмахивался от ее огорчений. И что еще хуже, она как раз в это время узнала, что она беременна.

— Но это чудесно! — воскликнула Джейн в восторге. — Я тоже! — добавила она, и Сара улыбнулась сквозь слезы, не в состоянии объяснить своей старшей сестре, как несчастлива ее жизнь. Жизнь Джейн сложилась удачно. Она была замужем за серьезным, надежным человеком, который дорожил своей семьей, в то время как Фредди ван Деринг, казалось, начисто забыл, что он женат. Он обладал многими качествами: был очарователен, забавен, остроумен, но чувство ответственности ему было незнакомо. И Сара подумала, что он никогда не займется чем-то определенным. Что он намерен всю жизнь развлекаться. Отец Сары давно заподозрил это, но Джейн была убеждена, что все кончится благополучно, особенно после того, как у них появится ребенок. Сестры выяснили, что их дети должны родиться почти в одно и то же время — с разницей всего в несколько дней — и эта радостная новость немного ободрила Сару перед тем, как она вернулась в свою одинокую квартиру.

Фредди по обыкновению не было, и этой ночью он совсем не пришел домой. На следующий день его переполняло раскаяние, когда он в полдень явился домой, объяснив, что играл в бридж до четырех часов утра и остался там, потому что не хотел разбудить ее.

— И это все, что ты делал? — в первый раз сердито спросила она. Ее тон ошеломил и напугал его. Раньше она всегда была очень сдержанна, но на этот раз рассержена не на шутку.

— Что ты имеешь в виду? — Его невинные голубые глаза широко раскрылись от изумления, а светлые волосы делали его похожим на Тома Сойера.

— Меня интересует, чем ты на самом деле занимаешься до двух часов ночи? — В ее вопросе звучали неподдельный гнев, боль и разочарование.

Он по-мальчишески улыбнулся, убежденный в том, что всегда сумеет ввести ее в заблуждение:

— Иногда я чересчур много пью. Вот и все. Просто лучше оставаться там, где я есть, чем возвращаться домой, когда ты спишь. Я не хочу огорчать тебя, Сара.

— Но ты огорчаешь меня. Тебя никогда нет дома. Ты всегда где-то со своими друзьями и каждую ночь возвращаешься пьяный. Женатые люди не ведут себя так. — Она была вне себя.

— Не ведут? Ты имеешь в виду своего зятя или нормальных людей, у которых совсем нет энергии и joie de vivre*? Извини, дорогая, я не Питер.

— Я никогда не просила тебя быть им. Но кто ты? За кого я вышла замуж? Я никогда не вижу тебя, только на вечеринках, а остальное время ты проводишь за картами, рассказывая истории и выпивая, и тебя нет дома, и одному Богу известно, где ты бываешь, — грустно сказала она.

— Ты хотела бы, чтобы я оставался дома с тобой? — Это развеселило его, и в первый раз она заметила что-то нехорошее в его взгляде, означавшее, что она бросила вызов его образу жизни. Она напугала его и даже угрожала его пьянкам.

— Да, я хотела бы, чтобы ты оставался дома со мной. В этом есть что-то необычное?

— Ты вышла за меня замуж, потому что тебе со мной было весело, не так ли? Если бы тебе нужен был такой скучный человек, как твой зять, полагаю, ты смогла бы

---

* Радость жизни.

найти его, но ты этого не сделала. Тебе нужен был я. И
теперь ты хочешь превратить меня в такого, как он. Хорошо, дорогая, я могу только пообещать тебе, что этого
не случится.

— Так что же случится? Ты собираешься работать? В
прошлом году ты обещал моему отцу, что найдешь место.

— Мне не нужно работать, Сара. Ты доведешь меня
до слез. Ты должна быть счастлива, что мне не приходится корпеть, как какому-то дураку, на скучной работе,
пытаясь прокормиться.

— Отец считает, что тебе это было бы полезно. И я тоже
так думаю. — Это были самые храбрые слова за их недолгую
супружескую жизнь, прошедшую ночь она лежала без сна, размышляла, что скажет ему. Она хотела иметь настоящего мужа
и семью, прежде чем родит ребенка.

— Твой отец — другое поколение, — он блеснул глазами, — а ты — дура. — Но когда он произнес эти
слова, она поняла то, что ей следовало бы знать с той
минуты, когда он вошел. Он был пьян. Был только полдень, но было очевидно, что он пьян, и, взглянув на
него, она почувствовала отвращение.

— Может быть, мы обсудим это как-нибудь в другой раз?

— Я думаю, это прекрасная идея.

Он снова ушел, но вечером вернулся рано и на следующее
утро сделал усилие подняться в положенное время, и тогда он
увидел, как она несчастна.

— Что-то случилось? Ты больна? Тебе следует сходить к доктору? — Он выглядел огорченным, взглянув
на нее поверх утренней газеты. Он слышал, что ее ужасно рвало после того, как они поднялись, и поинтересовался, не съела ли она что-то несвежее.

— Я была у доктора, — спокойно сказала она, подняв на него глаза, но прошло какое-то время, прежде чем
он взглянул на нее снова, почти забыв, о чем он только
что спрашивал.

— Так что же? О... ладно... хорошо. Что он сказал? Грипп?
Ты должна быть осторожна, ты знаешь, сейчас многие болеют.
Мать Тома Паркера умерла на прошлой неделе.

— Не думаю, что я умру от этого. — Она спокойно улыбнулась, а он снова погрузился в свою газету. Последовало долгое молчание, затем наконец он снова взглянул на нее, совершенно забыв об их предыдущем разговоре.

— В Англии чертовски много сплетен по поводу связи Эдуарда VIII с этой женщиной, Симпсон. Наверное, что-то заставляет его так поступать.

— Все это грустно, — серьезно сказала Сара. — Бедняге пришлось через многое пройти, как она может разрушать его жизнь? Что у них будет за совместная жизнь?

— Возможно, довольно приятная, — улыбнулся он. К большому ее огорчению он выглядел симпатичнее, чем всегда. Она не была теперь уверена, любит она его или ненавидит, жизнь с ним превратилась в кошмар. Но, возможно, Джейн права, может быть, все уладится, когда у них появится ребенок.

— У меня будет ребенок, — едва прошептала она, и какое-то мгновение ей казалось, что он не расслышал, но потом он встал с таким видом, словно надеялся, что она пошутила, и повернулся к ней:

— Ты серьезно?

Она кивнула, не в силах вымолвить больше ни слова, на глазах ее выступили слезы.

Но, сказав ему об этом, она почувствовала облегчение. Сама она знала с Рождества, но у нее не хватало мужества сообщить Фредди. Ей хотелось, чтобы он заботился о ней, хотелось тихого семейного счастья, а с их медового месяца на мысе Код семь месяцев назад такого не случалось.

— Да, я серьезно, — когда он взглянул на нее, об этом сказали и ее глаза.

— Тебе не кажется, что слишком рано? Я думал, что мы будем осторожны. — У него был недовольный вид, и она почувствовала, как рыдания подступили к горлу.

— Я тоже так думала, — ответила она, и ее глаза наполнились слезами, когда она подняла их. Он сделал к ней шаг и взъерошил ее волосы словно маленькой сестренке.

— Не беспокойся об этом, все будет в порядке. Когда это произойдет?

— В августе. — Она попыталась не расплакаться, но ей трудно было сдержаться. По крайней мере он не был взбешен, только раздосадован. Она даже не была взволнована, когда узнала, что беременна. Они еще не были готовы к этому. Прошло так мало времени, было так мало тепла и общения. — У Питера и Джейн тоже будет ребенок.

— Им повезло, — саркастически заметил он, удивляясь, что ему теперь с ней делать. Супружество оказалось более тяжелой ношей, чем он ожидал. Она все время сидела дома, стараясь завлечь его в ловушку. И выглядела даже более удрученной, когда он взглянул на будущую маму.

— А нам не повезло, не так ли? — она не смогла сдержать две слезинки, которые потекли по ее щекам, когда она задала ему вопрос.

— Время неподходящее. Но я думаю, что ты не всегда будешь так считать, не правда ли? — Она покачала головой, и он вышел из комнаты и больше не заговаривал с ней об этом до ухода из дома. Он обедал с друзьями и не сказал, когда вернется. Фредди никогда не говорил. Она плакала до вечера, пока не уснула, а он вернулся домой только к восьми утра. И был так пьян, что не смог лечь на кушетку в гостиной, по пути в их спальню, чего с ним никогда не случалось прежде. Весь следующий месяц было просто больно смотреть, насколько он потрясен ее известием. Его пугала мысль о женитьбе, но перспектива стать отцом наполнила его настоящим ужасом. Питер попытался однажды вечером, когда она обедала с ними вдвоем, объяснить ей это, к тому времени ее несчастная жизнь с Фредди уже не была для них секретом. Больше никто не должен был знать, но им двоим она призналась, что рассказала сестре о ребенке.

— Некоторых людей просто ужасает такая ответственность. Это значит, что сами они еще недостаточно взрослые. Должен признаться, что и меня первый раз это напугало. — Питер с любовью посмотрел на Джейн, а затем перевел взгляд на ее сестру. — И Фредди, как известно, не слишком стремится заняться чем-то определенным. Но, может быть, увидя ребенка, он поймет, что страшной угрозы, которой он боялся, не существует. Что дети довольно безобидны, когда они малень-

кие. Но до появления ребенка будет тяжело. — Он больше
сочувствовал ей, чем позволил себе показать; он часто говорил
жене, что Фредди — настоящий негодяй. Но Питер не хотел
огорчать Сару. Он предпочитал ободрить ее перед родами.

Но настроение Сары не улучшалось, а поведение и пьянство Фредди становилось труднее переносить. И потребовалась
вся изобретательность Джейн, чтобы вытащить Сару из дома.
Наконец ей удалось вывести ее в магазин. Они отправились на
Пятую авеню, как вдруг Сара побледнела, споткнулась и ухва-
тилась за свою сестру.

— Что с тобой? — Джейн перепугалась, взглянув
на сестру.

— Я... Все прекрасно... Я не знаю, что случилось. —
Она почувствовала ужасную боль, но это продолжалось
всего мгновение.

— Давай присядем. — Джейн быстро сделала кому-то знак
и попросила принести стул и стакан воды, в этот момент Сара
снова вцепилась в нее. На лбу у нее выступили капли пота, и
лицо стало землистого цвета.

— Извини... Джейн, мне совсем плохо... — И сказав это,
она потеряла сознание. «Скорая помощь» приехала сразу после
вызова. Сару положили на носилки. К тому времени она пришла в себя, перепуганная Джейн бежала рядом с ней, и вид у
нее был ужасный. Ей позволили поехать в больницу вместе с
Сарой в машине «скорой помощи». Джейн попросила в магазине позвонить Питеру на работу и домой матери. И оба приехали в больницу следом за ними. Мать долго оставалась с Сарой,
а когда вышла из палаты, ее глаза были полны слез, она посмотрела на свою старшую дочь.

— С ней все в порядке? — с тревогой спросила Джейн,
мать спокойно кивнула и села. Она была хорошей матерью им
обеим, спокойная, скромная женщина, с хорошим вкусом и здра-
вым смыслом, и то, что она дала дочерям, хорошо послужило
им обеим, хотя разумные уроки не очень-то могли помочь Саре
в отношениях с Фредди.

— Она поправится, — успокоила Виктория Томпсон, взяв
их обоих за руки, а Питер и Джейн крепко сжали ее руки. —
Она потеряла ребенка... но она очень молода. — Виктория

Томпсон тоже потеряла ребенка, своего единственного сына, до рождения Сары и Джейн, но она никогда не делилась с ними своим горем, теперь она рассказала об этом Саре, стараясь утешить и помочь ей. — У тебя еще будет ребенок, — успокаивала Виктория, но она была чуть ли не больше огорчена тем, что ей сообщила Сара о своей жизни с Фредди. Сара ужасно плакала и винила себя в потере ребенка. Накануне вечером она передвигала мебель, а Фредди, как всегда, не было дома, чтобы помочь ей. И тут она выложила все: как мало времени он проводил с ней, как много пил, как несчастлива она была с ним и как огорчился он, узнав о предстоящем рождении ребенка.

Прошло несколько часов, прежде чем доктор снова позволил повидать ее, к тому времени Питер уже вернулся на работу, заставив Джейн дать обещание, что она поедет домой отдохнуть и успокоиться после волнений дня. В конце концов она тоже беременна, и одного несчастья в семье было достаточно.

Они пытались дозвониться Фредди, но его, как обычно, не было дома, и никто не знал, где он и когда вернется. Служанка была очень огорчена, узнав о «несчастном случае» с миссис ван Деринг, и обещала послать мистера ван Деринга в больницу, если он позвонит или появится, но каждый подумал, что это маловероятно.

— Это моя вина... — повторила Сара, когда они снова пришли проведать ее. — Я недостаточно сильно хотела ребенка. Я переживала, видя недовольство Фредди, а теперь... — Она разрыдалась, мать обняла ее, пытаясь успокоить. Теперь все три женщины плакали, и в конце концов Саре пришлось дать успокоительное. Ее на несколько дней оставили в больнице. Виктория сказала медсестре, что она проведет ночь с дочерью, а Джейн, наконец, отправила домой на такси, а затем долго разговаривала с мужем по телефону в холле больницы.

Когда Фредди пришел в этот вечер домой, он, к большому своему удивлению, обнаружил, что в гостиной его ждет тесть. К счастью, он выпил меньше обычного и был удивительно трезвым, если учесть, что часы давно пробили полночь. Вечер выдался у него скучный, и он решил вернуться домой пораньше.

— Боже мой! Сэр... Что вы здесь делаете? — Он слегка покраснел, затем улыбнулся своей открытой мальчишеской улыбкой. И тотчас понял, что что-то случилось, раз Эдвард Томпсон ждет его в такое время в его квартире. — С Сарой все в порядке?

— Нет, не в порядке. — Какое-то мгновенье Эдвард смотрел в сторону, а затем перевел взгляд на Фредди. Деликатного способа сообщить печальную новость не было. — Она... ах... утром потеряла ребенка и находится в больнице Ленокс Хилл. Ее мать до сих пор с ней.

— В самом деле? — Фредди выглядел испуганным, но почувствовал облегчение и надеялся, что не настолько пьян, чтобы не суметь скрыть это. — Мне очень жаль. — Он произнес это так, словно речь шла о чужой жене и чужом ребенке. — С ней все в порядке?

— Полагаю, она сможет иметь детей. Однако, судя по тому, что рассказала мне моя жена, ваша совместная жизнь далека от идиллии. Обычно я никогда не вмешиваюсь в дела моих замужних дочерей; но сейчас особый случай, и Сара так... так... больна, кажется, сейчас подходящий момент обсудить это с вами. Моя жена сообщила мне, что с Сарой весь день была истерика, к тому же я нахожу это весьма странным, Фредерик, что с утра никто не мог найти вас. Такая жизнь не может быть счастливой ни для нее, ни для вас. Вы не хотите нам ничего сказать или вы в состоянии продолжить вашу супружескую жизнь с моей дочерью в духе брачных обетов?

— Я... я... конечно... Вы не хотите выпить, мистер Томпсон? — Он быстро направился к бару и налил себе полный стакан виски, плеснув совсем немного воды.

— Не думаю. — Эдвард Томпсон выжидающе сидел, с неудовольствием наблюдая за своим зятем, и в голове у Фредди даже не возникло сомнения, что человек, который старше его, ждет ответа. — Есть ли какие-то трудности, которые мешают вам вести себя, как подобает мужу?

— Я... ах... ну, сэр, этот ребенок, все произошло так неожиданно.

— Я понимаю, Фредерик. Дети часто бывают неожиданны. У вас какая-то серьезная размолвка с моей дочерью, о которой мне следует знать?

— Нет, вовсе нет. Она чудесная девушка. Я... я... ах... просто требуется немного времени, чтобы привыкнуть к тому, что ты женат.

— И я полагаю, вам следует приняться за дело. — Он многозначительно посмотрел на Фредди, который подозревал, что об этом зайдет речь.

— Да, да, конечно. Я думал, что я займусь этим после рождения ребенка.

— Теперь вы сможете заняться этим немного раньше, не так ли?

— Конечно, сэр.

Эдвард Томпсон встал с обескураживающе почтительным видом по сравнению с довольно растрепанным Фредди:

— Я уверен, что вы навестите Сару как можно скорее, завтра утром, не так ли, Фредерик?

— Безусловно, сэр. — Он проводил его до дверей, отчаявшись дождаться его ухода.

— Я заеду за Викторией в больницу в десять часов. Уверен, что увижу вас там, не так ли?

— Безусловно, сэр.

— Очень хорошо, Фредерик. — Он последний раз оглянулся в дверях. — Мы действительно поняли друг друга? — Было сказано очень мало, но они поняли друг друга.

— Думаю, что так, сэр.

— Спасибо, Фредерик. Спокойной ночи. До завтра.

Закрыв за тестем дверь, Фредди с облегчением вздохнул. Он налил себе еще виски, думая о том, что случилось с Сарой и ребенком. Ему было интересно, что значит — потерять ребенка, но не хотелось задавать себе слишком много вопросов. Фредди очень мало знал о подобных вещах и не имел желания расширять свое образование. Ему было жаль Сару, и он был уверен, что для нее это должно быть ужасно, но ему казалось странным, как мало чувств он испытывал по отношению к ребенку, к жене, к происшедшему. Он думал, что будет так забавно быть женатым на ней, все время вечеринки, каждый уходит, когда хочет. Он совсем не ожидал, что будет чувствовать себя закованным в кандалы, таким утомленным, угнетенным, стесненным. В супружестве не было ничего, что бы ему нравилось, даже Сара. Она была красивая девушка и могла бы стать чудесной женой для кого-нибудь другого. Она прекрасно содержала дом, хорошо готовила, умела развлечь гостей, была умна и с ней было приятно. Сначала она даже волновала его физически. Но теперь ему было просто невыносимо о ней думать. Меньше всего он хотел быть женатым. И он испытал такое облегчение, что она потеряла ребенка. Это было бы подобно тому, чтобы покрывать глазурью уже отравленный пирог.

На следующее утро он появился в больнице еще до десяти часов, исполненный сознания собственного долга, так что мистер Томпсон смог увидеть его, когда в десять часов приехал за своей женой. Фредди, одетый в черный костюм и в черном галстуке, выглядел мрачным, по правде говоря, он просто был с похмелья. Он купил ей цветы, но, кажется, ей было все равно, она лежала в постели, пристально глядя в окно. Когда он вошел, она держала свою мать за руку, и на мгновение он почувствовал к ней жалость. Она повернула голову, взглянула на него, не говоря ни слова, и по ее щекам покатились слезы, а ее мать тихо вышла из комнаты, сжав руку Сары и нежно коснувшись ее плеча.

— Мне жаль, Фредди, — тихо произнесла она, когда мать вышла, но она была мудрее, чем он думал о ней, и сразу с первого взгляда по его лицу она поняла, что он не сожалел о случившемся.

— Ты сердишься на меня? — спросила Сара сквозь слезы. Она не сделала попытки подняться, оставаясь лежать, как лежала. Ее длинные черные волосы спутались, а лицо было такого же цвета, как простыни, губы были почти синими. Она потеряла много крови и слишком ослабла, чтобы сидеть. И теперь она старалась отвернуться от него, а у него не возникало ни единой мысли, что бы сказать ей.

— Конечно, нет. Почему я должен сердиться на тебя? — Он подвинулся немного поближе к ней и коснулся ее щеки, чтобы она снова на него посмотрела, но в ее глазах была такая боль, что он едва мог вынести ее взгляд. Он не мог придумать, как себя вести, и она понимала это.

— Это моя вина... Я передвигала в тот вечер этот дурацкий комод в нашей спальне, и... доктор говорит, что такие вещи случаются, надо иметь это в виду.

— Посмотрим... — Он переминался с ноги на ногу и видел, как она сложила руки, затем снова развела их, но даже не коснулся ее.

— Увидим... может быть, это и к лучшему. Мне двадцать четыре, тебе двадцать, мы не готовы иметь ребенка.

Она долго молчала, а затем посмотрела на него так, словно увидела в первый раз.

— Ты рад, что мы его потеряли, правда? — Ее взгляд причинял ему беспокойство, почти вызывая боль.

— Я не сказал этого.

— Тебе не нужно говорить. Тебе не жаль, верно?

— Мне жаль тебя.

Это была правда. Она действительно выглядела ужасно.

— Ты никогда не хотел этого ребенка.

— Да, я не хотел. — Он был честен с ней, он чувствовал, что не имеет права ей лгать.

— И я тоже, спасибо тебе, возможно, поэтому я и потеряла его.

Он не знал, что ей сказать, а через мгновенье вошел ее отец вместе с Джейн, а миссис Томпсон была занята чем-то с медсестрой. Сара должна была еще несколько дней провести в больнице, а затем собиралась домой к своим родителям. А когда она окрепнет, она должна вернуться в их квартиру к Фредди.

— Ты, конечно, можешь пожить с нами, — приветливо улыбнулась ему Виктория Томпсон, но она решительно была против возвращения Сары с ним домой. Она хотела присмотреть за дочерью, а Фредди, очевидно, испытал облегчение, что ему не придется ухаживать за женой.

На следующий день он прислал ей в больницу красные розы, и еще раз навестил ее, и навещал каждый день, пока она жила у своих родителей.

Больше он ни разу не упомянул о ребенке. Но он делал все, что в его силах, чтобы поддержать разговор. Он был удивлен тем, как неловко он себя чувствовал с ней. Словно за одну ночь они стали чужими. Правда была в том, что чужими они были всегда. Просто теперь труднее скрыть это. Он не сочувствовал ее горю. Он просто приходил навестить ее, потому что понимал, что это его долг. И еще он знал, что ее отец убьет его, если он этого не сделает.

Он приходил в дом к Томпсонам каждый день в полдень и проводил с ней час, а потом уходил на ленч со своими закадычными друзьями. И очень мудро поступал, никогда не оставаясь с ней до вечера. К тому времени он был порядком потрепан и у него хватало ума не показываться на глаза Саре и ее родителям. Он на самом деле был огорчен, что Сара так сильно переживает потерю ребенка. Она до сих пор выглядела ужасно. Но ему невыносимо было думать о том, что она ждет от него либо проявления чувств, либо, что еще хуже, надежды на другого ребенка. Эти мысли заставляли его больше пить и продолжать опускаться. И к тому времени, когда Сара была готова вернуться с ним домой, он попал в нисходящую спираль, из которой уже никто не мог его вытащить. Его пьянство настолько вышло из-под контроля, что даже кое-кто из приятелей-собутыльников стал беспокоиться о нем.

Тем не менее он, чувствуя свой долг, появился у Томпсонов, чтобы забрать Сару домой, где их ждала служанка. Все было прибрано и в полном порядке, однако Сара не находила себе места, у нее было ощущение, будто кто-то посторонний находился дома, а она была здесь чужой.

Фредди тоже был здесь чужим. С тех пор, как она потеряла ребенка.

День он провел с ней, а затем сказал, что он должен пообедать со старым другом, с которым необходимо поговорить о работе, и это очень важно. Он знал, что тогда она не станет возражать. И она не возражала, хотя была разочарована, что он не провел с ней первый вечер дома. Но она сильно возражала против того, в каком состоянии он вернулся домой в два часа ночи. Привратник вынужден был помочь ему войти и усадил на стул. Сара испугалась, когда раздался звонок. Фредди совсем

повис на привратнике и едва узнал ее, когда пытался сосредоточиться на ее расплывающемся перед ним лице. Фредди вручил привратнику чек на сто долларов и щедро расточал
благодарность за то, что тот был хорошим спортсменом и большим другом. Сара в ужасе наблюдала, как Фредди неуверенно
прошел к постели и рухнул в нее без чувств. Она долго стояла,
глядя на него со слезами на глазах, потом легла спать в комнате
для гостей. Когда она ушла от него, она почувствовала в сердце
боль за ребенка, которого она потеряла, и мужа, которого не
имела и которого у нее уже не будет. Наконец-то она поняла,
что ее замужество не больше, чем обман, пустая оболочка и
источник бесконечных огорчений и разочарований. Когда она
скользнула в постель, перед ней предстала эта мрачная перспектива, но она не могла больше обманывать себя. Он всегда
будет пьяницей и повесой. И хуже всего то, что она не могла
себе представить развода с ним. Она не могла помыслить о
позоре, который принесет развод ей и ее родителям.

Когда той ночью Сара лежала без сна, она думала о
долгой одинокой дороге, лежащей перед ней. Об одинокой жизни с Фредди.

Глава 3

Через неделю после возвращения домой Сара выглядела вполне здоровой, она снова была на ногах и выходила из дома на ленч со своей сестрой и матерью. Казалось, что у нее все прекрасно, хотя обе женщины считали, что она слишком спокойна.

Втроем они собирались на ленч у Джейн, и мать как бы случайно пыталась расспросить Сару о Фредди. Она была глубоко огорчена тем, что Сара рассказала ей о своей жизни.

— С ним все прекрасно, — отвечала Сара, отвернувшись. Как всегда, она ничего не рассказывала о вечерах, которые проводила в одиночестве, и о том, в каком состоянии Фредди возвращался ночью домой. Она почти не говорила с ним об этом. Сара смирилась со своей судьбой и решила сохранить брак. Кроме всего прочего, разводиться было бы слишком унизительно.

Фредди тоже заметил в ней перемену, своего рода уступчивость и примирение с его отталкивающим поведением. Казалось, со смертью ребенка умерла и часть ее души. Но Фредди не спрашивал ее об этом, он просто в полной мере пользовался тем, что казалось ему добродушием Сары. Он приходил и уходил, когда ему нравилось, изредка утруждая себя тем, чтобы взять ее куда-нибудь с собой, не делая секрета из своих связей с другими женщинами и напиваясь до потери сознания.

То было самое несчастное время в ее жизни, но Сара, кажется, решила примириться с этим. Месяцами она скрывала от всех свою печаль. Но всякий раз, когда Джейн видела сестру, крайняя озабоченность ее возрастала. И из-за этого Сара старалась встречаться с ней все реже и реже. Она погрузилась в оцепенение, и в ее глазах застыло страдание. Она страшно похудела с тех пор, как потеряла ребенка, и это тоже беспокоило Джейн, но она чувствовала, что Сара избегает ее.

— Что с тобой случилось? — наконец спросила ее Джейн в мае. К этому времени она была уже на шестом месяце беременности и почти не видела сестру, потому что Саре было невыносимо видеть беременную Джейн.

— Ничего. У меня все прекрасно.

— Не говори мне этого, Сара! Ты словно в трансе. Что он с тобой делает? Что происходит?

Джейн в отчаянии посмотрела на сестру. Она понимала, как неуютно было с ней Саре, поэтому не навязывала сестре свое общество. Но она не хотела предоставить ее самой себе. Джейн стала опасаться за психику Сары и за ее жизнь, если она не расстанется с Фредди, кто-то должен был прекратить это.

— Не глупи. У меня все прекрасно.

— Лучше, чем было?

— Я так думаю. — Она намеренно была рассеянной, и от ее сестры не ускользнуло это.

Сара сильно похудела и была бледнее, чем сразу после выкидыша. Она тщательно скрывала свое подавленное состояние и заверяла всех, что у нее все прекрасно, что Фредди ведет себя хорошо. Она даже сказала своим родителям, что он ищет работу. Это была все та же старая ложь, в которую никто больше не верил, тем более Сара.

Родители молчаливо согласились поддержать этот фарс, отметив их первую годовщину небольшим вечером в доме в Саутгемптоне.

Сначала Сара пыталась их отговорить, но в конце концов оказалось легче уступить им. Фредди обещал ей, что он там будет. Идея ему пришлась по вкусу. Он хотел поехать в Саутгемптон на всю неделю и привести с собой полдюжины друзей. Дом был достаточно большой, и Сара спросила мать, не будет ли она против. Виктория сразу сказала им, что их друзьям всегда будут рады. Но Сара предупредила что его друзья должны вести себя прилично, если останутся с ними в доме родителей, чтобы не смущать их.

— Какие глупости ты говоришь, Сара, — огрызнулся он. В последнее время он становился все раздражительнее. Она совсем не была уверена, происходило ли это из-за злоупотребления алкоголем, или же он на самом деле начал ее ненавидеть. — Ты меня ненавидишь, не правда ли?

— Не говори глупости. Я просто не хочу, чтобы твои друзья вели себя бесцеремонно в доме моих родителей.

— Но ты ведь не чопорна, малышка. Моя дорогая бедняжка боится, что мы не сможем хорошо вести себя у ее родителей.

Она хотела заметить ему, что он нигде не умеет вести себя, но удержалась. Она постепенно отказывала себе во многом, зная, что будет несчастна с ним всегда. Вероятно, никогда не появится другой ребенок, но даже это теперь не имело значения. Ничто не имело значения. Она просто жила день за днем, а однажды она умрет, и все будет кончено. Мысль о разводе с ним никогда даже не приходила ей в голову, во всяком случае, если и приходила, всегда только мимолетно. Никто в ее семье никогда не разводился, и в самых безумных мечтах Сара не допускала мысли, что она будет первой. Позор убил бы ее, так же как и ее родителей.

— Не беспокойся, Сара, мы будем вести себя хорошо. Просто не нагоняй на моих друзей скуку таким вытянутым грустным лицом. Ты вполне можешь испортить вечер каждому.

С тех пор как они поженились и она потеряла ребенка, все краски молодости сошли с ее лица, весь румянец, исчезли вся joie de vivre и волнение. Она всегда была живой, веселой и счастливой, как девочка, но внезапно стала казаться покойницей даже себе самой. Только Джейн настойчиво говорила об этом, а Питер и родители просили ее не беспокоиться, они надеялись, что с Сарой все будет в порядке, потому что им хотелось в это верить.

За два дня до приема у Томпсонов герцог Виндзорский женился на Уоллис Симпсон. Свадьба состоялась в замке Шато де Капле во Франции и привлекла к себе всеобщее внимание, все это казалось Саре пошлым и отвратительным. Ее мысли были заняты празднованием годовщины их брака, и она мгновенно забыла о Виндзоре.

Питер, Джейн и маленький Джеймс ради этого большого события собирались провести в Саутгемптоне неделю. Дом, полный цветов, был очень красив, а над лужайкой был натянут тент, и оттуда открывался вид на океан. Томпсоны подготовили превосходный вечер для Сары и Фредди. В пятницу вечером все молодые люди отправились из дома в Каноэ Плейс Инн и чудесно провели время, беседуя, танцуя и смеясь. Даже Джейн, которой скоро предстояли роды, присоединилась к молодежи, пошла и Сара, лицо которой вновь озарила улыбка. Фредди даже танцевал с ней, и в какой-то миг ей даже показалось, что он хочет ее поцеловать. Вскоре после этого Питер, Джейн, Сара и еще несколько человек вернулись к Томпсонам, а Фредди и его друзья отправились на небольшую попойку. Сара снова притихла, но ничего не сказала, когда они ехали домой вместе с Джейн и Питером. Ее сестра и зять все еще были в приподнятом настроении и, кажется, не заметили ее молчания.

Следующий день выдался солнечный, а вечером, когда заиграл оркестр и Томпсоны приветствовали гостей, которые пришли отпраздновать годовщину свадьбы Фредди и Сары, все любовались незабываемым закатом над Лонг-Айленд Саунд.

Сара выглядела восхитительно в белом платье. Мерцающая ткань соблазнительно облегала ее фигуру и делала похожей на юную богиню. Темные волосы были высоко заколоты, и она двигалась через толпу со спокойной грацией, приветствуя своих друзей и гостей родителей, и каждый говорил о том, как она повзрослела за прошедший год и насколько она стала красивей, чем была на свадьбе. Она составляла разительный контраст со своей располневшей сестрой Джейн, которая выглядела по-матерински трогательно в бирюзовом шелковом платье, скрывающем ее полноту.

— Мама хотела, чтобы я была в красном, но я больше люблю этот цвет, — шутила она со старыми друзьями, и Сара улыбнулась, проходя мимо. Она выглядела лучше и казалась счастливой, но Джейн все еще беспокоилась о ней.

— Сара так похудела.

— Она... Она болела в этом году.

Она еще больше похудела с тех пор, как у нее случился выкидыш, и Джейн считала, хотя Сара и не признавалась ей в этом, что она все еще чувствовала вину и горевала о потере ребенка.

— Детей еще нет? — постоянно спрашивали ее. — О, вам двоим уже пора начинать! Или кончать. — Она только улыбалась в ответ, а через час с начала вечера она вдруг заметила, что Фредди куда-то исчез. Час назад он был со своими друзьями возле бара, а потом, пока она встречала гостей, стоя рядом с отцом, его и след простыл. Она спросила лакея, и он ответил, что мистер ван Деринг уехал несколько минут назад в автомобиле с несколькими своими друзьями, и они направились к Саутгемптону.

— Они, возможно, поехали раздобыть кое-что, — мягко намекнул он Саре.

— Спасибо, Чарльз. — Он был их лакеем не один год и оставался в доме зимой, когда они уезжали обратно в город. Она знала его с детства и горячо любила.

Сара начала беспокоиться о том, что задумал Фредди. Он, возможно, отправился с друзьями в один из баров в Гемптон Бейс пропустить рюмку-другую, прежде чем вернуться к аристократизму вечера ее отца. Но ее волновало, насколько они будут пьяны, когда вернутся.

— Где же твой симпатичный муж? — поинтересовалась пожилая подруга ее матери, и она заверила ее, что Фредди через минуту спустится. Он поднялся, чтобы принести для нее шаль, объяснила она, и подруга подумала, что его внимание очень трогательно.

— Что-нибудь случилось? — подошла к ней Джейн, спросив об этом, понизив голос. Она наблюдала за Сарой последние полчаса. Джейн слишком хорошо знала сестру, чтобы ее могла ввести в заблуждение неестественная улыбка, не сходившая с лица Сары.

— Нет. Почему ты спрашиваешь об этом?

— Ты выглядишь так, словно у тебя в кармане змея.

При этих словах Сара только рассмеялась. На какой-то миг она вспомнила детство и почти забыла о том, что Джейн беременна. Будет так тяжело видеть ее в скором времени с ребенком, зная, что твоего ребенка больше нет и что другого уже не будет никогда. Они с Фредди ни разу не были близки с тех пор, как у нее случился выкидыш.

— Так где же змея? — спросила Джейн.

— Его в самом деле нет. — При этих словах Сары сестры рассмеялись в первый раз за долгое время.

— Я не это имела в виду... но действительно прелестное сравнение. С кем он ушел?

— Я не знаю. Но Чарльз сказал, что он уехал полчаса назад по направлению к городу.

— Что это значит? — Джейн поглядела на нее с тревогой. Что за головная боль для нее этот мальчишка, даже больше, чем они подозревали, если он не может вести себя достойно всего один вечер в доме ее родителей.

— Может быть, неприятность. Во всяком случае, попойку. Очень похоже, что попойку. Если повезет, он будет держаться вполне прилично... до позднего вечера.

— Мама будет довольна. — Джейн улыбалась, пока они стояли вместе и наблюдали за гостями, которые хорошо проводили время, чего нельзя было сказать о Саре.

— Отец был в приподнятом настроении. — Они обе снова рассмеялись, и Сара глубоко вздохнула и взглянула на нее: — Мне жаль, что я так ужасно вела себя с тобой последние несколько месяцев. Просто я... Я не знаю... Мне тяжело думать о твоем ребенке... — В ее глазах были слезы, и она снова отвернулась, и старшая сестра обняла ее.

— У меня все в порядке.

— Твой нос растет, Пиноккио.

— Ой, замолчи, — снова усмехнулась Сара, и вскоре они присоединились к остальным гостям. К тому времени, когда все рассаживались за столы, Фредди еще не вернулся. Его отсутствие, а также отсутствие его друзей было мгновенно замечено, когда гости сели за столы, накрытые на лужайке, на отведенные места, и почетное место Фредди, по правую руку от тещи, оказалось незанятым. Но прежде, чем кто-то успел прокомментировать это, а миссис Томпсон спросить Сару о том, где ее муж, раздался сумасшедший звук рожка, и Фредди в своем «паккарде» и четверо его друзей, крича, размахивая руками и смеясь, въехали на лужайку. Они подкатили прямо к столам и вышли из автомобиля с тремя местными девицами, одна из которых обвилась вокруг Фредди, в то время, как гости замерли от изумления, глядя на них. Юные леди были непросто местными девушками, а женщинами, которым платят за проведенный с ними вечер и оказанные услуги.

Пятеро молодых людей были пьяны и, очевидно, считали, что это самая забавная шутка из всех, какие им когда-либо удавалось проделать. Но их спутницы выглядели несколько неуверенно, когда увидели вокруг себя хорошо одетых и явно потрясенных людей. Девица, которая была с Фредди, попыталась убедить его отвезти их обратно в город, но к этому моменту сам черт им был не брат. Группа официантов попыталась убрать автомобиль, а их лакей Чарльз удалить девиц, а Фредди и его друзья путались у всех под ногами, спотыкаясь о гостей и приводя всех в замешательство. Фредди был хуже всех. Он ни в коем случае не хотел отпускать девицу, которую они привезли с собой. Не думая ни о чем и ничего не понимая, Сара встала, глядя на него глазами полными слез и вспоминая свадьбу, которая была всего лишь год назад, свои надежды и тот кошмар, каким стала ее жизнь после свадьбы. Эта девица была олицетворением того ужаса, каким оказался для нее прошедший год, и вдруг все это представилось ей страшным сном, и она стояла, наблюдая за ним, полная молчаливого гнева. Все было как в страшном фильме. Плохо только то, что она участвовала в нем.

— В чем дело, малышка? — обратился он к ней через несколько столов. — Ты не хочешь познакомиться с моей возлюбленной? — Он засмеялся, взглянув в лицо Саре, а Виктория Томпсон быстро пошла через лужайку к своей младшей дочери, которую от потрясения словно пригвоздили к месту, и она застыла, не испытывая никаких чувств. — Шейла, — продолжал он кричать, — это моя жена... а это ее родители. — Он важно помахал рукой, а гости с изумлением смотрели на него. Но к этому времени Эдвард Томпсон перешел к действию. Он и два официанта увели Фредди и девицу решительно и быстро, а остальных молодых людей также выпроводили вместе с их дамами в сопровождении группы официантов. Фредди немного сопротивлялся, когда тесть отвел его в маленький домик на берегу, в котором они переодевались. — В чем дело, мистер Томпсон, разве это не мой вечер?

— Нет, как видно, не ваш. И никогда не будет вашим. Нам следовало выбросить вас несколько месяцев назад. Но я смею заверить вас, Фредерик, обо всем этом мы позаботимся очень скоро. Вы немедленно уедете отсюда, на следующей неделе мы пришлем вам вещи, остальное вы услышите от моего адвоката в понедельник утром. Ваше время мучить мою дочь окончено. Пожалуйста, не возвращайтесь домой. Вам ясно? — голос Эдварда Томпсона гремел в крошечном домике. Но Фредди был слишком пьян, чтобы испугаться.

— Мне, мне... кажется, что папа немного огорчен! Не говорите мне, что вы время от времени не посещаете девочек. Пойдемте со мной, сэр... Я поделюсь этой с вами. — Он открыл дверь, они увидели, что девица поджидала Фредди.

Эдвард Томпсон начал трясти Фредди схватив его за лацканы пиджака, и силой своего гнева едва не приподнял его.

— Если я когда-нибудь увижу тебя снова, маленький мерзавец, я убью тебя. Теперь убирайся отсюда и держись подальше от Сары! — прорычал он, а девица тряслась от страха, глядя на него.

— Да, сэр. — Фредди отвесил проститутке пьяный поклон и предложил ей свою руку, и через пять минут он, его друзья и их «дамы» уехали. В это время Сара, удалившись в свою комнату, сидела там, вцепившись в Джейн, рыдая и настаивая, что все это к лучшему, что с самого начала жизнь была для нее кошмаром, что, может быть, это ее вина, потому что она потеряла ребенка, может быть, ребенок бы его изменил. Часть того, что она говорила, имело смысл, что-то нет, но все это вырвалось из самой глубины ее души. Быстро вошла Виктория, чтобы посмотреть, как она, но должна была вернуться к гостям, и осталась удовлетворена тем, что Джейн держит ситуацию в руках. Прием потерпел сокрушительное фиаско.

Этот вечер был долгим для всех присутствующих. Но каждый ел, как можно быстрее, несколько храбрецов танцевали, и все очень вежливо делали вид, что не обратили внимания на то, что произошло, а потом распрощались пораньше. К десяти часам никого из гостей не осталось, а Сара все еще лежала, рыдая, в своей спальне.

На следующее утро в доме Томпсонов, когда вся семья собралась в гостиной, состоялся серьезный разговор. Эдвард Томпсон объяснил Саре, что он сказал Фредди накануне вечером, и твердо посмотрел на нее.

— Решение примешь ты, Сара, — объявил он, и вид у него при этом был несчастный, — но мне хотелось бы, чтобы ты развелась с ним.

— Отец, я не могу... это было бы ужасно для любого... — она оглядела их всех, боясь смущения и стыда, которые она причинила бы им.

— Для тебя будет гораздо хуже, если ты вернешься к нему. Теперь я понимаю, через что ты прошла. — Когда он думал об этом, он чувствовал почти благодарность за то, что она потеряла ребенка. Он с грустью посмотрел на свою дочь. — Сара, ты любишь его?

Она долго колебалась, прежде чем ответила, а затем отрицательно покачала головой, глядя на свои руки, сложенные на коленях, проговорив почти шепотом:

— Я даже не знаю, почему я вышла за него замуж. — Она снова поглядела на них. — Тогда я думала, что люблю его, но я его даже не знала.

— Ты сделала ужасную ошибку. Ты была введена им в заблуждение, Сара. Это может случиться с каждым. Теперь мы должны решить эту проблему за тебя. Я хочу, чтобы ты позволила мне сделать это. — Эдвард ни единого мгновения не колебался в своем решении. Другие также кивнули в знак согласия.

— Так как? — Она чувствовала себя потерянной, словно снова была ребенком, и постоянно думала о всех тех людях, которые видели, как он опозорил ее накануне вечером. Сомнений быть не могло. Это было унизительно... привести проституток в дом ее родителей... Она проплакала всю ночь, и ее ужасало, что скажут люди про это страшное унижение для ее родителей.

— Я хочу, чтобы ты все предоставила мне. — Потом он подумал еще об одном. — Ты хочешь жить в Нью-Йорке?

Она посмотрела на него и покачала головой:

— Я ничего не хочу. Я хочу только вернуться домой с тобой и с мамой. — При этих словах ее глаза наполнили слезы, а мать нежно похлопала ее по плечу.

— Хорошо, ты поедешь, — взволнованно сказал он, в то время как Виктория вытирала ей слезы. Питер и Джейн крепко взяли ее за руки. Все это огорчало каждого из них, но Сара принесла им облегчение.

— А как вы с мамой? — Она печально смотрела на них обоих.

— Что мы?

— Вам не будет стыдно, если я разведусь? Я чувствую себя, словно я — эта ужасная женщина, Симпсон, — все будут говорить обо мне и о вас тоже. — Сара снова заплакала и закрыла лицо руками. Она была еще слишком молода и потрясена событиями последних месяцев. Мать быстро обняла ее и попыталась утешить:

— Что могут сказать люди, Сара? Что он был ужасным мужем, что ты была очень несчастлива? Что ты сделала ошибку? Абсолютно ничего. Тебе надо примириться с этим. Ты не сделала ничего плохого. Это Фредерику должно быть стыдно, но не тебе.

И снова остальные члены семьи кивнули в знак согласия.

— Но люди ужаснутся. Никто в нашей семье никогда не разводился.

— Так что же? Мне дороже твое счастье и безопасность. — Виктория Томпсон чувствовала вину и боль из-за того, что не поняла, насколько плохо обстоят дела у дочери. Одна Джейн подозревала, как сильно страдала сестра, но никто не слушал ее. Все они думали, что она чувствует себя несчастной из-за того, что у нее был выкидыш.

Сара по-прежнему находилась в подавленном состоянии, когда позднее Питер и Джейн уехали в Нью-Йорк, и на следующее утро, когда отец отправился на встречу со своим адвокатом. Виктория осталась с ней в Саутгемптоне, Сара была непреклонна в своем решении не возвращаться в Нью-Йорк. Она хотела спрятаться здесь навсегда, так она сказала, а больше всего она не хотела видеть Фредди. Она согласилась на развод, который предложил отец, но ее страшил весь ужас, который, как она предполагала, был связан с этим. Сара читала о разводах в газетах, и всегда они выглядели неприятно и приводили ее в смущение, но она была ошеломлена, когда Фредди позвонил ей вечером в понедельник, после разговора с адвокатом ее отца.

— Все в порядке, Сара. Думаю, это к лучшему для нас обоих. Мы просто не были готовы.

— Мы? — Она не могла поверить, что он в самом деле сказал это. Он даже не винил себя, он просто был счастлив от нее освободиться, во всяком случае, освободиться от ответственности, чтобы ему не докучали такие вещи, как дети.

— Ты не сердишься? — Сара была изумлена и чувствовала глубокую обиду.

— Совсем нет, малышка. — Последовало продолжительное молчание.

— Ты рад? — Снова молчание.

— Ты любишь задавать подобные вопросы, не так ли, Сара? Какая разница, что я чувствую? Мы сделали ошибку, а твой отец помогает нам ее исправить. Он — милый человек, и я думаю, что мы поступаем правильно. Мне жаль, если я доставил тебе какую-то неприятность... — Подобную плохому уикэнду и испорченному вечеру. Он не имел представления о том, каким для нее был прошедший год. Никто не мог вообразить этого. Он просто радовался, что избавился от всего, ей стало ясно это, пока она его слушала.

— Что ты собираешься теперь делать? — Она еще не выяснила для себя многого. Новое положение смущало ее. Она знала, что не хочет возвращаться в Нью-Йорк. Она не желала никого видеть и рассказывать кому-то о своем неудачном замужестве.

— Я думаю поехать на несколько месяцев в Палм-Спрингс. Или, может быть, на лето в Европу. — Он размышлял, строя планы, пока говорил.

— Звучит заманчиво.

Их разговор был похож на разговор двух незнакомых людей, и от этого ей снова стало грустно. Они совсем не знали друг друга, никогда, это была только игра, и она проиграла. Они оба в проигрыше. Но, кажется, его это не беспокоило.

2*

— Береги себя, — сказал он, словно старому другу или школьному товарищу, с которым он расстается на время, но они прощались навсегда.

— Спасибо. — Она сидела, тупо уставившись на телефон, пока держала трубку и слушала его.

— Мне сейчас лучше уехать, Сара. — Она молча кивнула. — Сара?

— Да... Мне жаль... Спасибо за то, что позвонил. — «Спасибо за ужасный год, мистер ван Деринг... Спасибо за то, что вы разбили мое сердце...» Она хотела спросить, любил ли он ее когда-нибудь, но не осмелилась. Да и стоило ли спрашивать, ответ она и так знает. Было очевидно, что он ее не любил, как не любил никого, даже самого себя.

Виктория видела переживания дочери. В таком состоянии она провела июль, а затем август и сентябрь. Единственное, что привлекло ее внимание в июле, — исчезновение Эмилии Эрхарт, а через несколько дней — вторжение японцев в Китай. Но большую часть времени она думала о разводе, и ее мучили стыд и вина. Она чувствовала себя даже хуже к тому времени, когда у сестры родилась дочка, но тем не менее поехала вместе с матерью в Нью-Йорк, чтобы навестить Джейн в больнице, и после того, как она повидала сестру, настояла на своем возвращении в Саутгемптон тем же вечером. Малышка была замечательная, и они назвали ее Марджори, но Сара стремилась снова остаться одна. Она теперь большую часть времени размышляла о прошлом, пытаясь понять, что с ней произошло. На самом деле все было гораздо проще, чем она думала. Просто она вышла замуж за человека, которого совершенно не знала, а он оказался ужасным мужем. Конец истории. Но она считала, что в этом есть ее вина, и убедила себя в том, что, если она будет жить вдали от людей, они забудут о ее существовании и не станут судить за ее грехи родителей. Так что ради их безопасности и ради своей собственной она стремилась к уединению.

— Ты не можешь исчезнуть на всю оставшуюся жизнь, Сара, — убеждал ее отец после Дня труда, когда они собирались переехать на зиму в Нью-Йорк. Фредди уехал в Европу, как и говорил, но его адвокаты прекрасно справились со всем сами, сотрудничая с адвокатами Томпсона. Слушание их дела было назначено на ноябрь, и ровно через год должен состояться развод. — Тебе необходимо вернуться в Нью-Йорк, — настаивал отец. Они не хотели оставлять дочь в Лонг-Айленд Саунд, словно стыдились ее. Но в своем безумии она сама себя стыдилась, и даже когда Джейн с малышкой приехала навестить ее в октябре и умоляла вернуться домой, она продолжала упорствовать..

— Я не хочу возвращаться в Нью-Йорк, Джейн. Я счастлива здесь.

— Мерзнуть всю зиму с Чарльзом и тремя старыми слугами в Лонг-Айленд Саунд? Сара, не глупи. Поедем домой. Тебе двадцать один год. Ты не можешь ставить крест на своей жизни. Ты должна начать все сначала.

— Я не хочу начинать сначала, — спокойно ответила она, не обращая никакого внимания на ребенка сестры.

— Не сходи с ума. — Упрямство Сары начинало раздражать Джейн.

— Что ты знаешь о жизни? У тебя муж, который любит тебя, и двое детей. Ты никогда не была обузой, стыдом и позором для семьи. Ты великолепная жена, дочь, сестра, мать. Что ты знаешь о моей жизни? Абсолютно ничего! — Она была в ярости, но не на Джейн, и та знала это. Она злилась на себя, на свою судьбу... и на Фредди. Но, взглянув на свою сестру, она мгновенно раскаялась: — Прости меня, Джейн, я просто хочу побыть здесь одна. — Она даже не могла как следует объяснить это.

— Почему? — Джейн ничего не могла понять. Сара была молода и красива, она не единственная, переживающая развод, но вела себя она так, словно ее обвиняли в убийстве.

— Я никого не хочу видеть. Ты можешь понять это?

— И сколько это будет продолжаться?

— Может быть, всегда. Это достаточно долго? Теперь тебе понятно? — Сара отчаянно не хотела отвечать на вопросы сестры.

— Сара Томпсон, ты сумасшедшая. — Отец настоял, чтобы она взяла назад свое собственное имя, как только он подал заявление о раздельном проживании.

— Я имею право поступать так, как я хочу, это моя жизнь. Я могу постричься в монахини, если пожелаю, — упрямо заявила она своей сестре.

— Сначала ты должна стать католичкой. — Джейн усмехнулась, но Саре не показалось это забавным. Она с рождения была членом епископальной церкви. И Джейн подумала, что у Сары слегка помутился рассудок. Но, может быть, через некоторое время она справится с собой. Они все надеялись на это, но после разговора с сестрой у Джейн появилось сомнение.

Сара оставалась тверда, отказываясь возвращаться в Нью-Йорк. Виктория потратила много времени, собрав и упаковав все вещи в нью-йоркской квартире, потому что Сара заявила, что не хочет их больше видеть. Она приехала в ноябре в Нью-Йорк на слушание своего дела в черном платье и с траурным лицом. Красивая и испуганная, она стоически прошла через бракоразводный процесс.

И как только все было закончено, она снова уехала в Лонг-Айленд. Каждый день Сара отправлялась в долгие прогулки по побережью, даже в самую плохую и холодную погоду, когда ветер хлестал ей в лицо до тех пор, пока ей не начинало казаться, что оно кровоточит. Она все время читала и писала письма матери, Джейн и некоторым своим старым друзьям. Но, по правде говоря, у нее все еще не было желания видеть их.

Все они приезжали в Саутгемптон на Рождество, но Сара почти с ними не разговаривала. Единственный раз она упомянула о разводе в разговоре с матерью, когда они слушали по радио о герцоге и герцогине Виндзорских. Она чувствовала горькое родство с Уоллис Симпсон. Но Виктория уверяла ее, что у нее нет ничего общего с этой женщиной.

С приходом весны она снова хорошо выглядела, и в глазах, наконец, появился прежний блеск. К тому времени она заговорила о том, что ей хотелось бы найти фермерский дом где-нибудь в уединенном месте на Лонг-Айленде и постараться взять его внаем или даже купить.

— Это глупо, — прорычал ее отец. — Я прекрасно понимаю, что тебе было необходимо какое-то время, чтобы пережить все, но я не собираюсь позволить тебе похоронить себя на Лонг-Айленде на всю жизнь, словно отшельнику. Ты можешь оставаться здесь до лета, а в июле мы с твоей матерью возьмем тебя с собой в Европу. — Ему пришла в голову эта мысль неделю назад. Виктория и даже Джейн сочли, что это блестящая идея и как раз то, что нужно Саре.

— Я не поеду. — Она смотрела на него с упрямством, но выглядела здоровой и сильной и еще красивее, чем всегда. Ей пора было снова возвращаться в мир, понимала она это или нет. И если она не согласится поехать с. ними, они приготовились заставить ее.

— Ты поедешь, или мы заставим тебя.

— Я не хочу натолкнуться на Фредди, — слабо возразила она.

— Он пробыл всю зиму в Палм-Бич.

— Откуда ты знаешь? — Ей было любопытно, не разговаривал ли с ним ее отец.

— Я говорил с его адвокатом.

— В любом случае я не хочу ехать в Европу.

— Это неприятно, но в любом случае ты поедешь.

Тогда она вылетела из-за стола и долго бродила по берегу, но, когда она вернулась, отец поджидал ее недалеко от дома. Он видел, как она страдала весь прошедший год, и это едва не разбило его сердце. Она переживала свое неудачное замужество, потерю ребенка, ошибки, которые она совершила, и горькое разочарование. Сара удивилась, увидев его, когда возвращалась с берега сквозь высокую траву дюн.

— Я люблю тебя, Сара. — Первый раз отец говорил ей об этом такими словами, и они каплями бальзама упали на ее исстрадавшееся сердце. — Твоя мать и я очень любим тебя. Мы, может быть, не знаем, как помочь тебе забыть обо всем, что случилось, но мы хотим попытаться... пожалуйста, позволь нам это сделать.

На глазах у нее выступили слезы. Отец обнял ее и долго не отпускал, пока она плакала у него на плече.

— Я тоже люблю тебя, папа... Я тоже люблю тебя... Мне так жаль...

— Ни о чем не жалей больше, Сара... Просто будь счастливой... Будь снова девочкой, какой ты была до того, как все это случилось.

— Я попытаюсь. — На мгновение она высвободилась из его объятий, чтобы взглянуть на него, и увидела, что он тоже плачет. — Мне жаль, что я так горевала.

— Все в порядке! — Он улыбнулся сквозь слезы. — Ты должна была пройти через это!

Они оба рассмеялись и медленно, рука об руку, направились к дому, а он молча молился, чтобы им удалось увезти ее в Европу.

Глава 4

«Королева Мария» гордо стояла на своем месте у пирса 90, на реке Гудзон. Везде были следы празднества. Большие красивые чемоданы все еще заносили на борт. Было огромное количество цветов, и шампанское лилось рекой во всех каютах первого класса. Томпсоны прибыли в разгар этого веселья, с ручной кладью, их чемоданы были отправлены заранее. Виктория Томпсон была неотразима в белом костюме и большой соломенной шляпе. Им предстояло волнующее путешествие. Они не были в Европе несколько лет, и они мечтали встретиться со старыми друзьями на юге Франции и в Англии.

Сара отказывалась ехать с ними до самого последнего момента. И, наконец, Джейн удалось уговорить ее. Она вступила со своей младшей сестрой в состязание — кто кого перекричит, обвиняя в трусости и сказав ей, что не ее развод убьет их родителей, а ее отказ снова вернуться к жизни, и что они все совершенно измучены этим, и ей лучше сдержать свои удары, и поскорее. На самом деле причины нападок сестры не дошли до Сары, но она была лишена самообладания волной гнева и ярости, слушая то, что говорила Джейн, и настоящий гнев, который она почувствовала, кажется, возродил ее.

— Ладно, хорошо! — в свою очередь закричала она на Джейн, замахнувшись на нее вазой. — Я поеду в это проклятое путешествие, если ты считаешь, что это так важно для них. Но никто из вас не сможет распоряжаться моей жизнью. А когда вернусь, я немедленно поеду в Лонг-Айленд, и я не хочу ни от кого слышать никакой чепухи о том, что я делаю с их жизнями. Эта жизнь — моя, и я собираюсь, будь я проклята, прожить ее так, как хочу! — Она тряхнула головой, и черные волосы, словно крылья ворона, взметнулись вверх. Зеленые глаза ее сердито метали гневные молнии. — Какое право имеет кто-либо из вас решать, что для меня полезнее, — воскликнула она,

переполняемая новой волной гнева. — Что вы знаете о
моей жизни?

— Я знаю, что ты тратишь ее зря! — Джейн не ус-
тупала ни на йоту. — Ты весь прошлый год прожила здесь,
как столетняя затворница, и сделала отца и мать несчаст-
ными. Мы не можем видеть, что ты с собой делаешь.
Тебе нет еще двадцати двух!

— Благодарю, что ты мне напомнила об этом. А если
вам так больно видеть меня, я постараюсь после возвращения уехать побыстрее. Во всяком случае, я хочу найти
свое место в жизни, об этом я сказала отцу несколько
месяцев назад.

— Да, правильно, покосившийся амбар в Вермонте или
разрушенный фермерский дом в глуши Лонг-Айленда... Может, найти какое-то другое наказание? Что ты скажешь о
власянице и пепле? Ты не думала об этом или для тебя
это слишком сложно? Тебя привлекает убогий дом с про-
худившейся крышей, который невозможно обогреть, чтобы мать беспокоилась, не схватишь ли ты пневмонию. Должна
признаться, это великое испытание. Сара, ты начинаешь
досаждать мне, — набросилась она на сестру, в ответ Сара
выбежала из комнаты и так хлопнула дверью, что со стен
сорвалось несколько картин.

— Она избалованный ребенок! — заявила Джейн впоследствии родителям, все еще кипя от злости. — Я не понимаю,
почему вы носитесь с ней, почему не заставите вернуться обратно в Нью-Йорк и жить, как все нормальные люди.

В мае в «Нью-Йорк Таймс» было опубликовано объявление о помолвке Фредди с Эмилией Астор.

— Как мило с его стороны, — саркастически заметила Джейн, когда услышала об этом, но Сара не обмолвилась ни словом, хотя вся семья знала, что новость глубоко
задела ее. Эмилия была одной из ее самых давних подруг
и очень далекая кузина.

— Как я могу заставить ее изменить образ жизни? — спросил отец. — Продать дом? Привезти ее обратно в Нью-Йорк
в смирительной рубашке? Она взрослая женщина, Джейн,
и мы не можем приказывать ей.

— Саре невероятно повезло, что вы носитесь с ней. Мне кажется, ей уже давно пора прийти в себя.

— Наберись терпения, — спокойно заметила Виктория.

И этим вечером Джейн уехала в Нью-Йорк, не попрощавшись с сестрой. Сара ушла на берег и долго бродила по песчаному пляжу, а потом уехала в старом «форде», который ее отец держал здесь для лакея Чарльза. Но, несмотря на свою решимость держаться подальше от общества, слова Джейн, очевидно, запали ей в душу. В июне она спокойно согласилась поехать с родителями в Европу. Однажды вечером она как бы мимоходом обронила об этом за обедом. Виктория в изумлении подняла на нее глаза, а отец захлопал в ладоши, услышав новость. Он как раз собирался отказаться от забронированных билетов и оставить эту идею, так как Сара решительно не хотела ехать с ними. Он счел, что, если они потащат ее в Европу, как подневольную пленницу, это никому не принесет никакой пользы.

Он не осмеливался спросить ее, что она, наконец, решила. Они все были обязаны Джейн за эту перемену, хотя, конечно, Саре никто не сказал ни слова. Когда днем Сара вышла из автомобиля у 90-го пирса, она выглядела красивой, стройной и очень серьезной в своем простом черном платье и в очень простой черной шляпке, которую раньше носила ее мать. Когда люди смотрели на нее, их поражали ее красота и неизбывная грусть, как у юной вдовы.

— Ты не могла бы надеть что-нибудь повеселее, дорогая? — спросила ее мать, когда они уезжали из дома, но Сара только пожала плечами. Она согласилась поехать, чтобы поднять им настроение, но это не значит, что она будет развлекаться и менять постоянно наряды.

Перед отъездом она нашла на Лонг-Айленде превосходный дом, старую заброшенную ферму с маленьким коттеджем, крайне нуждающимся в ремонте, недалеко от океана, с десятью акрами неухоженной земли. После возвращения она собиралась поговорить со своим отцом о его покупке. Она считала, что никогда больше не выйдет замуж, и хотела иметь собственный дом, в котором она будет жить, а фермерский дом в Гласе Холлоу ее вполне устраивал.

Этим утром они в полном молчании выехали из дома. Она думала о путешествии, удивляясь, зачем уступила уговорам. Но если во время поездки она заставит их понять, что она хочет вернуться к нормальной жизни, тогда, может быть, ее отец будет более сговорчив и купит ей маленькую ферму после возвращения из Европы. Если это произойдет, поездка стоит того. Ей очень нравилась идея отремонтировать старый дом, и она едва могла дождаться, когда сможет приступить к осуществлению своего замысла.

— Ты такая притихшая, дорогая, — сказала ее мать, нежно похлопав Сару по плечу, когда они ехали в порт. Они были так счастливы, что она едет с ними. Это снова вернуло им надежду, главным образом потому, что никто из них не догадывался, как решительно она была настроена возобновить свою одинокую жизнь, как только они вернутся в Америку. Если бы они знали об этом, они только больше загрустили бы.

— Я просто думаю о путешествии.

Отец улыбнулся и тихо заговорил с матерью о телеграммах, которые они послали друзьям. Поездка была спланирована на два месяца: Канны, Монако, Париж, Рим и, конечно, Лондон.

Мать продолжала рассказывать Саре о старых друзьях в Европе, когда они подходили к трапу. Сара привлекала всеобщее внимание своим загадочным видом. Лицо под вуалью было таким серьезным и юным. Она была похожа на испанскую принцессу. И люди заинтригованно смотрели на нее, интересуясь, кто же она. Одна дама сделала предположение, что это кинозвезда, и она, конечно, где-то ее видела. Эти замечания позабавили бы Сару, если бы она слышала, что о ней говорят. Но она совсем не обращала внимания на людей, мимо которых они проходили, на элегантную одежду, изящные прически, парад драгоценностей, хорошеньких женщин и красивых мужчин. Она хотела поскорее очутиться в своей каюте. А когда нашла ее, там уже ждали Питер и Джейн с Марджори и двухлетним Джеймсом, который бегал по палубе, недале-

ко от каюты. Марджори несколько дней назад сделала первые
шаги и теперь неуверенно, покачиваясь, ступала по палубе. Сара очень обрадовалась, увидев их здесь, особенно
Джейн. Сестры снова стали хорошими друзьями, особенно когда Сара объявила, что едет в Европу.

Они захватили с собой две бутылки шампанского, а стюард
открыл еще одну, пока они стояли у каюты Сары и болтали. Ее
каюту отделяла от каюты родителей гостиная, достаточно про-
сторная, чтобы разместить в ней большое детское пианино, которое Джеймс не сразу обнаружил, и теперь, довольный, колотил
по клавишам, пока мать не остановила его.

— Ты полагаешь, мы должны повесить на наружные двери
объявление, что Джеймс не едет с вами? — усмехнувшись,
спросил Питер.

— Это было бы полезно для его музыкального образова-
ния, — снисходительно улыбнулась бабушка. — Кроме того,
нам будет, что вспомнить о нем во время путешествия. — Джейн
заметила, как строго была одета ее сестра, но должна была
признать, что выглядела она великолепно. Она всегда была
более эффектной из них двоих, сочетая черты обоих родителей.

Джейн унаследовала от своей матери мягкую красоту блондинки. Ирландскую внешность ей дал отец.

— Надеюсь, вы хорошо проведете время, — сказала Джейн
с улыбкой, довольная тем, что Сара все же уступила просьбе
родителей. Им хотелось, чтобы она завела себе новых друзей,
увидела новые места, а по возвращении домой возобновила
прежние знакомства. В прошедшем году ее жизнь была такой
одинокой, тусклой и невероятно грустной. Джейн не могла себе
представить, как можно жить так, как жила в прошлом году
Сара. И кроме того, она не могла даже вообразить себе жизнь
без Питера. Они покинули корабль, когда дали свисток, и,
ожив, заревела пароходная труба, а стюарды кружили по залу,
звоня в колокольчики и торопя провожающих сойти на берег.
Последовал шквал поцелуев и объятий, люди что-то кричали
друг другу, осушались последние бокалы шампанского, заблес-
тели на глазах слезы, и, наконец, последние провожающие сошли с трапа. Томпсоны стояли на палубе и махали Питеру и
Джейн. Джеймс ерзал на руках отца, а Джейн держала Мар-

джори. Виктория Томпсон со слезами смотрела на них. Два месяца разлуки — слишком долгий срок, но она должна помочь Саре.

Эдвард Томпсон был доволен. Все шло хорошо. Они везли Сару в Европу.

— Чем мы теперь займемся? Погуляем по палубе? — Он предвкушал радость встречи со старыми друзьями и был взволнован тем, что им удалось убедить Сару совершить путешествие.

— Я распакую вещи, — сообщила Сара.

— Это могут сделать стюарды, — объяснила мать.

— Мне бы хотелось самой заняться этим, — повторила она, и вид у нее был унылый, несмотря на праздничную атмосферу, царящую на корабле.

— Мы встретимся с тобой в столовой за ленчем?

— Я, возможно, вздремну. — Она попыталась улыбнуться им, думая при этом о том, как трудно ей будет в предстоящие два месяца постоянно находиться с ними. Она одна лечила свои душевные раны и предпочитала никому не показывать оставшиеся шрамы. Саре неприятно было выслушивать слова ободрения, постоянные попытки отвлечь ее от грустных мыслей. Она полюбила свою новую жизнь после развода с Фредди ван Дерингом.

— Может быть, тебе лучше побыть на воздухе? — настаивала ее мать. — У тебя может начаться морская болезнь, если будешь проводить слишком много времени в каюте.

— Если я почувствую себя плохо, выйду на свежий воздух. Не беспокойся, мама. У меня все прекрасно, — сказала она, но родители с грустью посмотрели ей вслед, когда она направилась в свою каюту.

— Что нам делать с ней, Эдвард? — Виктория с мрачным видом прогуливалась вместе с мужем по палубе, бросая взгляды на других пассажиров и не переставая думать о Саре.

— С ней нелегко. Я предупреждал тебя об этом. Интересно, на самом деле она так несчастна, как кажется, или притворяется. — Он больше не был уверен, что понимает ее. Временами его дочери были загадкой.

— Иногда мне кажется, что у нее стало привычкой чувствовать себя несчастной, — ответила ему Виктория. — Думаю, сначала она на самом деле обезумела от горя, была обижена, разочарована и потрясена скандалом, который учинил Фредди. Но в последние полгода у меня появилось ощущение, что она действительно наслаждается жизнью, которую ведет. Не знаю почему, но ей нравится ее затворничество. Раньше она всегда была общительной, более озорной, чем Джейн. Но она словно забыла, какой она была до замужества.

— И чем скорее она вернется к прежней жизни, тем лучше. Это ее глупое затворничество просто ненормально. — Он был полностью согласен со своей женой, у него тоже появилось ощущение, что последние несколько месяцев ей стала нравиться ее жизнь. Сара выглядела умиротворенной, более зрелой, но несчастной.

Когда после прогулки они пошли на ленч, Сара спокойно сидела в своей каюте и писала письмо Джейн. Она уже давно обходилась без ленча. Обычно в это время она совершала продолжительную прогулку по берегу, поскольку редко бывала голодна.

Родители заглянули к ней после ленча, застали ее лежащей на постели, все еще в черном платье. Глаза у нее были закрыты, но Виктория подозревала, что Сара на самом деле не спит. Они оставили ее одну, а через час, когда они вернулись, она переоделась в серый свитер и широкие спортивные брюки и читала книгу, удобно устроившись в кресле, отрешенная от всего.

— Сара? Погуляем по палубе? Магазины — сказочные. — Виктория Томпсон не сдавалась.

— Может быть, позднее. — Сара не отрывала глаз от книги, а услышав, что дверь закрылась, решила, что мать вышла из каюты. Тогда она со вздохом подняла глаза и вздрогнула от неожиданности, увидя перед собой мать. — Ой... я думала, ты ушла.

— Я знаю, что ты так думала. Сара, я хочу, чтобы ты вышла со мной на прогулку. Я не намерена все путешествие упрашивать тебя выйти из своей каюты. Ты согласилась ехать с нами, теперь попытайся приятно провести время, иначе ты

испортишь весь отдых, особенно отцу. — Они всегда так
беспокоились друг о друге, иногда это забавляло Сару, но сейчас раздражало ее.

— Почему? Какая разница, буду ли я все время с вами?
Мне нравится быть одной. Почему всех это так огорчает?

— Потому что это ненормально. Это ненормально для девушки твоего возраста все время быть одной. Тебе необходимы
люди, жизнь и впечатления.

— Почему? Кто может решить это за меня? Кто сказал,
что в моем возрасте необходимо волнение? Мне не нужно волнение. Я уже поволновалась, и с меня достаточно. Почему вы
никак не можете этого понять?

— Я понимаю тебя, дорогая. Ты пережила разочарование. Ты потеряла веру в то, что было свято для тебя.
Ты приобрела ужасный опыт, и мы не хотим, чтобы ты
еще раз прошла через это. Ты должна снова жить полнокровной жизнью. Ты непременно должна изменить образ жизни, или ты зачахнешь и умрешь духовно.

— Откуда ты знаешь это? — Сара была огорчена словами матери.

— Мне сказали твои глаза, — мудро ответила Виктория. — Я вижу твой потухший взгляд, какую-то боль,
одиночество и грусть. В них мольба о помощи, и ты не
можешь запретить нам помочь тебе. — Сара слушала со
слезами на глазах. Виктория подошла к ней и нежно обняла. — Я очень люблю тебя, Сара. Пожалуйста, попытайся... пожалуйста, попытайся снова стать собой. Доверься
нам... мы никому не позволим обидеть тебя.

— Но вы не представляете себе, как это было. — Сара
заплакала, как ребенок, стыдясь своих чувств и своей слабос-
ти. — Это было так ужасно... и так обидно... Его никогда не
было, а когда он был, это было...

Она не могла продолжать, она просто плакала, не находя
слов, чтобы описать свои чувства, пока мать гладила ее длинные шелковистые волосы.

— Я знаю, дорогая... я знаю... Это, должно быть, было
ужасно. Но это кончилось. И все позади. Твоя жизнь
только начинается. Не отказывайся от нее, дай себе еще

шанс. Оглянись вокруг, почувствуй дуновение бриза, запах цветов, позволь себе снова наслаждаться жизнью. Пожалуйста...

Сара, вцепившись в мать, слушала ее слова и, наконец, сказала ей, что она чувствовала:

— Я не могу больше... Я слишком боюсь...

— Но я здесь, с тобой. — До сих пор они были не в состоянии помочь ей — до самого конца, пока, наконец, они не вытащили ее из этого. Но они не могли заставить Фредди вести себя прилично, или приходить домой вовремя, или отказаться от своих подружек и проституток, и они были не в состоянии спасти ребенка. Ей тяжело далось понимание того, что бывают времена, когда никто не может тебе помочь, даже родители.

— Ты должна попытаться еще раз, любимая. Совсем крошечными шагами. Отец и я будем здесь, с тобой. — И она взглянула в глаза дочери. — Мы очень, очень любим тебя, Сара, и мы не хотим, чтобы тебе снова причинили боль.

Сара закрыла глаза и глубоко вздохнула.

— Я попытаюсь. — Потом она снова открыла глаза и взглянула на мать. — Я на самом деле попытаюсь. — Но затем она испугалась. — А вдруг я не смогу?

— Чего ты не сможешь сделать? — Мать улыбнулась ей. — Не сможешь пойти на прогулку с отцом и со мной? Не сможешь с нами пообедать? Не сможешь встретиться с кем-то из наших друзей? Я думаю, ты сможешь. Мы не просим слишком многого, а если тебе будет трудно, ты скажешь нам. — Фредди искалечил ее, и она знала это. Теперь вопрос был в том, сможет ли она излечиться и справиться с этим; только бы она справилась. — Не пойти ли нам погулять?

— Я ужасно выгляжу. Глаза опухли. А нос всегда краснеет, когда я плачу. — Она засмеялась сквозь слезы.

— Какая чепуха! У тебя нормальный нос. — Сара вскочила с кресла, чтобы взглянуть на себя в зеркало.

— Это чересчур! Посмотри на него, он похож на красную картошку!

— Дай мне посмотреть... — Виктория прищурилась, рассматривая нос Сары, и покачала головой. — Никто ничего не заметит, если ты ополоснешь лицо холодной водой и причешешься, и можешь даже немного подкрасить губы.

— Я не взяла с собой губную помаду. — Сара уже несколько месяцев не пользовалась косметикой и не знала, стоит ли ей краситься, но была тронута словами матери.

— Я дам тебе свою. Но ты и без помады хорошо выглядишь. А я без косметики как лист белой бумаги.

— Вовсе нет, — запротестовала Сара, когда мать направилась в свою каюту за помадой. Через минуту она вернулась. Сара послушно сполоснула лицо холодной водой и причесалась. В свитере и спортивных брюках она снова выглядела, как молоденькая девушка. Виктория взяла ее за руку, и они вышли из каюты.

Эдварда они нашли на верхней палубе, удобно устроившегося в шезлонге и нежащегося на солнце. Неподалеку два привлекательных молодых человека играли в карты. Он намеренно занял ближайший к ним шезлонг в надежде, что Виктория вскоре появится с Сарой, и был в восторге, увидев их.

— Что вы намерены делать? Пойти за покупками?

— Пока нет. — Виктория выглядела довольной, а Сара улыбалась, не обращая внимания на двух молодых мужчин, которых приметил ее отец. — Мы решили, что сначала погуляем и попьем с тобой чай, а затем опустошим магазины и истратим все твои деньги.

— Я брошусь за борт, если вы меня разорите.

Обе женщины засмеялись, а два молодых человека посмотрели на Сару, один из них с заметным интересом. Но она отвернулась и пошла с отцом погулять по палубе. Когда они беседовали, Эдвард Томпсон был поражен, как много его дочь знает о мировой политике. Она, очевидно, последнее время следила за публикациями в газетах и журналах. Он был просто поражен ее умом и проницательностью и тем, как много знала. Она не тратила времени впустую в своем уединении. Они обсудили гражданскую войну в Испании, аннексию Гитлером Австрии в марте и значение этого события, и многое другое.

— Откуда ты все это знаешь? — поинтересовался отец, на которого ее знания произвели большое впечатление. Беседа с ней доставила ему удовольствие.

— Я очень много читала. — Она смущенно ему улыбнулась. — Ты знаешь, мне больше нечего было делать. — Они обменялись теплыми улыбками. — Как ты думаешь, что произойдет, папа? Гитлер начнет войну? Он, кажется, хочет ускорить это, и думаю, объединение Рима и Берлина может быть очень опасным. Особенно, учитывая то, что делает Муссолини.

— Сара, — он остановился, пристально глядя на нее, — ты меня изумляешь.

— Спасибо. — Они еще некоторое время прогуливались, обсуждая то, сколь глубока опасность войны в Европе, и ему отчаянно не хотелось прекращать прогулку, когда прошел час. Он увидел ее такой, какой совершенно не знал. Такая Сара была совершенно не нужна ван Дерингу. Они продолжали оживленную беседу за чаем, и Эдвард изложил свою теорию о том, что Соединенные Штаты никогда не будут втянуты в войну в Европе.

— Жаль, что мы не едем в Германию, — заметила Сара, удивляя своего отца, — мне хотелось бы ощутить, что там происходит, и, может быть, даже побеседовать с людьми.

Слушая ее, он радовался тому, что они туда не едут. Вовлекать Сару в опасный мир политики не входило в его планы. Интересоваться мировой политикой, быть осведомленной, даже до такой степени, как она, было крайне редким качеством, особенно для женщины, но поехать туда, чтобы вкусить опасность, на такое он никогда бы не согласился.

— Я думаю, как раз хорошо, что мы посетим Англию и Францию. Я даже не уверен, что нам следует ехать в Рим. Пожалуй, мы решим это, когда будем в Европе.

— Где твой дух приключений, папа? — подтрунивала она над ним, но он покачал головой, он был намного мудрее ее.

— Я слишком стар для этого, моя дорогая. А ты должна носить красивые платья и посещать вечера.

— Как скучно. — Она прикинулась скучающей, и ее отец рассмеялся.

— Вы поразительны, мисс Сара. — Неудивительно, что она была несчастна с ван Дерингом и укрылась в Лонг-Айленде. Она оказалась слишком умна для него и большинства молодых людей из его окружения.

Прошло три дня, и Сара уже спокойно гуляла по кораблю. Она по-прежнему держалась обособленно и не проявляла особого интереса к молодым людям, но она обедала вместе с родителями в ресторане, а накануне вечером они ужинали за столом капитана.

— Вы ни с кем не обручены, мисс Томпсон? — подмигнув, поинтересовался капитан Ирвин. Виктория затаила дыхание.

— Нет, не обручена, — холодно ответила Сара, и на щеках ее появился легкий румянец. Рука немного дрожала, когда она ставила стакан с вином.

— Какая удача для молодых людей в Европе.

Сара сдержанно улыбнулась, но эти слова, словно острый нож, вонзились в ее сердце. Нет, она не обручена, она ждет развода, который состоится в ноябре, через год после слушания дела. Развод. Она чувствовала себя погибшей женщиной. Но здесь на корабле никто не знал об этом, и она была за это благодарна. Будет совсем хорошо, если и в Европе никто об этом не узнает.

Капитан пригласил ее на танец. Она была очень красива в голубом атласном платье, которое мать заказала для нее перед свадьбой с Фредди. Платье было частью ее приданого, и когда этим вечером она надела его, она почувствовала, как ком подкатил к горлу. Когда высокий, светловолосый молодой человек пригласил ее танцевать сразу после капитана, она, кажется, долго колебалась и, наконец, вежливо кивнула.

— Откуда вы? — По его акценту она определила, что он англичанин.

— Из Нью-Йорка.

— Вы направляетесь в Лондон? — Он был рад, что ему удалось потанцевать с ней. Несколько дней он наблюдал за Сарой и успел заметить, что она неуловима и немного пуглива. Сара намеренно была рассеянна с ним, ей не хотелось поддерживать беседу. Ей было неприятно внимание ее партнера, к тому же, как ни странно, он слегка напоминал ей Фредди.

— Где вы остановитесь?

— У друзей моих родителей, — солгала она, прекрасно зная, что для них забронированы номера в «Кларидже» и что они пробудут в Лондоне по меньшей мере две недели, но у нее не было никакого желания встречаться с ним. И, к счастью для нее, танец кончился быстро. Он пытался продолжить ухаживать после танца, но она не поощрила его, и он, поняв намек, вернулся к своему столику.

— Я вижу, молодой лорд Винтроп не в вашем вкусе, — подтрунивал над ней капитан. Он был лучшим кавалером на корабле, и все молодые леди преследовали его. Все, за исключением держащейся в стороне мисс Томпсон.

— Совсем нет. Я просто не знаю его, — сдержанно ответила Сара.

— Хотите, я вас официально представлю? — предложил капитан, но Сара только улыбнулась и покачала головой.

— Нет, спасибо, капитан. — После этого она танцевала с отцом, а капитан обсудил с Викторией ум и красоту ее дочери.

— Она необыкновенная девушка, — сказал он с восхищением. Он наслаждался беседой с ней точно так же, как ее отец в течение предыдущих пяти дней. — И такое безукоризненное поведение. Не могу себе представить, чтобы у вас были с ней какие-то затруднения.

— Вы совершенно правы, — улыбнулась Виктория, гордясь своей младшей дочерью, — за исключением того, что она слишком хорошо себя ведет. — Викторию обескуражило полное равнодушие Сары к молодому лорду Винтропу. Это не сулит ничего хорошего молодым людям в Европе. — Она пережила большое разочарование, — призналась Виктория капитану, — и я боюсь, что какое-то время она будет сторониться молодых людей. Мы надеемся, что она развеется в Европе.

— Понимаю, — кивнул он. Это объясняло полное отсутствие у нее интереса к Филиппу Винтропу. — Она не из тех молодых женщин, которым легко найти мужчину, — сказал он с уважением. — Она слишком умна, чтобы интересоваться всякой чепухой. Возможно, ей нужен мужчина постарше. — Девушка понравилась ему, и он задумался над ее судьбой. Потом он улыбнулся Виктории и сказал: — Вам повезло. Сара — красивая девушка, надеюсь, она найдет себе прекрасного мужа.

Виктории было интересно, все ли думают, что они едут в Европу за мужем для Сары.

— Нам следует сегодня пораньше лечь спать. Завтра у нас тяжелый день. — Из Шербурга им предстояло сразу отправиться в Париж. Сара никогда не была в Париже, и их ожидал напряженный график осмотра достопримечательностей. Они должны были остановиться в «Рице», а через неделю переехать в Довилль, а затем в Биарриц, чтобы повидаться с друзьями, а затем неделю провести на Ривьере, в Каннах и еще несколько дней в Монте-Карло со старыми друзьями. И после всего этого они собирались отправиться в Лондон.

Корабль вошел в док в Шербурге в восемь часов утра, и Томпсоны сели на борт шлюпки в приподнятом настроении. Эдвард обсудил с ними список мест, которые, он считал, Сара обязательно должна посетить, среди них Тюильри, Версаль, Мальмезон, Эйфелеву башню и, конечно, могилу Наполеона. Когда все было перечислено, Виктория Томпсон удивленно посмотрела на мужа.

— Я не вижу в этом списке магазинов Шанель... Диора... Ты забыл о них, дорогой? — В этом году в Париже были в моде фиолетовый и розовато-лиловый цвета, и Виктория торопилась купить что-нибудь для себя и Сары.

— Я постараюсь включить их в наш маршрут, дорогая. — Он добродушно улыбнулся. — Я и не рассчитывал, что ты позволишь мне совсем забыть об этом... — Он наслаждался своей снисходительностью к жене.

Их комнаты в «Рице» были превосходны. Сара занимала отдельный номер с видом на Вандомскую площадь. Оставшись одна, она должна была признаться себе, что в этом одиночестве было что-то сладостно-горькое.

Тяжело вздохнув, она забралась в огромную постель под стеганое ватное одеяло, а утром они отправились в Лувр и провели там несколько часов. Это был радостный день для ее родителей, как, впрочем, и все путешествие, потому что Сара во всем проявляла уступчивость. В Париже жила давняя подруга матери Эдварда, которая пригласила их к себе на чай на улицу Якобинцев. Сара наслаждалась музеями, соборами и магазинами и обществом своих родителей.

В Довилле она чувствовала себя более напряженно, потому что знакомые ее родителей, которых они посещали, настаивали на том, чтобы Сара встретилась с их сыном, и делали все возможное, чтобы вызвать у них обоюдный интерес. Молодой человек заинтересовался Сарой, но ей он показался непривлекательным, невежественным и невероятно скучным. И пока они жили в Довилле, она старалась избегать встречи с ним. Точно так же в Биаррице ей навязывали двух братьев, а в Каннах — внука, если не считать двух «очаровательных» молодых людей, которых ей представили. К концу пребывания на Ривьере Сара была в мрачном настроении и почти не разговаривала с родителями.

— Дорогая, тебе понравилась Ривьера? — невинно спросила Виктория, когда они упаковывали вещи, готовясь к завтрашнему отъезду в Лондон.

— Нет, нисколько, — резко ответила Сара. — Совсем не понравилось.

— В самом деле? — мать взглянула на нее с изумлением: она считала, что Сара прелестно провела время. Они были на нескольких яхтах, значительную часть времени провели на побережье и посетили несколько блестящих приемов. — Как жаль.

— Я хочу поговорить с тобой, мама. — Сара посмотрела ей прямо в лицо и отложила белую блузку, которую собиралась упаковать. — Я приехала в Европу не для того, чтобы найти другого мужа. Хочу напомнить тебе, что до ноября я еще замужем. А после развода не собираюсь ни с кем связывать свою жизнь. Я смертельно устала от всех твоих знакомых, которые пытаются навязать мне своих глупых сынков, невежественных внуков или слабоумных кузенов. Я еще не встретила здесь ни одного человека, с которым могла бы серьезно поговорить или захотела бы провести больше часа. Мне не нужны больше никакие кавалеры, и я не хочу, чтобы меня проволокли по всей Европе, демонстрируя, как какую-то застенчивую девочку, отчаянно нуждающуюся в муже. Это понятно? — Потрясенная

Виктория кивнула ей. — Кстати, кто-нибудь из этих людей знает, что я была замужем?

Виктория покачала головой:

— Не думаю, что они знают об этом.

— Так, может быть, тебе следовало сказать им. Я уверена, что они тогда не с таким восторгом навязывали бы мне своих дорогих глупцов, если бы они знали, что я разведена.

— Это преступление, Сара, — тихо заметила ее мать, прекрасно зная, как Сара к этому относится. Для Сары это было преступлением, непростительным грехом, который она сама не могла себе простить и ни от кого не ждала другого отношения к этому.

— Здесь нечем гордиться. И большинство людей вряд ли считают это ценным опытом.

— Я не считаю развод непоправимой бедой. Ты познакомишься с людьми, которые не станут тебя осуждать. А когда придет время, ты сможешь поделиться с ними своими переживаниями, если почувствуешь в этом потребность.

— Да, это похоже на болезнь. Необходимо предупредить людей.

— Вовсе нет. Только если ты хочешь.

— Может быть, мне даже следовало бы носить какой-то отличительный знак, как прокаженной. — Это было сказано с гневом, досадой и грустью, но она устала от надоедливых молодых людей, которые не представляли для нее никакого интереса и которые чуть ли не срывали с нее одежду. — Ты знаешь, что этот святой Джилли делал в Довилле? Он украл мою одежду, когда я переодевалась, а потом вошел ко мне и пытался сорвать с меня полотенце. Он думал, что это невероятно забавно.

— Какой ужас! — Виктория была потрясена. — Почему ты ничего не сказала?

— Я сказала ему. Я заявила, что, если он сейчас же не отдаст мне одежду, я пойду прямо к его отцу, и бедняга так перепугался, что незамедлительно отдал мне все и умолял никому не рассказывать об этом. Он действительно был трогателен. — Такое простительно шестнадцатилетнему юнцу, а не мужчине двадцати семи лет. И все они похожи друг на друга, инфантильные, избалованные, самонадеянные, невежественные, необразованные. Ей это было невыносимо. — Я просто хочу, чтобы вы с папой знали, что я здесь, в Европе, не для того, чтобы найти мужа, — еще раз напомнила она матери, та кивнула, и Сара принялась снова упаковывать вещи.

Вечером Виктория упомянула об этом инциденте мужу и рассказала о молодом человеке в Довилле, он счел выходку глупой, но безусловно безобидной.

— Проблема в том, что она намного взрослее всех их. Она много пережила. Ей нужен кто-то постарше, более опытный. Эти мальчики не имеют представления о том, как с ней обращаться. И если учесть еще ее ощущения, когда ее знакомят с кем-то, юнцы вызывают у нее только досаду. В Лондоне мы должны проявить осторожность, знакомя ее с кем-либо. — Их план заключался не в том, чтобы совсем оградить ее от людей, а чтобы познакомить с теми, чье общество будет ей приятно, напоминая ей о том, что в жизни бывает не только одиночество. А все эти кавалеры во Франции лишь убедили ее в преимуществе одиночества.

Они вернулись в Париж на следующий день и через несколько часов пересекли Ла-Манш на пароме. В «Кларидж» они прибыли в обеденное время. У конторки их встретил управляющий, который церемонно показал им их комнаты. Родители заняли апартаменты с видом на Биг Бен и здание Парламента. А у Сары был небольшой симпатичный номер, отделанный розовым сатином. Взглянув на столик в своей комнате, она заметила полдюжины приглашений, ни одно из которых ее не обрадовало. Она даже не потрудилась открыть их, а мать напомнила о них за обедом. Обедали они у себя в номере, и Виктория объяснила дочери, что они приглашены на два званых обеда и на чай к старым друзьям, а также за город в Дестер, на пикник и на ленч, который семейство Кеннеди дают в их честь в посольстве на площади Гросвенор. Они были огорчены, когда Сара раздраженно спросила:

— Я должна ехать с вами? — В ее голосе было что-то жалобное, что напомнило матери о ее горе, но отец, твердо взглянув на нее, ответил:

— Давай не будем начинать все сначала. Мы все знаем, для чего мы здесь. Мы хотим повидать своих друзей и не собираемся наносить им оскорбление, отклоняя их приглашения.

— Но зачем им видеть меня? Это ваши друзья, отец, а не мои. Им вполне будет достаточно вас.

Он твердо опустил на стол кулак.

— Я не собираюсь снова обсуждать это с тобой. В твоем возрасте стыдно говорить такую ерунду. Будь вежливой, будь милой, приложи для этого немного усилий. Ты понимаешь меня, Сара?

Сара посмотрела на него ледяным взглядом, но он, кажется, не заметил этого, или ему были безразличны ее возражения. У него были свои причины привезти ее в Европу, и он не собрался отказываться от намерения снова вернуть ее к нормальной жизни. И то, что она так сильно сопротивлялась, не имело значения, он инстинктивно чувствовал, что именно это ей было необходимо.

— Тогда прекрасно.

Обед закончился в молчании, а на следующий день они отправились в музей Виктории и Альберта и чудесно провели время, а за этим последовал изящный и строго официальный обед. Сара не проявляла недовольства. Она надела платье из темно-зеленой тафты, почти такого же цвета, как ее глаза. Большинство гостей казались ей избалованными и глупыми и на удивление неосведомленными о происходящих в мире событиях.

По пути домой Сара была спокойна, и родители не стали спрашивать, хорошо ли она провела время. Ответ был очевиден. Второй официальный обед ничем не отличался от первого, а чай оказался еще хуже. Саре пытались навязать племянника, который, как со смущением призналась впоследствии даже его мать, был глуп и вел себя до неприличия инфантильно.

— Ради Бога, — набросилась Сара на мать, когда вечером они вернулись в «Кларидж», — что происходит с этими людьми? Почему они хотят выдать меня замуж за своих глупых родственников? Что ты им сказал, когда сообщил, что мы приезжаем? — наступала Сара на отца, который все отрицал с оскорбленным видом. — Ты сказал, что я в отчаянии и меня необходимо вывести из этого состояния?

— Сообщил только о нашем приезде. Какие они сделали из этого выводы, это их дело. Я думаю, что стараются проявить гостеприимство, приглашая для тебя молодых людей. Если тебе не нравится их родственники или друзья, мне очень жаль.

— Ты не можешь сказать им, что я обручена? Или что у меня заразная болезнь? Что-нибудь такое, чтобы они не пытались меня сосватать? Мне действительно это невыносимо. Я откажусь от всех приемов, чтобы только не чувствовать себя весь вечер дурой.

— Мне жаль, Сара, — спокойно произнес отец. — Они не хотят тебя обидеть. Постарайся не огорчаться так.

— У меня ни с кем, кроме тебя, не было умного разговора после нашего отъезда из Нью-Йорка, — пожаловалась она, и Эдвард улыбнулся. По крайней мере им было хорошо вместе. Это кое-что значило.

— И с кем же ты имела умные беседы, когда пряталась в Лонг-Айленде?

— По крайней мере там я не рассчитывала на это. — Последовало примирительное молчание.

— Хорошо, не жди и теперь слишком многого. Принимай то, что есть. Возможность посетить новые места, встретиться с новыми друзьями.

— Даже разговоры с женщинами не развлекают меня.

— Тут я с тобой не соглашусь, — возразил он, а Виктория приподняла бровь. Он примирительно похлопал ее по руке, но она знала, что он только подтрунивает над ней.

— Этих женщин интересуют только мужчины, — оскорбленно заявила она. — Не думаю, что они когда-нибудь слышали о политике. И все они считают, что Гитлер — новый повар их матери. Как можно быть настолько глупыми? — Ее отец от души рассмеялся и покачал головой.

— С каких это пор ты стала таким политическим и интеллектуальным снобом?

— С тех пор, как я оставалась наедине с собой. Это оказалось чертовски приятно.

— Может быть, чересчур приятно. Настало время вспомнить, что мир полон разных людей: умных и не настолько умных, некоторые откровенно глупы, некоторые забавны, некоторые невероятно скучны. Но таков мир. Ты слишком долго была предоставлена сама себе. Но я счастлив как никогда, что ты приехала сюда.

— Ладно, только я не уверена, что счастлива, — проворчала она, но, по правде говоря, она получала удовольствие от путешествия. Что касается общения, то Саре не везло, зато ей было приятно в обществе родителей. Путешествие опять сблизило их, и несмотря на все жалобы, она выглядела счастливой, и к ней вернулось ее чувство юмора.

На следующий день Сара заартачилась, отказываясь ехать с ними за город. Но отец настоял на том, что выбора у нее нет, а загородный воздух будет для нее полезен. К тому же он знал поместье, куда они собирались ехать, и сказал, что его стоит посмотреть.

Сара простонала, садясь с ними в автомобиль, и большую часть пути проворчала, но вынуждена была признать, что окрестности живописны, а погода выдалась необычайно жаркой и солнечной для Англии.

Это был замок четырнадцатого столетия, обнесенный рвом, с красивым парком и фермой, которую владельцы полностью восстановили. Сотни гостей, прибывшие на ленч, разбрелись по всему замку, где их ждали слуги с напитками, готовые помочь им удобно расположиться в одной из многочисленных гостиных или в саду. Сара подумала, что никогда не видела более приятного и интересного места, и была так очарована фермой, что осталась там, расспрашивая обо всем, и ухитрилась потерять родителей. Она стояла, глядя на черепичные крыши домов, на огромный замок, неясно вырисовывавшийся в отдалении. Вид был удивительный, и она, затаив дыхание, любовалась окрестностями, чувствуя покой и умиротворение. Она не заметила, как осталась почти что одна. Большинство гостей разошлись к тому времени. Кто вернулся обратно в замок на ленч, а кто бродил по саду.

— Потрясающе, не правда ли? — услышала она голос позади себя. Вздрогнув, Сара оглянулась и увидела высокого темноволосого человека с голубыми глазами, стоявшего рядом с ней. Он казался очень высоким, и она не рассмотрела его как следует, но у него была приятная улыбка, и они были похожи словно брат с сестрой. — У меня всегда возникает исключительное чувство истории, когда я прихожу сюда. Кажется, если закрыть на мгновение глаза, то появятся крепостные, рыцари и дамы их сердца.

Сара улыбнулась словам незнакомца, потому что и у нее было такое же ощущение.

— Я как раз думала об этом и не могла заставить себя уйти отсюда после посещения фермы. Мне захотелось остаться, чтобы пережить то, что вы сейчас описали.

— Поэтому-то мне и нравится здесь. Меня приводят в ужас все те попытки модернизировать старину.

Она снова кивнула, изумляясь тому, что он сказал и как он сказал это. В его глазах был какой-то особый огонек, пока он говорил с ней. Казалось, что все его удивляло, и с ним было приятно разговаривать.

— Я — Вильям Вайтфилд, в плену на этот уик-энд, — представился он ей. — Белинда и Джордж — мои кузина и кузен, немного сумасшедшие, как может показаться. Но они хорошие люди. А вы американка, не так ли?

Она кивнула и протянула ему руку, слегка смущаясь.

— Да, я американка, я — Сара Томпсон.

— В восторге от встречи с вами. Вы из Нью-Йорка? Или из более захватывающего места, подобного Детройту или Сан-Франциско?

Она рассмеялась над его представлением о захватывающем и призналась, что он угадал первый раз.

— Совершаете большое турне?

— Вы угадали. — Она улыбнулась, а он незаметно рассматривал ее.

— С родителями?

— Да.

— Как ужасно. Они наскучили вам до слез со своими музеями и соборами, а вечером знакомили со всеми сыновьями
своих друзей, большинство из которых несут чушь и почти не
умеют говорить по-английски. Я снова прав? — Он явно наслаждался, описывая эту картину. Сара от души рассмеялась:

— Мне кажется, вы следили за нами. Или кто-то рассказал вам, как мы проводили время.

— Для медового месяца это ужасно. — Когда он произнес
эти слова, глаза Сары померкли, казалось, она немного отдали-
лась от него, и это не прошло незамеченным.

— Простите, я сказал пошлость. — Саре понравились
его открытость и прямота, и она чувствовала себя с ним
необычайно спокойно.

— Вовсе нет, — ей хотелось сказать, что она слишком чувствительна, но она не решилась. — Вы живете в
Лондоне? — Она переменила тему разговора, чтобы он
снова вел себя непринужденно, хотя, кажется, он нисколько
не был смущен.

— Я действительно живу в Лондоне, — признался он. —
Когда не латаю старые укрепления в Глостершире. Но у меня
нет такого воображения, как у Белинды и Джорджа. Они пот-
ратили годы, приводя это место в порядок. Я сам провел годы,
чтобы мой дом не превратился в груду обломков. Моя бедная
мама по-прежнему живет там. — Беседуя, они медленно побрели к замку. — Думаю, нам следует пойти на ленч не потому, что кто-нибудь заметит наше отсутствие. В этой толпе
Белинда ничего не заметила бы, даже если бы мы уехали в
Лондон. Однако думаю, что ваши родители уже разыскивают
меня с ружьем.

В ответ она рассмеялась, зная, что родители скорее
всего воспользовались бы ружьем, чтобы заставить его
подойти к ней поближе.

— Вы ошибаетесь.

— Я просто не могу представить родителей, которые не
разыскивали бы свою юную дочь. Боюсь, я слишком стар для
совращения невинности, но относительно здоров для старого
человека. — Он украдкой разглядывал Сару, потрясенный ее
красотой и заинтригованный тем, что увидел в ее глазах, ум-

ных, грустных и немного настороженных. — Будет невежливо
с моей стороны, если я спрошу, сколько вам лет?

Внезапно ей захотелось сказать «тридцать», но она не могла себе представить, зачем ей лгать ему.

— Мне исполняется двадцать два в следующем месяце.

Это произвело на него меньшее впечатление, чем она ожидала. Он улыбнулся, помогая ей перебраться через каменную ограду, и, пока он держал ее за руку, она почувствовала себя необычайно спокойной.

— Сущее дитя. Мне тридцать пять. Боюсь, что ваши родители будут совершенно подавлены, когда вы заявитесь домой с таким европейским сувениром. — Он подтрунивал над ней, но им обоим было весело, и он нравился ей. Он мог быть для нее хорошим другом, и Сара была в восторге от того, что может шутить с ним.

— Должна заметить, что вы очень милы, потому что не несете чепухи.

— Вы преувеличиваете мои достоинства. Интересно, откуда берутся эти ужасные родственники, которые возят своих детей из дома в дом? Никогда не мог этого понять. Я встречался со многими молодыми женщинами, однако большинство из них теперь невероятно скучны, бедняжки. И я знаю, каждая была убеждена, что я просто мечтаю о встрече с ней. Правда, забавно?

Сара едва могла удержаться от смеха, вспоминая мальчиков, с которыми ее знакомили в Европе. Она описала ему одного из Довилля и двоих из Биаррица... мальчиков в Каннах и Монте-Карло... когда они пересекли ров и вошли в замок, они уже были друзьями.

— Как вы думаете, они оставили для нас что-нибудь? Я сильно проголодался, — признался он.

— Нам нужно было взять несколько яблок на ферме, мне так хотелось, но фермер не предложил, а я побоялась.

— Вам следовало сказать мне, я украл бы их для вас.

Они нашли стол для ленча, весь заставленный жареным мясом и курицей, овощами и огромным количеством салата. Они наполнили две тарелки, и Вильям отвел ее к маленькому деревцу. Сара ни минуты не колебалась, последовав за ним. Ей казалось совершенно естественным быть с ним вдвоем и слушать его рассказы. В конце концов они заговорили о политике, и Сара была поражена, услышав, что он был в Мюнхене. Он сообщил ей, как обострилась там обстановка, хотя и не настолько, как в Берлине, где он не был с прошлого года. И, кажется, по всей Германии нарастает конфронтация.

— Вы думаете, это скоро случится?

— Трудно сказать. Но полагаю, что случится, даже несмотря на то, что ваше правительство, кажется, думает иначе.

— Я не понимаю, как можно избежать этого. — Он был заинтригован тем, как хорошо она осведомлена о событиях в мире, и так интересуется тем, что редко занимает женщин. Он спросил ее об этом, и Сара сказала, что в прошлом году ей много времени пришлось провести одной, и у нее была возможность узнать о том, чем обычно она не интересовалась.

— Почему вам хотелось одиночества? — Вильям посмотрел ей прямо в глаза, но Сара отвернулась от него. Он был заинтригован ее тайной, но понимал, что воспоминания неприятны для нее, она носила их в себе, но не могла скрыть боль.

— Иногда человеку нужно побыть одному. — Она не стала развивать эту мысль, а он не хотел допытываться. Сара рассказала ему о маленьком фермерском домике, который хотела купить в Лонг-Айленде.

— Странная мысль для молодой девушки. Что скажут об этом ваши родители?

— Они упадут в обморок. — Она усмехнулась. — Но я больше не хочу возвращаться в Нью-Йорк. В конце концов они согласятся или я куплю его сама, раз уж я решила.

Она была целеустремленная девушка и, возможно, упрямая. Вильяма поразило выражение ее глаз, когда она делилась своими планами. Ее не так легко будет завоевать.

— Уехать из Нью-Йорка — совсем неплохо, но жить в одиночестве на ферме в вашем возрасте не самый лучший вариант. Что, если вы будете проводить там лето или уик-энд?

Она решительно покачала головой:

— Я хочу жить там постоянно и восстановить ее.

— Вы делали когда-нибудь что-то подобное? — Сара изумляла его. Она была очаровательным созданием, и он поражался тому, как сильно она ему нравится.

— Нет. Но я уверена, что справлюсь. — Это прозвучало так, словно она пыталась убедить своего отца.

— Вы действительно думаете, что родители позволят вам заняться фермой?

— Они должны позволить. — Она решительно приподняла голову, и он нежно потрепал ее за подбородок.

— Могу себе представить, как озабочены ваши родители. Неудивительно, что они привезли вас в Европу, чтобы вы встретили Прекрасного принца. Я не виню их. Возможно, вам на самом деле нужен один из этих милых юношей, несущих чепуху.

Она с притворным возмущением замахнулась на него салфеткой, а Вильям засмеялся и, увернувшись, оказался так близко к ней, что на какое-то сумасшедшее мгновение ему захотелось поцеловать ее. Но когда он взглянул на Сару, то увидел такую грусть в ее глазах, что это остановило его.

— У вас есть какой-то секрет, не так ли? И он не слишком радостный?

Прежде чем ответить ему, Сара долго колебалась. Она вся насторожилась.

— Не знаю, можно ли это назвать секретом. — Но глаза выдавали ее.

— Вы ничего не должны рассказывать мне, Сара. Я — всего лишь незнакомец. Но вы мне нравитесь. Вы — необыкновенная девушка, и если с вами действительно случилось что-то ужасное, то мне в самом деле жаль.

— Благодарю вас. — Она улыбнулась и показалась ему более очаровательной, чем всегда.

— Иногда что-то больно ранит нас, но самое плохое мы забываем навсегда. Какое-то время нам нестерпимо больно, а потом раны залечиваются и все проходит.

Но он видел, что ее рана еще не зажила. Вильям представил себе, что кто-то увлек и обманул ее, или, возможно, мальчик, которого она любила, умер, что-то милое, романтичное и невинное, и она скоро оправится от горя.

Родители были правы, привезя ее в Европу. Она красивая и умная девушка, и что бы с ней ни случилось, она быстро переживет это, особенно если встретит в Европе подходящего мальчика... повезет же дьяволу!

Они еще долго болтали под деревом, пока, наконец, не отважились присоединиться к остальным гостям, и через несколько мгновений налетели на немного эксцентричную хозяйку, кузину Вильяма, Белинду.

— Боже милостивый, вот ты где! Я всем сказала, что ты уехал домой. Боже мой, Вильям, ты невыносим! — Она была поражена и не находила слов, когда увидела рядом с ним Сару. — Я как раз собиралась сказать, что Томпсоны убеждены, что их дочь свалилась в ров. Они не видели ее с тех пор, как сюда приехали, куда вы пропали?

— Я ее похитил. Рассказывал ей историю моей жизни. И она была здорово возмущена и попросила немедленно вернуть ее родителям, так что я как раз привел ее обратно с бесконечным раскаянием и извинениями.

Вильям широко улыбался, лицо Сары тоже озарилось улыбкой, им было так легко вместе.

— Ты просто ужасен! И более того, ты никогда в своей жизни не испытывал раскаяния. — Обеспокоенная и удивленная, она повернулась к Саре: — Моя дорогая, он не обидел вас? Мне не следует вызвать констебля?

— О, конечно, следует! — подбодрил ее Вильям. — Я не видел его несколько месяцев.

— В самом деле, замолчи, ты — чудовище. — Но Сара смеялась, слушая их, и Белинда покачала головой в притворном отчаянии. — Знаешь, я никогда тебя больше не приглашу. Этого просто нельзя делать. Ты слишком плохо ведешь себя, чтобы приглашать тебя с приличными людьми.

— Все так говорят. — Он печально взглянул на Сару, которая не веселилась так больше года. — Смею я представиться вашим родителям?

— Думаю, тебе лучше сделать это, — посоветовала Белинда, не подозревая о том, что он намерен был познакомиться с ними и снова увидеться с Сарой, если ему будет позволено. — Я провожу вас к ним, — с готовностью отозвалась Белинда. И Сара с Вильямом последовали за ней, смеясь и перешептываясь, словно расшалившиеся дети. Но Томпсоны и не думали сердиться на дочь. Они знали, что она в безопасности где-то в пределах владений, среди остальных гостей. И были довольны, когда увидели ее с Вильямом. У него был приятный, интеллигентный вид, интересная внешность и подходящий возраст, и он, кажется, был увлечен их дочерью.

— Я должен извиниться, — начал Вильям. — Мы попали в засаду на ферме, а потом остановились, чтобы перекусить. И я боюсь, что задержал Сару дольше, чем следовало.

— Не верьте ни одному его слову, — вмешалась Белинда — Я уверена, что он привязал ее где-то к дереву, а сам съел весь ее ленч, пока рассказывал ей отвратительные истории.

— Превосходная мысль, — задумчиво произнес Вильям, пока Томпсоны смеялись. — Сара, в следующий раз мы так и поступим. — Он чувствовал себя с ней удивительно спокойно. Они долго болтали. Потом к ним присоединился Джордж, в восторге от того, что нашел Вильяма, и уговорил его пойти на конюшню посмотреть на нового жеребца. Вильям неохотно последовал за ним, а Белинда осталась с Томпсонами.

— Мне не следует говорить это, дорогая, но вы обратили внимание на самого привлекательного человека в Англии и, возможно, на всем свете.

— Мы приятно провели время за беседой. — Но приятно — было не то слово, которое она употребила бы, если бы разговаривала не с его кузиной. Он был просто великолепен.

— Он очень красив. Никогда не был женат. И чересчур разборчив. — Белинда бросила предостерегающий взгляд на Томпсонов, как бы для того, чтобы сказать им, что его будет нелегко поймать, но они, похоже, не заметили. — Примечательно, что он совсем лишен высокомерия. Никто не догадался бы... — Тут она снова повернулась к Саре. — Не думаю, что он сказал что-нибудь... Вы ведь не знаете, что он — герцог Вайтфилд, не так ли? — Она широко открыла глаза, и Сара пристально посмотрела на нее.

— Я... ах... Он просто представился, как Вильям Вайтфилд.

— Он всегда так делает. На самом деле это то, что мне больше всего нравится в нем. Я забыла, какой он по счету в праве наследования... тринадцатый или четырнадцатый.

— Трона? — спросила Сара дрогнувшим голосом.

— Да, конечно. Хотя то, что он когда-то получит его, маловероятно. Но все же для всех нас это кое-что значит. Мы глупы в такого рода вещах. Я думаю, все это создает традицию. Ну, во всяком случае, я рада, что с вами все в порядке. Я была немного обеспокоена, когда мы не смогли найти вас.

— Мне очень жаль. — Сара покраснела, мысли ее перепутались от того, что она узнала о Вильяме. И тут она спохватилась, не допустила ли она какой-нибудь ужасной оплошности с ним. — Мне следует как-то называть его?.. Я имею в виду... каким-то титулом? Как-то особенно?

Белинда улыбнулась ей. Она была так молода и так мила:

— Ваша светлость. Но если вы это сделаете, думаю, он застрелит нас обеих. Я не стала бы ничего говорить об этом, пока он не скажет сам.

Сара кивнула, и как только хозяйка ушла, к ним присоединился Вильям.

— Как жеребец? — поинтересовалась Сара, стараясь не выдать своих чувств, в то время как ее родители делали вид, что не обращают на них внимания.

— Боюсь, не так впечатляет, как цена, которую Джордж за него заплатил. Он совсем не разбирается в лошадях. Я не удивился бы, если бы бедное животное оказалось кастрировано. — И тут он виновато посмотрел на нее. — Простите, мне не следовало этого говорить.

— Все в порядке. — Она улыбнулась ему, ей было интересно, как бы он реагировал, если бы она назвала его сейчас «Ваша светлость». — Мне доводилось слышать кое-что и похуже.

И тут он усмехнулся.

— О... несущие чепуху... Один Бог знает, что они изрекут в следующий момент.

Она рассмеялась, и они обменялись долгим взглядом. Он герцог, а она вела себя так, словно они были старыми друзьями, хотя провела с ним всего несколько часов, и ей не хотелось возвращаться в Лондон.

— Где вы остановились? — Она услышала, как он обратился к ее отцу, когда они медленно брели назад к замку.

— В «Клариджже». Может быть, вы заглянете как-нибудь к нам? — Ее отец сказал это как бы между прочим, и Вильям был в восторге, получив приглашение.

— С удовольствием. Я могу позвонить вам завтра утром? — он обратился к Эдварду, а не к Саре.

— Конечно. Мы будем рады вашему звонку, сэр. — И они пожали друг другу руки. Затем Вильям повернулся к Саре, а ее родители направились к автомобилю, где их ждал шофер.

— К моей полной неожиданности, я чудесно провел сегодня время. Я едва не остался дома... Вы были прелестным сюрпризом, мисс Сара Томпсон.

— Благодарю вас. — Она улыбнулась ему. — Я тоже чудесно провела время. — И тут она не удержалась от вопроса: — Почему вы мне не сказали?

— О чем?

— Ваша светлость. — Она произнесла это со смущенной улыбкой и на мгновение испугалась, что он рассердится, но он засмеялся, минуту поколебавшись.

— Дорогая Белинда. — А затем тихо добавил: — Это имеет значение?

— Нет, вовсе нет. Это должно иметь значение?

— Возможно. Для кого-то. — По разным соображениям, но он уже понял из разговора с ней, что она не была одной из таких людей. Потом он взглянул на нее и сказал полушутя-полусерьезно: — Теперь вы знаете мой секрет, мисс Сара Томпсон... но будьте осторожны!

— Почему? — Вид у нее был удивленный, и он подошел к ней поближе.

— Если вы знаете мой секрет, возможно, со временем я попрошу вас поделиться со мной вашим.

— Почему вы думаете, что у меня есть секрет?

— Мы оба знаем, что есть, не правда ли? — тихо проговорил он, нежно коснувшись ее руки, и Сара кивнула. Он не хотел, чтобы она боялась его. — Не беспокойтесь, малышка... не говорите мне ничего, если вам не хочется. — Потом наклонился, поцеловал ее в щеку и медленно повел к автомобилю, чтобы вернуть ее родителям. Она с трепетом смотрела на него, как он стоял и махал им до тех пор, пока они не скрылись из виду. А когда они приехали в Лондон, ей было интересно, позвонит ли он им когда-нибудь.

Глава 5

На следующее утро, когда Эдвард завтракал со своей женой в своем номере в «Кларидже», зазвонил телефон, и голос секретаря произнес, что звонит герцог Вайтфилд. Последовала минутная пауза, и радушный, приветливый голос Вильяма произнес дружеское приветствие.

— Надеюсь, я не слишком рано звоню вам, сэр. Но я боялся, что вы можете куда-нибудь уехать и я не застану вас.

— Совсем не рано. — Эдвард взглянул на свою жену с восторгом и кивнул ей, продолжая разговор. Виктория тотчас поняла его. — Мы сейчас завтракаем без Сары. Она никогда не ест, я не знаю, как ей это удается.

— Мы должны проследить за этим. — Вильям записал в свой блокнот — попросить секретаря послать ей утром цветы. — Вы свободны сегодня днем, я имею в виду вас всех? Я подумал, что дамы получат удовольствие, если мы отправимся посмотреть королевские драгоценности в лондонском Тауэре. Одна из привилегий, которые дает высокое положение, — возможность совершить персональную экскурсию для осмотра подобных причудливых вещей. Может быть, Саре и миссис Томпсон будет забавно примерить какие-то из них. Вы знаете... подобные вещи... — Вильям был немного рассеян этим утром и говорил на безупречном английском. Но Эдварду он очень нравился. Это был настоящий мужчина и, несомненно, увлечен Сарой.

— Уверен, им понравится это. И на час или два отвлечет их от магазинов. Я вам буду очень благодарен. — Оба рассмеялись, Вильям сказал, что заедет за ними в два часа, и Эдвард уверил его, что они будут ждать.

Когда Сара вышла из своей комнаты, чтобы налить себе чашку чая, отец как бы случайно упомянул, что звонил герцог Вайтфилд и что в два часа он отвезет их в лондонский Тауэр осмотреть королевские драгоценности.

— Думаю, тебе должно это понравиться. — Он не был уверен, что ее заинтересует больше — драгоценности или Вильям, но, взглянув в лицо дочери, сразу же получил ответ.

— Звонил Вильям? — Она была потрясена, словно не надеялась услышать о нем снова. Она полночи пролежала без сна, уверяя себя, что он не позвонит. — В два часа сегодня днем? — У нее был такой вид, словно отец предложил нечто ужасное, и это удивило его.

— У тебя свои планы? — Он не мог предположить ничего, кроме посещения магазина Гарольда или Гарди Ами.

— Не в этом дело, просто... — Сара села и совершенно забыла про свой чай. — Я просто подумала, что он мне позвонит.

— Он не тебе позвонил, — подтрунивал над ней отец, — он позвонил мне и пригласил меня, но я буду рад взять вас с собой. — Она бросила на него уничтожающий взгляд, пересекла комнату и подошла к окну. Она хотела сказать им, чтобы они ехали без нее, но понимала, насколько это глупо.

Какой смысл снова встречаться с ним? Что может произойти между ними?

— Так в чем же дело? — спросил отец, наблюдая за лицом дочери, пока она стояла около окна. Сара на самом деле невыносимый ребенок, если хочет отказаться от этой исключительной возможности. Он — чудесный человек, и небольшой флирт с ним не принесет ей вреда. Отец нисколько не возражал против этого. Она медленно повернулась к нему лицом.

— Я не вижу в этом смысла, — грустно произнесла она.

— Он — милый человек. Ты ему нравишься. Во всяком случае, вы можете быть друзьями. Что в этом ужасного? В твоей жизни не осталось места для дружбы? — Она почувствовала себя глупо, когда он сказал это, и кивнула. Отец прав.

— Я не смотрела на это с такой стороны. Я просто... все по-другому, потому что он — герцог. До того как я узнала, это было... — Она не знала, как объяснить ему, но он понял.

— Это ничего не меняет. Он — приятный человек, и мне нравится.

— Мне тоже, — спокойно сказала она, когда мать вручила ей чашку чая и настояла на том, чтобы она съела по крайней мере поджаренный ломтик хлеба, прежде чем они отправятся за покупками. — Я просто не хочу оказаться в неловком положении.

— Это невероятно, всего за несколько недель, которые мы проведем здесь. Тебе не кажется?

— Но я развожусь, — мрачно напомнила она. — Это может показаться ему неудобным.

— Не раньше, чем ты выйдешь за него замуж, а я думаю говорить об этом преждевременно, не правда ли? — Но он был счастлив, что она по крайней мере думает о нем как о мужчине. Небольшой роман будет для нее полезен. Сара улыбнулась тому, что сказал отец, и пожала плечами, а потом пошла переодеться. Она появилась через полчаса в красном шелковом платье, которое отец купил ей в Париже всего неделю назад, и модных украшениях и, как говорят англичане, выглядела сногсшибательно.

Темные волосы она завязала черными атласным бантом в длинный queue de cheval*, а уши украшали жемчужные серьги, подаренные ей на свадьбу.

— Ты хорошо смотришься в драгоценностях, дорогая. Тебе надо чаще носить их, — заметил отец, когда они выходили из отеля. Сара ответила ему улыбкой. У нее было не слишком много украшений: жемчужные бусы, доставшиеся ей от бабушки, сережки, которые были на ней, несколько маленьких колец. Она вернула Фредди обручальное кольцо и брильянтовое ожерелье, принадлежавшее его бабушке.

— Может быть, я сделаю это сегодня днем, — отшутилась она, и Виктория выразительно посмотрела на мужа.

После ленча они пошли в магазин на улице Св. Джеймса заказать шляпу для ее отца и вернулись в отель без десяти два. Вильям уже ждал их в вестибюле, нервничая и поглядывая на часы. Лицо его посветлело, когда он увидел Сару.

— Вы выглядите великолепно! — Он смотрел на нее с сияющей улыбкой. — Вы всегда должны носить красное.

Она даже согласилась подкрасить губы.

— Мне очень жаль, что я здесь так рано, — извинился он. — Мне всегда казалось, что лучше опоздать, чем прийти раньше, но я боялся с вами разминуться.

Сара с улыбкой слушала его. В нем было нечто такое, что приносило ей умиротворение.

---

* Конский хвост.

— Рада видеть вас, — она помедлила, и глаза ее озорно сощурились, — ваша светлость, — добавила она тихо, и он поморщился.

— В следующий раз, когда увижу Белинду, я побью ее палкой. Если вы еще произнесете это слово, я ущипну вас за нос, ясно, мисс Томпсон, или я должен называть вас Ваше Высочество?

— Это звучит мило. Ваше Высочество... Ваша напыщенность... Ваша пошлость... Я действительно люблю титулы! — Она приняла важный вид, по-американски сильно растягивая слова, и подмигнула ему, а он дернул ее за длинный хвост черных волос.

— Вы невыносимы... красивы, но невыносимы. Вы всегда ведете себя так? — спросил он, пока родители пошли справиться, нет ли для них каких сообщений

— Иногда я веду себя еще хуже, — гордо заявила она, но подумав про себя, что иногда бывает очень тихой. На самом деле, такой она была на протяжении двух лет. В ее жизни было мало радости с тех пор, как она вышла замуж за Фредди. Но сейчас в обществе Вильяма Сара почувствовала себя, как прежде. Он снова заставил ее смеяться. С ним ей хотелось озорничать. Вильям тоже почувствовал это, и она ему еще больше понравилась.

Тут к ним присоединились ее родители, и Вильям проводил их к своему автомобилю. Он сам отвез их в лондонский Тауэр, всю дорогу развлекая разговорами и показывая достопримечательности. Виктория настояла, чтобы Сара села на переднее сиденье, а она с Эдвардом сзади. Вильям время от времени бросал взгляд в ее сторону, словно желая убедиться, что она все еще там, и восхититься ею. Когда они подъехали к Тауэру, он вручил одному из стражников карточку, и их немедленно пропустили внутрь, несмотря на то, что они приехали не в часы посещения. Появился другой стражник и провел их по маленькой винтовой лестнице в сокровищницу.

— Вы знаете, они просто замечательны. Здесь собраны совершенно исключительные вещи, которые из них невероятно редки и им очень много лет. С ними связаны истории, которые иногда интереснее самих сокровищ. Мне всегда они нрави-

лись. — Когда Вильям был мальчиком, его очаровывали драгоценности матери, то, как они были сделаны, истории, связанные с ними, места, откуда они происходили.

Как только они вошла в сокровищницу, Сара поняла причину его восторженного отношения к коллекции. Здесь были
короны, которые носили монархи последние шесть столетий,
скипетры и шпаги, различные предметы, которые можно увидеть только во время коронации. От скипетра с крестом, укра-
шенным бриллиантом в триста пятьдесят карат, просто
перехватывало дыхание. Этот бриллиант, крупнейший из Звезд
Африки, был подарен Эдуарду VII Южной Африкой. Вильям
настоял на том, чтобы Сара примерила несколько тиар и по
крайней мере четыре короны и среди них корону королевы
Виктории и королевы Марии. Сару поразило, какими они были
тяжелыми, и она удивилась, как кто-то мог носить их.

— Король Георг надевал эту во время коронации — Он
указал на одну из корон, и она почувствовала себя участницей
той церемонии и снова вспомнила о его титуле. Но, беседуя с
ним, Сара забывала о его знатном происхождении. — Должен
признаться, что вся эта история с Дэвидом наделала много
шума. — Сначала Сара не поняла, кого он имеет в виду, но
потом вспомнила, что христианское имя герцога Виндзорского
было Дэвид. — Все это ужасно грустно. Говорят, теперь он на
вершине блаженства, и, возможно так оно и есть, но я видел
его в Париже несколько месяцев назад и не сказал бы, что он
выглядел счастливым: она непростая женщина, у нее за спиной — целая история. — Он, конечно, имел в виду Уоллис
Симпсон, герцогиню Виндзорскую.

— Это так эгоистично с ее стороны, — тихо проговорила
Сара. — И так несправедливо по отношению к нему. И на
самом деле очень грустно. — Она говорила совершенно искренне, чувствуя в последнее время, что ужасные узы связыва-
ют ее с этой женщиной, но клеймо развода для Сары было
куда тяжелее, чем для Уоллис.

— Она неплохой человек. Но хитра. Я всегда считал,
что она знала, что делала. Мой кузен... герцог, — сказал
он, словно поясняя, — подарил ей драгоценностей более
чем на миллион долларов еще до того, как они пожени-

лись. Он подарил ей изумруд Великий Могол в качестве
обручального кольца. Сам Джекоб Картье разыскивал для
него этот камень в Багдаде, и он его нашел, и его встави-
ли для него в оправу, вернее, для Уоллис. Это самый прекрасный камень, какой я когда-либо видел, изумруды мне
всегда нравились больше остальных камней. — Было чудесно слушать его рассказы о драгоценностях, которые они
рассматривали. Он поведал им удивительные истории о
драгоценностях, сделанных для Александра Великого, об
ожерелье, подаренном Жозефине Наполеоном, и тиаре, за-
казанной для королевы Виктории. Там была также замечательная тиара, украшенная бриллиантами и бирюзой,
которую королева Виктория носила совсем юной девушкой и которую он заставил Сару примерить, и на ее темных волосах она выглядела прелестно. — У вас должна
быть такая, — тихо произнес он.

— Я буду носить ее на своей ферме, — улыбнулась она в
ответ, а он поморщился.

— Вы непочтительны. Здесь, в тиаре королевы Виктории,
которую она носила юной девушкой, о чем вы говорите? О
каком-то фермерском доме. Ужасная девочка. — Но было ясно,
что он думает совсем иначе.

Они пробыли в Тауэре до вечера, и это был настоящий
урок истории, они узнали о причудах, привычках, недостатках
монархов Англии. Обо всем этом они не узнали бы без него, и
старшие Томпсоны рассыпались в благодарностях, когда вернулись к его автомобилю.

— Изумительно, не так ли? Я всегда любил бывать
здесь. Первый раз меня привел в сокровищницу мой отец.
Он любил покупать красивые драгоценности для моей матери.
Боюсь, она больше не носит их, хотя по-прежнему изумительно выглядит в них, но заявляет, что чувствует себя
при этом глупо. Она стала очень болезненной и редко
выезжает.

— Она не может быть слишком старой, — возразила мать
Сары. Ей самой было только сорок семь. Она родила Джейн,
когда ей было двадцать три, а вышла замуж за Эдварда в
двадцать один год и через год потеряла первого ребенка.

— Ей восемьдесят три, — с гордостью сказал Вильям. — Она просто величественна и не выглядит старше шестидесяти. Но в прошлом году у нее был перелом бедра, и это немного напугало ее, так что теперь она не выезжает одна. Когда мне удается, я стараюсь взять ее с собой, но это не всегда получается.

— Вы самый младший сын в большой семье? — Виктория была заинтригована его словами, но он покачал головой и сказал, что он единственный ребенок.

— Мои родители были в браке тридцать лет, когда я родился, и они уже давно потеряли всякую надежду иметь детей. Моя мать всегда говорит, что это было чудо, просто благословение Господне, вы простите меня за то, что я столь высокопарен. — Он озорно усмехнулся им. — А отец говорит, что здесь не обошлось без дьявола. Он умер несколько лет назад и был замечательным человеком. Он вам понравился бы, — заверил он их, заводя машину. — Моей матери было сорок восемь лет, когда я родился, и это на самом деле поразительно. Моему отцу было шестьдесят, и умер он в восемьдесят пять лет, что совсем неплохо. Должен признаться, мне его недостает. Во всяком случае, старая леди — оригинальная личность. Возможно, вам представится случай познакомиться с ней до отъезда из Лондона. — Он с надеждой взглянул на Сару, но она задумчиво смотрела в окно. Она думала о том, как спокойно чувствовала она себя с ним и как все было просто. Но, по правде говоря, все совсем не было так просто. Они никогда не смогут быть больше, чем случайными приятелями, и она должна постоянно помнить об этом, особенно, когда он так смотрит на нее, или заставляет ее смеяться, или берет ее за руку. Невозможно изменить судьбу. Она получает развод. А он — четырнадцатый по линии наследования британского трона. Когда они приехали в отель, он взглянул на нее, помогая выйти из автомобиля, и заметил, что она чем-то встревожена.

— Что-то случилось? — Он подумал, не сказал ли он чего, что могло ее оскорбить, но она, кажется, так хорошо провела время и с явным удовольствием примеряла драгоценности в

Тауэре. Однако Сара была рассержена на себя, ей казалось, словно она обманывает его, и она чувствовала потребность все ему объяснить. Он имеет право знать о ней все, прежде чем одаривать ее своей добротой.

— Нет, у меня просто болит голова.

— Я, наверное, напрасно заставлял вас примерять тяжелые короны. Прошу прошения, Сара, мне очень жаль. — Он так раскаивался, и это только ухудшало ее состояние.

— Не корите себя, я просто устала.

— Ты плохо поела во время ленча. — К ней подошел отец, он заметил беспокойство на лице молодого человека, и ему было жаль его.

— Я хотел пригласить вас всех пообедать.

— Может быть, в другой раз, — поспешно сказала Сара, и ее мать вопросительно посмотрела на нее.

— Тебе, наверное, лучше прилечь, — продолжила она, а Вильям наблюдал за Сарой. Он понимал, что дело не в головной боли, был обеспокоен, не замешан ли тут мужчина. Возможно, она обручена с кем-то, и ей неловко сообщить ему об этом. Или ее жених умер. Она вскользь упомянула о своих переживаниях... Вильяма заинтриговала ее тайна, но он не хотел допытываться у нее.

— Тогда, может быть, ленч завтра? — Он взглянул Саре прямо в глаза, она начала говорить и вдруг замолчала.

— Я... Я чудесно провела сегодня день. — Ей хотелось сказать ему об этом. Родители поблагодарили Вильяма и исчезли, поднявшись к себе в номер. Двое молодых людей имели право побыть наедине. Томпсоны огорчились, они чувствовали, что у Сары возник внутренний конфликт.

— Как ты думаешь, что она собирается сказать ему? — озабоченно спросила Виктория своего мужа, когда они поднимались по лестнице.

— Не знаю. Но он выдержит это. Вильям хороший человек. Я бы хотел, чтобы у нее был такой спутник жизни.

— Я тоже. — Но оба знали, что на это было мало надежды. Он никогда не позволит себе жениться на разведенной женщине, они прекрасно понимали это.

Внизу, в холле, Вильям, не отрываясь, смотрел на Сару, а она уклончиво отвечала на его вопросы.

— Мы могли бы погулять где-нибудь. Как вы на это смотрите? — Конечно, ей очень хотелось, но какой смысл встречаться с ним снова? Что, если она влюбится в него? Или он в нее? Что тогда их ждет? С другой стороны, глупо думать о том, что влюбишься в человека, с которым только что познакомилась, и расстанешься навсегда, покинув Англию.

— Мне кажется, я глупо себя вела. — Она улыбнулась. — Я так долго не была в обществе... И кажется, забыла, как надо вести себя. Мне действительно жаль, Вильям.

— Все в порядке. Не хотите присесть? — Она кивнула, и они нашли спокойное место в углу холла. — Вы провели последний год в монастыре? — спросил он, поддразнивая ее.

— Что-то вроде этого. На самом деле я все время грозила сделать это. Это было похоже на монастырь, только я сама создала его. Я жила в доме моего отца на побережье, в Лонг-Айленде.

— И вы провели там целый год, не видясь ни с кем? — Она молча кивнула, не сводя с него глаз, сомневаясь, расскажет ли она ему все. — Ужасно долгий срок. Это помогло?

— Не уверена, — вздохнула она, решив быть с ним честной. — Иногда кажется, что помогло. Хотя очень трудно возвращаться к обычной жизни. Вот почему мы приехали сюда.

— Европа самое удачное место для начала новой жизни. — Он нежно улыбнулся и решил не задавать ей никаких вопросов. Вильям боялся напугать ее или причинить боль. Он влюбился в Сару, не хотел потерять ее. — Я рад, что вы приехали сюда.

— Я тоже, — тихо сказала она, и это было правдой.

— Вы сегодня пообедаете со мной?

— Я... Я не уверена... Думаю, мы пойдем в театр, — она знала, что он не захочет смотреть эту пьесу. — «Кукуруза — зелена» Эмилина Вильямса. — Мне надо спросить родителей.

— Если нет, тогда, может быть, завтра?

— Вильям... — она чуть-чуть не сказала что-то важное, но вдруг остановилась и посмотрела ему прямо в глаза. — Почему вы хотите видеть меня? — Если вопрос и показался Вильяму неуместным, он не подал виду.

— Вы необыкновенная девушка. Я еще не встречал таких, как вы.

— Я через несколько недель уеду. Какой смысл в нашей встрече для нас обоих? — На самом деле ей хотелось сказать ему, что у них не может быть общего будущего. И понимая это, Сара полагала бессмысленным продолжать их дружбу.

— Дело в том, что вы мне нравитесь... очень нравитесь... Зачем нам думать о вашем отъезде, если вы сейчас здесь? — Такова была его философия — жить сегодняшним днем и не тревожиться о будущем.

— А потом? — Ей хотелось иметь гарантии, что никто не будет обижен, но даже Вильям не мог обещать этого, как бы сильно она ему ни нравилась. Он не знал ни ее прошлого, ни того, какое будущее их ожидает.

— Почему бы нам не посмотреть... Вы пообедаете со мной? Она колебалась, глядя на него, не потому что она не хотела, а именно потому, что хотела этого слишком сильно.

— Да, пообедаю, — медленно произнесла она.

— Спасибо. — Он безмолвно смотрел на нее целую вечность, а служитель за конторкой отметил, как они были красивы и как хорошо смотрелись вместе. — Тогда я заеду за вами в восемь часов.

— Я встречу вас внизу. — Улыбка не покидала ее лица, пока он провожал её до лифта.

— Не возражаете, если я поднимусь за вами в номер? Мне не хотелось бы ждать вас здесь в холле. — Он все время словно защищал ее, все время был осторожен и задумчив.

— Хорошо. — Сара снова улыбнулась ему, а Вильям поцеловал ее в щеку, когда подъехал лифт, и, простившись с ней, широким шагом направился с выходу, а она поднималась наверх, стараясь не замечать, как в предчувствии сжалось ее сердце.

Глава 6

Звонок в их номере раздался ровно в пять минут девятого. Сара не знала, что Вильям прождал ее внизу уже десять минут. Родители не возражали, что она не пошла с ними в театр, узнав, что дочь собиралась обедать с Вильямом.

Она открыла ему дверь в черном атласном платье, которое словно тонкий слой черного стекла застыло на ее стройной фигуре.

— Боже мой, Сара, вы изумительно выглядите. — Волосы она заколола высоко на голове, а отдельные пряди волнами и кольцами выбивались из прически, когда она двигалась, создавая впечатление, что, если вы вынете одну шпильку, вся масса темных волос водопадом упадет ей на плечи. — Вы великолепны! — Он отступил на шаг, чтобы полюбоваться ею, а Сара смущенно засмеялась. Она первый раз оказалась с ним наедине, если не считать той поездки в замок, когда они встретились, но даже там вокруг них были люди.

— Вы тоже очень хорошо выглядите. — На нем был один из его многочисленных смокингов и великолепный черный шелковый жилет, к которому была прикреплена узкая цепочка для часов, украшенная бриллиантами и подаренная его дяде русским царем Николаем. В автомобиле по дороге в ресторан Вильям рассказал ее историю. Очевидно, цепочка была зашита в складки одежды великой княгини и тайно вывезена из России.

— Вы со всеми в родстве, — изумилась она, заинтригованная этой историей и представляя себе королей и царей и очаровательное королевство.

— Да, это правда, — сказал он с удивленным видом, — и позвольте заверить вас, что некоторые из них просто ужасны. — Он сегодня вел автомобиль сам, потому что хотел побыть с ней наедине. Он выбрал тихий ресторан, и его ждали. Официант провел их к спокойному столику и все время обращался к нему «ваша светлость», а уходя, слегка поклонился им обоим и оставил наедине. Мгновенно появилось шампанское и обед, который Вильям заказал заранее. Сначала подали икру на маленьких ломтиках поджаренного хлеба, с тоненьким кусочком лимона, потом семгу с нежным соусом, затем последовали салат, сыр, суфле и крошечное французское печенье.

— Боже мой, я не могу двигаться, — пожаловалась она, с улыбкой взглянув на него. Это был чудесный обед и прелестный вечер. Он рассказывал ей о своих родителях и о том, как много они для него значили и как огорчена была его мать несколько лет назад, когда он не проявил никакого интереса к женитьбе.

— Боюсь, что я принес ей большое разочарование, — добавил он без всякого раскаяния. — Я не хотел жениться просто для того, чтобы угодить родителям или заиметь детей. Мне всегда казалось, что раз я так поздно родился у своих родителей, то могу очень долго ждать того, чего хочу, а потом все наверстать.

— Вы не имеете права на ошибку. — Когда Сара произнесла это, он увидел ту же загадочную грусть.

— А вы, Сара? Вас еще не заставляли выйти замуж? — Она уже рассказала ему о Питере и Джейн и их детях.

— В последнее время нет. Мои родители все понимают. — Ее ошибку... Ее несчастье... Ее позор... Она отвела взгляд. Тогда он протянул руку и сжал ее пальцы.

— Почему вы никогда не расскажете мне, что причиняет вам такую боль? — Им обоим уже трудно было вспомнить, что они знакомы только два дня. Им казалось, что они знали друг друга вечно.

— Почему вы так думаете? — Она пыталась провести его, но он не поверил ей и продолжал твердо и нежно сжимать ее пальцы.

— Потому что я вижу, вы что-то скрываете от меня. Оно таится где-то рядом, словно призрак, всегда в тени, выжидая, чтобы наброситься на вас. Это так ужасно, что вы не можете поделиться со мной?

Сара не знала, что ему ответить, она не осмеливалась сказать ему правду, и на глазах ее выступили слезы.

— Мне... Мне жаль... — Она высвободила свою руку, чтобы вытереть глаза салфеткой, их официант предупредительно исчез. — Просто это... Это так ужасно... Вы никогда не сможете относиться ко мне по-прежнему. Я ни с кем не встречалась с тех пор... как это случилось...

— Боже мой, что же произошло? Вы убили кого-нибудь? Убили родственника, друга? Даже если стряслось непоправимое, должно быть, это был несчастный случай. Сара, вы не должны так терзать себя. — Он взял обе ее руки и сжал так, что она почувствовала себя в безопасности. — Простите, я не хочу вмешиваться не в свое дело, но мне больно видеть, как вы страдаете.

— Разве может быть такое? — Она недоверчиво улыбнулась сквозь слезы. — Вы совсем не знаете меня. — Это была правда, однако за два дня они узнали друг друга лучше, чем многие за всю жизнь.

— Я совершила ужасную ошибку, — призналась она ему, крепко сжимая его руки, и он не дрогнул, не поколебался и не отдернул их.

— Я не верю этому. Мне кажется, только вы считаете это ужасным, держу пари, что никто больше так не думает.

— Вы ошибаетесь, — произнесла она задумчиво, а потом вздохнула и снова посмотрела на него, убрав руки. — Два года назад я вышла замуж. Я совершила большую ошибку, однако я пыталась жить с ним, несмотря на это. Я испробовала все. Я решила остаться верной брачному обету, если мне так суждено.

На Вильяма новость, казалось, не произвела такого сильного впечатления, которого она ожидала.

— Вы все еще замужем? — спокойно спросил он, все еще протягивая ей руки в надежде, что она захочет взять их, но Сара боялась. Ей казалось, что теперь она не может этого сделать. После ее признания она ему больше не нужна. Но она обязана была сказать ему.

— Этот год мы жили отдельно. В ноябре я получу развод. — Она произнесла это таким тоном, словно речь шла об убийстве.

— Мне жаль, — сказал он серьезно. — Жаль вас, Сара. Я могу только вообразить, как, должно быть, трудно было все это пережить и как несчастны вы были весь прошлый год. Ему хотелось узнать о причине развода.

— Вы очень любили его? — поколебавшись, спросил
он. Он хотел убедиться, была ли боль, которую она испытывала, тоской по мужу или просто сожалением, но в
ответ Сара покачала головой.

— Если быть с вами честной до конца, я не уверена, что
вообще любила его. Я знала его почти всю свою жизнь, и мне
казалось, что я поступаю правильно. Он нравился мне, но я
действительно его не знала. Когда мы вернулись после медового месяца, все рухнуло, и я поняла, что сделала ошибку. Он
хотел только развлечений, день и ночь проводил со своими
друзьями в попойках.

Сара не стала рассказывать о потерянном ребенке, о том, как
он привел проституток в дом ее родителей, когда они отмечали
годовщину их свадьбы. Но по ее голосу и грустным глазам Вильям
понял, что ей пришлось пережить гораздо больше. Она боялась
встретиться взглядом с Вильямом, он нежно коснулся ее руки и
ждал, пока она не посмотрела на него. В ее глазах был вопрос.

— Мне жаль, Сара, — повторил Вильям. — Он, должно
быть, круглый болван.

Сара улыбнулась и снова вздохнула, почувствовав облегчение, но не искупление. Она знала, что всегда будет
винить себя за развод, но если бы она осталась с Фредди, это уничтожило бы ее.

— Это и есть тот страшный грех, который вы от
меня скрывали? — Она кивнула, и он улыбнулся ей. —
Как можно быть такой глупенькой? Сейчас не девятна-
дцатый век. Другие тоже разводятся. Вы хотели бы остаться с ним и терпеть эти мучения?

— Нет, но я чувствую ужасную вину перед своими родителями. Им было неловко, но они никогда не осуждали меня. В
нашей семье никто никогда не разводился. Они были так милы
со мной. — Она смолкла под его взглядом.

— Они были против развода?

— Нет. Они слишком добры, чтобы упрекать меня.

— И вы не встречались с вашими друзьями, наказав себя
за это «преступление»?

Сара покачала головой и улыбнулась тому, как он спросил
об этом.

— Нет. — Она вдруг рассмеялась, как школьница, и у нее стало легче на сердце, чего не случалось все это время. — Я пряталась на Лонг-Айленде.

— Глупая девчонка. Я уверен, что ваш поступок одобрили бы, если бы вы вернулись в Нью-Йорк, а некоторые просто аплодировали бы вам за то, что вы расстались с этим типом.

— Не знаю. — Она снова вздохнула. — Я не виделась ни с кем... до сих пор... до вас...

— Как мне повезло, мисс Сара Томпсон. Какой глупой-преглупой девчонкой вы были. Не могу поверить, что целый год вы наказывали себя из-за человека, которого, по вашим собственным словам, вы даже не любили. Сара, в самом деле, — он смотрел на нее одновременно с негодованием и изумлением, — как вы могли?

— Развестись для меня было не так просто, — защищалась она. — Я боялась, что меня будут считать такой же, как эта ужасная женщина, на которой женился ваш кузен.

— Что? — Вильям был сражен. — Кончить подобно Уоллис Симпсон? С драгоценностями на пять миллионов долларов, домом во Франции и мужем, хотя он, возможно, и глуп, который обожает ее? Боже мой, Сара, какая страшная судьба! Однако позвольте с вами не согласиться. — Было видно, что он подтрунивает над ней, и оба не могли удержаться от смеха.

— Я серьезно, — возразила она, не переставая смеяться.

— И я тоже. Вы действительно считаете, что она так плохо кончила?

— Нет. Но посмотрите, что говорят о ней люди. Я не хотела бы быть такой. — Она снова стала серьезной.

— Это и не удалось бы, глупышка. Уоллис вынудила короля отказаться от трона. Вы — достойная женщина, совершившая ошибку, от которой никто не застрахован, и имеете право снова выйти замуж. Кто станет против этого возражать? Хотя, конечно, на свете столько глупцов, что в один прекрасный день может объявиться кто-нибудь, кто, не найдя себе лучшего занятия, ткнет в вас пальцем. Не надо обращать на них внимания. Будь я на вашем месте, я постыдился бы оставаться замужем за таким человеком. Когда вы вернетесь в Нью-Йорк, то должны со всех крыш кричать о разводе.

Она улыбнулась его взгляду на вещи, но сочла, что он в какой-то степени прав. Возможно, развод не так ужастен, как она считала. И тут внезапно она рассмеялась:

— Если вы убедите меня относиться к этому спокойнее, то как я смогу вернуться к отшельнической жизни на ферме?

Он налил ей еще бокал шампанского, и Сара улыбнулась ему, отвечая на его долгий и серьезный взгляд.

— Мы поговорим об этом в другой раз. Сейчас эта мысль не кажется мне такой привлекательной, как прежде.

— Почему?

— Потому что это бегство от жизни. Вы могли точно так же уйти в монастырь. — Он отпил еще глоток шампанского. — Это возмутительно пустая трата времени. Боже, не позволяй мне даже думать об этом, или я на самом деле рассержусь.

— О монастыре или о ферме? — пошутила она. Он сделал ей неправдоподобный подарок, он был первый человек, которому она сказала о разводе, и он не был поражен, не ужаснулся и не испугался. Для нее это был первый шаг к свободе.

— О том и о другом. Давайте не будем больше говорить об этом. Я хочу пригласить вас потанцевать.

— Прекрасная мысль. — Сара не танцевала целый год, живя в Лонг-Айленде — Если я еще не разучилась.

— Я напомню вам, — предложил он, заметив, что она медлит. И через несколько минут они уже направлялись в кафе «Ле Пари», где его появление произвело настоящий переполох, все сразу забегали, стараясь угодить ему. «Да, ваша светлость», «Конечно, ваша светлость», «Добрый вечер, ваша светлость». Вильям всем видом показывал, как ему это надоело, и Сару поразило выражение его лица.

— В этом нет ничего страшного. Постарайтесь быть милым, — сказала она, успокаивая его, когда они пошли в танцевальный зал.

— Вы не представляете, как это утомительно. Я думаю, это прекрасно, когда тебе девяносто лет, но в моем возрасте чувствуешь себя просто неловко. В самом деле, подумать только, даже мой отец в восемьдесят пять лет говорил, что ему досаждает это.

— Такова жизнь. — Она усмехнулась, когда они начали танцевать под популярную с прошлой зимы мелодию «Это старое чувство». Сначала она держалась несколько напряженно, но через некоторое время они кружились по залу так, словно танцевали вместе не один год. Сара заметила, что лучше всего он танцует танго и румбу.

— Вы хорошо танцуете, — сделал он ей комплимент. — Неужели вы действительно прятались в течение года? Или брали уроки танцев в Лонг-Айленде?

— Очень забавно, Вильям. Я только что наступила вам на ногу.

— Пустяки. Это были мои пальцы. У вас получится лучше.

Они смеялись, разговаривали и танцевали до двух часов ночи, а когда он повез ее домой, она зевнула и сонно улыбнулась ему, потом склонила голову на его плечо:

— Я так хорошо провела сегодня вечер, Вильям. В самом деле. Спасибо.

— А я ужасно провел время, — сказал он, и это прозвучало убедительно, но лишь на мгновение. — Я не имел представления, что окажусь с падшей женщиной. Я думал, что вы прелестная юная девушка из Нью-Йорка, и чем я кончил? Подержанный товар. Боже мой, какой удар! — Он мрачно потряс головой, когда она ударила его сумочкой.

— Подержанный товар! Как вы смеете называть меня так! — Она была несколько оскорблена и поражена, но оба они не переставая смеялись.

— Ладно, тогда «разведенная старушка», если вам это больше нравится. Но я, во всяком случае, так не думаю... — продолжил он и озорно ей подмигнул, и вдруг Саре пришло в голову, что благодаря своему положению она легко может оказаться его добычей на несколько недель, пока они не покинут Лондон. При одной этой мысли она вся напряглась и отодвинулась от него, пока он вез ее обратно в «Кларидж». Ее движение было настолько резким, что Вильям мгновенно понял, что что-то произошло, и посмотрел на нее, озадаченный, когда они свернули на Брук-стрит.

— Что случилось?

— Ничего. Мне свело спину.

— Неправда.

— Правда, — она смотрела убедительно, но он все равно ей не верил.

— Не уверен. Просто вам что-то пришло в голову, что-то неприятное.

— Как вы догадались? — Как ему удалось так хорошо узнать ее за пару дней? Сара не переставала удивляться.

— Просто вы беспокоитесь по этому поводу больше, чем кто бы то ни был, с кем мне доводилось встречаться. Все это вздор. Если вы будете больше времени думать о том хорошем, что есть в вашей жизни, и меньше о плохом, вы проживете дольше и более счастливо. — Он говорил с ней почти как отец, и она кивнула, выслушав его.

— Благодарю, ваша светлость.

— Вы очень любезны, мисс Томпсон.

Они подъехали к отелю, и Вильям вышел из автомобиля, чтобы открыть дверь и помочь ей. А Сара гадала, что он будет делать, попытается ли подняться наверх. Она помрачнела, поскольку решила, что пресечет его поползновения.

— Как вы полагаете, ваши родители позволят нам еще раз пообедать вместе? — спросил он почтительно. — Может быть, завтра вечером, если вы объясните вашему отцу, что вам необходимо поработать над танго?

Она нежно посмотрела на него. Его намерения были намного приличнее, чем она предполагала. Во всяком случае, они останутся друзьями, и она надеялась — навсегда.

— Возможно. Не хотели бы вы поехать с нами завтра утром в Вестминстерское аббатство?

— Нет, — честно признался он и усмехнулся, — но я поеду с большим удовольствием. — Он хотел видеть ее, а не собор. Но осмотр аббатства был небольшой ценой, которую приходилось платить за то, чтобы побыть с ней. — И, возможно, этот уик-энд мы сможем провести за городом.

— С удовольствием, — улыбнулась она в ответ. Вильям посмотрел на нее, медленно наклонился и поцеловал. Он обнял ее с удивительной силой и прижал к себе, стараясь не испугать. А когда, наконец, отпустил ее, у обоих перехватило дыхание.

— Думаю, что мы оба, вероятно, слишком стары для
этого... — прошептал он. — Но мне понравилось. — Ему
понравилась нежность поцелуя и обещание того, что может произойти позднее.

Потом Вильям проводил ее к лифту, и ему страстно
хотелось поцеловать ее снова. Но он боялся привлечь внимание клерка.

— Увидимся завтра утром, — прошептал он ей, и она кивнула, когда он медленно наклонился к ней. Она подняла на него
удивленные глаза, и сердце ее замерло, когда она услышала:
«Я люблю тебя, Сара».

Она хотела сказать, что тоже любит его, но он уже отступил назад, и двери лифта быстро закрылись.

Глава 7

На следующий день, как и было запланировано, они отправились в Вестминстерское аббатство, и старшие Томпсоны почувствовали, что между молодыми людьми что-то произошло. Сара казалась более покорной, чем прежде, и Вильям смотрел на нее иначе. Виктория Томпсон обеспокоенно перешептывалась с мужем, когда они отошли в сторону.

— Ты полагаешь, что-то произошло? — спросила она с тревогой, понизив голос. — Кажется, Сара чем-то огорчена.

— Не имею представления, — сдержанно ответил Эдвард, в то время как Вильям принялся рассказывать им о некоторых деталях архитектуры. Как и в Тауэре, он потчевал их историями из личной жизни королей и интересными подробностями о разных монархах. Он коснулся коронации, состоявшейся в прошлом году, и сделал пару благожелательных замечаний о своем кузене Бэрти. Бэрти был теперь королем, несмотря на все его протесты. Никогда не готовившийся к этой роли, он пришел в ужас, когда его брат Дэвид отрекся от трона. Потом они бродили среди гробниц, и снова Виктория обратила внимание на необычайную задумчивость дочери. Старшие Томпсоны отстали, оставив молодых людей наедине, и увидели, что Сара и Вильям как будто погрузились в серьезный разговор.

Он выглядел встревоженным и испуганным.

— Мне не следовало говорить вам того, что я сказал, не так ли? — Прежде он никогда не испытывал такого чувства ни с кем. Он казался самому себе мальчишкой, по уши влюбленным в нее, и не мог удержаться от признания. — Простите, Сара... Я люблю вас... Я знаю, это выглядит как безумие, и вы, должно быть, считаете меня сумасшедшим. Но я полюбил вас с первого взгляда, ваши мысли, ваш ум и вашу красоту. И я не хочу потерять вас.

Она подняла на него печальные глаза, в них была мука, и по ее взгляду Вильям понял, что она тоже любит его, но борется со своим чувством.

— Как вы можете говорить, что не хотите меня потерять. Я никогда не принадлежала вам. Я разведенная женщина. А вы можете унаследовать трон. Все, что было между нами... дружба... или случайный флирт.

Вильям на мгновение отступил назад, и на его лице появился намек на улыбку:

— Моя дорогая девочка, если вы называете это случайным, мне было бы очень приятно, если бы вы объяснили мне, что вы считаете серьезным. Я никогда не был ни с кем так серьезен за всю свою жизнь, а мы только что встретились. Моя дорогая, для меня это не случайный флирт.

— Хорошо, хорошо. — Сара улыбнулась против своей воли и выглядела в этот момент еще красивей, чем всегда. — Вы знаете, что я имею в виду. Это ни к чему не приведет. Зачем нам понапрасну мучить друг друга? Давайте останемся просто друзьями. Я скоро вернусь домой, а у вас будет своя жизнь здесь, в Англии.

— А вы? К какой жизни вы вернетесь? — Его огорчили слова Сары. — Ваша жалкая ферма, где вы собираетесь доживать свои дни, как старуха? Не делайте глупостей!

— Вильям, я разведена! Вернее, скоро разводжусь. Неразумно с вашей стороны продолжать это, даже если нас влечет друг к другу, — с трудом произнесла она.

— Я хочу, чтобы вы знали, что меня нисколько не волнует ваш развод, — горячился он. — Для меня этот развод ровным счетом ничего не значит. Ваш развод имеет для меня почти так же мало значения, как это право престолонаследия, о котором вы бесконечно тревожитесь. О чем здесь беспокоиться? Вас снова смущает та особа, на которой женился Дэвид. — Он, конечно, имел в виду герцога Виндзорского, они оба понимали это. И он был прав. Саре стало неловко за себя. Но она упорно отстаивала свое мнение.

— Это связано с традицией и ответственностью. Вы не можете так просто отвернуться от всего этого. Вы не можете не замечать этого или притвориться, что ничего не существует, и я тоже не могу. Это все равно, что ехать на полной скорости в автомобиле и притворяться, что не замечаешь кирпичной стены на твоем пути. Она там, Вильям, хотите вы ее видеть или нет, и рано или поздно эта стена ранит очень сильно нас обоих, если мы не остановимся, пока еще не слишком поздно. — Она не хотела никому причинять боль. Ни ему, ни себе. Она не хотела влюбиться в него и потом потерять навсегда, потому что они не смогут быть вместе. В этом не было смысла, и не имело значения, что они уже любят друг друга.

— Так что же вы предлагаете? — Вильям хмуро посмотрел на нее, ему не понравились ее доводы. — Чтобы мы остановились сейчас? Чтобы мы больше не виделись друг с другом? Ей-богу, я не сделаю этого, пока вы не посмотрите мне в глаза и не скажете, что ничего не произошло и вы не любите меня. — Он взял ее за руки, заглянул ей в глаза и смотрел до тех пор, пока она не отвела взгляд.

— Я не могу этого сказать, — тихо прошептала она и снова подняла на него глаза. — Но, может быть, нам следует просто остаться друзьями? Это все, что может быть между нами. Я предпочла бы, чтобы вы остались моим другом, Вильям, чем совсем потерять вас. Но если мы очертя голову бросимся во что-то глупое и опасное, каждый, кого вы знаете и любите, отвернется от вас и от меня, и это будет катастрофа.

— Моя мать наполовину француженка и всегда относилась к этому праву престолонаследия как к невероятной глупости. Четырнадцатый вправе унаследовать трон, моя дорогая, это впечатляет. Я могу тотчас отказаться от этого и никогда не пожалею, и никто другой не пожалеет об этом.

— Я никогда вам не позволю.

— О, пожалуйста... Ради Бога, Сара. Я взрослый человек и понимаю, что делаю. Сейчас ваши тревоги преждевременны и абсурдны. — Он пытался не придавать этому значения, но оба знали, что она права. Он мгновенно отказался бы от права престолонаследия, если бы был уверен, что она выйдет за него замуж, но он боялся просить ее об этом. Слишком много поставлено на карту, чтобы всем этим рисковать. Вильям никогда никому не делал предложения и уже понял, как сильно любит Сару. — Боже мой, это на самом деле просто поразительно, — дразнил он ее, когда они возвращались в аббатство, чтобы отыскать ее родителей. — Половина девушек в Англии готовы совершить убийство, лишь бы стать герцогинями, а вы не хотите даже разговаривать со мной из страха подцепить эту болезнь. — Тут он рассмеялся, подумав о том, какую настойчивость проявил он и как упорна и добра была эта девушка. — Я действительно люблю вас, вы знаете. Я действительно люблю вас, Сара Томпсон. — Он привлек ее к себе и крепко обнял, чтобы весь мир мог видеть, как он целует ее посреди великолепия Вестминстерского аббатства.

— Вильям... — она начала было протестовать, но затем уступила, совершенно ошеломленная его властностью и притягательной силой. Когда он наконец отпустил ее, она взглянула на него и на мгновение забыла обо всех своих предосторожностях. — Я тоже люблю вас, но думаю, что мы оба сошли с ума.

— Так и есть. — Он улыбнулся счастливой улыбкой, обнял ее за плечи, и они направились к главному входу в аббатство, чтобы найти ее родителей. — Возможно, нам никогда не удастся избавиться от этого сумасшествия, — прошептал он тихо, но Сара не ответила.

— Где вы пропадали? — притворился огорченным Эдвард. По их взглядам он понял, что все идет хорошо.

— Разговаривали... Бродили... Ваша дочь очень отвлекает внимание.

— Я поговорю с ней позже. — Эдвард улыбнулся им, и мужчины некоторое время шли рядом, разговаривая о банке Эдварда и о том, как Америка смотрит на возможность войны. И Вильям рассказал ему о своей недавней поездке в Мюнхен.

На ленч они отправились все вместе в «Старый Чеширский Сыр» и ели пирожки с голубями. После ленча Вильям вынужден был оставить их.

— К сожалению, я обещал своим поверенным провести с ними день, время от времени утомительная необходимость. — Он извинился за то, что покидает их, и спросил Сару, сможет ли она сегодня вечером пообедать и потанцевать с ним. Она колебалась, вид у него был удрученный. — Просто как друзья... еще один раз... — он лгал, и она рассмеялась. Она уже хорошо изучила его, чтобы поверить этому.

— Вы невыносимы.

— Возможно. Но вам необходимо серьезно поработать над танго. — Они оба рассмеялись, вспомнив, сколько раз она спотыкалась, танцуя с ним. — Мы займемся этим сегодня вечером, не правда ли?

— Договорились, — неохотно согласилась она, удивляясь тому, что совершенно не может противиться ему. Он был замечательный человек, и она никогда еще не была так увлечена и уж, во всяком случае, не Фредди ван Дерингом. Это казалось теперь настолько очевидным, но Сара была молода, неопытна и совершила ошибку. Тогда она еще никого не любила и не знала по-настоящему Фредди.

— Он очаровательный молодой человек, — заметила Виктория, когда Вильям отвез их к Гарди Ами. Сара не могла с ней не согласиться. Она просто не хотела разрушать его и свою жизнь, начиная роман, который ни к чему не приведет. Несмотря на заверения Вильяма без колебаний отбросить все предосторожности, Сара не хотела быть такой опрометчивой. Но вечером она забыла все свои страхи, когда надела купленное сказочное белое атласное платье, которое оттеняло ее темные волосы, смуглую кожу и зеленые глаза.

Когда Вильям увидел ее вечером, он не мог отвести от нее глаз, так прелестна она была.

— Боже мой, вы в этом платье подвергаете себя опасности. Я не совсем уверен, что вы поступаете разумно, позволяя мне уводить вас с собой. Должен сказать, что ваши родители весьма доверчивы.

— Я говорила им об этом, но вы, кажется, совершенно пленили их, — подтрунивала она над ним, когда они вышли из отеля. На этот раз он взял с собой водителя.

— Вы бесподобны, дорогая!

Она выглядела словно принцесса.

— Благодарю вас. — Она улыбнулась счастливой улыбкой.

И снова они чудесно провели время. На этот раз Сара решила вести себя непринужденнее. С ним было весело, ей понравились его друзья, которых они встретили, и все они были милы с ней. Они танцевали всю ночь, и она, наконец, освоила и танго, и румбу, и в своем платье великолепно смотрелась, танцуя с Вильямом.

Он снова привез ее домой в два часа, и вечер пролетел для них, словно одно мгновение. Сегодня они ни разу не упомянули об ее огорчениях или его чувствах. Это был приятный, непринужденный вечер, и, когда они приехали в отель, Саре не хотелось расставаться с ним.

— А какую достопримечательность вы собираетесь посетить завтра, дорогая?

Она улыбнулась:

— Никакой. Мы собирались остаться в отеле и отдохнуть. У папы какое-то дело и ленч со старым другом, а нам с мамой совершенно нечего делать.

— Это звучит заманчиво. — Он серьезно на нее посмотрел. — Могу я пригласить вас ничего не делать вместе со мной. Возможно, небольшая поездка за город, чтобы подышать свежим воздухом.

Сара поколебалась, но потом кивнула. Несмотря на все предостережения самой себе, она знала, что не может противиться ему. И она решила даже не пытаться, пока они не уедут из Лондона.

На следующий день он заехал за ней перед ленчем в изготовленном на заказ «багетти», которого она никогда не видела у него. Они направились к Глостерширу. По дороге он показывал ей достопримечательности и развлекал разговором.

— Куда мы едем?

— В одно из самых старых мест в Англии, — сказал он с серьезным видом. — Основное здание относят к четырнадцатому столетию, боюсь, оно покажется вам мрачным, но остальные дома в поместье более поздней постройки. Большая часть их была возведена при сэре Кристофере Репе в восемнадцатом столетии, и они просто прелестны. Там есть конюшни, ферма, дивный охотничий домик. Думаю, вам понравится.

— Вильям, а кто там живет?

Он поколебался, затем, усмехнувшись, сказал:

— Я. На самом деле я провожу там мало времени, но моя мама живет там постоянно. Она живет в основном здании. А я предпочитаю охотничий домик, он намного прочнее. Я подумал, вам, может быть, доставит удовольствие заехать к ней на ленч, поскольку у вас столько свободного времени.

— Вильям, вы не предупредили, что везете меня на ленч к
вашей матери! — Сару охватила паника.

— Она очень мила, обещаю вам, — невинно заметил он. —
Надеюсь, она вам понравится.

— Но что же она подумает обо мне? Почему мы приехали
на ленч? — Она снова испугалась его, их взаимного притяжения и последствия их безрассудного поведения.

— Я скажу ей, что вы проголодались. На самом деле,
я звонил ей вчера и попросил ее принять вас до вашего
отъезда из Лондона.

— Зачем? — Сара удивленно на него посмотрела.

— Зачем? — Казалось, вопрос удивил его. — Потому что
вы мой друг, и вы мне нравитесь.

— Это все, что вы ей сказали? — проворчала она,
ожидая ответа.

— Нет, конечно, я сообщил, что мы собираемся пожениться в субботу, и будет лучше, если она познакомится со следующей герцогиней Вайтфилд до свадьбы.

— Вильям, прекратите! Я серьезно! Я не хочу, чтобы
она думала, что я охочусь за вами и собираюсь разрушить вашу жизнь.

— Она так не подумает. Я ей все объяснил. Сказал, что
вы согласны приехать на ленч, но категорически отказываетесь
принять титул.

— Вильям! — пронзительно закричала она и внезапно рассмеялась. — Что вы со мной делаете?

— Пока ничего, моя дорогая, но как бы мне хотелось!

— Вы невыносимы! Вы должны были предупредить
меня. Я неподобающим образом одета! — На ней были брюки
и шелковая блузка, в определенных кругах к такой одежде
относились неодобрительно. Сара была уверена, что вдовствующей герцогине Вайтфилд не понравится ее вид.

— Я сказал ей, что вы — американка, это все объяснит. — Он дразнил ее, прикидываясь, что успокаивает;
на самом деле он считал, что она восприняла это доволь

но спокойно. Вильям думал, что Сара будет огорчена сильнее, когда узнает, что он везет ее на ленч к своей матери, но она сочла поездку неплохим развлечением.

— Вы сообщили ей, что я развожусь?

— Проклятие, я забыл. — Он усмехнулся. — Но обязательно скажу ей за ленчем. Она захочет узнать об этом поподробнее. — Он влюбленно улыбнулся ей, совершенно равнодушный к ее страхам и возражениям.

— Вы отвратительны.

— Спасибо, моя любимая. Всегда к вашим услугам.

Вскоре они подъехали к главному входу в имение, и на Сару произвела впечатление его красота. Имение было окружено высокой каменной стеной, которая, похоже, была выстроена при норманнах. Постройки и деревья были очень старыми, но кругом царил безупречный порядок. Основное здание больше походило на крепость, чем на дом, но, когда они проехали мимо охотничьего домика, в котором Вильям останавливался со своими друзьями, Сара была совершенно очарована им. Он оказался больше их дома в Лонг-Айленде. Родовой дом Вайтфилдов, в котором жила его мать, поражал своим великолепием. Сара вздрогнула, увидев маленькую, хрупкую, но все еще красивую герцогиню Вайтфилд.

— Рада познакомиться с вами, ваша светлость, — волнуясь, произнесла Сара, не уверенная, должна ли она пожать ей руку или сделать реверанс, но пожилая дама взяла ее руку и осторожно пожала ее.

— Я тоже рада познакомиться с вами, моя дорогая. Вильям сказал, что вы прелестная девушка, и я вижу, что он совершенно прав. Заходите. — Она повела их в дом, опираясь на трость. Трость принадлежала королеве Виктории и была маленьким подарком Барта, сделанным во время недавнего его визита.

Герцогиня показала Саре три гостиных внизу, потом они вышли в сад. Стоял теплый, солнечный день, необычный для английского лета.

— Вы долго пробудете в Англии, моя дорогая? — любезно спросила его мать, и Сара с сожалением покачала головой.

— На следующей неделе мы уезжаем в Италию. Вернемся в Лондон на несколько дней в конце августа. Моему отцу необходимо быть в Нью-Йорке в начале сентября.

— Вильям сообщил мне, что он банкир. Мой отец тоже был банкиром. А Вильям говорил вам, что его отец был главой палаты лордов? Он был чудесный человек... Вильям очень похож на него. — Она с нескрываемой гордостью посмотрела на своего сына. Вильям улыбнулся и нежно обнял ее.

— Нехорошо хвастаться, мама, — подтрунивал он над ней, но было видно, что для нее весь мир заключался в сыне. Он был ее радостью и бесценной наградой за долгое и счастливое супружество.

— Я не хвастаюсь, я просто подумала, что Саре интересно узнать что-то о твоем отце. Возможно, однажды ты пойдешь по его стопам.

— Вряд ли, мама. Слишком много головной боли. Не думаю, что когда-нибудь займусь этим.

— В один прекрасный день ты можешь удивить самого себя. — Она снова улыбнулась Саре, а немного погодя они пошли на ленч. Это была очаровательная женщина, поразительно живая для своего возраста, и было видно, что она обожает Вильяма. Она не цеплялась за него, не жаловалась, что он был недостаточно внимателен к ней или что она редко видит его. Казалось, она совершенно довольна, позволяя ему вести самостоятельную жизнь, и получала большое удовольствие, когда он рассказывал о себе. Она вспомнила о его наиболее забавных юношеских проделках и как хорошо он учился в Итоне. После этого он поступил в Кембридж и занимался историей, политикой и экономикой.

— Зато теперь я посещаю обеды и танцую танго. Удивительно, как полезно образование. — Но Сара уже знала, что Вильям занимался не только этим. Он управлял имением, имел доходную ферму, заседал в палате лордов, путешествовал, был начитан и еще был увлечен политикой. Он был интересный человек, и Сара не хотела признаваться себе, что ей нравилось в нем все. Ей понравилась даже его мать. А герцогиня, кажется, была очарована Сарой.

Они втроем долго гуляли в саду, и Аннабель Вайтфилд рассказала Саре все о своем детстве в Корнуэлле, а также о поездках к родителям ее матери во Францию и о том, как она проводила лето в Довилле.

— Иногда мне не хватает этого, — призналась она с ностальгической улыбкой.

— Мы как раз были там в июле, там просто очаровательно, — улыбнулась в ответ Сара.

— Я рада слышать это. Я не была в Довилле уже пятьдесят лет. — Она улыбнулась сыну. — С тех пор как появился Вильям, я оставалась дома. Мне не хотелось разлучаться с ним, я получала удовольствие, проводя все свое время с сыном, восхищаясь каждым его словом и звуком. Меня едва не убило, когда бедный ребенок уехал в Итон. Я пыталась убедить Джорджа оставить его дома и нанять преподавателя, но он настоял, и я полагаю, был прав. Вильяму было бы слишком скучно дома, со своей старой матерью. — Она посмотрела на него с любовью, а он поцеловал ее в щеку.

— Мама, мне никогда не было скучно дома с тобой, и ты знаешь это. Я обожал тебя. И обожаю до сих пор.

— Глупый мальчик, — улыбнулась она, всегда чувствуя себя счастливой, слыша это.

Они уехали из имения вечером, герцогиня пригласила Сару заехать к ней перед отъездом из Англии.

— Может быть, после вашего путешествия по Италии, моя дорогая. Я буду рада, если вы поделитесь со мной своими впечатлениями.

— С удовольствием, — улыбнулась ей Сара. Она прелестно провела время, и всю дорогу до Лондона они с Вильямом болтали об этом.

— Она чудесная, не правда ли? Она не обращает внимания на свои болезни. Я никогда не видел, чтобы она сердилась на кого-нибудь, может быть, только на меня, — он засмеялся при этом воспоминании. — Она никогда не отзывалась ни о ком плохо. Она просто обожала моего отца, а он ее. Я очень рад, что вы нашли время, чтобы встретиться с моей матерью. — Его глаза говорили больше слов, но Сара сделала

4*

вид, что ничего не заметила. Она боялась взаимного притяжения и той близости, которая возникла между ними.

— Я рада, что вы познакомили меня с ней, — тихо произнесла Сара.

— Она тоже была рада. Вы действительно понравились ей. — Он взглянул на нее, и его тронул ее напуганный вид.

— И она не изменила бы своего мнения обо мне, если бы узнала, что я разведена, не так ли? — с горечью сказала Сара, когда он умело повернул свой «багетти».

— Не думаю, что она возражала бы, если бы знала об этом, — честно признался он.

— Я рада, что вы решили не проверять это, — с облегчением улыбнулась она. Но он не смог устоять перед возможностью подразнить ее.

— Я думал, вы скажете ей за ленчем.

— Я забыла. Я сделаю это в следующий раз. Обещаю.

— Превосходно. Она будет взволнована вашим признанием. — Они рассмеялись и всю обратную дорогу болтали, не умолкая. Он с сожалением расстался с ней у отеля. Вечером Сара вместе с родителями обедала у их друзей. Но Вильям договорился увидеться с Сарой на следующий день, причем утром.

— Вам больше нечем заняться? — подтрунивала она над ним, когда они стояли, как счастливые, легкомысленные влюбленные, перед отелем.

— Только на этой неделе. Я хочу провести с вами как можно больше времени, пока вы не уедете в Рим. Если вы, конечно, не возражаете. — Она подумала, что ей следует возразить ради него, но она не хотела этого делать. Он был слишком привлекателен, и соблазн был слишком велик.

— Тогда завтра утром Гайд-Парк? А потом Национальная галерея, короткая поездка в Ричмонд и прогулка в Пью-Гардой. И ленч в отеле Беркли. — Пока он планировал все это, она веселилась. Ей было все равно, куда они поедут, лишь бы быть с ним. Ему было трудно противиться, но скоро они уедут. И тогда она должна заставить себя забыть его. Но какой вред могут причинить несколько счастливых дней? Почему бы и нет, после стольких дней одиночества. И все оставшееся время в Лондоне Вильям почти повсюду сопровождал их. Иногда у него были деловые встречи, которые он не мог отменить, но большую часть времени он находился в их распоряжении. На следующий день они вместе с Эдвардом обедали в клубе Вильяма.

— Было весело? — поинтересовалась она у отца, когда он вернулся.

— Вильям был очень мил. А клуб — просто чудесный. — Но больше всего на ленче ему понравилась не атмосфера и не еда, а сам Вильям и то, что он сказал. — Вечером он приглашает нас всех на обед, а потом тебя потанцевать. Мне кажется, Италия покажется тебе слишком скучной без него, — сказал он серьезно, с тревогой наблюдая за выражением ее лица.

— Я должна принять его приглашение, не так ли? — твердо сказала она. — Будет весело, и он очень мил, но это не может продолжаться вечно. — Она крепко обняла отца и вышла из комнаты, а вечером они все отправились в «Савой» обедать. Вильям, как всегда, был очарователен, и Сара тоже была в хорошем настроении. После обеда они отвезли родителей в отель, а сами пошли в клуб «Фор Хандред» потанцевать.

Сегодня вечером она была тихой, несмотря на все ее старания казаться веселой. Они немного потанцевали и вернулись к столику и, держась за руки, долго проговорили в эту ночь.

— На следующей неделе вам будет так же трудно, как и мне? — спросил он ее, и она кивнула. — Не знаю, что я буду делать без вас, Сара. — Они стали так близки друг другу за эти несколько коротких недель. Их обоих по-прежнему изумляло, насколько быстро они сблизились. Вильям все еще пытался разобраться в этом. Никогда он еще так никого не любил.

— Вы найдете, чем заняться. — Она храбро улыбнулась. — Может, вам стоит устроиться на работу гидом в лондонском Тауэре или Британском музее.

— Какая прекрасная идея! — отозвался он и обнял ее за плечи. — Я буду ужасно скучать без вас, пока вы будете в Италии, а потом вы возвратитесь в Лондон на такой короткий срок. Всего на неделю. — Эта мысль опечалила его, она молча кивнула. Ей хотелось многое изменить в своей жизни, чтобы они встретились раньше, чтобы она была англичанкой, чтобы никогда не было Фредди. Но желания бессильны, и она должна взять себя в руки и уехать. Это было так трудно сделать, так трудно представить себе, что она не сможет каждый день видеться с ним, не услышит его смех и подтрунивание, и он не поведет ее в новые места или на встречу с его друзьями, или хотя бы посмотреть королевские сокровища в Тауэр, или навестить его мать в Вайтфилде, или просто посидеть где-нибудь и поговорить.

— Может быть, вы когда-нибудь приедете в Нью-Йорк, — сказала она задумчиво, зная, что это было маловероятно. Даже если бы он приехал, его визит был бы очень коротким.

— Может быть. — Он дал ей слабый луч надежды. — Если мы в Европе не ввергнем себя в беду. Нацистский главарь может вскоре сделать трансатлантическое путешествие рискованным, только неизвестно, как скоро. — Он был убежден, что в конце концов разразится война, и Эдвард Томпсон не мог не согласиться с ним. — Возможно, мне удастся приехать до этого. — Но Сара знала, что свидание с Вильямом в Нью-Йорке было далекой мечтой, мечтой, которая, может быть, никогда не сбудется. Пришло время прощаться, и она знала это. Даже если она увидит его снова, когда они вернутся из Италии, к тому времени у них будут совершенно иные отношения. Они теперь должны избегать дальнейшего сближения друг с другом и вернуться к прежней жизни. Они красиво протанцевали последнее танго, но даже это не заставило Сару улыбнуться. Потом они танцевали еще один «последний танец», щека к щеке, и каждый был погружен в свои мысли, а когда они вернулись к столику, он целовал ее много, много раз.

— Я люблю вас, милая девушка. Я действительно не могу перенести расставания с вами. Что мне делать без вас всю оставшуюся жизнь?

— Быть счастливым... жениться... иметь детей... — ответила она полушутя. — Вы напишете мне? — задумчиво спросила она.

— Через час. Обещаю. Может быть, вашим родителям не понравится Италия, и вы вернетесь в Лондон скорее? — с надеждой сказал он.

— Я в этом сомневаюсь.

И он тоже сомневался в этом.

— Понимаете, судя по тому, что мне говорили, Муссолини не лучше Гитлера.

— Не думаю, что он нас ждет, — улыбнулась она. — В самом деле, я даже не уверена, что мы увидим его, пока там будем. — Она опять дразнила его, не зная, что еще сказать Вильяму. Все, что они должны сказать друг другу, было слишком болезненно.

В молчании они подъехали к ее отелю, сегодня вечером Вильям сам вел автомобиль. Он не хотел, чтобы присутствие шофера мешало им. Они долго сидели в автомобиле, спокойно разговаривая о том, что они делали, что им хотелось бы сделать, что они должны сделать и что они сделают, когда Сара вернется в Лондон.

— Обещаю, я буду с вами неотлучно до вашего отплытия. — Она улыбнулась и посмотрела на него, он был так аристократичен и так красив. Герцог Вайтфилд. Возможно, однажды она расскажет своим внукам, как любила его много лет назад. Сейчас она больше, чем когда-либо, была уверена, что не должна стоить ему права престолонаследия.

— Я напишу вам из Италии, — пообещала она, не уверенная в том, что это следовало говорить. Она должна быть сдержанной. Она не могла позволить себе рассказать ему о своих чувствах. Сара твердо решила не допустить, чтобы он предпринял что-то безумное.

— Если мне удастся, я позвоню вам. — Вильям обнял ее. — Дорогая... как я люблю вас. — Она закрыла глаза, и слезы медленно покатились по ее щекам, а он осушал их поцелуями.

— Я тоже люблю вас... — проговорила она, на мгновение прервав поцелуй. Она увидела слезы в его глазах и нежно коснулась его щеки кончиками пальцев. — Мы должны быть разумны, вы понимаете. У нас нет выбора. У вас есть обязанности, Вильям. Вы не можете отказаться от них.

— Могу, — сказал он тихо. — А если бы у нас был выбор? — Это было обещание будущего.

— У нас нет выбора. — Сара приложила палец к его губам, а он поцеловал его. — Не делайте этого, Вильям. Я вам не позволю.

— Почему?

— Потому что я люблю вас, — твердо произнесла она.

— Тогда почему вы отказываете нам обоим в том, чего мы хотим, и говорите о будущем?

— У нас не может быть будущего, Вильям, — с грустью ответила Сара.

Когда он помог ей выйти из автомобиля, они, держась за руки, медленно побрели в отель. Она снова была в белом атласном платье и выглядела прелестно. Его глаза пристально изучали ее, впитывая каждую деталь, чтобы никогда не забыть.

— До скорой встречи. — Он поцеловал ее на виду у портье. — Не забудь, как сильно я люблю тебя, — прошептал он и поцеловал ее еще раз. Было мучительно входить без него в лифт. Двери тяжело закрылись, и, пока она поднималась, сердце рвалось у нее из груди.

Он долго стоял в холле, глядя на двери лифта, потом повернулся и решительно пошел к автомобилю. Она была упряма, но Вильям Вайтфилд был еще упрямее.

Глава 8

Дорога в Рим на поезде показалась Саре бесконечной — она была молчалива, бледна, ее родители тихо беседовали, редко обращаясь к ней. Они оба знали, как ей было плохо и как неинтересны ей их разговоры. Вильям позвонил ей перед самым отъездом. Разговор был короткий, но на глазах ее были слезы, когда она, взяв сумку, вышла из комнаты. Сара понимала, что это было началом их окончательного расставания, и то, что они так любили друг друга, не имело значения. Она знала, насколько безнадежно их положение и как глупо было позволить себе влюбиться в Вильяма. Теперь ей придется расплачиваться за это страданиями и в конце концов заставить себя забыть его. Она не была уверена, что захочет снова увидеть его, когда они вернутся в Лондон. Слишком болезненными могут оказаться их встречи. И пока они ехали на поезде, она смотрела в окно, заставляя себя думать о Питере и Джейн, и малышах Джеймсе и Марджори, и даже о Фредди. Но как ни старалась Сара отвлечься, она все время ловила себя на том, что мысленно возвращается к Вильяму... или его матери... или вспоминает о его друзьях... или о том дне, который они провели в Вайтфилде... или о тех моментах, когда они целовались... или о вечерах, когда танцевали.

— С тобой все в порядке, дорогая? — настойчиво спрашивала ее мать, когда они оставляли ее, уходя в вагон-ресторан на ленч. Сара категорически отказывалась от еды: когда стюард приносил ей фрукты и чашку чая, она сказала, что больше ей ничего не надо. Виктория беспокоилась о ней.

— Все прекрасно, мама, в самом деле. — Но Виктория знала, что это не так. За ленчем она сказала Эдварду, что Сара достаточно настрадалась с Фредди и, возможно, им не следовало быть снисходительными к ее маленькому роману с герцогом.

— Мне кажется, важно, что теперь она точно знает, какие чувства испытывает к нему, — спокойно заметил Эдвард.

— Почему? — Виктория была озадачена. — Какое это имеет значение?

— Человек никогда не знает, что его ждет в жизни, Виктория, не правда ли? — Она удивилась, не сказал ли ему что-то Вильям, но ни о чем не спросила мужа. После ленча, вернувшись в свое купе, они застали Сару читающей книгу. Это был новый роман «Брайтон Рок», Грэхема Грина, подаренный ей Вильямом. Но она никак не могла сосредоточиться, не могла запомнить ни одного имени и в конце концов отложила книгу.

Они миновали Дувр, Кале и Париж, где их прицепили к другому поезду, и далеко за полночь Сара лежала в темноте, без сна, слушая перестук колес, в то время как их поезд пересекал северную Италию. И с каждым звуком, каждой милей, каждым поворотом колес все, о чем она думала, был Вильям и мгновения, проведенные с ним. Она чувствовала себя намного хуже, чем расставшись с Фредди, потому что Вильяма она действительно любила и знала, что он тоже отвечал ей любовью. Сара понимала, что за совместное будущее ему пришлось бы заплатить слишком дорого, и не могла допустить этого.

Она проснулась усталая и бледная после нескольких часов тревожного сна, когда поезд прибыл на вокзал ди Термини, выходящий на Пьяцца де Синкесенто.

Отель «Эксельсиор» прислал за ними автомобиль, и Сара равнодушно подошла к шоферу. На ней была большая шляпа, которая должна защищать ее от римского солнца. По пути к отелю общительный водитель указывал им на различные достопримечательности: купальни Дисклетиана и Палаццо Барберини, сады Боргезе. По правде говоря, она сожалела о том, что они приехали, и ее приводили в ужас предстоящие три недели осмотра достопримечательностей в Риме, Флоренции и Венеции со своими родителями, учитывая то состояние, в котором она находилась после расставания с Вильямом.

Сара почувствовала облегчение, оставшись на время одна в своем номере. Она заперла дверь и легла на постель, закрыв глаза. Но в тот же миг мысли ее снова унеслись к Вильяму. Он словно преследовал ее. Она встала, сполоснула лицо холодной водой, причесалась, приняла ванну, чтобы снять усталость после долгой дороги в поезде, надела легкое платье и через час вышла, чтобы разыскать своих родителей. Они тоже приняли ванну, переоделись и почувствовали себя вновь бодрыми, несмотря на невыносимую римскую жару.

В этот день ее отец наметил экскурсии в Колизей, и они подробно обследовали каждый камень под палящим солнцем. В отель они вернулись ближе к вечеру, измученные жарой. Эдвард предложил им задержаться, чтобы освежить себя каким-нибудь напитком, прежде чем подниматься наверх, но даже это не помогло им. Сара выпила два бокала лимонада, но чувствовала себя древней старухой, когда вышла из-за стола и отправилась одна в свой номер. Она оставила родителей поболтать за стаканом вина, а сама медленно побрела по вестибюлю, с соломенной шляпой в руках, рассеянная и не зная, что придумать, чтобы ей стало легче.

— Синьорита Томпсон? — сдержанно спросил ее один из управляющих, когда она проходила мимо конторки.

— Да. — Сара была смущена, быстро взглянув в его сторону, удивляясь, зачем он позвал ее.

— Для вас письмо. — Он протянул ей конверт, надписанный твердой мужской рукой, она взглянула на него с удивлением, как оно могло дойти так быстро. Сара тут же распечатала конверт, на листе было написано: « Я буду любить тебя вечно. Вильям». Она улыбнулась, медленно сложила письмо и убрала его обратно в конверт, подумав, что он, должно быть, послал его еще до ее отъезда. Когда она начала медленно подниматься по лестнице на второй этаж, ее сердце было полно им. Воспоминания о нем нахлынули на нее потоком, как вдруг кто-то задел ее.

— Простите, — пробормотала она, не глядя, и тут внезапно была буквально сметена с ног, чьи-то руки обняли ее, и он оказался здесь, в Риме, в отеле, и целовал ее, словно они не расставались. Сара не могла понять, что случилось.

— Что... Я... ты... Вильям, откуда ты взялся? Я хочу сказать... о Боже мой, что ты здесь делаешь? — У нее перехватило дыхание, и она была потрясена происходящим. Радость ее не знала границ, и Вильям был в восторге.

— Я приехал, чтобы провести три недели с вами в Италии, и ты должна это знать, глупая девочка. Ты прошла мимо меня в вестибюле. — Он был доволен тем, какой одинокой она выглядела, то же самое он испытывал в «Кларидже», в Лондоне, когда проводил ее. После этого ему понадобилось меньше часа, чтобы без колебаний отбросить все предосторожности и встретиться с ней в Риме. А увидев ее, он был рад вдвойне, что приехал в Италию. — Боюсь, что у меня для тебя плохие новости, моя дорогая. — Он коснулся ее щеки, и вид у него был серьезный, и на мгновение она забеспокоилась о его матери.

— Какие?

— Думаю, что не смогу без тебя жить, — усмехнулся он, и она улыбнулась в ответ. Они все еще стояли на лестнице, и люди внизу улыбались, любуясь ими.

— Разве вам не следовало по крайней мере попытаться отказаться от приезда? — с достоинством спросила Сара, но она была слишком счастлива, чтобы отговаривать его снова.

— Я не мог вынести разлуки с тобой. Достаточно будет того, что ты уедешь в Нью-Йорк. Давай будем радоваться жизни. — Он обнял и поцеловал ее как раз в тот момент, когда ее родители начали подниматься по лестнице и остановились, с изумлением глядя на них. Сначала они не разобрали, с кем она, они только увидели свою дочь в объятиях какого-то мужчины, но Эдвард мгновенно понял, кто это, и улыбнулся им. Они медленно поднялись по лестнице и через мгновение уже стояли вчетвером. Сара раскраснелась от счастья и все еще держала Вильяма за руку, когда подошли ее родители.

— Я вижу, вы приехали, чтобы стать нашим гидом по Италии, — с изумлением сказал ему Эдвард. — Вы очень внимательны, ваша светлость. Благодарю вас за то, что вы приехали.

— Я почувствовал, что это мой долг, — ответил Вильям со счастливым и слегка смущенным видом.

— Мы рады видеть вас, — сказал Эдвард за всех и, конечно, за Сару, которая вся светилась. — Теперь наше путешествие будет намного веселее. Боюсь, Саре не слишком понравился Колизей.

Сара засмеялась, ей действительно было ненавистно каждое мгновение без Вильяма.

— Я постараюсь завтра вести себя лучше, папа.

— Уверен, что так и будет. — И он повернулся к Вильяму: — Я полагаю, у вас есть номер, ваша светлость? — Они стали хорошими друзьями, и Томпсон нравился ему.

— Да, сэр, настоящие апартаменты, должен сказать. Очень красивые. Договаривался о номере мой секретарь, и один Бог знает, что он им сказал. Второй по престолонаследию, по меньшей мере, судя по тому, что они приготовили. — Все четверо рассмеялись и стали подниматься по лестнице, обсуждая, где им пообедать. Вильям нежно сжимал ее руку, думая о будущем.

Глава 9

Время, проведенное в Риме, летело, как на крыльях: посещение музеев, соборов, Палатинского холма, и визиты к нескольким друзьям Вильяма на прелестные виллы. Они побывали на побережье в Остии и обедали в элегантных ресторанах, а временами совершали опустошительные набеги в причудливые таверны.

В конце недели они поехали во Флоренцию, чтобы продолжить знакомство с Италией. Пока, наконец, на третьей неделе они не прибыли в Венецию, и к этому времени были еще больше влюблены друг в друга. Людям, которые видели их и не знали, трудно было поверить, что они неженаты.

— Было так весело, — сказала Сара, когда поздно вечером они сидели в плавательном бассейне в Ройял Даниэли.

— Мне понравилась Венеция, — призналась она. Вся поездка была словно медовый месяц, если не считать того, что с ними были родители, и они с Вильямом не занимались тем, чем надлежит заниматься молодоженам, что было нелегко для них обоих. Но они с самого начала пообещали друг другу вести себя, как положено.

— Я безумно люблю тебя, — сказал он, нежась на солнце. Он никогда в жизни не был так счастлив и теперь знал наверняка, что никогда ее не оставит. — Я думаю, тебе необязательно ехать с родителями в Нью-Йорк, — сказал он полушутя, но приоткрыл один глаз, чтобы проследить за ее реакцией.

— И что ты предлагаешь мне сделать вместо этого? Переехать к твоей матери в Вайтфилд?

— Прекрасная мысль. Но откровенно говоря, я предпочел бы, чтобы ты жила вместе со мной в моем доме в Лондоне.

Она улыбнулась ему. Это была неосуществимая мечта.

— Как бы мне хотелось этого, Вильям, — тихо призналась Сара. Он перевернулся на живот и приподнялся на локте, чтобы обсудить с ней ее дальнейшее будущее.

— И почему же ты не можешь, напомни мне. — У нее был длинный список возражений, которые он всегда отметал, и первым был ее развод, а второй его право престолонаследия.

— Ты знаешь, почему. — Но он ничего не хотел знать. В конце концов она поцеловала его и стала убеждать его быть благодарным за то, что они имеют. — Это больше того, что некоторые люди имеют за всю жизнь. — Сама она, безусловно, была ему признательна за каждое мгновение, которое они провели вместе. Сара слишком хорошо понимала, как дорого все, что было у них, и маловероятно, что когда-нибудь в ее жизни будет что-то подобное. Он сел рядом с ней, и они стали наблюдать за лодками и гондолами и любоваться шпилями собора Св. Марка, вздымающимися к небу.

— Сара... — он взял ее руку. — Я не шучу.

— Я знаю.

Он наклонился и нежно поцеловал ее в губы, и сказал ей то, чего никогда не говорил раньше открыто:

— Я хочу жениться на тебе. — И поцеловал ее так, чтобы она поняла, что это значит, но она вырвалась и отрицательно покачала головой.

— Ты знаешь, что мы не можем этого сделать, — прошептала она.

— Можем. Я не намерен из-за моего права престолонаследия и твоего развода отказываться от тебя. Это просто абсурдно. Всем, абсолютно всем в Англии безразлично, что я делаю. Единственный человек, о котором я беспокоюсь, моя мать, а она обожает тебя. Я сказал ей перед тем, как вы познакомились, что я хочу жениться на тебе, и после того, как вы познакомились, она сказала, что это разумное намерение. Она одобрила мой выбор.

— Ты сказал ей перед тем, как привез меня на ленч в Вайтфилд? — ужаснулась Сара. Вильям улыбнулся.

— Я подумал, она должна знать, что ты значишь для меня. До этого я не говорил ей ни о ком, и она призналась, что благодарна судьбе, что жила достаточно долго, чтобы увидеть меня влюбленным в такую славную девушку.

— Если бы я знала это тогда, я бы вылезла из автомобиля и пошла пешком в Лондон. Как ты мог сказать ей такое? Она знает о разводе?

— Теперь знает, — ответил он серьезно. — Я рассказал ей позднее. Мы обсудили это до твоего отъезда из Лондона, и она полностью со мной согласилась. Она сказала, что подобные чувства приходят только раз в жизни. И что у меня именно такой случай. Мне почти тридцать шесть лет, и я никогда не испытывал ничего, кроме проходящего желания и постоянной скуки. — Она посмеялась над его словами и в изумлении покачала головой, думая о том, как непредсказуема жизнь, но как чудесна и изумительна.

— Что, если из-за меня ты станешь отверженным? — Она чувствовала ответственность за него, но испытала большое облегчение, узнав о реакции его матери.

— Тогда мы приедем сюда и будем жить в Венеции. Это должно быть очень мило. — Он был абсолютно невозмутим ко всем ее возражениям. Они его совершенно не тревожили..

— Вильям, твой отец возглавлял палату лордов. Подумай о том позоре, который ляжет на твою семью и на твоих предков.

— Не глупи. Они не отнимут у меня мое имение, дорогая девочка, я только не смогу быть королем. И позволь заверить тебя, что у меня, слава Богу, никогда и не было на это ни малейшего шанса. Если бы я считал, что у меня есть хоть какая-то возможность, я сам бы отказался от нее много лет назад. Четырнадцатый по праву престолонаследия — дело чистого престижа, моя дорогая. Без этого можно прекрасно прожить.

Но Сара по-прежнему не хотела от него жертв.

— Тебя не будут смущать пересуды людей, что твоя жена уже была замужем?

— Откровенно, нет. Мне это безразлично. Я только не понимаю, откуда станет известно об этом, если ты не расскажешь никому. Благословение небесам, ты — не Уоллис Симпсон. Тебя удовлетворяет такой ответ на все твои глупые возражения, моя любимая?

— Я... ты... — Слушая доводы Вильяма, Сара начала сомневаться в собственных словах. — Я так люблю тебя. — Она крепко поцеловала его, и он долго держал ее в объятиях. Потом немного отпустил, чтобы пригрозить ей.

— Я не отпущу тебя, пока ты не согласишься быть следующей герцогиней Вайтфилд, — прошептал он ей. — А если ты не согласишься, я расскажу всем в этом бассейне, что ты — настоящая Уоллис Симпсон... Прошу прощения, герцогиня Виндзорская. — Ее титул все еще застревал у него в горле, и Вильям был очень рад, что ей не дали права называться Ее Королевское Высочество, что взбесило Дэвида. — Ты согласна? — настойчиво прошептал он. Сара кивнула, глаза ее наполнились слезами. Вильям страстно поцеловал ее и долго не отпускал. Потом улыбнулся, встал и быстро завернулся в полотенце. — Договорились, — спокойно сказал он, протягивая ей руку. — Когда свадьба? — Его вопрос ошеломил ее. Она все еще не могла поверить, что они собираются пожениться. Неужели это возможно? Как они осмелились? Что скажет король? А ее родители? А Джейн? А все их друзья...

— Ты в самом деле серьезно? — Она смотрела на него, по-прежнему потрясенная его предложением, но неправдоподобно счастливая.

— Боюсь, серьезно, моя дорогая. Ты уже на пороге брака. Я только хочу, чтобы ты назвала дату свадьбы.

Сара взглянула на него, и на мгновение ее взор затуманился, она немного понизила голос:

— Мой развод состоится девятнадцатого ноября. После этого должно пройти какое-то время.

— Ты свободна двадцатого? — спросил он полушутя-полусерьезно. И она засмеялась, чувствуя, что от волнения у нее закружилась голова.

— Думаю, День благодарения подойдет для этого.

— Очень хорошо. Что мы будем есть? Индейку? На нашу свадьбу мы будем есть индейку.

Она подумала о том, что им предстоит сделать и сколько работы будет у ее матери как раз после Дня благодарения, и смущенно улыбнулась ему.

— Первое декабря подойдет? Тогда мы смогли бы провести День благодарения с моими родителями, и у тебя будет немного времени познакомиться со всеми перед свадьбой. — Но оба знали, что на этот раз на свадьбе не соберется большое количество гостей. Особенно после ужасного празднования годовщины ее брака с Фредди у нее не было желания устраивать многолюдный прием.

— Итак, первого декабря. — Он снова привлек ее к себе посреди великолепия Венеции. — Я полагаю, мисс Томпсон, мы теперь обручены. Когда мы скажем об этом родителям? — Он выглядел как счастливый школьник, когда она с улыбкой ответила:

— Что, если за обедом?

— Превосходно.

После того как она ушла к себе в номер, он отправил телеграмму своей матери в Вайтфилд:

«Счастливейший момент моей жизни. Хочу сразу поделиться с тобой. Мы с Сарой вступаем в брак в Нью-Йорке первого декабря. Надеюсь, ты сможешь совершить это путешествие. Благослови тебя Бог. Преданный Вильям».

В этот вечер в ресторане отеля он заказал превосходное шампанское и велел подать его перед ужином, хотя обычно Томпсоны предпочитали шампанское на десерт.

— Сегодня мы начинаем ужин с десерта, не так ли? — прокомментировал Эдвард, отпив глоток превосходного шампанского.

— Мы с Сарой хотим сообщить вам кое-что, — спокойно сказал Вильям. Сара еще не видела его таким счастливым. — Мы надеемся на ваше разрешение и благословение и хотели бы пожениться в Нью-Йорке, в декабре.

Виктория Томпсон смотрела на дочь в изумленном восторге, и за какое-то неуловимое мгновение, чего никто из женщин не успел заметить, узы взаимопонимания возникли между двумя мужчинами. Вильям сказал ему об этом еще до того, как они уехали из Лондона. Эдвард ответил тогда, что, если Сара согласится, он благословит их союз. Сейчас он был по-настоящему взволнован, услышав это.

— Теперь вы получили наше благословение, — официально заверил его Эдвард, когда Виктория кивнула в знак согласия. — Когда вы обо всем договорились?

— Сегодня днем в бассейне, — ответила Сара.

— Превосходный спорт, — прокомментировал ее отец, и все они рассмеялись. — Мы очень счастливы за вас.

«Боже милостивый, — вдруг осенило его. — Сара будет герцогиней». Он был рад за дочь, ему очень нравился Вильям.

— Прошу прощения, но я попытаюсь все это уладить. Я хотел бы, чтобы вы познакомились с моей мамой, когда мы вернемся в Лондон. Надеюсь, у нее хватит сил, чтобы приехать в Нью-Йорк на свадьбу. — Вильям сомневался в этом, но собирался спросить ее и попытаться убедить совершить это долгое путешествие, хотя понимал, что для женщины ее возраста пересечь на корабле Атлантику будем нелегко.

Тут в разговор вмешалась Виктория, желая узнать, как они предполагают отметить свое бракосочетание, о каком дне договорились, где состоится свадьба и где они собираются провести медовый месяц, все подробности, которые заставляют седеть матерей, когда приходит время выдавать дочь замуж. Сара сказала, что они наметили свадьбу на первое декабря, но Вильям приедет на День благодарения.

— Или раньше, — добавил он. — Я и дня не могу вынести без нее с тех пор, как вы приехали. Не представляю, как я останусь здесь, когда Сара уедет в Нью-Йорк.

— Мы будем рады вам в любое время, — заверил ее отец, и вчетвером они провели восхитительный вечер, отмечая помолвку Вильяма и Сары. Потом Томпсоны ушли, а молодая пара еще долго оставалась на террасе, танцуя под романтические мелодии и обсуждая свои планы при лунном свете. Сара все еще не могла поверить, что это происходит с ней наяву, а не во сне. Вильям вернул ей веру в жизнь. Он дал ей любовь и счастье, о котором она никогда даже не мечтала.

— Я хочу, чтобы ты всегда была счастлива, — тихо произнес Вильям, держа ее за руку и отпивая глоток шампанского. — Мне хотелось бы быть с тобой всегда. Как мои родители.

Они никогда не разлучались и так редко сердились друг на друга. — Тут он улыбнулся. — Надеюсь, что нам не придется так долго ждать детей, как им. Я уже почти старик.

Ему скоро должно было исполниться тридцать шесть, а Сара только что отметила свое двадцатидвухлетие с ним во Флоренции.

— Ты никогда не будешь стариком, — улыбнулась ему Сара. — Я так люблю тебя, — прошептала она, когда они снова поцеловались. Она ощущала приливы желания и страсти, которые теперь труднее было побороть, зная, что очень скоро они смогут позволить себе это. — Я хотела бы убежать с тобой на несколько дней, — призналась она. Вильям улыбнулся, сверкнув в темноте белоснежными зубами. У него была чудесная улыбка. По правде говоря, Саре нравилось в нем все.

— Я уже пару раз думал об этом, но моя совесть удержала меня от безрассудства. И твои родители помогли мне держаться достойно, по крайней мере пока мы были за границей. Но я не могу поручиться за себя, когда мы вернемся в Лондон.

Он говорил тоном, полным раскаяния, и Сара рассмеялась.

— Понимаю, я думаю, что для взрослых людей мы исключительно хорошо себя ведем.

— Пожалуйста, не рассчитывай на это в будущем. Мое хорошее поведение, как ты это называешь, не признак безразличия, позволь заверить тебя, что это лишь хорошие манеры и сдержанность. — Она рассмеялась, Вильям всем своим видом выражал страдание, и он крепко поцеловал ее, чтобы доказать это. — Я думаю, у нас будет исключительно долгий медовый месяц где-нибудь подальше... возможно, на Таити? На пустынном берегу, одни в обществе нескольких ленивых туземцев.

— Это было бы чудесно. — Но она знала, что он только подтрунивает над ней. В этот вечер они говорили о Франции, которая привлекала их обоих даже в декабре. Сару не смущала даже плохая погода. Она думала, что там будет уютно и скорее всего ей понравится.

Затем Вильям серьезно заговорил с ней о том, что они никогда не обсуждали раньше.

— Я хочу заверить тебя, что не воспользуюсь тем, что ты была разведена. Будем считать, что ты не была замужем. Я не воспользовался этим раньше и не воспользуюсь впредь. Надеюсь, ты понимаешь. — Она понимала и была ему благодарна. Это еще больше осложнило бы дело, если бы у нее была с ним непродолжительная связь, тогда она окончилась бы по возвращении из Европы в Нью-Йорк. Теперь им не о чем было сожалеть, и впереди их ожидала совместная жизнь, и она едва могла дождаться, когда они поженятся.

Они долго проговорили этой ночью. Когда он проводил ее в номер, ему было труднее, чем всегда, оставить ее одну. Они с трудом оторвались друг от друга, и Вильям задумчиво смотрел, как она закрыла за ним дверь своего номера.

Все наслаждались последними днями в Венеции, и все четверо с ликованием сели на поезд, идущий в Лондон. Они получили телеграмму от Питера и Джейн, которые ожидали их в «Кларидже». Они поздравляли Сару с помолвкой, а Вильям уже получил в Венеции телеграмму от своей матери с такими же поздравлениями. Хотя старая герцогиня уже сообщила ему, что не сможет поехать в Нью-Йорк, чтобы присутствовать на их свадьбе, она заверила обоих, что душой она будет с ними.

На следующий день было много суматохи: повидаться с друзьями, обсудить планы, сделать объявление о помолвке. Вильям и Эдвард написали официальное объявление о помолвке, и оно появилось в «Таймс», вызвав разочарование у дебютанток и вдов Лондона, которые преследовали Вильяма в течение пятнадцати лет. Теперь охота была окончена навсегда. Друзья его были довольны, а его секретарь не справлялся со звонками, письмами и телеграммами, которые хлынули потоком, когда стало известно о его помолвке. Каждый хотел устроить в честь его прием, и, конечно, все они жаждали познакомиться с Сарой. А он снова и снова объяснял, что она американка и уезжает в Нью-Йорк через несколько дней, и им придется подождать, когда они вернутся после свадьбы.

Он все же ухитрился побывать на длинной аудиенции со своим кузеном Бэрти, королем Георгом VI, до ее отъезда и объяснил ему, что он отказывается от права пре-

столонаследия. Король был недоволен, особенно после того,
что сделал его брат, но это, безусловно, было менее дра-
матично, и он дал свое согласие, хотя с некоторым сожалением, просто с точки зрения традиций и из-за глубокой
привязанности, которую они испытывали друг к другу.
Вильям спросил, может ли он представить ему Сару до
ее отъезда, и король сказал, что будет рад с ней познакомиться. Одетый по этикету Вильям на следующий день
привез Сару в Букингемский дворец на частную аудиен-
цию. Она была прелестна в простом черном платье, без
косметики, в жемчужных серьгах и ожерелье, и держалась с достоинством. Сара сделала низкий реверанс Его
Величеству и постаралась забыть, что Вильям всегда на-
зывает его Бэрти, хотя сейчас он обращался к нему «Ваше
Величество» и представил ее королю официально. Но через
несколько минут король отбросил официальность и любезно
поболтал с ней о ее планах и о свадьбе и сказал ей, что
надеется увидеть их в Балморале, когда они вернутся. Он
хотел принять их в менее официальной обстановке. На Сару
приглашение произвело сильное впечатление и тронуло ее.

— Вы, конечно, будете жить в Англии, не так ли? —
спросил он с беспокойством.

— Конечно, Ваше Величество. — Тогда он, кажется,
почувствовал облегчение и, перед тем как уйти, поцеловал ей руку. — Вы прекрасная невеста... и будете
прелестной женой, моя дорогая. Пусть ваша жизнь будет
долгой и счастливой, да благословит вас Бог и пошлет
вам много детей. — Когда он произнес это, слезы выступили у нее на глазах, и Сара еще раз сделала глубо-
кий реверанс, пока король с Вильямом пожимали друг другу
руки, затем Георг VI удалился, чтобы заняться более важными делами.

Вильям улыбнулся ей с нескрываемой гордостью, когда они остались одни в комнате, из которой только что
вышел король. Он был так горд ею и так счастлив и чувствовал облегчение, что они получили благословение короля на брак, несмотря на то что Вильям отказался от
права престолонаследия.

— Ты будешь прекрасной герцогиней, — тихо сказал он ей, а потом почти шепотом добавил: — На самом деле, ты была бы и чертовски прекрасной королевой! — Тут они оба рассмеялись, и в это время появился камергер, чтобы проводить их. Сару поразило, что она была так взволнована. Такое случалось с ней не каждый день. Позднее она попыталась объяснить это в письме к Джейн, просто чтобы не забыть это. И даже для нее самой это звучало нелепо и невероятно фальшиво... и тогда король Георг поцеловал мне руку, он выглядел немного взволнованно и сказал... В это было просто невозможно поверить. И она сама не была уверена, что верила.

Они договорились снова поехать в Вайтфилд, чтобы ее родители могли познакомиться с матерью Вильяма.

— Вы знаете, я уже не ожидала, что у меня будут дети, после определенного момента в своей жизни... и тут родился Вильям, это был дар Господний. Он никогда, ни на мгновение не принес мне разочарования. Он оставался благословением всю мою жизнь. Теперь он нашел Сару, и я получила двойное благословение. — Эдварду было так приятно слышать это, что на глазах его навернулись слезы, и к концу вечера они все чувствовали себя старыми друзьями. Он пытался убедить ее приехать в Нью-Йорк со своим сыном, но герцогиня Вайтфилд настаивала, что она слишком стара и слаба и долгое путешествие будет для нее утомительно. — Я даже в Лондоне не была четыре года. К тому же мне не хотелось бы обременять вас, когда вы будете так заняты. Я подожду, когда они вернутся в Лондон. А тем временем позабочусь о некоторых изменениях в доме Вильяма. Боюсь, что мой сын не имеет представления о том, что им необходимо и что должно сделать Сару счастливой и дать ей уют. Я хочу внести кое-какие изменения в его простом маленьком доме, чтобы ей было там уютнее. Мне кажется, им нужен теннисный корт, не так ли? Я слышала, что буквально все увлечены этим, а бедный Вильям так старомоден.

Когда они вернулись вечером в отель, Эдвард не переставал изумляться, как повезло их дочери полюбить такого человека, который души в ней не чаял, и даже свекровь так заботилась об их счастье и уюте.

— Слава Богу, — сказал он вечером своей жене, когда они переодевались.

— Она удачливая девочка, — согласилась Виктория, но считала, что ей самой тоже повезло, и нежно поцеловала мужа, вспоминая свою свадьбу, и свой медовый месяц, и то, как счастливы они были тогда. Она радовалась, что Саре тоже выпало узнать это счастье. Ей пришлось пережить такое ужасное время с Фредди, бедное дитя вовсе не заслужило этого. Но судьба посылает ей теперь гораздо больше. Вильям был больше, чем жизнь, он был благословением всей жизни.

В последний день перед отъездом Сара просто разрывалась на части, ей нужно было сделать тысячу дел, а Вильям хотел, чтобы она как следует осмотрела его дом в Лондоне. Он купил его, когда ему было восемнадцать лет, и прекрасно подходил для холостяцкой жизни, но Вильям сомневался, что Саре будет удобно в нем. Он хотел узнать, не желает ли она, чтобы он присмотрел что-нибудь побольше, или они подождут до тех пор, пока вернутся из Франции, где собирались провести медовый месяц, после рождественских праздников.

— Дорогой, мне здесь нравится! — воскликнула Сара, когда осмотрела хорошо спланированные и исключительно аккуратные комнаты. Дом был небольшим, но не меньше, чем квартира, которую они занимали с Фредди. — Думаю, он превосходен, пока, во всяком случае. — Она не могла вообразить, что им понадобится больше комнат, пока у них не появится ребенок. Внизу располагалась большая солнечная гостиная, полная прекрасных книг в старинных переплетах, которые Вильям привез из Вайтфилда несколько лет назад, уютная кухня, опрятная столовая, достаточно большая, чтобы можно было принять гостей, а наверху большая, очень красивая и явно мужская спальня. В доме было две ванных комнаты: одна, которой пользовался он, и другая внизу, для гостей. Саре они показались превосходными.

— Как насчет шкафа? — Он старался не забыть ничего, это было для него ново, но больше всего он хотел сделать Сару счастливой. — Я отдам тебе половину моего. Я могу перевезти большую часть одежды в Вайтфилд. — Он был удивительно уступчив для человека, который всегда жил один и никогда не был женат.

— Я не привезу много одежды.

— У меня превосходная идея. Мы будем ходить обнаженными. — Он стал игривее, зная, что скоро она будет его женой.

Саре понравился его дом, и она заверила его, что не нужно искать для нее другой.

— Тебе очень легко угодить.

— Подожди, может быть, я стану сварливой, когда мы поженимся.

— Если ты станешь сварливой, я буду тебя бить, это не проблема.

— Весьма оригинально. — Она удивленно приподняла брови, и Вильям рассмеялся. Он едва мог дождаться того момента, когда он сможет раздеть ее и любить несколько дней подряд. Хорошо, что она уплывала на следующее утро.

Вечером они обедали вдвоем, и Вильям неохотно проводил ее в отель.

Вильям гораздо охотнее отвез бы ее к себе домой, чтобы они провели вместе последнюю ночь, но решил вести себя как человек чести, чего бы это ни стоило ему.

— Нелегко, понимаешь, — пожаловался он, — эта чепуха, касающаяся приличий. Я могу появиться в Нью-Йорке на следующей неделе и похитить тебя, ждать до декабря бесчеловечно.

— Бесчеловечно, — согласилась она, задумчиво глядя на него, но они оба считали, что следует подождать, хотя она теперь не совсем понимала, почему это казалось таким важным им обоим. Она была свободна и могла начать новую жизнь с чистой страницы. Сара страстно надеялась, что у них с Вильямом будет много детей. Они говорили о пяти или шести, по меньшей мере о четырех, и такая перспектива ему явно понравилась. Все, что предстояло им в совместной жизни, волновало его, и они с нетерпением ждали дня бракосочетания.

— Ты не хочешь зайти на минуту? — предложила она, когда они стояли перед ее номером. Он кивнул. Ее родители давно уже легли спать, и ему хотелось побыть с ней еще немного перед тем, как она уплывет завтра утром.

Он прошел в номер, Сара положила на стул свою шаль и сумочку и предложила ему бренди, но он отказался.

— Пойдем и посидим рядом, мисс Сара.

— Ты хорошо будешь себя вести? — Сара посмотрела на него, подтрунивая, и он рассмеялся.

— Нет, если ты будешь так смотреть, а может быть, совсем не буду, пойдем и сядем на минуту. За такой долгий срок я заслужил доверие.

Он сел на обтянутый ситцем диван, Сара опустилась рядом с ним. Вильям достал что-то из кармана.

— Закрой глаза, — попросил он улыбаясь.

— Что ты собираешься со мной делать? — Она засмеялась, но послушно закрыла глаза.

— Нарисовать тебе усы, глупая... Что ты думаешь, я собираюсь делать?

Но прежде чем она успела ответить, Вильям поцеловал ее и, взяв ее левую руку, надел на палец кольцо. Она почувствовала холод металла и взволнованно посмотрела на палец. У нее перехватило дыхание от того, что она увидела. В полумраке комнаты на ее руке сверкал прекрасный бриллиант, старинной огранки, совершенно круглый, в двадцать карат.

— Мой отец заказал это кольцо для моей матери у Гаррада, когда они обручились. Она хочет, чтобы оно было твоим.

— Это обручальное кольцо твоей матери? — Сара смотрела на него глазами полными слез.

— Да. Мы долго говорили об этом, я собирался купить тебе новое, но она захотела, чтобы это принадлежало тебе. Она не может носить его больше из-за артрита.

— О, Вильям... — Сара никогда не видела ничего более прекрасного. Она вытянула руку, и в приглушенном свете из глубины камня вырвались разноцветные искры. Сара никогда еще не была так счастлива за всю свою жизнь.

— Это просто для того, чтобы ты помнила, кому ты принадлежишь, когда уплывешь завтра на этом проклятом корабле, и уплывешь так далеко, что мне просто невыносимо думать об этом. Я буду звонить тебе в Нью-Йорк каждый час до тех пор, пока я не приеду туда.

— Почему бы тебе не приехать раньше? — спросила она, не отрывая взгляда от кольца, и Вильям улыбнулся. Он был рад, что оно ей понравилось, и знал, что его мать тоже будет довольна. Это был великодушный жест с ее стороны.

— В самом деле, я мог бы. Я думал об октябре, но у меня так много здесь дел. Я должен уделить внимание моей ферме. — Были некоторые проблемы, с которыми ему необходимо было разобраться, к тому же он должен еще появиться в палате лордов до отъезда в Нью-Йорк. — Во всяком случае, я непременно буду у вас до первого ноября. Уверен, что к тому времени ты уже начнешь сходить с ума из-за свадебных приготовлений. И я вцеплюсь любому в волосы, но ни на один день не задержусь в Лондоне. Я не смогу дольше переносить разлуку с тобой. — Тут он страстно поцеловал ее, и они чуть не забылись, упав на диван, и его длинные пальцы страстно скользнули по ее прелестному телу. — О, Сара... Боже...

Она чувствовала его страстное желание, но ей хотелось подождать до свадьбы, ей хотелось, чтобы все было как в первый раз, словно не было другой свадьбы и не было никакого Фредди. Как если бы Вильям был первым мужчиной в ее жизни. Они ждали бы. И до этого момента она хотела, чтобы так все и было, но сейчас едва не забылась. Ее ноги раздвинулись, кротко принимая его, и он сильно прижался к ней, но заставил себя оторваться от нее и встал со стоном сожаления. Вильям тоже хотел подождать из уважения к ней и к их супружеству.

— Может быть, хорошо, что ты уезжаешь, — хрипло проговорил он, расхаживая по комнате, стараясь успокоиться. Сара встала, растрепанная и взволнованная, и кивнула ему. И тут вдруг она рассмеялась. Они оба были похожи на разгорячившихся школьников.

— Разве мы не ужасны?

— Нисколько. — Он засмеялся. — Я не могу дождаться.

— Я тоже, — призналась она.

И тогда он спросил ее о том, о чем он знал, не следовало спрашивать.

— Это было... так же... с ним? — Вильяму давно хотелось знать об этом. Сара медленно и печально покачала головой.

— Дорогой, он никогда не любил меня, теперь я знаю, что никогда не любила его. В своей жизни я не переживала такой любви, как наша... Я никогда не любила и не жила, я только существовала, пока ты не нашел меня. До конца своих дней ты будешь моей единственной любовью.

В его глазах были слезы, когда он поцеловал ее. Но на этот раз он не позволил большего и распрощался с ней до утра.

Она лежала без сна почти всю ночь, думая о нем и в темноте рассматривая свое обручальное кольцо и любуясь им. А на следующее утро она позвонила герцогине Вайтфилд, чтобы сказать ей, как много значит для нее это кольцо, как благодарна она за него и как любит Вильяма.

— Это самое главное, моя дорогая. Однако драгоценности всегда так забавляют, не правда ли? Счастливого пути... и веселой свадьбы.

Сара поблагодарила ее, упаковала вещи, а через час встретилась в вестибюле с Вильямом. Она надела белый шерстяной костюм, сшитый специально для нее в Париже, и великолепное обручальное кольцо. Вильям не мог оторвать от нее взгляд. Он не забыл, какое желание она пробудила в нем накануне ночью, когда они лежали на диване в ее номере. Ему страстно хотелось поплыть с ними на «Королеве Марии».

— Могу себе вообразить, как рад твой отец, что я не еду.

— Думаю, на него произвело впечатление твое примерное поведение.

— Ну, оно не продлится долго, — тихо простонал Вильям. — Я, кажется, уже дошел до предела. — И они, держась за руки, прошли за ее родителями к его «бентли». Вильям вызвался отвезти Томпсонов в Саутгемптон, их багаж был отправлен раньше. Но два часа езды пролетели незаметно. Сара снова увидела знакомые очертания «Королевы Марии», вспоминая свои ощущения, когда они отплывали из Нью-Йорка всего два месяца назад.

— Никогда не знаешь, что приготовила для тебя жизнь, — благожелательно улыбнулся им Эдвард, предложив Вильяму осмотреть корабль. Но Вильяму не хотелось покидать Сару ни на минуту, и он вежливо отклонил это предложение. Они стояли с Сарой на палубе, пока не прозвучал гонг и, ожив, не взревела пароходная труба. Внезапно Вильяма охватил страх: что, если с ними произойдет несчастье. Его кузен был на «Титанике» двадцать шесть лет назад. Мысль, что с Сарой может что-нибудь случиться, повергла его в ужас.

— Ради Бога... береги себя... Я не могу без тебя жить... — Он вцепился в нее, как утопающий в последний миг хватается за соломинку.

— Со мной все будет хорошо, я обещаю. Просто приезжай в Нью-Йорк, как только сможешь.

— Я приеду. Возможно, в следующий вторник, — грустно сказал он и поцеловал ее, а она улыбнулась сквозь слезы.

— Мне будет ужасно не хватать тебя, — прошептала она.

— Мне тоже. — Он прильнул к ней. Один из офицеров с почтением приблизился к ним.

— Ваша светлость, прошу прощения за вторжение, но я боюсь... мы очень скоро отплываем. Надо сойти на берег.

— Верно. Простите. — Он виновато улыбнулся. — Пожалуйста, позаботьтесь о моей жене и ее семье. Вы позаботитесь о них? То есть о моей будущей жене... — Он улыбнулся ей сияющей улыбкой, и большой круглый бриллиант на ее левой руке ярко заискрился в лучах сентябрьского солнца.

— Конечно, сэр. — Офицер был под впечатлением и постарался запомнить, что следует упомянуть об этом капитану. Будущая герцогиня Вайтфилд плыла с ними в Нью-Йорк, и не было сомнений в том, что с ними будут обращаться с крайней учтивостью.

— Береги себя, дорогая. — Он поцеловал ее в последний раз, пожал руку своему будущему тестю, ласково поцеловал в щеку Викторию, обнял ее и спустился по трапу. Сара плакала, не в силах удержаться от слез, и даже Виктория прослезилась, так приятно ей было смотреть на них. Он неистово махал им, пока они не скрылись из виду, а Сара еще два часа стояла на палубе, глядя в море.

— Теперь спустимся вниз, Сара, — нежно произнесла ее мать. Причин для печали не осталось. Впереди был повод только для праздника. Когда Сара спустилась вниз, ее ждали телеграмма от Вильяма и букет роз, такой огромный, что он едва прошел в двери их каюты. «Я не могу вынести даже мгновения разлуки. Люблю тебя. Вильям», — прочитала в телеграмме Сара. Виктория улыбнулась, глядя на великолепное обручальное кольцо дочери. Поразительные события произошли за два коротких месяца. Она едва верила этому.

— Ты счастливая, Сара Томпсон, — сказала Виктория, и Саре оставалось только согласиться с ней, мысленно произнося свое новое имя... Сара Вайтфилд... Ей нравилось, как оно звучало... и кольцо было великолепным... «Герцогиня Вайтфилд», — прошептала она важно и рассмеялась над собой, потом подошла к большому букету роз, который стоял на столе возле ее кровати, чтобы вдохнуть их аромат.

На этот раз плавание на «Королеве Марии» казалось бесконечным. Ей хотелось поскорее добраться до дома и начать приготовления к свадьбе. Все на корабле оказывали ей внимание, узнав, что она — будущая герцогиня Вайтфилд.

Томпсонов несколько раз приглашали за стол капитана, и на этот раз Сара чувствовала, что обязана быть более любезной. Теперь она несла ответственность перед Вильямом, и ее родители радовались, видя в ней разительную перемену. Вильям сотворил с их дочерью чудо.

По прибытии в Нью-Йорк их ждали Питер и Джейн, но на этот раз они не взяли с собой детей. Джейн рассказала семейные новости и вскрикнула от восторга, заметив на руке Сары великолепное обручальное кольцо. Они показали фотографию Вильяма с Сарой в автомобиле, а Питер и Эдвард бесконечно обсуждали новости из Европы.

Действительно, это была та самая неделя, когда, через день после их возвращения, программы радиовещания были прерваны, чтобы передать американцам воинственную речь Гитлера на его нацистском конгрессе в Нюрнберге. Все, кто слушал его, поняли, что над Чехословакией нависла угроза. Он сказал, что Германия больше не станет терпеть притеснения судетских немцев чехами, и объявил, что около трехсот тысяч немцев работают над укреплением германской границы вдоль сегрегационной линии. Опасность была очевидна, но оставалось неясным, как Гитлер собирается действовать и как отреагирует мир, когда он начнет свои действия. Злоба, ярость и ненависть, исходящие от него, потрясли американцев до глубины души, волны радио словно разбудили их, и первый раз угроза войны в Европе показалась им реальной. Было ясно, что если ничего не случится, то Чехословакия будет проглочена Германией. И все слушавшие угрожающую речь Гитлера, были озабочены судьбами мира.

На следующей неделе люди обсуждали только события в Европе. Газеты объявили, что во многих странах проходит мобилизация, приводится в боевую готовность флот, и Европа ждала очередного шага Гитлера.

И вот двадцать первого сентября в восемь пятьдесят по нью-йоркскому времени события в Праге, наконец, достигли кульминационной точки. Французский и британский премьер-министры заявили, что не будут проводить мобилизацию в поддержку Чехословакии, чтобы не разъярить Гитлера. У Чехословакии не осталось другого выбора, как капитулировать. К 5 часам утра правительство Чехословацкой республики пришло к заключению, что выбора нет. Прага капитулировала перед германской армией, в то время как их сторонники во всем мире слушали новости и плакали.

А в Нью-Йорке в это время шел дождь, словно Бог оплакивал чехов, и Сара тоже плакала, слушая радио. Радиоволны пришли в Нью-Йорк странным кружным путем, из-за «плохой» погоды над Атлантикой, из Праги через Кейптаун и Буэнос-Айрес в Нью-Йорк. И были едва слышны. Но к полудню совсем ничего не было слышно. В Чехословакии было шесть часов утра, и для них борьба была закончена. Сара выключила радио, как сделали и все остальные, и не слышала предупреждения о приближающемся шторме, которое передали в час дня. Шторм, разыгравшийся над Атлантикой, направлялся в сторону Лонг-Айленда. К этому времени уже поднялся сильный ветер, но Сара обсуждала со своей матерью, что ей следует отправиться в Саутгемптон, чтобы начать свадебные приготовления. Ей предстояло множество дел, а дом на Лонг-Айленде был спокойным местом, где она могла бы этим заняться.

— Надеюсь, ты не собираешься на самом деле ехать туда в такую ужасную погоду, дорогая, — сказала Виктория. Саре нравилось побережье в дождь. В нем было что-то мирное и успокаивающее. Но она знала, что мать всегда беспокоилась, когда она ездила на машине в такую погоду, поэтому она осталась в городе, чтобы помочь ей. Отец позвонил владельцу фермы, которому она уже внесла задаток, и объяснил ему, что дочь выходит замуж и уезжает в Англию. Фермер был исключительно любезен и вернул деньги Сары, однако отец все еще бранил ее за то, что она сделала такую глупость, и заверил ее, что никогда не позволил бы ей жить одной в полуразрушенном доме на Лонг-Айленде. Она примирительно взяла у него деньги и положила их в банк. Это была тысяча долларов, полученная Сарой от продажи обручального кольца, которое ей вернул Фредди, бесполезный предмет, он ей никогда не понадобился бы.

Но в этот день Сара не думала о ферме, не думала даже о свадьбе, все ее внимание было приковано к событиям в Праге. Внезапно сильное дребезжание стекла в спальне прервало ее мысли. Было два часа дня, но за окном все погрузилось во мрак, словно наступила полночь. Деревья, растущие у дома, ветер пригнул к земле. Сара никогда не видела такой свирепой бури в Нью-Йорке, и как раз в этот момент вернулся домой отец.

— Что-нибудь случилось? — с тревогой спросила Виктория.

— Вы видели, какая буря? Я едва смог выйти из автомобиля и войти в дом. Мне пришлось держаться за столбы навеса, и два человека на улице помогли мне. — Затем он повернулся к дочери, тревожно нахмурив брови. — Ты слышала новости? — Он знал, что она следила за событиями в Европе и днем часто слушала новости, если оставалась дома с матерью.

— Только о Чехословакии. — Сара рассказала ему о последнем сообщении, и он покачал головой.

— Это необычный шторм! — произнес он зловеще и пошел в спальню переодеться. Через пять минут он вышел в грубой одежде.

— Что ты собираешься делать? — с беспокойством спросила Виктория. Ее муж привык браться за дело, не думая о своем умении и своих годах, словно желая доказать, что он еще способен на что-то.

— Я хочу съездить в Саутгемптон и убедиться, что там все в порядке. Час назад я звонил Чарльзу, телефон не отвечал.

Сара взглянула отцу в глаза, затем твердо сказала:

— Я поеду с тобой.

— Нет, ты не поедешь, — возразил отец, а Виктория рассерженно посмотрела на них обоих.

— Вы оба поступаете глупо. Это просто шторм. Даже если там что-то случилось, вы ничего не сможете сделать.

Пожилой человек и молодая девушка не в силах справиться со стихией, однако ни отец, ни дочь не разделяли ее мнение. Пока Эдвард надевал пальто, Сара вышла из своей комнаты в какой-то старой одежде, которую носила, еще живя в одиночестве в Лонг-Айленде. На ней были тяжелые резиновые сапоги, брюки цвета хаки, теплый свитер и макинтош.

— Я еду с тобой, — заявила она. Отец поколебался, но потом пожал плечами. Он был слишком обеспокоен, чтобы спорить.

— Отлично. Поедем. Виктория, не беспокойся, мы тебе позвоним.

Она была в ярости на них обоих, когда они уехали. Они сели в автомобиль и выехали на Санрайз Хайвей по направлению к Саутгемптону. Сара включила радио и предложила повести машину, но отец рассмеялся;

— Возможно, я стар и слаб в твоих глазах, но я еще в здравом уме.

Она засмеялась и напомнила ему, что хорошо водит машину. После этого они ехали молча. Порывы ветра были настолько сильны, что раза два относили тяжелый «бьюик» на дюжину футов в сторону на мокром шоссе. Эдварду едва удавалось удерживать автомобиль на дороге.

— Все в порядке? — спросила Сара, отец только угрюмо кивнул. Губы его были плотно сжаты, а глаза прищурены, чтобы лучше разглядеть дорогу сквозь проливной дождь. Они все еще ехали по Санрайз Хайвей, когда вдруг заметили странную высокую гряду густого тумана, накатывающуюся по морю и оседающую у берега. И почти тотчас же она поняла, что это был не туман, а невиданных размеров волна. Гигантская стена воды безжалостно обрушила мощный удар на восточное побережье, и они с ужасом увидели, как исчезли дома в ее лапах и как водоворотом закружился бурный поток вокруг их автомобиля, перекатываясь через дорогу. Еще полтора часа они ехали под беспощадно хлещущим проливным дождем, прежде чем добрались до Саутгемптона. Но, подъехав к имению, которое было им так дорого, оба застыли пораженные. Ландшафт изменился до неузнаваемости. Исчезли дома, целые поместья, большая часть Вестгемптона, где стояли большие дома, перестала существовать. Только позднее они узнали, что давний друг Томпсона, Морган, потерял в Глен Глове целое имение. Но в это мгновение они видели вокруг только полное опустошение. Повсюду лежали вырванные с корнем деревья, разбитые в щепки дома. В некоторых местах исчезли целые участки берега вместе с дюжиной построек, простоявших здесь сотню лет. Повсюду валялись перевернутые и искореженные автомобили, и Сара вдруг поняла, что только благодаря исключительному мастерству отца они добрались сюда. В самом деле, когда они смотрели по сторонам, продолжая свой путь, им казалось, что Вестгемтон стерт с лица земли. Позднее они узнали, что сто пятьдесят три из ста семидесяти девяти домов целиком исчезли с побережья Лонг-Айленда вместе с землей, на которой они были выстроены. А те, что остались, оказались настолько разрушены, что их невозможно было отремонтировать.

Сара с замиранием сердца подъезжала к Саутгемптону. Ворота их дома были вырваны из земли вместе с каменным фундаментом, который держал их, и превращены в обломки, и все, что осталось от них, было унесено на сотни ярдов. Они выглядели как игрушечная железная дорога, потери слишком велики, чтобы оценить их.

Все прекрасные старые деревья в их парке лежали на земле, но дом устоял. Издалека казалось, что его не коснулись разрушения. Но когда машина миновала домик сторожа, они увидели, что он буквально встал на дыбы, и все его содержимое высыпалось, превратившись в груду мусора.

Отец припарковал старый «бьюик» как можно ближе к дому. Полдюжины огромных деревьев лежали поперек дороги, преграждая им путь. Они вышли из автомобиля и побрели под проливным дождем и сбивающим с ног ветром. Сара попыталась отвернуться от ветра, но это было, в сущности, бесполезно. Обойдя дом, они обнаружили, что вся восточная сторона, выходящая на побережье, была разрушена вместе с частью крыши. Кое-что из вещей уцелело, кровать отца, ее собственная кровать, пианино в гостиной. Но весь фасад здания был смыт безжалостной волной, которая нахлынула и унесла его с собой. Сара расплакалась. Слезы струились по лицу, смешиваясь с дождем. Но когда она повернулась к отцу, то увидела, что он тоже плакал. Он любил это место и построил дом много лет назад, любовно планируя каждую деталь. Вместе с Викторией они выбирали каждое дерево, каждое бревнышко. А огромные деревья росли здесь уже сотни лет, и теперь их больше не будет. С этим местом связано ее счастливое детство, целый год оно служило ей убежищем, и теперь все было безжалостно разрушено. По лицу отца Сара поняла, что он ожидал худшего.

— О, папа... — простонала Сара, вцепившись в него. Порывы ветра относили их в сторону, словно они плыли по волнам. Это было зрелище, которое не поддавалось воображению. Отец привлек ее ближе к себе и прикрыл от пронзительного ветра, он хотел вернуться к сторожке.

— Я хочу найти Чарльза. — Чарльз был добрый человек, и пока она в течение года жила здесь, он заботился о ней, как отец.

Но в маленьком домике его не оказалось, а повсюду на траве вокруг дома были раскиданы его вещи, одежда, еда, разбитая вдребезги мебель, но самого Чарльза они нигде не могли найти. Эдвард начал беспокоиться. Они снова вернулись к большому дому и тут увидели его в старом желтом макинтоше, придавленного деревом, которое раньше росло на газоне перед домом и пролетело по меньшей мере две сотни ярдов, прежде чем убить его. В руках Чарльз держал веревку, словно пытался привязать вещи. Песок, возможно, смягчил удар, но дерево было таким огромным и, должно быть, сломало ему шею или спину. Сара подбежала к Чарльзу, опустилась возле него на колени и стала очищать от песка его разбитое лицо. Отец не мог удержаться от слез, пока помогал дочери освободить его и отнести в укрытие с другой стороны дома, где раньше находилась кухня. Чарльз работал в семье

Эдварда в течение сорока лет, и они были привязаны друг к другу с юности. Он был на десять лет старше Эдварда, и Эдвард не мог поверить, что Чарльза больше нет с ним. Он был как друг детства, верный ему до конца, погибший от шторма, о котором никто его не предупредил, так как все внимание было приковано к Праге и о Лонг-Айленде забыли. Это был самый сильный шторм из всех, когда-либо обрушившихся на восточное побережье. Исчезли целые города, он промчался с той же силой через Коннектикут, Массачусетс и Нью-Гэмпшир, унеся семьсот жизней, покалечив около двух тысяч человек и разрушив все на своем пути.

Дом в Саутгемптоне пострадал сильно, но его можно было восстановить. Всех Томпсонов поразила гибель Чарльза. Питер, Джейн и Виктория присутствовали на похоронах. Старшие Томпсоны и Сара остались в доме, чтобы оценить ущерб и хоть немного привести все в порядок. Только две комнаты были пригодны для жилья, но не было электричества, не было отопления, и они пользовались свечами, а ели в ресторане, который, к счастью, работал в Саутгемптоне. Потребуются месяцы, возможно, даже годы, чтобы вернуть дому прежний вид. Сару терзала мысль, что ей придется после свадьбы покинуть родителей и она не сможет помочь им.

Саре удалось дозвониться Вильяму из маленького ресторана, где они обедали. Она боялась, что он, узнав о шторме из газет, беспокоится о ней. Даже Европа была взбудоражена разрушениями на Лонг-Айленде.

— Боже мой, с тобой все в порядке? — пробился сквозь треск на линии голос Вильяма.

— Да, у меня все прекрасно, — сказала она твердо, чтобы успокоить его. — Но мы едва не лишились нашего дома. Родителям придется восстанавливать его всю жизнь, к счастью, мы не потеряли землю. Большинство людей пострадало гораздо больше нас. — Она сообщила ему о гибели Чарльза, и он выразил свои сожаления.

— Я буду счастлив, когда ты вернешься в Англию. Я едва не умер, услышав об этом разрушительном шторме. Мне почему-то показалось, что ты уехала туда на уик-энд.

— Я едва не уехала, — призналась Сара.

— Слава Богу, что ты не поехала. Пожалуйста, передай родителям мои соболезнования. Я приеду, как только освобожусь, дорогая. Обещаю.

— Я люблю тебя! — прокричала она сквозь треск на линии.

— Я тоже люблю тебя! Береги себя!

Вскоре после этого они вернулись в Нью-Йорк, а через восемь дней после шторма было подписано Мюнхенское соглашение, введя всю Европу в заблуждение, будто бы гитлеровская угроза миновала. Чемберлен по возвращении из Мюнхена назвал это «достойным миром». Но Вильям писал ей, что он по-прежнему не доверяет этим негодяям в Берлине.

Вильям собирался приехать в начале ноября. Сара была целиком поглощена подготовкой к свадьбе, ее родители разрывались между свадебными приготовлениями и ремонтом дома на Лонг-Айленде. Вильям приехал четырнадцатого ноября на «Аквитании». Сара встречала его с родителями, сестрой, ее мужем и их детьми. На следующий день Томпсоны давали в честь Вильяма большой торжественный обед. Все знакомые Сары в Нью-Йорке наперебой приглашали их к себе. Это был бесконечный поток визитов. Как-то дома за завтраком Сара, просмотрев утреннюю газету, нахмурилась.

— Что это все значит? — Она удивленно взглянула на Вильяма. Он только что приехал из отеля и еще не читал газет.

— Что ты имеешь в виду? — Он подошел к Саре и пробежал глазами статью «Хрустальная ночь», пытаясь понять ее смысл. — Похоже, какая-то отвратительная история.

— Но почему? Почему они это делают? — Нацисты выбивали окна в каждом еврейском магазине и доме, грабили, убивали, разрушали синагоги и держали людей в страхе. И еще говорилось, что тридцать тысяч евреев отправлены в трудовые лагеря. — Боже мой, Вильям, как они могут творить такое?

— Нацисты не любят евреев. Это ни для кого не секрет, Сара.

— Но такое? Такое? — в ее глазах стояли слезы. Когда отец Сары спустился к завтраку, они рассказали ему обо всем и целый час обсуждали надвигающуюся опасность в

Европе. И тут ее отец задумался о чем-то и сказал, посмотрев на них обоих.

— Я хочу, чтобы вы пообещали мне, если в Европе разразится война, то вы приедете в Штаты и останетесь до тех пор, пока она не окончится.

— Я не могу обещать это за себя, — честно признался Вильям. — Но даю вам слово прислать Сару.

— Ты не поступишь со мной так. — Она в первый раз сердито посмотрела на своего жениха. — Ты не можешь распоряжаться мной, словно багажом или почтой.

Вильям улыбнулся ей:

— Прости, Сара. Я не хотел проявлять к тебе неуважение. Но думаю, что твой отец прав. Если там что-то произойдет, мне кажется, тебе следует вернуться домой. Я помню прошлую войну, когда был еще мальчишкой, не очень приятно жить под постоянной угрозой вторжения.

— А ты? Что будешь делать ты?

— Возможно, мне придется надеть военную форму. Не думаю, что в такое время всем лордам надо взять долгие каникулы и отсидеться за границей.

— Не слишком ли ты стар для этого? — спросила встревоженная Сара.

— Нет, дорогая. Я действительно должен.

У всех троих теплилась надежда, что войны не будет, но, когда они кончили завтрак, они не были полны надежд.

На следующей неделе Сара поехала с отцом в суд и ей отдали последние бумаги. Ей вручили постановление о разводе, и, несмотря на предстоящую свадьбу, несмотря на будущее, которое ее ожидало, она испытывала чувство унижения. Она так неразумно поступила, выйдя замуж за Фредди, который не оправдал ее надежд. Он все еще был обручен и собирался жениться на Эмили Астор на Рождество в Палм-Бич. Теперь Саре все это было безразлично.

До их свадьбы оставалось всего две недели. Вильям был неразлучен с Сарой. Они постоянно исчезали из дома по своим многочисленным делам. Но в День благодарения вся семья собралась на праздничный ужин. Для Вильяма это было ново и очень понравилось. Мирное семейное торжество ему показалось таким трогательным.

— Надеюсь, что ты будешь устраивать такой ужин для нас каждый год, — сказал он Саре, когда они сидели в гостиной, а ее сестра играла на рояле. Детей уже отвели наверх в детскую, и в доме стихло. Звучала только музыка. Питер и Вильям, кажется, нашли общий язык, а Джейн Вильям понравился с первого взгляда. Она буквально каждому сообщала, что Сара скоро станет герцогиней. Но Сару не это привлекало в Вильяме. Она ценила в нем нежность, ум, его остроумие и доброту. Как ни странно, но титул, похоже, для нее мало значил.

Последняя неделя выдалась для Сары утомительной. Осталось множество мелочей, которые необходимо сделать до свадьбы, и нужно было упаковать кое-какие вещи. Чемоданы с ее одеждой отослали раньше. Саре хотелось еще увидеться с несколькими старыми друзьями, но, по правде говоря, она уже была готова к отъезду. Последний день перед свадьбой Вильям и Сара провели вместе, совершив долгую прогулку в Саттон Плейс, недалеко от Нет-Ривер.

— Тебе грустно уезжать, моя любимая? — Ему очень понравилась ее семья, и он представлял, как трудно ей расставаться с ними, но ответ Сары удивил его.

— Нет, в самом деле. Меня практически весь прошлый год здесь не было. В глубине души я никогда не собиралась возвращаться сюда после того, как обоснуюсь на Лонг-Айленде.

— Я знаю, — улыбнулся он. — Твоя ферма... — Но теперь ее больше не существовало. Все постройки и даже землю смыл шторм в сентябре. Она потеряла бы все, возможно, даже жизнь, как Чарльз. И Вильям был бесконечно рад, что этого не произошло. Тут она улыбнулась ему:

— Теперь я беспокоюсь за нашу жизнь. — Она хотела прожить с ним жизнь, хотела лучше узнать его, его душу... и его тело, его друзей. Она хотела иметь от него детей, принадлежать ему и всегда быть рядом, помогая ему во всем.

— Я тоже, — признался он. — Ожидание кажется таким долгим, верно? — Но завтра в это время они будут мужем и женой, герцогом и герцогиней Вайтфилд.

Несколько минут они стояли, глядя на реку. Вильям прижал ее к себе, его лицо стало серьезным.

— Может быть, наша жизнь всегда будет протекать гладко... но если этого не случится, мы сможем быть храбрыми и поддержать друг друга. — Он повернулся и посмотрел на нее с неизмеримой любовью, которая была для нее важнее любого титула: — Я постараюсь никогда не разочаровывать тебя.

— А я тебя, — прошептала Сара. Они стояли, прижавшись друг к другу, глядя на текущую перед ними реку.

Глава 10

В этот день в доме Томпсонов собралось множество гостей. Сара спустилась вниз по лестнице под руку со своим отцом, прекрасная и спокойная. Она выглядела элегантно, стояла рядом с герцогом в комнате, полной цветов. По случаю бракосочетания столовая была превращена в своего рода часовню. Среди приглашенных были представители самых известных семейств Нью-Йорка.

После церемонии Вильям сдержанно поцеловал Сару, которая вся светилась от счастья, глядя на него. Гости расселись за накрытыми в гостиной столами, а в столовой устроили танцевальный зал. Прием был сдержанный и утонченный. Изысканность свадьбы не осталась незамеченной. Сара и Вильям танцевали почти весь вечер. Потом Сара танцевала с отцом, а Вильям с Викторией, которой он высказал свое восхищение свадьбой.

— Спасибо за все, папа, — прошептала Сара отцу во время танца. Все было превосходно. Они всегда были так добры к ней, так внимательны, и если бы они не настояли на поездке в Европу, она не встретилась бы с Вильямом. Сара пыталась ему все это сказать, но ей мешали слезы, и Эдвард боялся, что тоже расплачется на виду у всех гостей.

— Все хорошо, Сара. — Он с любовью прижал ее на мгновение и улыбнулся своей младшей дочери, которую так сильно любил. — Приезжай повидаться с нами, когда сможешь, а мы навестим вас!

— Лучше приезжайте вы! — прошептала она, и они продолжали танцевать. Сара не отпускала его, чувствуя разлуку. Это был еще один шанс побыть его ребенком в эти последние мгновенья. Тогда Вильям мягко вмешался и, посмотрев на нее, увидел не ребенка, а женщину.

— Вы готовы к отъезду, ваша светлость? — почтительно спросил он. Сара засмеялась.

— Меня в самом деле будут теперь так называть?

— Боюсь, что так, дорогая. Я предупреждал тебя. Эта внушающая трепет ноша навечно, — заметил он полушутя. — Ваша светлость герцогиня Вайтфилд... Должен признаться, что этот титул тебе подходит.

Она выглядела как урожденная аристократка. На ней были изумительные бриллиантовые серьги, его свадебный подарок, и бриллиантовое колье. Молодожены быстро распрощались со всеми. Сара поцеловала родителей и поблагодарила их. Она поцеловала Питера и Джейн и побежала на кухню последний раз поблагодарить слуг. Затем под приветственные возгласы и осыпаемые цветами они уехали во взятом напрокат «бентли» в отель «Вальдорф-Асторию». У Сары на глаза набежали слезы. Ее жизнь на этот раз менялась слишком круто. Она любила Вильяма намного сильнее, чем Фредди, но они уезжали так далеко, в Англию. И при этой мысли Сару охватила тоска по дому. Она почувствовала неизбежность расставания с близкими. В автомобиле, на пути к отелю, она притихла и погрузилась в свои переживания.

— Любимая, бедняжка моя. — Он словно прочитал ее мысли. — Я увожу тебя от всех этих людей, которые так любили тебя. Но я тоже люблю тебя. Я обещаю делать все, что в моих силах, чтобы ты была счастливой, где бы мы ни жили. — Он крепко обнял ее, и Сара почувствовала себя в безопасности и прошептала:

— И я тоже.

Они проехали остальной путь, прижавшись друг к другу, спокойные и умиротворенные. День был чудесный, но они так устали.

Когда они прибыли в «Вальдорф-Асторию» на Парк-авеню, управляющий отелем ждал их, кланяясь и расшаркиваясь. Сара была поражена таким приемом. Это показалось ей таким нелепым, что, очутившись в своих просторных апартаментах, она рассмеялась.

— Постыдись, — в шутку отругал ее Вильям, — ты должна относиться к такого рода вещам очень серьезно! Бедняга, он готов был целовать тебе ноги, если бы ты позволила. И, возможно, тебе следовало это сделать, — подтрунивал над ней Вильям. Иногда он устраивал подобные представления, но Сара знала, что это несерьезно.

— Он был так глуп, что я не могла смотреть ему прямо в лицо.

— Ладно, но тебе лучше привыкнуть к этому, моя любимая. Это только начало и будет продолжаться еще очень долго. — Это было начало их совместной жизни, и Вильяму хотелось, чтобы она началась счастливо. Багаж Сары привезли в отель утром. Белая кружевная рубашка и пеньюар лежали на кровати. Вильям предложил шампанского, которое уже ждало их в номере. И вскоре после их приезда, пока они делились впечатлениями и пили шампанское, два официанта принесли ужин. Вильям предусмотрительно заказал икру, копченую семгу и яичницу на тот случай, если Сара от волнения плохо ела во время торжественного обеда. Так и было, но она не хотела признаваться ему, что голодна, еще принесли маленький свадебный торт с марципановыми фигурками невесты и жениха — знак любезности управляющего отелем и их искусного кондитера.

— Ты позаботился обо всем! — воскликнула она и захлопала в ладоши, как девочка, глядя на торт и икру. Официанты мгновенно исчезли. Вильям шагнул к ней и поцеловал.

— Ты слишком хорошо меня знаешь, — засмеялась Сара и принялась за икру, Вильям присоединился к ней. В полночь они все еще болтали, хотя давно кончили ужин. Родник общих интересов казался неиссякаемым, и нужно было обсудить многое, особенно сегодня. Наконец, он вздохнул и потянулся, делая осторожный намек.

— Я надоела тебе? — встревожилась она, а он рассмеялся. Она была еще так молода, и это ему нравилось.

— Нет, любимая, но этот старый человек так устал. Могу я предложить тебе продолжить наш очаровательный разговор утром? — Они обсуждали русскую литературу, сравнивали ее с русской музыкой, очень важный предмет в эту особую ночь.

— Прости. — Она тоже устала, но чувствовала себя такой счастливой с ним, что готова была проговорить всю ночь. В свои двадцать два года в чем-то она оставалась едва ли не ребенком.

В номере было две ванных комнаты, и через несколько минут Вильям скрылся в одной из них. Сара последовала его примеру. Кажется, она пробыла там целую вечность. Вильям уже ждал ее, выключив свет и накрывшись простыней. Она появилась в кружевной ночной рубашке, освещенная мягким светом, льющимся из ванной.

Сара тихо подошла к кровати, ее длинные темные волосы рассыпались по плечам, и Вильям почувствовал запах ее духов, который всегда напоминал ему о ней. Он лежал тихо, любуясь ею в приглушенном свете комнаты.

— Вильям... — прошептала она. — Ты спишь?

Ему оставалось только рассмеяться про себя. Он ждал этого момента пять месяцев, а она думала, что он мог уснуть в их свадебную ночь, не дождавшись ее. Иногда ее непосредственность приводила его в восторг. Сара была чудесна, но сегодня ночью она сводила его с ума.

— Нет, я не сплю, моя любимая, — прошептал он, улыбнувшись в темноте. Разве он мог уснуть. Вильям нежно протянул ей руку, когда она подошла к нему, и села рядом с ним на постели, немного робея. Он был нежен и терпелив с ней. Ему хотелось, чтобы в ней загорелось такое же страстное желание, как и в нем, чтобы не было никакого принуждения. Все должно произойти легко и естественно. Сара быстро отозвалась на его призыв. Почувствовав это, Вильям стал смелее ласкать ее, вызывая в ней одновременно восторг и удивление. Оказалось, что Сара мало знала о чувственных наслаждениях, и то, что она сейчас переживала, не имело ничего общего с тем, что было у нее с Фредди.

Вильям страстно хотел ее. Его нежные и умелые пальцы гладили ее грудь, стройные бедра, опускаясь постепенно все ниже. У Сары вырвался стон, когда Вильям, наконец, погрузился в нее. Он был приятно поражен, с какой страстью она отдалась ему. До самого рассвета они утоляли желание, которое так долго им пришлось сдерживать.

— Боже мой...если бы я только знал, как это чудесно, я не удержался бы от соблазна, когда мы первый раз встретились у Джорджа и Белинды. — Сара сонно улыбнулась. Она была счастлива, что доставила ему радость.

— Я не предполагала, что может быть так хорошо, — прошептала она удовлетворенно.

— Я тоже. — Он с улыбкой посмотрел на нее. Теперь, после близости с ней, ее красота засверкала для него еще ярче. — Ты великолепна.

От этих слов Сара залилась румянцем. Через несколько минут они, утомленные и счастливые, погрузились в сон, крепко прижавшись друг к другу, словно два ребенка. Через два часа, вздрогнув, они оба проснулись от телефонного звонка. Звонили по просьбе Вильяма, чтобы разбудить их. В десять часов утра они должны были быть на борту корабля.

— О, Боже... — простонал он, моргая и пытаясь найти на ощупь трубку телефона или выключатель, чтобы зажечь свет. Взяв трубку, вежливо поблагодарил за звонок. Он не был уверен, было ли тут виной шампанское или их любовь, но он чувствовал себя так, словно кто-то высосал из него по капле все жизненные силы. — Теперь я понимаю, что чувствовал Самсон, когда встретил Далилу. — Он отбросил длинную прядь волос, лежащую на ее груди, и поцеловал сосок, и снова почувствовал прилив желания, не в состоянии поверить в это. — Мне кажется, что я умер и попал на небеса. — И они снова любили друг друга. А потом спешно оделись, чтобы отправиться на корабль. У них не осталось даже времени на завтрак. Они успели лишь выпить перед отъездом по чашке кофе и не переставая смеялись и подтрунивали друг над другом, когда поспешили к ждущему их лимузину, при этом Сара пыталась держаться с достоинством, чтобы быть похожей на герцогиню.

— Я понятия не имела, что герцогини тоже занимаются такими вещами, — прошептала она ему в автомобиле после того, как они подняли стекло, отделяющее их от водителя.

— Они на это не способны. Ты бесподобна, моя дорогая, поверь мне.

Когда они поднимались на «Нормандию», у него был такой вид, словно он нашел в своем ботинке бриллиант. Она чувствовала себя немного вероломной, входя на французский корабль, но, судя по отзывам, «Нормандия» предлагает чудесное плавание.

Их встречали, словно королевскую чету, и проводили в каюту «Довиль» на «Солнечной палубе». Точно такую же каюту «Трувиль» занимал магараджа Карпуфалы, который путешествовал в ней много раз, начиная с первого плавания корабля. Оглядев каюту, Вильям остался доволен.

— Должен признаться, что французская линия превосходит все остальные по комфорту. — Он никогда не встречал такой роскоши на корабле во всех своих путешествиях по свету. Это был знаменитый корабль, и то, что он увидел, когда они поднялись на борт, обещало необыкновенное плавание.

Их каюта была полна шампанского, цветов и корзин с фруктами. Сара заметила, что один из самых красивых букетов был от ее родителей, были еще два от Питера и Джейн. Через несколько минут после их прибытия Джейн вполголоса расспрашивала свою сестру, и они шептались, словно молоденькие девушки. Перед отплытием Сара и Вильям еще раз поблагодарили Томпсонов за прекрасную свадьбу.

— Мы чудесно провели время, — еще раз заверил Вильям Эдварда. — Все было превосходно.

— Вы оба, должно быть, совершенно измучены.

— Измучены. — Вильям пытался казаться рассеянным и надеялся, что ему это удалось. — Мы выпили немного шампанского, когда пришли в отель, и просто свалились с ног. — Но когда он говорил это, Сара перехватила его взгляд, и он надеялся, что не покраснел. Он осторожно ущипнул ее, проходя мимо, а Виктория отметила, что Саре очень идет ее новое белое кашемировое платье. Она надела норковое манто, которое ей подарили родители. Они выразили надежду, что оно не даст ей замерзнуть долгой английской зимой. Сара была элегантна в модной шляпе, украшенной двумя огромными черными перьями, прикрепленными сзади.

— Ты выглядишь прелестно, дорогая, — сказала ее мать, и на короткое мгновенье Джейн почувствовала приступ ревности к своей сестре. У нее будет такая замечательная жизнь, и Вильям такой обаятельный. Она очень любила своего мужа, но ее жизнь не была столь волнующей. Однако бедной Саре пришлось пережить такое трудное время. Джейн надеялась, что сестра будет счастлива с герцогом в Англии. Трудно представить, что может быть иначе, он ведь так добр и так красив. Джейн вздохнула, взглянув на них, стоящих рука об руку с таким счастливым видом.

— Ваша светлость... — Старший офицер корабля подошел к двери их каюты и сдержанно объявил, что все провожающие должны сойти на берег через несколько минут. На глазах у Джейн и Виктории появились слезы, а Саре удалось сдержаться. Она расцеловала их всех: мать, отца, детей Джейн. Затем в последний раз прижалась к отцу.

— Пиши мне, пожалуйста... не забывай... мы будем в Лондоне сразу после Рождества. — Они собирались провести медовый месяц на континенте вдвоем. Мать Вильяма настаивала на этом, она сказала, что у нее так много дел в Вайтфилде, что у нее просто не будет времени скучать по ним. И Вильяму понравилась идея провести Рождество с Сарой в Париже.

Сара снова накинула меховое манто, и все они поднялись на палубу, где в последний раз расцеловались, пожали Вильяму руку, а затем Эдвард спустился со своей небольшой компанией по трапу. В глазах его стояли слезы, а когда он встретился взглядом с Сарой, слезы покатились по щекам, он даже не пытался сдержать их.

— Я люблю тебя, — проговорила она одними губами, уцепившись за Вильяма одной рукой, а другой посылала им воздушные поцелуи. Они вышли из дока под градом конфетти и серпантина. Где-то на другой палубе оркестр играл «Марсельезу», а Сара смотрела, как они все больше удаляются от нее, и знала, что никогда не забудет, как много они значили для нее в это мгновение.

Вильям крепко держал ее за руку до тех пор, пока огромный корабль не начал поворачивать к Гудзону и провожающие скрылись из виду. По щекам ее катились слезы, а горло сжимали рыдания.

— Все хорошо, дорогая... Я с тобой... Мы скоро приедем повидать их. Я обещаю. — Он действительно собирался это сделать.

— Прости... я кажусь тебе, наверное, такой неблагодарной. Просто... Я так люблю их всех... и я люблю тебя... — Сара не могла сдержать нахлынувших на нее чувств. Столько событий произошло за последние несколько дней. Вильям повел ее в каюту и предложил немного шампанского, но Сара призналась с усталой улыбкой, что она предпочла бы выпить чашку кофе.

Тогда он позвонил стюарду и заказал для нее кофе, а для себя жасминовый чай и тарелку тостов с корицей вместо завтрака. За едой они без умолку болтали, и вскоре от ее грусти не осталось и следа. Вильяму было приятно, что она так любила своих родителей и не скрывала своих чувств.

— Чем бы ты хотела сегодня заняться? — спросил он, просмотрев меню и проспекты, предлагающие им спортивные мероприятия и всевозможные развлечения на огромном корабле. — Хочешь поплавать в бассейне перед ленчем? Мы можем пойти в кино сразу после чая. Давай посмотрим «Жену булочника» Марселя Паньоля, если ты еще не видела.

По правде говоря, она уже видела этот фильм, но с Вильямом ей было все равно, что смотреть. Она подсела к нему поближе, чтобы вместе с ним изучить проспект. Сару поразило обилие развлечений, предлагаемых пассажирам на французском корабле. Пока она читала, Вильям нежно коснулся ее шеи, потом его рука медленно скользнула к ее груди, и вдруг он начал осыпать ее поцелуями. Сара поняла, что сейчас они окажутся в постели и все развлечения будут забыты. Наступило время ленча, но они и не вспоминали о нем. Сара хрипло рассмеялась, жуя кусочек тоста с корицей, которые все еще лежали на тарелке рядом с постелью.

— Мне кажется, у нас не будет много времени для спорта.

— Я не совсем уверен, что мы вообще выйдем из каюты. — И словно для того, чтобы доказать ему это, она начала заигрывать с ним, а Вильям овладел ею даже быстрее, чем она ожидала. Потом они продолжили любовные игры в ванной комнате, и к тому времени, когда они вышли наконец оттуда, наступил вечер. Молодожены почувствовали некоторое смущение от того, как они проводят время.

— Мы приобрели черт знает какую репутацию на этом корабле, — прошептал ей Вильям. — Хорошо еще, что мы воспользовались французской линией.

— Ты думаешь, они знают? — Сара казалась слегка взволнованной. — В конце концов это наш медовый месяц...

— О, Боже, в самом деле, как я мог забыть. Ты знаешь, я забыл на столе мой бумажник. Ты не возражаешь, если мы вернемся за ним.

— Вовсе нет, — сговорчиво согласилась Сара, но не могла предположить, зачем он ему понадобился. А Вильям настаивал. Они вернулись в каюту. Как только она вошла, он схватил ее, закрыв за ней дверь.

— Вильям! — воскликнула Сара, а он рассмеялся. — Ты сексуальный маньяк!

— Нет... Уверяю тебя, обычно я веду себя достойно. Это твоя вина, — ответил он, лаская ее.

— Моя вина? Что я сделала? — Но Сара была в восторге от его хитрости. Они снова рухнули на пол гостиной и снова любили друг друга.

— Ты очень, очень привлекательна, — произнес он, не отрывая от нее глаз. Они лежали полураздетыми на полу каюты.

— Ты тоже, — прошептала она, потом тихо вскрикнула, когда он погрузился в нее. Прошло немало времени, прежде чем они поднялись и пошли в спальню, оставляя за собой разбросанную одежду.

В этот вечер они даже не потрудились пойти пообедать, и когда стюард, обслуживающий их каюту, позвонил по телефону и предложил принести обед, Вильям отказался, хмуро заявив, что у них обоих — морская болезнь. Тогда он предложил крекеры и бульон, но Вильям настаивал, что они оба уже спят. Повесив трубку, маленький француз усмехнулся горничной.

— Морская болезнь? — с сочувствием спросила она, но маленький стюард подмигнул.

— Mon oeil. Lune de miel. Медовый месяц, — объяснил он, и она засмеялась, когда он ущипнул ее за ягодицу.

Вильям с Сарой появились на палубе на следующее утро, и вид у них был здоровый и отдохнувший. С лица Вильяма не сходила блаженная улыбка. Когда они прошли по палубе и устроились в двух креслах, Сара с усмешкой сказала ему:

— Ты знаешь, все поймут, чем мы занимались, если ты не прекратишь улыбаться.

— Я ничего не могу сделать. Ни разу в своей жизни я не был таким счастливым. Когда мы вернемся в каюту? Клянусь, это становится пагубной привычкой.

— Я позову капитана, если ты снова будешь домогаться меня. Я не собираюсь разучиться ходить во время нашего плавания.

— Я понесу тебя, — усмехнулся он и, наклонившись, снова поцеловал ее. Сару его шалость ничуть не смутила. Ей нравилось его внимание и он тоже нравился. В этот день они предприняли попытку обследовать корабль и ухитрились не оказаться в постели до тех пор, пока не пришло время пить чай. Тогда они позволили себе краткое вознаграждение и снова заставили себя одеться, чтобы пообедать.

Саре понравился ресторан на «Нормандии». Это была волшебная страна изящества с потолком на уровне третьей палубы, а сам зал был немного длиннее, чем Зеркальный зал в Версале, производил не меньшее впечатление. Потолок был позолочен, вдоль стен шли светлые колонны. Они спустились по нескончаемой лестнице, устланной голубым ковром.

— Не означает ли наш обед сегодня в ресторане, что медовый месяц закончен?

— Я сам немного боюсь этого, — признался Вильям, поглощая суфле. — Думаю, мы должны вернуться в каюту сразу же после обеда.

Сара усмехнулась. Однако после обеда они перешли в Большой салон, расположенный над рестораном, и немного потанцевали. Потом постояли на палубе и целовались под звездами. Это было чудесное плавание. Они прекрасно провели время, прогуливаясь по палубе, танцуя и любя друг друга. У них было ощущение, что они находятся между двумя мирами — их старым миром и новым. Вильям и Сара старались держаться от всех в стороне, хотя большинство пассажиров первого класса были осведомлены о том, кто они. И не один раз Сара слышала, как люди перешептывались, когда они прогуливались по палубе:

— Герцог и герцогиня Вайтфилд... Виндзор? — переспросила одна вдова. — Она намного моложе, чем я предполагала... и лучше выглядит... — Сара не смогла удержаться от улыбки, а Вильям ущипнул ее и после этого называл ее Уоллис.

— Никогда не называй меня так, или я стану звать тебя Дэвид!

Сара еще не встречалась с ними, но Вильям предупредил, что, возможно, им придется нанести им визит в Париже.

— Может быть, вопреки твоим ожиданиям, она понравится тебе больше. Уоллис не на мой вкус, но она на самом деле очаровательна, а Дэвид теперь счастлив, как никогда, и к нему вернулся сон. Полагаю, что я знаю причину. — Вильям усмехнулся. Он сам спал теперь значительно лучше в перерыве между любовными забавами со своей новобрачной.

Прошлым вечером они обедали за столом капитана и были на маскараде, одетые как махараджа и махарани в костюмы, взятые напрокат у эконома короля и украшенные драгоценностями, которые Сара захватила с собой. Выбор маскарадных костюмов оказался удачным. Вильям был великолепен, а Сара выглядела как экзотический цветок. Но ее волнующий вид и обнаженный живот заставили их вернуться в каюту раньше. Стюарды держали пари, как долго они могут оставаться в постели. Четыре часа пока, кажется, было их рекордом.

— Может быть, нам следует остаться на корабле, — предложила Сара, когда они лежали в постели, время от времени погружаясь в сон. Это была их последняя ночь на корабле. — Я совсем не уверена, что вообще хочу в Париж.

— Вильям заказал для них номер в отеле «Риц», и они собирались провести там месяц, совершая поездки в замки, расположенные вокруг Парижа. Они хотели съездить в Бордо и Тур, полюбоваться Луарой. Шанель, Диор, Майнбокер и Баленсиага, с усмешкой добавила Сара.

— Ты испорченная девчонка, — сказал Вильям, возвращаясь вслед за ней в постель. Ему вдруг пришла в голову мысль, что, может быть, после недели постоянной близости Сара забеременела. Он хотел спросить ее об этом, но не решился. Позднее этой ночью он набрался мужества. — Ты... никогда не была беременна... я имею я виду, когда ты была замужем первый раз? — Ему было интересно, но он никогда не спрашивал об этом раньше. Ее ответ удивил его.

— Да, действительно была, — сказала она совсем тихо, стараясь не встречаться с ним взглядом.

— Что-то случилось? — Он понял, что ребенка у нее не было, и надеялся, что Сара не делала аборт. Для нее это было бы такой травмой, не говоря уже о последствиях.

— Я потеряла его, — прошептала она, воспоминание об этой трагедии отзывалось в ней болью, хотя теперь она знала, что это было к лучшему.

— Ты знаешь почему? Что-то произошло? — И тут он понял, как глупо задавать такой вопрос. С подобным замужеством могло произойти все, что угодно. — Не думай об этом. Больше этого не случится. — Он поцеловал ее, и немного погодя она заснула, мечтая о Вильяме и ребенке. На следующее утро они прибыли в Гавр и пересели на корабль, плывущий в Париж. Всю дорогу веселились, а как только сошли на берег, сразу отправились в отель. Разместившись в номере и передохнув, молодожены решили ознакомиться с магазинами.

— Ага! Теперь я знаю, чем тебе еще нравится заниматься. Сара, я горько разочарован. — Однако они чудесно провели время, посетив множество ювелирных магазинов. Вильям купил ей прелестный широкий браслет с сапфирами с бриллиантовой застежкой, рубиновое колье и потрясающие серьги. И еще огромную рубиновую брошь у Ван Клифа, в форме розы.

— Боже мой, Вильям... Мне так неловко. — Она знала, что истрачено целое состояние, но он, казалось, не имел ничего против. Сара была в восторге от драгоценностей, которые он ей купил.

— Не глупи! — Он отнесся к этому как к обыденному событию. — Просто обещай мне, что мы покинем номер не раньше, чем через два дня. Это такса, которую я буду требовать каждый раз, когда мы будем делать покупки.

— Ты не любишь ходить по магазинам? — У нее был слегка разочарованный вид. Он с таким удовольствием сопровождал ее по магазинам прошлым летом.

— Люблю. Но свою жену люблю больше.

— Ах, вот что... — Она засмеялась, а вернувшись в свой номер в «Рице», они снова занялись любовью. Потом опять пошли по магазинам. У Диора они купили ей прекрасное леопардовое манто, у Мубуссини длинную нитку замечательного жемчуга, с которым она потом никогда не расставалась. Им даже удалось посетить Лувр, а через неделю они пили чай с герцогом и герцогиней Виндзорскими. И Сара должна была признаться, что Вильям оказался прав. Несмотря на предвзятое мнение, она нашла, что герцогиня просто очаровательна. Дэвид был приятный мужчина. Застенчивый, осторожный, сдержанный, но исключительно добрый, как выяснилось при более близком знакомстве. И очень остроумный в обществе хорошо знакомых ему людей. Сначала они чувствовали себя неловко, и, к большому огорчению Сары, Уоллис пыталась провести неудачное сравнение между ними. Но Вильям пресек ее поползновения, и Сару слегка смутило то, как холоден он был с герцогиней. Его отношение к Уоллис не вызывало никаких сомнений, но при этом он выказывал крайнюю привязанность и уважение к своему кузену.

— Просто стыдно, что он женился на ней, — заметил Вильям, когда они возвращались в отель. — Кажется невероятным, но если бы не Уоллис, он по-прежнему мог быть королем Англии.

— Мне кажется, что трон вряд ли доставлял ему удовольствие. Но, возможно, я ошибаюсь.

— Ты права. Он исполнял свой долг. И должен признаться, Бэрти превосходно с ним справлялся. Он очень славный человек и просто ненавидит женщин.

— Теперь я понимаю, почему люди так относятся к ней. Она умеет обвести вокруг пальца.

— Она смотрит на это сквозь пальцы. Ты видела драгоценности, которые он ей подарил? Этот браслет с сапфирами и бриллиантами, должно быть, стоил ему целое состояние. Ван Клиф сделал его, когда они поженились. И вместе с ним он подарил ей ожерелье, серьги, брошь и два кольца.

— Мне больше понравился браслет, который она носит на другой руке, — тихо сказала Сара. — Бриллиантовая цепочка с крестиками. — Она была не такая кричащая, и Вильям отметил для себя, какие ей следует делать подарки. Еще Уоллис показала им чудесный браслет от Картье, который она только что получила, он весь буквально украшен цветами и листьями из сапфиров, рубинов и изумрудов. И она назвала его «фруктовый салат».

— Во всяком случае, мы выполнили свой долг, моя дорогая. Было бы нелюбезно не зайти к ним. А теперь я могу сообщить матери, что мы нанесли визит вежливости. Она всегда так любила Дэвида, я думал, что отречение от трона просто убьет ее.

— А теперь она не возражает, когда ты сделал то же самое, — грустно заметила Сара, по-прежнему ощущая вину за жертву, на которую он пошел ради нее. Она знала, что чувство вины останется у нее на всю жизнь, но Вильям, кажется, относился к этому спокойно.

— Едва ли это одно и то же, — мягко возразил Вильям. — Он имел трон, дорогая. Я его не имел бы никогда. Моя мать очень серьезно относится к таким вещам. Но она не настолько глупа, чтобы ожидать, что я когданибудь стал бы королем.

— Думаю, ты прав.

Они вышли из автомобиля за несколько кварталов до отеля и медленно пошли пешком, продолжая беседу о герцоге и герцогине Виндзорских. Они приглашали их к себе, но Вильям объяснил, что на следующее утро они отправляются в путешествие на автомобиле.

Они уже наметили посетить Луару, а на обратном пути хотели остановиться и осмотреть Шартр. Вильям никогда не бывал там.

На следующее утро они выехали в маленьком, взятом напрокат «рено», который он вел сам, и они оба были в приподнятом настроении. Они прихватили с собой корзинку с едой, чтобы устроить пикник, если по пути им не встретится ресторан. По обеим сторонам шоссе были фермы, паслись лошади и коровы, а чуть позже им попалось стадо овец, которые брели через дорогу. Баран остановился, уставившись на них, когда они расположились на обочине, чтобы отдохнуть и перекусить. Они захватили с собой одеяла и теплые пальто, но погода выдалась на удивление солнечной, было тепло и кругом зеленела трава.

Вильям забронировал номера в нескольких отелях. Они собирались вернуться в Париж через восемь—десять дней. Но на третий день удалились от Парижа всего на сто миль и задержались в Монтбазоне, в прелестной гостинице, откуда им не хотелось уезжать.

Владелец гостиницы назвал им несколько мест, которые было интересно посмотреть, и они ходили к церквушке, к чудесной старой ферме, заглянули в два великолепных антикварных магазина, а потом в местный ресторан, лучший из всех, которые они когда-либо посещали.

— Мне нравится это место, — призналась счастливая Сара, опустошая свою тарелку. У нее заметно улучшился аппетит, и она даже немного поправилась, что ей очень шло. Вильяма беспокоило, что у нее была нездоровая худоба.

— Завтра мы должны ехать дальше.

Им обоим было жаль покидать это прелестное место, а через час после отъезда из Монтбазона их автомобиль застрял на дороге. Местные крестьяне помогли им выбраться, а через полтора часа они остановились около древних каменных ворот с искусно выполненной железной решеткой. Ворота были открыты, и от них вела заросшая дорога.

— Это похоже на ворота в рай, — пошутила она.

— Или в ад. В зависимости от того, что мы заслужили, — улыбнулся он в ответ. Но он уже знал свою судьбу. Он был на небесах с тех пор, как женился на Саре.

— Давай посмотрим? — Она была молода и любила приключения, и ему в ней это нравилось.

— Думаю, мы можем попробовать. Но что, если мы получим пулю от какого-нибудь землевладельца?

— Не беспокойся. Я защищу тебя. Кроме того, это место выглядит так, словно оно пустует уже не один год, — ободрила его Сара.

— Так выглядит вся страна, глупышка. Это тебе не Англия.

— Ах, ты сноб! — воскликнула она и пошла по тропинке, ведущей от ворот. Они решили оставить автомобиль у шоссе, чтобы не привлекать к себе внимание.

Они долго брели по заброшенной дороге, пока, наконец, не дошли до старой аллеи, вдоль которой росли огромные вековые деревья и кустарник. Аллея, возможно, напоминала бы даже въезд в Вайтфилд или саутгемптонское имение. Если бы она была ухоженной.

— Здесь прелестно. — В ветвях деревьев слышалось пение птиц. Сара, спотыкаясь, пробиралась сквозь высокую траву и кусты.

— Не думаю, что здесь мы увидим много интересного, — заметил Вильям, когда они дошли почти до конца двойного ряда высоких деревьев. И не успел он произнести это, как их взору открылось огромное каменное здание, похожее на Версаль.

— Боже мой, что это?

Подойдя ближе, им сразу же бросилось в глаза, что дом нуждается в ремонте. Все было ветхое и заброшенное, некоторые постройки, казалось, готовы были вот-вот рухнуть. У подножия холма стоял маленький коттедж, в котором раньше, вероятно, жил управляющий, но теперь он отдаленно напоминал здание.

Справа были конюшни, а также огромный сарай для экипажей. Там до сих пор стояли две огромные коляски, на дверцах которых золотом были выгравированы фамильные гербы.

— Какое изумительное место. — Он улыбнулся ей, довольный, что она настояла на осмотре заброшенного поместья.

— Как ты думаешь, что это? — Сара огляделась вокруг, осматривая коляски, поводья, старый кузнечный инструмент, зачарованная всем.

— Это старый замок, а здесь были конюшни. Место выглядит так, словно двести лет здесь уже никто не живет.

— Возможно, ты и прав. — Она взволнованно улыбнулась. — Может быть, там водятся привидения!

Тут он стал издавать звуки, словно привидение, делая вид, что прыгает на нее, когда они вернулись на дорогу и поднялись на холм к зданию, которое напоминало замок из волшебной сказки. Было видно, что оно не такое старое, как Вайтфилд или замок Белинды и Джорджа, где они встретились. Вильям определил, что оно было построено двести пятьдесят — триста лет назад. Когда они подошли поближе, то поняли, что перед ними творение прекрасного архитектора. Здесь, очевидно, были парк и сад и, возможно, даже лабиринт, но теперь почти все заросло, и они стояли перед входом в дом, который был поистине королевским. Вильям попытался открыть двери или окна, но они были заперты. Однако, заглянув внутрь сквозь прогнившие щели, можно было увидеть чудесные полы, изящно вырезанные карнизы и высокие потолки. Больше разглядеть им не удалось, но было ясно, что они попали в необыкновенное место. Они, словно сделав огромный скачок во времени, очутились в эпохе Людовика XIV, XV или XVI. Казалось, что сейчас вот-вот покажется экипаж с людьми в париках и в атласных бриджах и их спросят, что они здесь делают.

— Как ты думаешь, что здесь было? — спросила Сара, заинтригованная окружающим.

— Местные жители должны знать. Это не может быть большим секретом. Усадьба огромная.

— Ты думаешь, она до сих принадлежит кому-нибудь? Похоже, ее бросили много лет назад, но она должна принадлежать кому-то.

— Вероятно, принадлежит. Но не нужна хозяину, иначе он приложил бы какие-то усилия, чтобы сохранить ее. — Усадьба была в ужасном состоянии, даже мраморные ступени у парадного входа были совершенно разбиты. Было видно, что запустение царило здесь не одно десятилетие.

Глаза Сары загорелись, когда она оглянулась вокруг.

— Тебе никогда не хотелось владеть такой усадьбой, разобрать все на части, а затем снова восстановить так, как было когда-то... знаешь, реставрировать все в том виде, в каком было прежде? — Ее глаза зажглись при одной мысли об этом, а он закатил глаза, изображая ужас и полное изнурение.

— Ты имеешь хоть какое-то представление о том, сколько здесь работы? Ты можешь хотя бы вообразить это... не говоря уже о затратах. Понадобится армия рабочих просто для того, чтобы привести это место в порядок, и весь Английский банк.

— Но подумай о том, как прекрасно здесь станет. Это стоило бы всех затрат.

— Кому? — Он засмеялся, с изумлением глядя на нее. Он никогда не видел ее настолько взволнованной, с тех пор как они встретились. — Как ты сможешь столько работать, чтобы придать усадьбе законченный вид? Это просто безумие. — Но на самом деле идея не оставила и его равнодушным, хотя огромная работа, которую нужно было проделать, пугала его. — Мы расспросим об этой усадьбе, когда снова вернемся на шоссе. Уверен, нам расскажут, что здесь были убиты десятки людей и что это ужасное место.

Он подшучивал над ней всю обратную дорогу, но она ничего не хотела слушать. Сара считала, что это самое прекрасное место из всех, какие она когда-либо видела, и если бы она могла, то тотчас же купила его. Она заявила об этом Вильяму, и он охотно поверил, что она так и поступила бы.

Они встретили старого фермера как раз рядом с подъездной дорогой, и он охотно рассказал им о разрушенной усадьбе, которую они только что видели. Сара пыталась понять речь старика. А позже Вильям сообщил ей те детали, которые ускользнули от нее. Усадьба, которую они рассматривали, называлась Шато де ля Мёз, и она пустовала около восьмидесяти лет, с конца тысяча восемьсот пятидесятых годов. До этого в течение более двухсот лет там жила одна семья, и последний наследник умер, не оставив детей. После этого она принадлежала кузенам и каким-то дальним родственникам, и старик не был уверен в том, кому она теперь принадлежала. Он сказал, что в ней еще жили какие-то люди, когда он был мальчиком, старая женщина, которая не могла содержать усадьбу, графиня де ля Мёз, она была кузиной французского короля. Но она умерла, когда он был еще ребенком, и с тех пор усадьба была заколочена.

— Как грустно. Удивительно, почему никто даже не попытался ее отремонтировать?

— Возможно, это требовало слишком много денег. Французы переживали трудные времена. И усадьбы, подобные этой, нелегко содержать после того, как они отреставрированы. —

Он очень хорошо знал, как много внимания и денег требовалось, чтобы содержать Вайтфилд, а содержать эту усадьбу было бы намного дороже.

— Это просто стыдно. — У Сары был грустный вид, когда она думала о старом доме, представляя, каким бы он мог быть и каким он был когда-то. Она готова была засучить рукава и помогать Вильяму реставрировать его.

Они вернулись к автомобилю, и он взглянул на нее с любопытством:

— Ты серьезно, Сара? Тебе действительно нравится это место? И ты хочешь заняться чем-то подобным?

— Очень нравится. — Ее глаза загорелись.

— Придется чертовски много поработать. И настоящий работы не будет, пока ты не возьмешься за дело сама. Тебе придется взять молоток и делать другую тяжелую работу вместе с людьми, которые будут помогать тебе. Ты знаешь, я видел, как Белинда и Джордж реставрировали свою усадьбу, и ты не представляешь, какую работу им пришлось проделать.

Но он знал так же, как она была им дорога и стала дороже, пока ее реставрировали.

— Да, но эта усадьба намного интереснее и древнее, — объяснила Сара, которой хотелось взмахнуть волшебной палочкой и стать обладательницей Шато де ля Мёз.

— Будет нелегко, — мягко сказал Вильям. — Здесь абсолютно все нуждается в реставрации, даже дом управляющего, сараи и конюшни.

— Не важно, — сказала она упрямо. — Мне хотелось бы взяться за дело, — она подняла на него глаза, — если ты мне поможешь.

— Думаю, я не взвалил бы на себя такую ношу. Мне потребовалось пятнадцать лет, чтобы отреставрировать Вайтфилд, но я не знаю, как быть, ты так загорелась этой идеей. — Он улыбнулся ей, вновь ощущая себя самым счастливым человеком на свете.

— Она может стать такой чудесной, — Сара смотрела на него сияющими глазами, и Вильям улыбнулся. Он был подобен воску в ее руках и готов ради нее на все.

— Но во Франции? А как же Англия?

Сара старалась не обидеть его, но она просто влюбилась в эту усадьбу, однако ей не хотелось оказывать на него давление. Возможно, это было бы слишком дорого или, может быть, требовало больших усилий.

— Мне хотелось бы жить здесь. Но, вероятно, мы могли бы найти что-нибудь подобное в Англии.

Но в этом, кажется, не было смысла. У Вильяма уже был Вайтфилд, и он его превосходно восстановил. Но здесь было бы совсем другое дело. Шато де ля Мёз стало бы их собственностью, они могли бы восстановить его своими руками, работая бок о бок. Сара никогда не испытывала такого волнения и понимала, что ее затея просто безумие. Им совершенно не был нужен разрушенный замок во Франции. И она постаралась забыть о нем, когда они тронулись в путь, однако, пока они путешествовали, Сара постоянно вспоминала заброшенный замок, который успела полюбить. Ей казалось, что у него была душа, он был словно потерянный ребенок или очень грустный старый человек. Но она знала, что он никогда не будет принадлежать ей, и больше ни разу не упомянула о нем до их возвращения в Париж. Ей не хотелось, чтобы Вильям почувствовал, что она давит на него, и понимала, что напрасно так очарована этим замком.

Тем временем наступило Рождество, и Париж выглядел еще прекраснее. Один раз они обедали у Виндзоров на бульваре Саше. Остальное время проводили вдвоем, наслаждаясь их первым семейным Рождеством. Несколько раз Вильям звонил матери, но она постоянно бывала в гостях у соседей, обедала с родственниками, а сочельник провела в Сэндрингхэме с королевским семейством на традиционном рождественском обеде. Бэрти послал специально за ней автомобиль, двух лакеев и фрейлину.

Сара звонила своим родителям в Нью-Йорк в сочельник, когда — она знала — у них должны быть Питер и Джейн, и на мгновение почувствовала легкую тоску по дому. Но Вильям был к ней так добр, и она была с ним так счастлива. На Рождество он подарил ей великолепное кольцо от Ван Клифа с сапфиром в окружении бриллиантов и

прелестный браслет от Картье с бриллиантами, изумрудами, сапфирами и рубинами в виде цветов. Похожий был
на руке графини Виндзорской, и Сара восхитилась им,
отметив необыкновенную работу ювелира. Когда Вильям
преподнес ей такой же, она была вне себя от радости.

— Дорогой, как ты меня балуешь! — Он надарил ей груду
подарков — это были сумки, шарфы и книги, которые — он
знал — она любит, купленные у торговцев на набережных Сены,
и маленькие безделушки, от которых она пришла в восторг. Он
все предусмотрел и был так великодушен.

Сара подарила ему золотой портсигар работы Фаберже,
покрытый голубой глазурью и украшенный бриллиантами, с
дарственной надписью царицы Александры царю Николаю в
1916 году, и чудесную упряжь от Гермеса, которая восхитила
его, и модные часы от Картье. На крышке часов она выграви-
ровала «Первое Рождество, первая любовь, от всего сердца,
Сара». Он был так растроган, когда прочитал надпись, что на
его глаза навернулись слезы. Подхватив ее на руки, он отнес в
спальню. Большую часть рождественского дня они провели в
постели, радуясь, что не вернулись в Лондон к пышным цере-
мониям и бесконечным традициям.

Проснувшись вечером, Вильям улыбнулся ей и поцеловал в
шею и снова сказал, как сильно ее любит.

— У меня есть для тебя еще кое-что, — признался
он. Но не был уверен, останется ли она довольна подарком.
Это была самая безумная вещь, какую он когда-либо со-
вершал, самый безумный миг в его жизни, и все же у
него было предчувствие, что ей должно это понравиться.
А значит, подарок стоил всех его хлопот. Он вынул из
ящика маленькую коробочку. Она была завернута в золо-
тую бумагу и перевязана узкой золотой лентой.

— Что это? — Она посмотрела на него с любопытством
ребенка. У Вильяма все похолодело внутри.

— Открой ее.

Она открыла, медленно, осторожно, ей было интересно, что
это за редкая драгоценность. Коробочка была довольно маленькой. Но когда она развернула бумагу, внутри оказалась
другая, еще меньше, а в ней крошечный деревянный домик,

сделанный из спичечного коробка. Сара вопросительно посмотрела на Вильяма.

— Что это, любимый?

— Открой его, — сказал он, задыхаясь от волнения. Она открыла спичечный коробок, и внутри была узенькая полоска бумаги, на которой было написано: «Шато де ля Мёз. Рождество после свадьбы, 1938. От Вильяма со всей любовью».

Сара смотрела на него, пораженная. Прочитав эти слова, она вдруг поняла, что он сделал, и вскрикнула от изумления, не в состоянии поверить, что Вильям совершил нечто поистине безумное. Она никогда даже не хотела иметь так много.

— Ты купил его? — спросила она удивленно, обвив руками его шею, и, обнаженная, бросилась к нему на колени. — Ты это сделал?

— Она — твоя. Не уверен, сошел ли я с ума или на меня нашло озарение. Если тебе не нужна эта усадьба, мы можем просто продать землю, позволить ей разрушаться и забыть о ней.

Она обошлась ему недорого. С ней придется слишком много возиться, чтобы привести все в порядок. Сумма, которую он заплатил, была до смешного мала. Ему больше стоило перестроить свой охотничий домик в Англии, чем купить Шато де ля Мёз со всей землей и постройками.

Сара была вне себя от волнения, а Вильям сиял, счастливый, что угодил ей подарком. Купить усадьбу оказалось более сложно, чем он предполагал. Она принадлежала четырем наследникам, двое из которых жили во Франции, один — в Нью-Йорке, а еще один в английском захолустье. Но его стряпчим удалось уладить сделку. А отец Сары связался через банк с женщиной, которая жила в Нью-Йорке. Наследники были дальними родственниками графини, которая умерла восемьдесят лет назад, как и сказал им крестьянин. Люди, у которых он купил замок, отстояли на несколько поколений от графини, и никто из них не знал, что делать с доставшейся им собственностью и как ее разделить, так что все было предоставлено воле судьбы, пока Сара не нашла эту усадьбу и не была очарована ею. И тут она с тревогой посмотрела на Вильяма.

— Ты, наверное, отдал за нее целое состояние?

Ее не покидало бы чувство вины, если бы это оказалось так, хотя в глубине души Сара считала, что усадьба того стоила. Но на самом деле он купил ее почти задаром. Все четверо наследников испытали большое облегчение, когда узнали, что могут освободиться от нее, и никто из них не оказался слишком алчным.

— Целое состояние придется потратить, когда мы будем ее восстанавливать.

— Обещаю, что буду делать все сама... все! Когда мы можем вернуться и начать? — Она, как ребенок подпрыгнула у него на коленях, и он застонал от восторга.

— Сначала мы должны вернуться в Англию, и мне надо уладить там кое-какие дела. Я не знаю... возможно, в феврале... или в марте?

— Мы не можем поехать скорее? — У нее был вид, как у счастливой маленькой девочки в рождественское утро, и он улыбнулся.

— Мы постараемся... — Вильям был очень доволен, что ей понравился его подарок. Теперь его тоже взволновала перспектива возрождения усадьбы, так хорошо будет приняться вместе с ней за работу, если только эта работа не убьет их обоих. — Я счастлив. Раз или два я испытал неприятные чувства, когда мне казалось, что ты уже забыла об этом имении и что на самом деле оно тебе не нужно. Должен признаться, твой отец счел меня просто сумасшедшим. Как-нибудь я покажу тебе несколько телеграмм. Он полагает, что это не намного лучше, чем твоя попытка купить ферму в Лонг-Айленде, и теперь ему совершенно очевидно, что мы оба сумасшедшие и прекрасно подходим друг другу. — Сара весело рассмеялась, снова подумав о доме, а потом озорно взглянула на Вильяма, и он сразу заметил этот взгляд.

— У меня тоже есть для тебя кое-что... Я думаю... Я не хотела говорить тебе до тех пор, пока мы не вернемся в Англию, и я уверена... я думаю, что возможно... у нас будет ребенок...

Она выглядела смущенной и в то же время довольной. Вильям ошеломленно посмотрел на нее.

— Так скоро? Сара, ты серьезно? — Он не мог этому поверить.

— Думаю, что да. Должно быть, это произошло в нашу свадебную ночь. Через несколько недель я буду знать наверняка. — Но она уже заметила первые признаки. На этот раз она поняла это сама.

— Сара, моя дорогая, ты просто изумительна! — В одну ночь у них появилась семья и замок во Франции, если не считать, что у Сары еще не было полной уверенности, а замок стоял совершенно разрушенный, тем не менее оба были счастливы.

Они остались в Париже, гуляли по набережным Сены и любили друг друга, обедали в маленьких бистро, а потом возвратились в Лондон, чтобы быть герцогом и герцогиней Вайтфилд.

Глава 11

По возвращении в Лондон Вильям настоял, чтобы Сара посетила его доктора на Харли-стрит, который подтвердил ее предположение. К этому времени она была уже на пятой неделе беременности, и доктор сообщил ей, что ребенок родится в конце августа или в начале сентября. Он рекомендовал ей первые несколько месяцев проявлять осторожность, так как у нее случился выкидыш. Но он считал Сару абсолютно здоровой и поздравил Вильяма с будущим наследником. Вильям не скрывал своей радости. Они сообщили свою новость его матери, когда поехали на уик-энд в Вайтфилд.

— Мои дорогие дети, это чудесно! — воскликнула герцогиня с таким восторгом, словно то, что сделали они, не удавалось еще никому со времен Марии и Иисуса.

— Хочу тебе напомнить, что вам удалось за тридцать дней сделать то, на что нам с отцом потребовалось тридцать лет. Поздравляю вас с этой удачей. До чего же вы умные дети! — хвалила она их, а они смеялись. Но герцогиня была невероятно довольна ими и сказала Саре, что рождение Вильяма стало самым счастливым моментом в ее жизни. Но, как и доктор, она посоветовала ей быть осмотрительнее и не переутомляться, чтобы не повредить себе или ребенку.

— Я чувствую себя прекрасно. — Она на самом деле чувствовала себя удивительно хорошо, и доктор сказал, что они могут любить друг друга, только осторожно. Он посоветовал им не обрывать люстру и не пытаться побить олимпийский рекорд, что Сара и передала Вильяму. Но Вильям отчаянно боялся, что любая близость между ними может принести вред ей или ребенку.

— Поверь мне, это не причинит никакого вреда. Так сказал доктор.

— Откуда он знает?

— Он доктор, — убеждала его Сара.

— Может быть, он плохой доктор. Может быть, нам следует показаться кому-нибудь еще.

— Вильям, он был доктором твоей матери, когда ты должен был родиться.

— Вот именно. Он очень стар. Нам следует найти кого-нибудь помоложе.

И он действительно нашел для нее специалиста. И только для того, чтобы поднять Вильяму настроение, Сара пошла к нему на прием, и доктор сказал ей абсолютно то же самое, что и старый добрый лорд Олторп, который нравился ей гораздо больше. Она была уже на втором месяце беременности, и у нее не возникало никаких осложнений.

— Мне хотелось бы знать, когда мы поедем обратно во Францию, — спросила она Вильяма спустя месяц. Ей не терпелось заняться своим новым домом.

— Ты серьезно? — ужаснулся Вильям. — Ты хочешь сейчас поехать туда? Ты не хочешь подождать, пока родится ребенок?

— Конечно, нет. Зачем выжидать все эти месяцы, если мы можем уже сейчас приняться за работу? Я, слава Богу, не больна, дорогой. Я беременна.

— Я знаю, но что, если что-нибудь случится? — Он выглядел огорченным, и ему хотелось, чтобы Сара не была столь решительна. Но даже старый лорд Олторп согласился, что у нее нет причин оставаться дома, и считал, что поездка во Францию пойдет ей на пользу, если она не будет переутомляться и поднимать тяжести.

— Будет очень хорошо, если она займется чем-нибудь, — заверил он их, но предложил только подождать до марта, чтобы у нее было три полных месяца беременности, прежде чем они уедут. Сара согласилась отложить поездку во Францию до марта, но ни на мгновенье дольше. Ей не терпелось приняться за работу в замке.

Вильям старался продлить пребывание в Вайтфилде, и его мать настаивала, чтобы он уговорил Сару не спешить.

— Мама, я стараюсь, но она не слушает меня, — наконец, признался он в отчаянии.

— Она сама еще ребенок и не понимает, что следует вести себя осторожнее. Она не хочет потерять ребенка. — Но Сара уже получила такой урок и была более осторожна, чем считал Вильям. Она ложилась вздремнуть или просто отдыхала, если уставала. Она всем сердцем мечтала сохранить ребенка. Но Сара не собиралась сидеть сложа руки. И не давала ему покоя, пока наконец Вильям не согласился отправиться во Францию, не в состоянии удерживать ее дольше. Была уже середина марта, и Сара грозилась уехать без него.

Они отправились в Париж на королевской яхте, когда лорд Монтбаттен собрался навестить герцога Виндзорского и согласился оказать любезность молодой паре, взяв их с собой. «Дики», как Вильям и его сверстники называли его, был очень красивый мужчина, и Сара развлекала его во время всего плавания, рассказывая ему о замке и о той работе, которую им предстоит проделать там.

— Вильям, старина, похоже за тебя все решили. — Но он тоже думал, что для них будет полезно заняться этим. Было видно, что они влюблены друг в друга и очень увлечены своим проектом.

Швейцар в «Рице» нанял для Вильяма автомобиль, и им удалось найти маленький отель в двух с половиной часах езды от Парижа, недалеко от замка. Они сняли верхний этаж отеля и собирались жить там, пока замок не станет пригодным для жилья, а это будет совсем нескоро.

— Возможно, понадобятся годы, ты сама видишь, — пожаловался Вильям, когда они снова стояли перед замком. Следующие две недели он потратил, подыскивая рабочих. Наконец, Вильям нанял довольно большую бригаду, которая начала отдирать доски и ставни, чтобы посмотреть, что находится внутри. Сюрпризы ждали их везде, некоторые из них оказались счастливыми, другие приносили разочарование. Главная гостиная была великолепна, а со временем они обнаружили три салона с чудесными деревянными панелями, с кое-где облупившейся позолотой, там были мраморные камины и прекрасные полы, но местами дерево покрывала плесень и оно сгнило от многолетней сырости.

В доме была большая красивая столовая и несколько салонов, расположенных на том же этаже, обшитая деревянными панелями библиотека и роскошный зал для торжеств, обязательный в каждом английском замке, кухня, такая старомодная, что напомнила Саре те, которые она видела с родителями в музеях год назад. Здесь были предметы утвари, которые, очевидно, не использовались в течение двухсот лет, и она бережно собрала все, чтобы сохранить. Так же бережно они отнеслись к двум коляскам, найденным в сарае.

Вильям осторожно взобрался вверх по лестнице, после того как обследовали пол в главной гостиной. Но он категорически отказался взять с собой Сару, боясь, что полы могут провалиться. Но они оказались на удивление прочными, и в конце концов он позволил Саре подняться наверх посмотреть, что он обнаружил. Там оказалась по меньшей мере дюжина больших солнечных комнат, как и внизу, с прелестными деревянными панелями и окнами красивой формы, красивая гостиная с мраморным камином, окна которой выходили на парадный вход, и оттуда были видны парк и сад вокруг замка. Но вдруг, переходя из комнаты в комнату, Сара поняла, что здесь не было ванных. Конечно, засмеялась она над собой, их и не могло быть. Они мылись в лоханях в туалетных комнатах, а вместо туалетов у них были ночные горшки.

Многое предстояло сделать, но было ясно, что все усилия принесут свои плоды. И даже Вильям теперь казался взволнованным. Он сделал чертежи, составил график работ и весь день с рассвета до сумерек проводил с рабочими, в то время как Сара трудилась рядом с ним, полируя старое дерево, очищая полы и панели, восстанавливая позолоту и начищая медь и бронзу, пока она не начинала блестеть, но большую часть дня она проводила, занимаясь покраской. Пока они вели работы в главном доме, Вильям выписал бригаду молодых парней, которые должны были отремонтировать дом управляющего, чтобы наконец они смогли переехать сюда из отеля.

Дом управляющего был небольшим, с крошечной гостиной, рядом с ней находилась спальня, которая была еще меньше, и большая уютная кухня, а наверху располагались две спальни, довольно просторные. Планировка была вполне удобна, и, если

Саре потребуется, можно было нанять служанку. В одной спальне разместятся они сами, а другая будет ждать рождения ребенка. Сара уже чувствовала, как ребенок шевелится в ней, и каждый раз, когда это происходило, она улыбалась, уверенная, что это будет мальчик, очень похожий на Вильяма. Она время от времени говорила ему об этом, но он уверял ее, что ему все равно и он ничего не имеет против, если родится девочка, которую они хотели не меньше. «А если это будет не девочка, у нас родится новый наследник трона», — дразнил он ее, но был еще его титул и наследование Вайтфилда и всех его земель.

Но в эти дни их мысли занимал не Вайтфилд и даже не работы в замке. В марте Гитлер поднял свою безобразную голову и «проглотил» Чехословакию, заявив, что сделал это, потому что она уже не существовала как самостоятельное государство. Таким образом, он проглотил десять миллионов человек, которые не были немцами. И, не успев заглотнуть их, он обратил свой взор на Польшу и начал угрожать им захватом земель, которые были предметом спора.

Через неделю после этих событий закончилась гражданская война в Испании, унеся с собой миллионы жизней, а благополучная Испания лежала в руинах.

Но апрель оказался еще хуже. Подражая своему немецкому другу, Муссолини захватил Албанию, и британское и французское правительства начали ворчать и предложили свою помощь Греции и Румынии, если те в ней нуждаются. То же самое они предлагали несколько недель назад Польше, обещая встать на ее защиту, если Гитлер подойдет ближе.

К маю Муссолини и Гитлер объединились, обещая поддержку друг другу в случае войны, а подобные переговоры между Францией, Англией и Россией начинались и прекращались и ни к чему не приводили. Это была гнетущая весна для мировой политики, и Вайтфилды с тревогой следили за событиями в Европе. Однако огромная работа в Шато де ля Мёз продвигалась вперед. Сара была полностью поглощена мыслями о предстоящих родах, она была уже на восьмом месяце беременности. И хотя Вильям не говорил ей этого, чтобы не огорчать, ему казалось, что она сильно поправилась. Но они оба были высокие, и вполне вероятно, что ребенок родится крупным. По ночам, когда они лежали в постели, он чувствовал, как малыш шевелится у нее в животе. Однажды, подвинувшись к ней поближе, он почувствовал, как ребенок толкнул его.

— Это не больно? — Вильяма завораживала жизнь, которую он ощущал внутри ее, он удивлялся тому, как она поправилась и что скоро из их любви друг к другу родится ребенок. Это чудо все еще ошеломляло его. Время от времени они любили друг друга, но он все больше и больше опасался повредить ей, а ее, кажется, теперь это интересовало меньше. Ей трудно было работать, и к тому времени, когда они ложились в постель, оба были измучены, а утром в шесть часов приходили рабочие и начинали стучать молотками и грохотать. В конце июня они смогли переехать в дом управляющего и отказаться от комнат, которые снимали в отеле, чем оба были довольны. Теперь они жили на своей земле, и сад начал приобретать ухоженный вид. Он привез из Парижа садовников, которые вырубали, подрезали, сажали и снова превратили джунгли в сад. Парк потребовал больше времени, но к августу появилась надежда, что он тоже будет приведен в порядок, и было просто поразительно, насколько продвинулись работы в доме. Потребуются годы, чтобы доделать все детали, но основной объем работ был выполнен в необыкновенно короткий срок.

В самом деле, Джордж и Белинда приезжали в июле, и на них произвело большое впечатление то, как много Сара и Вильям успели сделать к этому времени. Джейн и Питер тоже приезжали навестить их, это была совсем короткая встреча. Джейн была без ума от Вильяма и очень волновалась за Сару и ребенка. И она обещала приехать еще раз, когда родится малыш, чтобы посмотреть на него, хотя сама опять ждала ребенка и снова приехать в Европу смогла бы только через некоторое время. Родители Сары тоже хотели приехать, но ее отец не совсем хорошо себя чувствовал, хотя Джейн уверяла Сару, что это несерьезно. И кроме того, они были ужасно заняты, перестраивая Саутгемптон. Но ее мать собиралась непременно приехать осенью, когда у Сары родится ребенок.

После отъезда Питера и Джейн Сара несколько дней чувствовала себя одинокой и старалась все время проводить за домашними делами, чтобы поднять настроение. Она трудилась, не покладая рук, чтобы закончить свою комнату и особенно прелестную комнату рядом, в которой она предполагала разместить ребенка.

— Как идут дела? — окликнул ее Вильям как-то днем, когда принес ей булочку, сыр и дымящуюся чашку кофе. Он был так добр к ее семье, к ней и ко всем остальным, и Сара полюбила его еще больше.

— Продвигаются, — с гордостью ответила она. В это время она аккуратно покрывала позолотой одну из панелей, которая выглядела не хуже тех, которые она видела в Версале.

— Прекрасно, — восхитился он ее работой, нежно улыбаясь. — Я нанял бы тебя, — сказал он, наклоняясь, чтобы поцеловать ее. — Ты хорошо себя чувствуешь?

— Превосходно, — ее спина мучительно ныла, но она не призналась бы ему ни за что на свете. Ей нравилось делать то, чем она занималась каждый день, и ей уже не так долго оставалось до родов. Всего три или четыре недели. Они нашли маленькую, опрятную больницу в Шамонте, где она собиралась рожать. Там был неплохой доктор, которого она регулярно посещала. Он считал, что все идет хорошо, хотя предупредил ее, что, вероятно, ребенок будет очень крупный.

— Что это значит? — поинтересовалась она, стараясь, чтобы вопрос прозвучал небрежно. Последнее время она немного нервничала в связи с предстоящими родами, но не хотела пугать Вильяма своими тревогами, они казались ей глупыми.

— Это может означать кесарево сечение, — признался ей доктор. — Это неприятно, но иногда для матери и ребенка этот способ безопаснее, если ребенок слишком большой, а ваш может быть крупный.

— А я смогу иметь еще детей, если мне сделают кесарево сечение? — Он поколебался, но затем покачал головой, чувствуя, что должен сказать правду.

— Нет, не сможете.

— Тогда я не хочу делать кесарево сечение.

— Тогда больше гуляйте, двигайтесь, делайте упражнения, плавайте, если рядом с вашим домом есть река. Это поможет вам при родах, герцогиня.

Сара ничего не сказала Вильяму о том, что ребенок будет крупным и о возможности кесарева сечения при родах. Она была уверена в одном — ей хотелось иметь много детей, и собиралась сделать все, чтобы не рисковать ими.

До рождения ребенка оставалась неделя или две, когда Германия и Россия подписали пакт о ненападении, оставив Францию и Британию потенциальными союзниками, поскольку Гитлер уже подписал пакт с Муссолини, а Испания была фактически разрушена и никому не могла помочь.

— Ситуация обостряется, не так ли? — тихо спросила его Сара однажды вечером. Они как раз переехали в свою комнату в замке, хотя оставались еще мелкие недоделки. Саре казалось, что она никогда не видела ничего более прекрасного, и те же чувства охватили Вильяма, когда он посмотрел на нее.

— Ничего хорошего. Возможно, в какой-то момент мне придется вернуться в Англию, просто посмотреть, что они думают на Даунинг, 10*. — Но он не хотел огорчать ее этим. — Может быть, мы вдвоем съездим туда после рождения ребенка. — Они хотели показать новорожденного матери Вильяма, так что Сара не возражала против поездки.

— Трудно поверить, что мы вступим в войну, я имею в виду Англию. — Она уже считала себя англичанкой, хотя сохранила американское гражданство, выйдя замуж за Вильяма, и он не видел особых причин для того, чтобы она меняла его. Ей хотелось, чтобы был мир, чтобы она могла родить своего первенца. Ей не хотелось думать о войне, когда они вместе с Вильямом создавали надежный дом для будущего ребенка. — Ты не уедешь, если что-нибудь случится, Вильям, ты не уедешь? — Внезапно она в панике взглянула на него, перебирая в уме, что могло бы произойти.

— Я не уеду, пока не родится ребенок. Обещаю тебе.

— А потом? — Ее глаза расширились от ужаса.

— Только в том случае, если начнется война. А теперь прекрати об этом беспокоиться. Сейчас это вредно для твоего здоровья. Я никуда не собираюсь, только в больницу вместе с тобой, не глупи.

_____

* На Даунинг-стрит расположена резиденция английского правительства (прим. пер.).

Она чувствовала слабую боль, когда они легли этой ночью в своей комнате, но утром боль прошла, и ей стало лучше. Сара сказала себе, когда поднялась с постели, что глупо волноваться сейчас о войне, ее больше должны заботить предстоящие роды.

Но первого сентября, когда она стучала молотком по шкафу в маленькой спальне, в которой она собиралась однажды устроить чудесную детскую комнату, она услышала, как внизу выкрикнули что-то, но что, она не разобрала. Потом Сара услышала, как сбежали вниз по лестнице, и подумала, что кто-то, должно быть, поранился. Поэтому она осторожно спустилась вниз на кухню, чтобы помочь. Но все собравшиеся там слушали радио. Германия напала на Польшу. Позднее все они говорили о том, попытается ли Франция помочь Польше. Некоторые думали, что Франция не оставит Польшу в беде, большинство, однако, считало, что французам все равно. У них дома свои собственные неприятности, свои семьи, свои проблемы, некоторые все же полагали, что Гитлера следует остановить, пока еще не слишком поздно для них всех. Сара стояла, замерев от ужаса, оглядывая Вильяма и всех остальных.

— Что это значит?

— Ничего хорошего, — честно признался он. — Подождем и увидим.

Они как раз закончили крышу дома, окна были готовы, полы настелены, в доме оборудовали ванную комнату, но остались мелочи, которые необходимо доделать. Тем не менее львиная доля работы была выполнена, ее дом стоял цел и невредим и защищал их от стихии и от всего мира, самое время родить ребенка. Но самому миру угрожала опасность, и не было простого пути избавиться от нее.

— Я хочу, чтобы сейчас ты забыла об этом, — убеждал ее Вильям. Он заметил, что последние два дня она беспокойно спала, и он подозревал, что она вот-вот родит. Он хотел, чтобы ничто не тревожило и не огорчало ее и чтобы она думала только о ребенке. Была вполне реальная возможность, что Гитлер не остановится на Польше. Рано или поздно Британии придется выступить, чтобы остановить его. Вильям знал это, но не стал говорить Саре.

Вечером они спокойно обедали на кухне. Как всегда, мысли Сары были заняты серьезными проблемами, но Вильям старался отвлечь ее. Он не позволил ей обсуждать новости, он хотел, чтобы она думала о чем-нибудь приятном, но это было нелегко.

— Скажи мне, что ты собираешься делать в столовой? Ты хочешь восстановить ее панели в первоначальном виде или использовать те, которые мы нашли в конюшне?

— Я не знаю. — Сара выглядела рассеянной, словно пыталась понять его вопрос. — А ты как считаешь?

— Я думаю, те, что мы нашли, выглядят лучше.

— Я тоже так думаю. — Она ковыряла вилкой в тарелке, и он видел, что у нее нет аппетита. Вильям беспокоился, не заболела ли она, но ему не хотелось надоедать ей с вопросами. Сара выглядела сегодня усталой и встревоженной, как и все остальные.

— А как насчет кухни? — Они расчистили всю кирпичную кладку четырехсотлетней давности, и Вильяму она нравилась. — Я оставил бы все как есть, но, может быть, тебе хотелось бы чего-нибудь более изысканного?

— Мне действительно все равно. — Вид у нее был несчастный. — Я каждый раз чувствую себя больной, когда думаю об этих бедных поляках.

— Тебе не нужно думать об этом сейчас, Сара, — нежно сказал он.

— Почему?

— Потому что это вредно для тебя и ребенка, — ответил он твердо, но она заплакала и, выйдя из-за стола, начала расхаживать по кухне. Все, казалось, огорчало ее теперь, когда она так скоро должна была родить ребенка.

— А как же женщины в Польше, которые так же, как и я, беременны? Они не могут переменить тему.

— Это ужасно, — согласился с ней Вильям, — но сейчас, сию минуту, мы ничего не можем изменить.

— Почему же? Почему? Почему этот маньяк может творить такое? — повторяла она, потом снова села, задыхаясь и явно испытывая боль.

— Сара, прекрати. Не расстраивай себя. — Он заставил ее подняться наверх и настоял, чтобы она легла в постель, но, когда он тоже лег, она все еще плакала. — Ты не можешь взвалить на свои плечи все тяготы мира.

— Дело не в моих плечах и не во всем мире, а в твоем сыне. — Она улыбнулась сквозь слезы, снова подумав о том, как она любит Вильяма. Он был так добр к ней, так неутомим, он работал без устали, восстанавливая замок только потому, что он ей понравился. За это время он тоже полюбил его и понял, что ее так тронуло.

— Как ты думаешь, это маленькое создание когда-нибудь появится на свет? — спросила она устало в то время, как он растирал ей спину. Ему еще надо было спуститься вниз убрать посуду после обеда, но он не хотел оставлять ее одну, пока она не расслабится.

— Я думаю, что в конце концов появится. Все идет точно по графику? Что сказал лорд Олтроп? Первого сентября? Это сегодня. Так что он задерживается до завтра.

— Он такой большой. — Ее тревожило, сможет ли она родить ребенка. За последние несколько недель Сара еще поправилась и все время помнила о предупреждении доктора.

— Он родится. Когда он будет готов. — Вильям наклонился над ней и нежно поцеловал ее в губы. — Тебе надо немного отдохнуть. Я принесу тебе чашку чая.

Но когда он вернулся с тем, что французы называют «настой мяты», она сонно отозвалась, и он не стал ее беспокоить. Так она спала рядом с ним до утра и вздрогнула, когда проснулась, почувствовав острую боль, но такие боли она чувствовала и раньше, они приходили, уходили и в конце концов утихали. Теперь боль была сильнее и продолжительнее, а ей еще предстояло закончить массу дел до рождения ребенка. Сара взялась за молоток и колотила весь день, забыв свои огорчения, она даже отказалась прийти на ленч, когда Вильям позвал ее. Вильям принес ей ленч наверх и отругал за то, что она слишком много работает, а она повернулась, посмотрев ему в лицо, и рассмеялась. Она выглядела лучше и веселее, чем в последние недели, и он улыбнулся, почувствовав облегчение.

— Ладно, по крайней мере мы знаем, что я не потеряю ребенка. — Она погладила свой огромный живот, а ребенок толкнул ее, когда Сара откусила сначала кусочек хлеба, потом яблоко и снова принялась за работу. Даже одежда ребенка и пеленки были сложены в ящики. К концу дня она сделала все, что было намечено, и комната выглядела прелестно. В комнате поставили старинную плетеную колыбель, красивый маленький платяной шкаф, комод, найденные в доме, которые она сама привела в порядок. Полы детской были бледного медового цвета. Комната излучала любовь и тепло, и в ней не хватало только ребенка.

К обеду Сара спустилась вниз на кухню и положила им обоим немного паштета, холодного цыпленка и салат. Потом разогрела суп и хлеб и позвала сверху Вильяма. Она налила ему стакан вина, но сама от вина отказалась, потому что оно вызывало у нее сильную изжогу.

— Ты неплохо поработала. — Он как раз был наверху, видел результат ее трудов. Он поражался, сколько в ней было энергии. Вот уже несколько недель Сара не выглядела такой оживленной, и после обеда она предложила пойти погулять в саду.

— Тебе следует отдохнуть. — Он выглядел немного встревоженным, не переусердствовала ли она. То, что ей было двадцать три года, не имело значения, она прошла через тяжелые испытания, что всегда нелегко, и Вильям хотел, чтобы Сара отдохнула.

— Зачем? Ребенок может родиться еще только через неделю. Я чувствую себя, как всегда, и могла бы продолжать работать.

— Ты так и делаешь. Но, может быть, ты не права? — Он пристально смотрел на нее, но она выглядела хорошо. Глаза ее сияли, щеки порозовели, и Сара подшучивала над ним и смеялась.

— Я прекрасно чувствую себя, Вильям, честное слово.

Они говорили сегодня о ее родителях и Джейн, о его матери и о доме в Лонг-Айленде. Родители проделали там большую работу, однако отец сообщил, что все будет восстановлено к следующему лету. Это был долгий срок, но шторм нанес огромные разрушения. Они все еще горевали по Чарльзу, но у них теперь был новый управляющий. Японец со своей женой.

Саре немного взгрустнулось, когда они гуляли по саду. Маленькие кусты стали разрастаться, и сад, так же, как и они, казалось, был полон надежд и обещаний.

Наконец они вернулись в дом, и Сара, кажется, с удовольствием прилегла отдохнуть. Она немного почитала, потом встала, потянулась и выглянула в окно, освещенное лунным светом. Их новый дом был очень красив, и ей нравилось в нем все. Это была мечта всей ее жизни.

— Благодарю тебя за все, — нежно сказала она, стоя у окна, а он смотрел на нее из постели, тронутый ее лаской. Направляясь к постели, она взглянула на пол, потом на потолок. — Проклятие, откуда-то ужасно течет, должно быть лопнула одна из труб. — Она не могла понять, откуда течет, сверху, с потолка или со стены, но на полу была лужица. Он, нахмурившись, встал.

— Я ничего не вижу. Ты уверена? — Она указала на пол, он посмотрел на пол рядом с ней, затем снова на нее. Он догадался раньше, чем она. — Я думаю, это у тебя лопнула труба, моя любимая, — сказал он нежно, улыбаясь, не уверенный, что он должен сделать, чтобы помочь ей.

— Прошу прощения! — Она выглядела ужасно обиженной, а он тем временем принес полотенца из ванной, которую они устроили рядом со своей комнатой, и вдруг в ее глазах появился проблеск понимания того, что произошло. Этого никогда не случалось с ней прежде. У нее отошли воды.

— Ты думаешь, это началось? — Она огляделась вокруг, пока он вытирал лужу полотенцами, и заметила, что ее ночная сорочка влажная. Он был прав. Это были воды.

— Я позвоню доктору, — сказал он, поднимаясь.

— Не думаю, что в этом есть необходимость. Он сказал, что потребуется целый день, прежде чем что-то случится после этого.

— Мне будет спокойнее, если мы все же позвоним ему. — Но ему стало гораздо хуже после того, как он позвонил в больницу в Шамонт. Профессор уехал с тремя своими коллегами в Варшаву. Они решили помочь полякам, кроме того, в эту

ночь в соседней деревушке случился ужасный пожар. Все медсестры были там, не хватало докторов. Отчаянно не хватало
рук, и они не могли позволить себе заниматься обычными родами, даже для мадам герцогини. Первый раз абсолютно никто
не обращал внимания на его титул.

— Родить ребенка совсем несложно, — отвечали ему.

Они предложили позвонить какой-нибудь женщине на со-
седнюю ферму или в отель, больше они ничем не могли помочь.
Вильям просто не знал, что сказать Саре, когда поднялся наверх. Он чувствовал себя больным, корил себя, что ему следовало отвезти ее обратно в Лондон или по крайней мере в
Париж. А теперь было слишком поздно. Если бы он принимал
детей, но он не имел представления о том, как это делается, и
Сара тоже. Она в этом отношении была даже более несведу-
щая, чем он, если не считать того, что у нее произошел
выкидыш, но тогда ей в основном давали обезболивающее.
Вильям не знал даже, чем помочь ей при болях и как помочь
ребенку, если бы возникли какие-то сложности. Внезапно
ему вспомнились ее слова, что иногда может пройти целый
день, прежде чем начнутся схватки. Он отвезет ее в Париж.
Они были всего в двух с половиной часах езды, он нашел
великолепное решение, подумал Вильям, поднимаясь в спальню. Но когда, вернувшись в комнату, он с тревогой посмотрел
ей в лицо, то понял, что у нее начались настоящие схватки.

— Сара! — Он подбежал к постели, казалось, ей не хва-
тало воздуха, и она боролась с болью, которая пронзила ее. —
Доктора нет на месте. Ты сможешь доехать до Парижа?
Но при этом предложении она посмотрела на него с ужасом.

— Я не могу... Я не знаю, что может случиться... Я не
могу ехать... Они все время приходят... и они ужасны.

— Я сейчас вернусь. — Он погладил ее по руке и
бросился вниз по лестнице, решив посоветоваться с женщиной. Он позвонил в отель и спросил, не может ли там
кто-нибудь помочь ему. Но девочка, которая взяла трубку, была дочерью владельца отеля, ей было только семнадцать лет, и она была очень застенчива. И Вильям понял,
что от нее не будет пользы. Она сказала, что все, в том
числе ее родители, ушли на пожар.

— Хорошо, если кто-нибудь вернется, любая женщина, которая считает, что она может помочь, пошли ее в замок. У моей жены начались роды. — Он повесил трубку и снова побежал наверх к Саре, которая лежала в постели, вся в испарине, тяжело дышала и застонала, когда он подошел к ней.

— Все в порядке, дорогая. Мы сделаем это вместе.

Вильям пошел вымыть руки и вернулся обратно со стопкой полотенец, обложив ее ими. Он положил ей на голову прохладную ткань, и она начала было благодарить его, но боль была слишком сильной, и Сара замолкла на полуслове. Вильям бросил взгляд на часы, была уже почти полночь.

— Сегодня ночью у нас родится ребенок. — Он старался говорить бодро, держа ее за руку, а она пыталась сдержать боль, когда он смотрел на нее. Вильям не имел представления, что ему надо делать, чтобы помочь ей. — Попытайся тужиться вместе со схватками. Попытайся думать о том, что это поможет родиться нашему ребенку.

— Это ужасно... Вильям... Вильям... Останови это... Сделай что-нибудь!.. — Она вскрикнула, он беспомощно сел рядом с ней, желая помочь, но не зная, как. Он не был уверен, что кто-нибудь мог здесь помочь, а Сара была поражена, как сильна эта боль. Было ужасно, когда произошел выкидыш, но сейчас она чувствовала себя намного хуже. Это превзошло ее самые худшие ожидания. — О Боже... О, Вильям... О... Я чувствую, это начинается!

Ему стало легче, что ребенок скоро родится, если этот ужас продлится недолго, она вынесет это.

— Можно мне посмотреть? — нерешительно спросил он. Сара кивнула и шире раздвинула ноги. Когда он взглянул, то увидел головку, но не всю, покрытую светлыми волосами и измазанную в крови. Ему показалось, что через несколько мгновений ребенок родится, и он взволнованно воскликнул: — Я вижу его, дорогая, он выходит. Вытолкни его. Давай... помоги нашему ребенку... — Он подбадривал ее и скоро увидел результат ее усилий. Через мгновенье ребенок уже был ближе, но потом снова скрылся. Это напоминало медленный танец, который продолжался очень долго и безрезультатно. Но наконец стала видна большая часть головы. Он обхватил ее ноги и прижал ступнями к своей груди, чтобы она могла тужиться сильнее, но ребенок не продвинулся. Сара выглядела ужасно, когда пронзительно кричала от боли, вспоминая слова доктора о том, что ребенок может быть слишком крупным, чтобы родиться обычным путем.

— Сара, ты можешь потужиться сильнее? — просил он ее. Ребенок, казалось, застрял. А прошел уже не один час. Уже было больше четырех утра, а она пыталась вытолкнуть его с полуночи. И не было передышки между схватками. Всего лишь несколько секунд, чтобы перевести дыхание и снова тужиться. Вильям видел, что она начинает паниковать и теряет контроль над собой. Он снова сжал ее ноги и приказал: — Теперь снова тужься... теперь... давай... вот так... сильнее! Сара! Тужься сильнее! — Вильям кричал на нее, и ему было жаль ее, но он не видел другого способа. Ребенок был еще слишком далеко, чтобы попытаться его вытащить. Когда он закричал на нее, он увидел, что голова ребенка продвинулась вперед еще немного. Было уже шесть часов, вставало солнце, а они еще не добились никаких результатов.

Сара продолжала тужиться и к восьми часам потеряла очень много крови. Она была смертельно бледна, а ребенок не продвинулся за эти часы. И тут он услышал внизу какой-то шум и крикнул, чтобы его могли услышать. Сара была почти без сознания, и ее потуги стали слабее. Она уже ничего не могла сделать. Он услышал быстрые шаги на лестнице и через мгновенье увидел Эмануэль, молодую девушку из отеля, глаза ее были широко раскрыты, она была в льняном клетчатом платье и переднике.

— Я пришла посмотреть, не смогу ли я помочь мадам герцогине с ребенком.

Но Вильям уже боялся, что мадам герцогиня умирает и что никакого ребенка не будет. Она истекла кровью, но ребенок не продвигался, и у нее уже не было сил тужиться, когда начинались схватки. Она просто лежала и стонала между схватками, и если они не сделают что-нибудь как можно скорее, то он потеряет их обоих. Она пыталась родить в течение девяти часов, и это ни к чему не привело.

— Подойди скорее и помоги мне, — приказал он девушке, и та без колебания шагнула вперед и подошла к кровати. —
Ты когда-нибудь принимала ребенка? — спросил он ее, не
сводя глаз с Сары. Теперь ее лицо было серого цвета, а губы
слегка посинели. Ее глаза закатились, но он продолжал разговаривать с ней, стараясь заставить ее прислушиваться к нему.

— Сара, слушай меня, ты должна потужиться, ты должна, так сильно, как только ты можешь. Слушай меня,
Сара. Тужься! Теперь! — он чувствовал схватку, положив
руку ей на живот. И потом он снова обратился к девушке
из отеля: — Ты знаешь, что делать?

— Нет, — честно призналась она. — Я видела это только
у животных. — Она говорила с сильным французским акцентом, но на правильном английском. — Я думаю, мы теперь
должны вытолкнуть его за нее, или... или... — Ей не хотелось
говорить, что его жена может умереть, но они оба знали это.

— Я хочу, чтобы ты надавила на живот как можно сильнее, когда скажу тебе. — Вильям почувствовал, что подступает
следующая схватка, и сделал девушке знак, снова начав кричать на Сару, и на этот раз ребенок продвинулся больше, чем
за все эти часы. Эмануэль толкала изо всех сил, опасаясь, что
сама может убить герцогиню, но она знала, что выбора нет. И
она продолжала толкать и толкать, снова и снова, пытаясь выдавить из нее ребенка, чтобы потом привести его в чувство,
прежде чем они потеряют мать и дитя.

— Он выходит? — спросила девушка и увидела, что Сара
открыла глаза, когда он кивнул. Кажется, она узнала их, но
только на мгновенье, и затем снова погрузилась в море боли.

— Давай, дорогая. Натужься еще раз. Постарайся
помочь нам в этот раз, — тихо просил он, сдерживая слезы,
когда она закричала. Эмануэль давила на нее всем своим
весом и со всей силой, на какую была способна, а Вильям смотрел и молился, и медленно... медленно... появилась головка, и прежде, чем они успели освободить ребенка,
он издал долгий крик. Сара пошевельнулась, услышав его,
и недоуменно огляделась вокруг.

— Что это? — спросила она неуверенно, пристально
глядя на Вильяма.

— Это наш ребенок. — По его щекам текли слезы, смешиваясь с потом. Сара испугалась, так как схватки возобновились, и ей снова пришлось тужиться. Они должны были освободить его плечики, но теперь Вильям помогал, стараясь высвободить их, под крики матери и ребенка. Сара слишком ослабла и не могла им помочь, а ребенок был очень крупный. Доктор из Шомонта оказался прав. Ей следовало сделать кесарево сечение, но теперь было уже поздно. Он был наполовину рожден, теперь им предстояло высвободить его из чрева матери. Вильям опять закричал на нее, а Эмануэль продолжала давить на живот, и ребенок снова немного продвинулся, тогда Вильям освободил одну руку, но другую не мог достать.

На этот раз, когда боль пронзила Сару, и она закричала, Вильям осторожно протиснул внутрь руку и попытался, нежно держа ребенка за плечо, развернуть его под другим углом. Сара подпрыгнула от жестокой боли, пытаясь сопротивляться.

— Держи ее! — велел он девушке. — Не позволяй ей двигаться! — Иначе она могла убить ребенка. И Эмануэль крепко держала ее, пока Вильям прижимал ее ноги и старался высвободить ребенка, и тут внезапно со странным звуком высвободилась другая рука и показались плечики, а еще через минуту Вильям принял ребенка. Это был мальчик, красивый и необычайно большой.

Вильям бережно перерезал пуповину и поднял его вверх в лучах утреннего солнца, оглядывая сына во всей его красе. В это мгновенье он понял, что имела в виду его мать, когда говорила о чуде, это было настоящее чудо.

Затем он передал его Эмануэль, а сам тем временем нежно протер лицо Сары влажной тканью и пытался полотенцами остановить кровь. Теперь Эмануэль знала, что делать.

— Мы должны сильно нажать ей на живот... вот так... тогда мы остановим кровотечение. Я слышала, как моя мать говорила об этом с женщиной, у которой было много детей. — И с этими словами она нажала Саре на нижнюю часть живота еще сильнее, чем раньше, и стала месить его, как тесто, а Сара тихо вскрикивала и просила ее перестать, но он видел, что девушка была права, кровотечение уменьшилось и, наконец, почти совсем прекратилось настолько, что им обоим казалось, что все в порядке.

Был уже полдень, и Вильям не мог поверить, что для того, чтобы принять его сына, потребовалось двенадцать часов. Двенадцать часов, которые пришлось пережить Саре и его ребенку. Смертельная бледность все еще не сходила с ее лица, но губы уже не были синими. Вильям поднес к ней ребенка, чтобы она могла лучше разглядеть его. Сара улыбнулась, но у нее не хватало сил, чтобы взять сына на руки, и она с благодарностью посмотрела на Вильяма, понимая, что он их спас. «Спасибо», — прошептала она, по ее щекам катились слезы, и Вильям ласково поцеловал ее. Потом он снова отдал ребенка Эмануэль, и она спустилась с ним вниз, чтобы обмыть его, а потом немного погодя принесла новорожденного обратно матери. Вильям протер Сару влажным полотенцем, сменил постель и укрыл ее чистым одеялом. Сара лежала безмолвно, не в силах даже разговаривать с ним. Вскоре глаза ее закрылись, и она погрузилась в сон. Вильяму не доводилось прежде видеть ничего хуже и ничего прекраснее этого. Он был потрясен собственными чувствами, когда спускался вниз по лестнице, чтобы выпить чашку чая с бренди.

— Красивый мальчик, — сказала ему Эмануэль. — Он весит пять килограммов, больше десяти фунтов, — объявила она с изумлением, это объясняло, почему Саре пришлось вынести такие мучения. Вильям улыбнулся, пораженный, и попытался выразить девушке всю свою благодарность, без нее он не смог бы спасти Сару и ребенка. Она оказалась очень храброй и так помогла ему.

— Спасибо, — он посмотрел на нее с благодарностью. — Без тебя я потерял бы их.

Эмануэль улыбнулась, и они поднялись наверх проведать Сару. Она выпила глоток чая с бренди, нежно посмотрела на сына. Несмотря на слабость, Сара была взволнована, увидев ребенка.

Вильям сказал ей, что мальчик весит десять фунтов, и хотел попросить у нее прощения за все то, что ей пришлось пережить, но не успел. Сара погрузилась в сон, едва положив голову на подушку. Она проспала несколько часов, а Вильям сидел рядом и не сводил с нее глаз. Когда она проснулась в сумерках, ей стало получше, и она попросила Вильяма помочь ей дойти до ванной. Он проводил ее, а затем уложил обратно в постель, удивляясь выносливости женского пола.

— Я так волновался за тебя, — признался он. — Я не предполагал, что ребенок такой большой. Десять фунтов, просто огромный.

— Доктор предполагал, что он может быть крупным, — призналась Сара, но она не стала говорить о том, что не хотела делать кесарево сечение, так как боялась, что у них не будет больше детей. Она знала, что если бы она сказала об этом Вильяму, то он заставил бы ее вернуться в Лондон. Но теперь она была рада, что не сказала ему, рада, что оказалась храброй, даже если она вела себя глупо. Теперь у них будут еще дети... и их прекрасный сын... Они собирались назвать его Филипп Эдвард в честь деда Вильяма и отца Сары. Когда она первый раз взяла на руки своего ребенка, то подумала, что никогда не видела более прелестного малыша

С началом сумерек Эмануэль, наконец, ушла обратно в отель. Когда он провожал ее, то увидел в отдалении несколько человек, которые работали в саду, и они помахали ему. Он с улыбкой помахал им в ответ, решив, что они поздравляют его с рождением ребенка, но, взглянув на них, он понял, что они зовут его, чтобы что-то сказать, сначала он не понял, что именно, но, когда он услышал, кровь застыла у него в жилах, и он подбежал к ним.

— Война, мсье герцог... Война... — Они хотели сообщить ему о том, что началась война. Франция и Великобритания в полдень объявили войну Германии. ...Его ребенок только что родился, его жена чуть не умерла... и теперь он должен их покинуть. Он долго стоял, слушая их, понимая, что он должен как можно скорее вернуться в Англию. Если бы у него была возможность, он должен был бы сейчас же послать в Англию телеграмму. Но что он скажет Саре? Пока ничего. Она еще слишком слаба, чтобы выслушать это. Но скоро ему придется сказать ей. Он не сможет долго скрывать это от нее.

И когда он спешил обратно в их комнату, по его щекам катились слезы. Это было так несправедливо... почему теперь? Она взглянула на него так, словно уже знала, словно почувствовала что-то.

— Что за шум был внизу? — спросила она слабым голосом.

— Несколько человек пришли тебя поздравить с появлением на свет нашего прекрасного сына.

— Очень мило. — Она слабо улыбнулась и снова погрузилась в сон, а он лежал рядом с ней и смотрел на нее, со страхом думая о том, что их ждет.

Глава 12

Малыш разбудил их сразу после восхода солнца, криком зовя мать. Вильям поднялся, чтобы принести ребенка Саре, и приложил сына к ее груди, наблюдая за ними. Казалось, крепкий малютка точно знал, что надо делать, а Сара слабо улыбнулась ему. Она по-прежнему едва могла двигаться, но чувствовала себя лучше, чем накануне вечером. И тут она вспомнила о вчерашнем шуме и взглянула в лицо Вильяму. Она понимала, что что-то случилось, а Вильям еще ничего не сказал ей.

— Так что произошло вчера вечером? — тихо спросила она, пока кормила грудью проголодавшегося ребенка. Вильям колебался, пора ли рассказать ей правду. Накануне вечером он позвонил в Париж герцогу Виндзорскому, и они единодушно решили, что должны как можно скорее возвращаться в Англию. Уоллис, конечно, ехала с ним, но Вильям знал, что не сможет так скоро перевезти Сару. Во всяком случае, не сейчас и, возможно, не через неделю и даже не через месяц. Все зависит от того, насколько быстро она поправится, а сейчас предугадать это было невозможно. Между тем Вильям знал, что он должен вернуться в Лондон и доложить о своем прибытии в военное министерство. Во Франции Сара была в безопасности, но ему так не хотелось оставлять ее одну. И, глядя на него, Сара видела все его мучения и тревоги.

— Что случилось? — повторила Сара свой вопрос, коснувшись его руки.

— Мы вступили в войну, — грустно сообщил он, больше не в состоянии скрывать от нее печальную новость и молясь, чтобы у нее хватило сил перенести это. — Англия и Франция против Германии. Это случилось вчера, пока ты рожала Филиппа.

На глазах у Сары появились слезы, и она со страхом посмотрела на Вильяма.

— Что это означает для тебя? Ты скоро должен ехать?

— Да. — Он угрюмо кивнул, понимая, что выбора нет. — Я попытаюсь послать сегодня телеграмму и сообщить им, что прибуду через несколько дней. Я не хочу оставлять тебя, пока ты немного не окрепнешь. — Он нежно коснулся ее руки, вспомнив все, что им пришлось пережить. Теперь, глядя на жену и сына, он думал, что произошло двойное чудо, и ему была ненавистна мысль, что он должен покинуть их. — Я попрошу Эмануэль пожить с тобой, когда уеду. Она хорошая девушка. — Она доказала это позавчера, когда помогала ему принять ребенка.

Эмануэль пришла и этим утром, после девяти, в чистом голубом платье и свеженакрахмаленном переднике. Волосы ее были аккуратно заплетены в косу и перевязаны голубой лентой. Ей было семнадцать, а ее младшему брату двенадцать. Они прожили всю свою жизнь в Марало. Ее родители были простые, трудолюбивые и умные люди, и такими же были их дети.

Пока Эмануэль прибиралась в доме, Вильям пошел на почту отправить телеграмму в военное министерство. Но не успел он вернуться в замок, как из отеля пришел брат Эмануэль, Генри.

— Ваш телефон неисправен, мсье герцог, — объявил он. Герцог Виндзорский позвонил в отель и оставил для него сообщение, что на следующее утро в Гавре их заберет яхта «Колли», состоящая на службе его величества, и что он должен незамедлительно отправиться в Париж.

Мальчик тяжело дышал от быстрой ходьбы, пока передавал Вильяму сообщение. Вильям поблагодарил его и дал десять франков, потом поднялся наверх к Саре.

— Я только что получил сообщение от Дэвида, — начал он рассеянно, медленно расхаживая по комнате, оглядывая все, чтобы увезти это в своей памяти. — Он... ах... Бэрти завтра утром присылает за нами яхту.

— Сюда? — Сара была в замешательстве. Она дремала, пока Вильям ходил давать телеграмму.

— Едва ли. — Он улыбнулся и сел рядом с ней на постель. Мароль находился в ста пятидесяти километрах от побережья. — В Гавр. Он хочет, чтобы завтра я был в Париже в восемь часов утра. Я полагаю, с нами поедет Уоллис. — И тут он, нахмурясь, снова посмотрел на жену. — Мне кажется, ты недостаточно окрепла, чтобы ехать с нами. В ответ на его вопрос она только покачала головой.

— Мне не нравится, что ты уезжаешь. Франция — наш союзник. Здесь с нами не случится ничего плохого. — Она нежно ему улыбнулась. Ей не хотелось, чтобы он уезжал, но

она не возражала остаться в Шато де ля Мёз. Теперь здесь
был ее дом. — С нами будет все прекрасно. Ты скоро сможешь вернуться обратно?

— Не знаю. Я сообщу тебе, как только смогу. Мне надо
доложить о своем прибытии в военное министерство в Лондоне, и тогда выясню, какие у них планы относительно меня. Я
постараюсь вернуться как можно быстрее. А когда ты попра-
вишься, то сможешь вернуться домой, — сказал он почти строго.

— Мой дом здесь, — прошептала она, глядя на него. — Я
не хочу уезжать. Мы с Филиппом будем здесь в безопасности.

— Я знаю, но я был бы спокоен, если бы вы находились в Вайтфилде. — Такая перспектива удручала ее. Она
любила его мать, и Вайтфилд был приятным местом, но
Шато де ля Мёз стал для них домом, они вложили в него
так много сил, и ей совсем не хотелось уезжать отсюда.
Осталась еще масса недоделанной работы, и она могла
бы что-то сделать сама, когда достаточно окрепнет, пока
будет ждать его возвращения из Англии. — Посмотрим, —
сказал он и пошел складывать вещи.

Этой ночью они не спали, и даже Филипп плакал больше,
чем накануне. У нее еще было недостаточно молока для такого
огромного ребенка, и она нервничала и беспокоилась. Сара видела, как в пять часов утра Вильям поднялся. Он думал, что
она наконец уснула, но она тихо заговорила:

— Я не хочу, чтобы ты уезжал.

Вильям подошел, встал рядом с ней и погладил по руке.
Ему тоже было больно расставаться с ними.

— Надеюсь, что это скоро закончится и мы снова сможем
вернуться к обычной жизни.

Сара кивнула, надеясь, что он окажется прав, и стараясь не
думать о несчастных поляках.

Через полтора часа он побритый и одетый снова стоял рядом с ее
постелью. На этот раз Сара тоже поднялась. Когда она встала, у нее
на мгновенье закружилась голова, но он обнял ее сильной рукой.

— Я не хочу, чтобы ты спускалась вниз, тебе будет трудно
подниматься обратно. — Она могла потерять сознание и уда-
риться головой. Но Сара сама понимала, что слишком слаба,
чтобы даже попытаться спуститься вниз.

— Я люблю тебя... Пожалуйста, заботься о себе... Вильям... будь осторожен... Я люблю тебя... — В ее глазах были слезы, и он, стараясь не расплакаться сам, улыбнулся и помог ей лечь в постель.

— Я обещаю тебе... Ты тоже будь осторожна... и как следует заботься о лорде Филиппе.

Она с улыбкой посмотрела на сына. Он был такой красивый мальчик с голубыми глазками и светлыми кудряшками. Вильям заметил, что он выглядит точь-в-точь, как его отец на детской фотографии.

Он нежно поцеловал ее, затем как следует укрыл одеялом и снова поцеловал, коснувшись ее шелковых волос.

— Поправляйся... Я скоро вернусь... Я люблю тебя... сильно... — Он возблагодарил Бога, что она осталась жива, потом широкими шагами пересек комнату и последний раз взглянул на нее у двери. — Я люблю тебя, — повторил он тихо и ушел, оставив плачущую Сару.

— Я люблю тебя... — отозвалась она, все еще слыша на лестнице его шаги. — Вильям!.. Я люблю тебя!..

— Я тоже люблю тебя!.. — отозвалось эхом, и тут она услышала, как хлопнула огромная входная дверь. А еще через минуту заработал мотор автомобиля. Она встала с постели и успела лишь увидеть, как его автомобиль скрылся за поворотом. По щекам ее катились слезы, падая на ночную сорочку. Она лежала в постели и долго плакала, думая о нем, потом захотела понянчить Филиппа. Наконец пришла Эмануэль. Она собиралась переехать к ним, чтобы помочь мадам герцогине с ребенком. Для нее это была чудесная возможность, она восхищалась Сарой и до безумия полюбила Филиппа, которому помогала появиться на свет. Эмануэль отличалась необыкновенной сдержанностью для девушки ее возраста и стала неоценимой помощницей Саре.

После отъезда Вильяма дни казались Саре бесконечными, и прошла не одна неделя, прежде чем к ней постепенно стали возвращаться силы. В октябре, когда Филиппу исполнился месяц, позвонил герцог Виндзорский и сообщил ей, что они снова в Париже. Они виделись с Вильямом как раз перед его отъездом из Лондона, и он выглядел прекрасно. Он был прикомандирован к Британским военно-воздушным силам и находился севернее Лондона. Граф Виндзорский был направлен в Париж с военной миссией к французскому командованию. Но это означало, что большую часть времени они смогут развлекаться, что их обоих вполне устраивало. Он еще раз поздравил Сару с рождением сына и пригласил ее приезжать в Париж навестить их, когда она почувствует себя достаточно окрепшей. Вильям рассказал им, как тяжело ей пришлось, и Уоллис настаивала, чтобы она не переутомлялась. Но Сара уже занялась делами по дому, присматривая за всем и делая мелкий ремонт, она пригласила женщину из отеля, которая помогала ей убираться, а Эмануэль ухаживала за Филиппом. Малыш за четыре недели поправился еще на три фунта и был очень крупным.

Брат Эмануэль, Генри, тоже помогал Саре, выполняя различные поручения, но большинство мужчин и юношей, которые работали у них, исчезли — они ушли в армию. Не осталось почти никого, кто мог бы работать в замке, за исключением одного старика и нескольких молоденьких юношей. Даже шестнадцати- и семнадцатилетние стремились попасть в армию. Вдруг оказалось, что вся нация состоит из женщин и детей.

Сара несколько раз получала весточки от Вильяма. Приходили его письма, один раз он звонил. Он сказал, что пока еще ничего не произошло и он надеется, что на короткое время сможет приехать к ней в ноябре.

Она также разговаривала со своими родителями, они настаивали, чтобы она приехала домой вместе с ребенком. «Аквитания» отправилась в рейс в Нью-Йорк сразу после объявления войны, несмотря на всевозможные страхи. Но Сара еще не окрепла для такого путешествия. Однако позднее еще три корабля — «Манхэттен», «Вашингтон» и «Президент Рузвельт» — пересекли океан, чтобы забрать домой американцев. Но она продолжала убеждать Вильяма, что находится в полной безопасности у себя дома, и то же самое написала своим родителям, но ей все же не удалось убедить их.

Они пришли в ужас от того, что она остается во Франции в то время, как там идет война, но Сара не разделяла их опасений. Жизнь в замке Шато де ля Мёз стала спокойнее, чем прежде, окрестности были совсем мирными.

К ноябрю она поправилась после родов и совершала долгие прогулки, часто вместе с Филиппом. Сара работала в саду и над своими любимыми панелями и выполняла более тяжелую работу в конюшне, когда у Генри было время, чтобы помочь ей. Его родители потеряли всех служащих-мужчин, работавших раньше в отеле, и он помогал им, чем мог. Это был очень милый, обязательный мальчик, и он очень хотел ей помочь. Ему так же, как и Эмануэль, нравилось жить в замке. Ночью Сара больше не нуждалась в помощи Эмануэль. Девушка перебралась в дом управляющего и приходила в замок утром.

Это случилось в конце ноября, днем, когда Сара возвращалась из леса и пела Филиппу, неся его на перевязи, которую сделала для нее Эмануэль. Мальчик почти заснул, когда она, вздыхая, подошла к парадной двери замка и, открыв ее, вскрикнула от радости, увидев Вильяма. Он стоял в военной форме и казался еще красивее, чем всегда. Сара бросилась к нему, и он обнял ее, стараясь не задавить ребенка. А он, испугавшись ее крика, начал плакать, но она думала сейчас только о том, что Вильям был с ней и обнимал ее.

— Мне так не хватало тебя, — приглушенно сказала она.

— Видит Бог, я тоже скучал по тебе... — Он отстранил ее, чтобы взглянуть ей в лицо. — Ты чудесно выглядишь. — Она похудела, но была сильной и здоровой. — Как ты красива, — произнес он, жадно разглядывая ее, а она смеялась и целовала его.

Эмануэль услышала их разговор. Она уже видела герцога, когда он приехал, а теперь пришла взять ребенка. Скоро малыша нужно было кормить, но по крайней мере она освободила их хотя бы ненадолго, чтобы Сара могла побыть с мужем вдвоем. Держась за руки, они поднялись наверх, разговаривая и смеясь. Сара засыпала его вопросами о том, где был и куда его пошлют после переподготовки. Он прежде служил в военно-воздушных силах Великобритании и теперь ему нужно было освоить современную технику. Он берег ее и умолчал о многом, что он знал. Его собирались послать в отряд бомбардировщиков, и ему предстояло летать на «бленхейме», поэтому он несколько смягчил краски. Однако Вильям рассказал о том, как серьезно относятся к войне в Англии.

— Здесь тоже настроены не менее серьезно, — заметила Сара. — Не осталось никого, кроме Генри, его друзей и горстки стариков, которые слишком слабы, чтобы работать. Я все делала сама, вместе с Эмануэль и Генри. Но я почти закончила конюшни. Подожди, ты увидишь их! — Половину конюшни он собирался использовать для лошадей, которых они купят, несколько лошадей он хотел привезти из Англии, а в оставшейся части планировал устроить небольшие комнаты для прислуги и койки для временных рабочих.

— Похоже, что я совсем не нужен тебе. — Он сделал вид, что расстроен. — Вероятно, мне следовало оставаться в Англии.

— Ты не посмел бы! — Она протянула руки, чтобы обнять его, и еще раз поцеловала, и когда они вошли в спальню, он закружил ее и поцеловал очень крепко, чтобы она почувствовала, как он без нее скучал.

Вильям запер дверь и нежно посмотрел на нее. Она начала расстегивать его форменный френч, а он стянул с нее теплый свитер и залюбовался ее полной грудью и тонкой талией. Трудно было поверить, что она недавно родила ребенка.

— Сара... ты так красива... — Он просто не находил слов и едва мог владеть собой. Никогда его желание не было так велико, даже в их первую брачную ночь. Они едва добрались до постели и тут же соединились в неудержимом порыве страсти.

— Я так скучала по тебе...

— Ты не можешь представить, как я тосковал без тебя.

— Сколько ты сможешь пробыть со мной?

Он помедлил, теперь этот срок казался ему таким коротким.

— Всего на три дня, но я надеюсь вернуться снова перед Рождеством. — До Рождества оставался всего месяц, и разлука будет недолгой. Но сейчас Саре было невыносимо думать о том, что он уедет.

Они лежали в постели, потеряв счет времени, пока за дверью не раздались шаги, это Эмануэль подошла с ребенком к комнате, и Сара, накинув халат, вышла забрать сына.

Она принесла в комнату Филиппа, громко требующего свой обед. Вильям с улыбкой смотрел, как малыш жадно сосет грудь, давясь молоком, забавно пыхтя и причмокивая.

— У него ужасные манеры, не так ли? — усмехнулся Вильям.

— Мы займемся этим, — сказала Сара, прикладывая его к другой груди. — Он несносный поросенок. Он все время хочет есть.

— Охотно верю, судя по тому, как он вырос. Он стал в три раза больше, хотя Филипп и при рождении казался мне огромным.

— Мне тоже, — заметила Сара, и тут Вильям подумал о том, о чем никогда не думал прежде, и с нежностью взглянул на нее.

— Ты не хочешь, чтобы я был осторожнее? — Она покачала головой, улыбаясь. Она хотела, чтобы у нее было много детей.

— Конечно, нет, к тому же сейчас нам не о чем беспокоиться. Не думаю, что я забеременею, пока кормлю грудью.

— Вот и прекрасно, — порадовался он.

Все следующие три дня они провели, словно у них опять был медовый месяц. Большую часть времени они не поднимались с постели. Однако Сара умудрилась провести его по имению и показать, что она сделала в его отсутствие. Конюшни произвели на него большое впечатление.

— У тебя все замечательно получилось! — похвалил он. — Я сам не смог бы сделать лучше, конечно, если бы делал это без чьей-нибудь помощи. Не представляю, как тебе это удалось!

Она провела много вечеров, работая молотком, пилой, заколачивая гвозди далеко за полночь, в то время, как Филипп спал рядом с ней, завернутый в одеяла.

— Мне больше нечего было делать, — улыбнулась она. — После твоего отъезда у меня поубавилось дел.

Вильям с грустной улыбкой взглянул на своего сына:

— Подожди, вот он подрастет и у тебя не будет ни минуты свободного времени.

— А как же ты? — грустно спросила она, когда они брели обратно к замку. Их три дня пролетели, и завтра утром он уезжал. — Когда ты вернешься домой? Как там, в этом большом, скверном мире?

— Довольно ужасно. — Он сказал ей то, что она знала сама, судя по тому, что случилось в Варшаве. Гетто, погромы, горы тел, даже дети, которые боролись и погибли. Она плакала, когда он рассказывал ей об этом. То, что происходило в Германии, тоже было ужасно. Опасались, что Гитлер на этом не остановится. — Хотелось бы надеяться, что скоро все закончится, но я не знаю, когда именно. Возможно, если мы как следует напугаем маленького негодяя, то он отступит. Но, кажется, он довольно буйный.

— Не хочу, чтобы с тобой что-нибудь случилось, — проговорила она со страданием в голосе.

— Дорогая, ничего не случится, это было бы для них слишком обременительно. Поверь мне. Военному министерству выгодно держать меня в военной форме. Людям по душе лорд, облаченный в форменную одежду и играющий в те же игры, что и они. — Ему было тридцать семь лет, и едва ли его собирались использовать на линии фронта, если учесть его возраст.

— Надеюсь, что ты прав.

— Я тоже. И я опять приеду повидаться с тобой перед Рождеством. — Ему стало нравиться, что она осталась во Франции. В Англии происходящее казалось таким безумным и пугающим.

Здесь же все выглядело так, будто в мире ничего не происходило, если не считать того, что нигде не было видно мужчин, по крайней мере молодых, только дети.

Они провели последнюю ночь, и Сара уснула в его объятиях. Вильям должен был разбудить ее, когда заплачет Филипп. Она спала глубоким счастливым сном. И после того, как она покормила ребенка, они снова любили друг друга. А утром Вильям едва поднялся с постели.

— Я скоро вернусь, моя любимая, — обещал он. На этот раз его отъезд не привел ее в такое отчаяние. Он был цел и невредим, и, кажется, ему не грозила никакая реальная опасность.

И Вильям вернулся повидать ее через месяц, как и обещал, за два дня до Рождества. Они вместе провели Рождество, и он заметил в ней некоторые перемены.

— Ты поправилась, — сказал он ей. Она не поняла, был ли это комплимент, или он сожалел об этом. Талия и бедра у нее пополнели, а грудь увеличилась. Прошел только месяц с его прошлого приезда, но ее фигура изменилась, и это удивило его. — Ты не могла снова забеременеть?

— Не знаю. — Сара казалась немного растерянной, раз или два она задумывалась об этом. Время от времени она чувствовала легкую тошноту, и ей все время хотелось спать. — Думаю, вряд ли.

— А мне кажется, что беременна. — Он улыбнулся, но внезапно его охватило волнение. Он не хотел опять оставлять ее здесь одну, особенно в таком положении. Вильям сказал ей об этом ночью и спросил, не хочет ли она переехать в Вайтфилд.

— Это глупо, Вильям. Мы даже не знаем, беременна ли я. — Она не помышляла уезжать из Франции. Ей хотелось остаться здесь и работать над восстановлением замка, и заботиться о своем сыне.

— Ты тоже думаешь, что беременна, не так ли?

— Возможно.

— Ах ты, нехорошая девчонка! — Ее слова подействовали на него возбуждающе, и они снова предались любви. А позже Вильям подарил ей единственный подарок, который смог привезти, — изумрудный браслет старинной работы, принадлежащий его матери. — Ты не разочарована, что я больше ничего тебе не привез? — Он чувствовал себя немного виноватым, но он действительно не мог. Он взял этот браслет из сейфа в Вайтфилде с одобрения матери, когда последний раз навещал ее.

— Это ужасно, — поддразнивала она его. — Что мне действительно хотелось бы иметь, так это паяльный инструмент. Я бы попыталась укрепить эти проклятые туалеты, которые установили прошлым летом.

— Я люблю тебя, — рассмеялся он. Она подарила ему прекрасную картину, которую они нашли, спрятанную в амбаре, и старые часы своего отца, которые очень любила. Она взяла их с собой в Европу на память о нем и теперь подарила их Вильяму, кажется, они ему понравились.

Герцог и герцогиня Виндзорские провели Рождество в Париже, занятые общественными мероприятиями, а Вайтфилды работали бок о бок, укрепляя балки в амбаре и вычищая конюшни.

— Странный способ проводить день рождественских подарков, дорогая, — заметил Вильям, когда они стояли бок о бок, покрытые грязью и сухим навозом, с молотками и лопатами в руках.

— Я знаю, — ответила она, усмехнувшись, — но представь, как великолепно будет выглядеть усадьба, когда мы все закончим. — Он отказался от попыток уговорить ее переехать в Вайтфилд. Она слишком любила эту усадьбу и была здесь дома.

Вильям уехал в канун Нового года. Сара встретила Новый год в постели, держа на руках сына и напевая ему. Она надеялась, что наступающий год будет лучше и что мужчины снова вернутся домой.

В январе она убедилась, что снова беременна. Ей удалось найти в Шамонте старого доктора, который подтвердил ее предположение. Он сказал ей, что бабьи сказки о том, что нельзя забеременеть, пока кормишь ребенка, подтверждаются, но далеко не всегда. Но Сара была вне себя от счастья. Брат или сестра Филиппа должен был родиться в августе. Эмануэль помогала ей по-прежнему и была взволнована предстоящим появлением нового малыша. Она обещала делать все, что сможет, чтобы помочь герцогине с будущим ребенком. Но Сара надеялась, что к тому времени Вильям снова вернется домой. Она не боялась. Она была счастлива. Она написала Вильяму и сообщила ему новость, он прислал ей ответ и просил, чтобы она берегла себя, и обещал, что постарается снова приехать, как только у него появится возможность. Но его послали в Ваттон в Норфолке с 82-й эскадрильей бомбардировщиков. Он снова написал ей, что теперь на его возвращение во Францию не будет никакой надежды несколько месяцев. Он упомянул о том, что ему хотелось бы, чтобы в июле она переехала в Париж, и что при желании она могла бы остановиться у Виндзоров. Он боялся, что она снова будет рожать в замке, особенно в его отсутствие, однако он надеялся, что сможет приехать.

В марте она получила еще одно письмо от Джейн, у которой снова родилась девочка, и они назвали ее Элей. Но Сара чувствовала себя странно отдаленной от своей семьи, как будто они больше не были сокровенной частью ее жизни, как когда-то. Она старалась быть в курсе их новостей, но письма шли так долго, и так много имен, которые они упоминали, были ей незнакомы. Она была целиком занята заботами о сыне, восстановлением замка и постоянно слушала новости из Европы.

Она слушала все радиопередачи, которые ей удавалось поймать в эфире, читала каждую газету, не пропускала ни одного слуха, но новости не были обнадеживающими. В своих письмах Вильям по-прежнему обещал, что скоро будет дома. Весной 1940 года Гитлер, кажется, остановился на время, и Вильяму и его друзьям хотелось знать, не собирается ли он отступить. В Штатах назвали это Телефонной войной, но для людей в оккупированных странах эта война была вполне реальной.

Виндзоры пригласили ее на обед в Париж в конце апреля, но она не поехала. Ей не хотелось оставлять Филиппа одного в замке, хотя она и полагалась на Эмануэль. Кроме того, она была уже на пятом месяце беременности и считала, что ей не следует выезжать без Вильяма. Она послала им вежливый отказ, а в начале мая подхватила ужасную простуду, и пятнадцатого, когда Германия вторглась в Нидерланды, лежала в постели. Эмануэль прибежала наверх сообщить ей об этом. Гитлер сделал следующий шаг. Сара спустилась вниз, на кухню, послушать радио. Она послушала все новости, какие смогла найти, а на следующий день попыталась дозвониться Уоллис и Дэвиду, но слуга сказал, что накануне утром они уехали в Биарриц. Герцог решил ради безопасности герцогини отвезти ее на юг.

Сара снова легла в постель, а через неделю у нее начался бронхит и от нее заразился Филипп. Она была так занята уходом за ним, что даже не поняла, что это значит, когда услышала по радио об эвакуации Дюнкерка. Что с ними случилось? Каким образом они вернутся обратно?

Когда Италия вступила в войну против Англии и Франции, Сара испугалась. Новости были страшные, Германия напала на Францию, все в стране пришли в смятение, никто не знал, куда уехать и что делать. Сара была убеждена, что они никогда не сдадутся Германии, но что, если Францию станут бомбить? Она знала, что Вильям и ее родители сходят с ума из-за нее, и она не могла связаться с ними. Они оказались отрезанными от мира. Сара не могла позвонить в Англию или в Штаты. Было

совершенно невозможно получить связь. А четырнадцатого июня
она, как и все остальные, кто слушал новости, сидели оглушен-
ные. Французское правительство объявило Париж открытым
городом. Оно буквально вручило его Германии, и они вошли в
город атакующей цепью с наступлением темноты. Франция пала
перед Германией. Сара не могла поверить этому. Она сидела,
глядя на Эмануэль, пока слушала новости, девушка заплакала,
услышав о падении Парижа.

— Its vont nous tuer... — запричитала она. — Они убьют
нас. Нам всем пришел конец.

— Не говори глупости, — сказала Сара, стараясь говорить уверенно и надеясь, что девушка не заметит, как дрожат у
нее руки. — Они ничего с нами не сделают. Мы женщины.
И, возможно, они не придут сюда. Эмануэль, будь разумна...
успокойся... — Но она не верила своим собственным словам.
Вильям оказался прав, ей следовало уехать из Франции, но
теперь было слишком поздно. В заботах о Филиппе она не
заметила предостерегающих знаков и теперь едва ли могла убежать на юг, как это сделали Виндзоры. Она не могла уйти
далеко с ребенком на руках, к тому же она была уже на седь-
мом месяце беременности.

— Мадам, что мы будем делать? — спросила Эмануэль, чувствуя, что она должна как-то защитить ее. Она
обещала это Вильяму.

— Абсолютно ничего, — спокойно ответила Сара. —
Если они придут сюда, нам нечего прятать и нечего отдать им. Все, что у нас есть, — это то, что мы вырастили
в саду. У нас нет ни серебра, ни драгоценностей. — Она
вдруг вспомнила изумрудный браслет, который Вильям
подарил ей на Рождество, и несколько украшений, которые она привезла с собой, ее обручальное кольцо и первые подарки на Рождество, которые он купил для нее в
Париже. Но она могла спрятать эти вещи, их было немного, а если потребуется, она отдаст их, чтобы спасти
их жизни. — У нас нет ничего, что им нужно, Эмануэль.
Мы две одинокие женщины с ребенком. — Но тем
не менее ночью она взяла с собой в спальню одно из ру-
жей Вильяма и положила Филиппа спать в свою постель.

Она спрятала драгоценности под половой доской в детской, а сверху аккуратно расстелила ковер.

В следующие четыре дня ничего не произошло. Она даже решила, что они в безопасности, как и прежде, когда на главной аллее появилась колонна джипов. Группа немецких солдат в форме выпрыгнула из джипа и побежала к ней. Двое направили на нее автоматы и знаком велели поднять руки вверх, но Сара не могла это сделать, так как держала на руках Филиппа. Она знала, что Эмануэль убирается после завтрака на кухне и молилась, чтобы девушка не испугалась, когда их увидит.

Они закричали, чтобы она встала там, где они хотели, но Сара старалась не выдать волнения, дрожащими руками вцепившись в Филиппа и разговаривая с ними по-английски.

— Чем я могу помочь вам? — спокойно спросила она, всем своим видом выражая крайнее негодование и пытаясь как можно лучше передать аристократические, внушающие уважение манеры Вильяма.

Они недолго громко говорили ей что-то по-немецки, а потом другой военный, очевидно, выше чином, заговорил с ней:

— Вы англичанка?

— Американка.

Кажется, это на некоторое время поставило их в тупик, и он громко переговаривался с другими, прежде чем снова обратился к ней.

— Кому принадлежит этот дом? Эта земля? Эта ферма?

— Мне, — твердо отвечала она на все поставленные вопросы. — Я — герцогиня Вайтфилд.

Снова обсуждение, снова немецкий, снова совещание. Они замахали автоматами, предлагая ей отойти в сторону.

— Мы войдем в дом.

Она кивнула в знак согласия, и они скрылись в доме. Немного погодя она услышала пронзительный крик с кухни. Очевидно, они напугали Эмануэль. Вскоре двое солдат вывели ее, направив на нее автоматы. Она с плачем бросилась к Саре, Сара обняла и прижала к себе. И они обе стояли и дрожали от страха. По лицу Сары нельзя было заметить, что она боится. Она выглядела настоящей герцогиней. Группа солдат стояла рядом, охраняя их, а ос-

тальные осматривали дом. Они вернулись, когда подъеха-
ла новая колонна джипов. Тогда тот же солдат снова подошел к ней и спросил, где ее муж. Она сказала, что он
уехал, и он показал ей ружье, которое она прятала у себя
под подушкой. Сара казалась безразличной и продолжала
наблюдать за ними. И пока она так стояла, из одного
недавно подъехавшего джипа появился высокий худой офицер
и направился к ним. Солдат, исполняющий обязанности
старшего, показал ему ружье и указал в сторону женщин,
что-то объясняя при этом, а затем — на дом, очевидно,
сообщая, где было найдено ружье. Она расслышала, как
он произнес слово «американцы».

— Вы американка? — спросил новый офицер по-английски с легким немецким акцентом. Сара была удивлена его
безупречным английским.

— Американка. Я — герцогиня Вайтфилд.

— Ваш муж британец? — спокойно спросил он, разглядывая ее. В другом месте и в другое время она сказала бы,
что он красив. Возможно, они могли бы встретиться на
каком-нибудь приеме. Но теперь была война, и они оба держались на расстоянии.

— Да, мой муж англичанин, — ответила она.

— Понимаю. — Последовала долгая пауза, он продолжал
смотреть на нее, обратив внимание на ее округлившийся живот. — Сожалею, но вынужден сообщить вам, ваша светлость, — вежливо обратился он к ней, — что мы должны
реквизировать ваш дом. Мы разместим здесь наших людей.

Она была потрясена и почувствовала, как в ней поднялась
волна гнева, но не подала виду и молча кивнула.

— Я... Я понимаю... — В ее глазах появились слезы. Она
не знала, что ему сказать. Она забирали ее дом, над которым
она трудилась, не покладая рук. А что, если они никогда не
уйдут отсюда? Что, если она потеряет его или они его разру-
шат? — Я... — она запнулась на этом слове, и он, оглядев-
шись вокруг, спросил.

— Есть здесь... дом поменьше? Коттедж? Что-нибудь,
куда вы могли бы переехать со своей семьей, пока мы
останемся здесь?

Она подумала о конюшнях, но они были слишком велики,
и, возможно, немцы захотят и там разместить своих людей.
Тогда она вспомнила о доме управляющего, где жила сейчас
Эмануэль, а пока не был готов замок, жили они с Вильямом.
Он, конечно, подошел бы для них.

— Да, есть, — холодно ответила она.

— Могу я предложить вам остаться там? — Он поклонился с прусским достоинством, глядя на нее примирительно. — Мне очень жаль, что я должен... должен просить
вас переехать сейчас... — он посмотрел на ее живот, —
но я боюсь, нам придется ввести сюда большое число во-
инских подразделений.

— Я понимаю, — она пыталась говорить с достоинством,
как герцогиня, но внезапно почувствовала себя всего лишь двад-
цатитрехлетней девушкой и очень испугалась.

— Вы сможете перенести все необходимые вещи сегодня
вечером? — вежливо поинтересовался он, и она кивнула.

Здесь, в замке, Сара довольствовалась малым. Вещей
Вильяма тоже было совсем немного. Им приходило столько
работать, что у них не было времени привезти из Англии
свои туалеты.

Сара не могла поверить, что ей приходится покидать
собственный дом, когда упаковывала одежду и еще кое-
какие личные вещи. У нее не было времени достать драгоценности из тайника, но она знала, что там они будут в
сохранности. Эмануэль помогла ей упаковать кухонную утварь
и кое-что из продуктов, мыло, простыни и полотенца. Работы
оказалось больше, чем она предполагала, и ребенок плакал весь день, словно чувствовал, что случилось что-то
ужасное. Было уже шесть часов, когда Эмануэль отнесла
последние вещи в коттедж, и Сара в последний раз остановилась в своей комнате, в комнате, где родился Филипп и где был зачат их второй ребенок, в комнате, в
которой они жили вместе с Вильямом. Ей казалось ко-
щунством отдать ее теперь им, но у нее не было выбора.
Когда она стояла, в отчаянии оглядываясь вокруг, вошел
один из солдат, которого она не видела раньше, и заставил ее выйти, направив на нее винтовку.

— Schnell! — скомандовал он. — Быстро!

Она с достоинством спускалась по лестнице, но по ее щекам катились слезы. Внизу солдат ткнул ее в живот концом винтовки, и вдруг внезапно раздался страшный крик, способный моментально вызвать испуг. Солдат отпрыгнул и попятился, словно от огня, когда командир приблизился к нему. Это был тот самый офицер, который говорил с ней утром по-английски. Теперь он был в такой ярости на своего подчиненного, что солдат задрожал всем телом, затем повернулся к Саре и, извиняясь, поклонился ей перед тем, как выбежать из здания. Офицер расстроено посмотрел на нее, он явно был огорчен случившимся. И несмотря на все ее усилия казаться невозмутимой, он заметил, как ее всю трясло.

— Приношу вам свои извинения за отвратительные манеры моего сержанта, ваша светлость. Этого больше не случится. Могу я отвезти вас в ваш дом?

Ей хотелось ответить, что она у себя дома, но она была благодарна ему за то, что он остановил сержанта. Тот легко мог выстрелить ей в живот ради забавы, и при этой мысли у нее закружилась голова.

— Благодарю, — сухо сказала она. Идти было далеко, а она измучилась за день. Ребенок брыкался весь день, очевидно, чувствуя ее гнев и ужас. Она плакала, упаковывая свои вещи, и чувствовала себя совершенно обессиленной, когда садилась в джип. Пока он заводил мотор, несколько солдат наблюдали за ним. Он хотел показать им, как они должны были вести себя. Он уже объяснил им это. Они не должны трогать местных девушек, убивать домашних животных ради забавы и ходить в город пьяными. Им приходилось все время сдерживать себя или столкнуться с его гневом и, возможно, совершить путешествие обратно в Берлин, чтобы быть отправленными куда-нибудь еще. И солдаты обещали выполнять его требования.

— Я комендант Иоахим фон Манхайм, — представился он. — Мы очень благодарны вам за то, что пользуемся вашим домом. Мне очень жаль, что это может вызвать у вас неприятные чувства. — Они ехали по большой аллее, и немец взглянул на нее. — Война — трудное время. — Его семья очень много потеряла во время первой мировой войны. И тут он удивил ее, спросив о будущем малыше: — Когда вы ждете ребенка? — как это ни странно, но он казался гуманным, несмотря на форму, которую носил, но Сара не позволяла себе забывать о том, кто он и за кого сражается. Она снова напомнила себе, что она герцогиня Вайтфилд и должна быть вежливой с ним, но не более того.

— Не раньше, чем через два месяца, — резко ответила она, удивляясь, зачем он спрашивает об этом. Может быть, они хотят послать ее куда-нибудь. Эта мысль ужаснула ее, и больше, чем когда-либо, она пожалела, что не уехала в Вайтфилд. Но кто мог даже подумать, что Франция капитулирует, что они сами отдадут себя в руки немцев?

— У нас здесь будет доктор, — сообщил он ей. — Мы собираемся использовать ваш дом для раненых солдат. Своего рода госпиталь. А ваши конюшни прекрасно подойдут для моих людей. Продуктов на ферме — в изобилии. Боюсь, — он примирительно улыбнулся ей, когда они подъехали к коттеджу, где Эмануэль ждала ее, держа на руках Филиппа, — для нас это идеальная ситуация.

— Как вам повезло, — едко заметила Сара. Едва ли это было идеально для нее. Отдать свой дом немцам.

— В самом деле, повезло. — Он смотрел, как она вышла из автомобиля и взяла у Эмануэль Филиппа. — Спокойной ночи, ваша светлость.

— Спокойной ночи, комендант, — сказала она, не поблагодарив за то, что он подвез ее, и, не проронив больше ни слова, направилась к коттеджу, который стал теперь ее домом.

Глава 13

Оккупация Франции угнетала всех, а оккупация Шато де ля Мёз стала нескончаемой болью для Сары. За несколько дней немецкие солдаты наводнили имение, они были повсюду, конюшни были буквально набиты ими, в ход пошли даже стойла для лошадей. Там размещалось приблизительно двести человек, хотя они с Вильямом собирались поселить сорок — пятьдесят своих людей. Так что условия у обитателей конюшни были суровые. Немцы заняли также ферму и вынудили жену фермера спать в сарае. Старой женщине пришлось смириться с этим. Фермер и два его сына находились в армии.

Как и обещал комендант, сам замок превратили в госпиталь для раненых, своего рода санаторий для выздоравливающих. Комендант жил в замке, в одной из комнатушек. Сара видела там несколько медсестер, но большинство помощников, кажется, были дневальные и санитары, и она слышала, что там было два доктора, но никогда не видела их.

Она старалась иметь с ними меньше дела. Она держалась в стороне, жила в коттедже с ребенком и Эмануэль. Ее раздражало, что она не может вернуться к прерванной работе и беспокоилась, что оккупанты нанесут ущерб замку. Теперь ей нечего было делать. Вместе с Эмануэль она совершала долгие прогулки, навещала жену фермера. Старая женщина, казалось, была в хорошем настроении и говорила, что немцы добры к ней. Они забрали весь ее урожай, но ее не тронули. До сих пор оккупанты вели себя неплохо. Но Сару беспокоила Эмануэль. Этой весной ей как раз исполнилось восемнадцать лет, и для хорошенькой девушки небезопасно жить в таком близком окружении трех сотен немецких солдат. Сара неоднократно предлагала ей вернуться в отель, но Эмануэль не хотела оставлять ее одну с малышом. Несмотря на установившиеся дружеские отношения, они испытывали друг к другу глубокое уважение. К тому же Эмануэль все время помнила о своем обещании Вильяму не покидать герцогиню и лорда Филиппа.

Однажды днем, через месяц после появления немцев в замке, Сара, возвращаясь домой с фермы, увидела на старой грязной дорожке возле конюшен группу орущих, улюлюкающих солдат. Она удивилась, что они там делают, но понимала, что подходить к ним близко не следует. Все они представляли для нее потенциальную опасность. Несмотря на ее нейтральное американское гражданство, она оставалась для них врагом, а они были оккупационными войсками. Сара видела, что они смеются над чем-то, и уже направилась к дому, как вдруг увидела перевернутую на обочине дороги корзинку земляники. Это была одна из ее корзинок, а ягоды Эмануэль собирала для Филиппа, потому что он очень любил их. И тут она поняла. Они, словно кошки, играли с мышкой, крошечной жертвой, над которой издевались и мучили в кустах. И не раздумывая, Сара поспешила к ним. Освещенная солнцем, в своем старом выгоревшем желтом платье она казалась еще больше. Ее волосы были заплетены в косу, и она перебросила ее на спину, когда подошла к ним, у нее перехватило дыхание, когда она увидела Эмануэль. Она стояла в разорванной блузке с обнаженной грудью, юбка тоже была порвана и соскользнула на бедра, а немцы издевались, глумились и дразнили ее. Двое солдат держали ее за руки, а третий целовал ее, щекоча ей грудь.

— Прекратите! — закричала Сара не в силах сдержаться от гнева. Эмануэль была ребенок, девочка, и Сара знала из разговоров с ней, что она сохранила невинность. — Немедленно прекратите это!

Она схватила одного из солдат за ружье, а он грубо оттолкнул ее, и над ней засмеялись, выкрикивая что-то по-немецки. Сара тотчас направилась туда, где стояла Эмануэль, по ее лицу были размазаны слезы, она была унижена, напугана, и ей было стыдно. Она попыталась остатками блузки прикрыть ей грудь, и пока она делала это, один из солдат потянулся к ней и привлек Сару к себе, прижимаясь к ее ягодицам. Она сделала попытку повернуться к нему, но он удерживал ее, одной рукой лаская ей грудь, а другой больно сжимая ее огромный живот. Она старалась вырваться, но он продолжал похотливо прижиматься к ней, и она в ужасе подумала, не собирается ли он ее насиловать. Сара отыскала глазами Эмануэль и попыталась ус-

покоить ее своим взглядом, но было видно, что девочка на-
смерть перепугана. Теперь к ее страхам прибавился еще страх
за свою хозяйку, так как один из солдат держал Сару за
руки, а другой запустил свою руку между ног, и тогда Эмануэль пронзительно закричала, представив, что может случиться, но почти одновременно с ее криком раздался выстрел.
Эмануэль отскочила, а Сара, воспользовавшись моментом,
вырвалась, оставив в руках немца обрывки своего платья. Ее
длинные стройные ноги и огромный живот обнажились. Но
она быстро подошла к Эмануэль и повела ее прочь, только
тут осознав, что рядом стоял комендант, его глаза сверкали
от ярости, когда он в бешенстве выкрикивал приказания. Он
все еще держал револьвер, высоко подняв его, и выстрелил
еще раз, чтобы они поняли, что он не шутит. Затем комендант опустил руку и направил револьвер по очереди на каждого из них, и, добавив еще что-то по-немецки, он убрал
револьвер в кобуру и велел им разойтись. Позднее он приказал посадить всех их на гауптвахту, которую они оборудовали позади конюшен. Как только солдаты ушли, он быстро
подошел к Саре и Эмануэль. Его глаза переполняли боль и
сострадание. Комендант быстро отдал какое-то приказание
ординарцу, стоявшему рядом с ним, тот исчез на мгновение
и появился снова с двумя одеялами. Сара сначала накрыла
Эмануэль, сама завернулась в другое одеяло. Она заметила,
что это было одно из ее одеял, забытое в замке во время
переезда в коттедж.

— Обещаю вам, что такое больше никогда не повторится.
Эти люди — свиньи. Они выросли в хлеву, большинство из
них, и они просто не имеют представления о том, как следует
вести себя. Если я еще раз увижу, что кто-то из них сделает
что-нибудь подобное, я застрелю его на месте. — Он побелел
от гнева, когда говорил это. Эмануэль все еще дрожала от
пережитого. Сара не чувствовала ничего, кроме бешенства.

Подойдя к коттеджу, они увидели Генри, играющего в саду
с ребенком. Мальчика предупреждали, чтобы он держался подальше от имения, боясь, что солдаты могут пристать к нему.
Но сегодня он пришел повидаться с сестрой, а Эмануэль попросила его поиграть с мальчиком, пока она сходит за ягодами.

— Вы понимаете, что они могли сделать? — Сара сделала знак рукой Эмануэль, чтобы та шла в дом. Она осталась с ним вдвоем и, глядя ему в лицо, продолжала: — Они могли убить моего неродившегося ребенка, — закричала она.

— Я очень хорошо понимаю и искренне прошу у вас прощения. — По его виду можно было судить, что он искренен, но хорошие манеры коменданта не смягчили Сару, поскольку она считала, что им совсем здесь не место.

— Она — молоденькая девочка! Как они посмели делать с ней такое! — Тут ее всю затрясло, и ей захотелось дать ему пощечину, но у Сары хватило благоразумия не делать этого.

Коменданту было неприятно то, что случилось с Эмануэль, но его гораздо больше огорчило то, что чуть не сделали с Сарой.

— Я от всего сердца прошу у вас прощения, ваша светлость. Я очень хорошо понимаю, что могло случиться. — Она была права. Они действительно могли убить ее ребенка. — Мы будем лучше следить за своими людьми. Даю вам слово офицера и джентльмена. Уверяю вас, такого больше не случится.

— Поживем увидим, — набросилась она на него и зашагала в коттедж, каким-то образом даже в одеяле, умудряясь выглядеть красиво и достойно.

Комендант стоял, глядя ей вслед. Она была исключительная женщина, и ему было интересно, как она стала герцогиней Вайтфилд. Он нашел ее фотографию в кабинете Вильяма, где теперь поселился он, а также фотографию ее вместе с Вильямом, они выглядели такими красивыми и счастливыми. Он завидовал им. Он развелся перед войной и почти не видел своих детей. Оба были мальчики, семи и двенадцати лет, а его жена снова вышла замуж и переехала в землю Рейн. Он знал, что ее муж был убит в Познани в первые дни войны, но не виделся с ней, и, по правде говоря, он и не хотел ее видеть. Он болезненно пережил развод. Они поженились очень молодыми и всегда были слишком разными. Ему потребовалось два года, чтобы оправиться после этого удара, и тут началась война, теперь он был слишком занят. Он обрадовался, когда его назначили во Францию. Ему всегда нравилась эта страна. Он в течение года учился в Сорбонне, а закончил обучение в Оксфорде. И пройдя через все это, во всех своих путешествиях, за все сорок лет он ни разу не встретил женщины, подобной Саре. Ее красота, сила характера и выдержанность поразили его воображение. Ему хотелось бы встретиться с ней при других обстоятельствах.

Руководство госпиталем для выздоравливающих отнимало у него много времени, но вечерами он любил совершать долгие прогулки. Он хорошо изучил имение, даже дальние его уголки. Однажды вечером, в сумерки, он возвращался с маленькой речушки, которую обнаружил в лесу, и тут он увидел ее. Она медленно брела, погруженная в свои мысли. Он не хотел напугать ее, но считал, что следует сказать ей что-нибудь, по крайнем мере для того, чтобы его неожиданное присутствие не захватило ее врасплох. И тут она повернулась к нему лицом, словно почувствовав, что рядом кто-то есть. Она остановилась и вопросительно посмотрела на него, но он быстро рассеял ее сомнения.

— Могу я помочь вам, ваша светлость? — Сара бесстрашно перебиралась через бревна и невысокую каменную стену и легко могла упасть, но она хорошо знала местность. Они с Вильямом часто приходили сюда.

— Я справлюсь, — спокойно ответила она, герцогиня до мозга костей. Она выглядела такой юной и прелестной. Казалось, она была рассержена меньше, чем обычно, когда встречалась с ним. Она все еще была огорчена тем, что случилось с Эмануэль на прошлой неделе, но до нее дошли слухи, что все участники злой забавы были наказаны, посажены на гауптвахту, и его справедливость произвела на нее впечатление.

— У вас все в порядке? — поинтересовался он, продолжая идти рядом с ней. Она хорошо выглядела в белом вышитом платье, сшитом для нее местной портнихой.

— Все в порядке, — ответила она, глядя на него так, словно видела в первый раз. Он был красивый мужчина, высокий, белокурый, но на лице уже появились морщины. Сара догадалась, что он был немного старше Вильяма. Она предпочла бы, чтобы его здесь не было, но вынуждена была признать, что он всегда исключительно вежливо обращался с ней и дважды помог ей.

— Вы, наверное, сейчас легко устаете, — мягко заметил он. Сара пожала плечами и на мгновение погрустнела, вспомнив о Вильяме.

— Иногда. — Тут она снова посмотрела на Иоахима. В последнее время до нее доходили скудные вести о войне, и с начала оккупации она не получила ни слова от Вильяма. Связь с Англией была прервана. Сара знала, что он терзается в неведении.

— Вашего мужа зовут Вильям, не так ли? — спросил он. Она взглянула на него с удивлением, но кивнула в ответ.

— Он моложе меня, но полагаю, что я мог познакомиться с ним, когда учился в Оксфорде. Я думаю, он посещал Кембридж.

— Вы правы, — нерешительно проговорила она, — посещал. — Было странно предположить, что двое мужчин могли быть знакомы. В жизни иногда случаются странные вещи. — Почему вы поступили в Оксфорд?

— Я всегда мечтал об этом. Я очень любил тогда все английское. — Ему хотелось сказать ей, что он и сейчас любит, но он не мог. — Мне предоставилась чудесная возможность, и я постарался максимально воспользоваться ею.

Она задумчиво улыбнулась:

— Думаю, Вильям испытывал те же самые чувства по отношению к Кембриджу.

— Он был в футбольной команде, и я один раз играл против него. — Иоахим улыбнулся. — Он выиграл.

У Сары чуть не вырвался возглас одобрения, но она вовремя спохватилась и только улыбнулась, вдруг заинтересовавшись этим человеком. Она понимала, что в любой другой ситуации он бы ей понравился.

— Я бы предпочла, чтобы вас здесь не было, — честно призналась она, что звучало так по-юношески запальчиво, что он улыбнулся.

— Я тоже, ваша светлость. Я тоже. Но лучше здесь, чем где-нибудь на поле битвы. Думаю, что в Берлине понимают, что я больше подхожу для того, чтобы возвращать людям здоровье, чем для того, чтобы уничтожать их. Это был прекрасный подарок, когда меня направили сюда.

Но она предпочла бы, чтобы никого из них здесь не было. И тут он взглянул на нее с любопытством.

— Где ваш муж? — Сара сомневалась, что ей следует отвечать на его вопрос. Если она сообщит, что он в разведывательной службе, то, возможно, тем самым навлечет на себя еще большую опасность.

— Он откомандирован в военно-воздушные силы Великобритании.

— Он летает? — казалось, комендант был удивлен.

— Нет, — рассеянно ответила Сара, и он кивнул.

— Большинство летчиков намного моложе нас. — Он был, конечно, прав, но она только кивнула. — Война — ужасная вещь. Никто не выигрывает. Все только проигрывают.

— Кажется, ваш фюрер иного мнения.

Иоахим долго молчал, потом наконец заговорил, но в его голосе было нечто такое, что привлекло ее внимание и навело ее на мысль, что он ненавидит эту войну точно так же, как и она.

— Вы правы. Возможно, со временем, — смело начал он, — фюрер станет более благоразумным, прежде чем многое будет потеряно и множество людей убито. — Сару тронули его дальнейшие слова: — Я надеюсь, что ваш муж, ваша светлость, останется невредим.

— Я тоже, — прошептала она, когда они подошли к коттеджу. — Я тоже.

Он поклонился, попрощался с ней, и она направилась в дом, размышляя над тем, насколько он противоречив. Немец, ненавидящий войну, и офицер немецкой армии в долине Луары. Но очутившись дома, она совсем забыла об Иоахиме, думая только о своем муже.

Сара столкнулась с ним через несколько дней в том же самом месте, было похоже, будто они ожидали снова там встретиться. Она любила в конце дня погулять и посидеть в лесу, на берегу реки, опустив уставшие ноги в холодную воду. Здесь она чувствовала себя спокойно. Тишину нарушали только пение птиц и звуки леса.

Она тихо поздоровалась, встретив его в лесу через несколько дней после того, как он проводил ее. Сара не знала, что он догадался о ее маршруте, и теперь наблюдал за ней из своего окна, когда она выходила из коттеджа.

— Сегодня жаркий день, не так ли? — Ему хотелось предложить ей прохладный напиток или погладить ее по длинным шелковым волосам, или даже коснуться ее щеки. Она стала сниться ему ночами, а днем он постоянно думал о ней. Он даже хранил одну из ее фотографий, принадлежащих Вильяму, запертой в своем письменном столе, чтобы иногда можно было полюбоваться ею. — Как вы себя чувствуете?

Она улыбнулась ему, они еще не были друзьями, но по крайней мере они уже не враги. Это уже кое-что значило. Теперь, кроме Эмануэль, Генри и Филиппа, у нее появился еще один собеседник. Ей не хватало долгих интеллектуальных разговоров, которые они вели с Вильямом. Ей не хватало не только этих разговоров. Она вообще скучала по нему. Но по крайней мере с этим человеком, с мягким взглядом и с широким кругозором, можно было поговорить. Сара никогда не забывала о том, кто он и почему он здесь. Она была герцогиней, а он немецкий офицер. Но она испытывала какое-то облегчение даже после короткого разговора с ним.

— Я чувствую себя очень толстой, — призналась она ему, улыбнувшись. — Огромной. — И тут Сара с любопытством посмотрела на него. Она ничего не знала о нем. — У вас есть дети?

Он кивнул, сев на большой камень, как раз рядом с ней, и опустил руку в прохладную воду.

— Два сына. Ганс и Энди-Андре. — Когда он говорил это, его лицо приобрело грустное выражение.

— Сколько им лет?

— Семь и двенадцать. Они живут со своей матерью. Мы разведены.

— Мне жаль, — сказала она, и ей действительно было жаль. Дети и война несовместимы. И какой бы они ни были национальности, она не могла заставить себя их ненавидеть.

— Развод так ужасен, — заметил он.

— Я знаю.

— Знаете? — Он удивленно поднял брови и хотел спросить, откуда она знает об этом, но не решился. Было очевидно, что она не могла об этом знать. Чувствовалось, что она счастлива с мужем. — Я почти не видел своих сыновей с тех пор, как она ушла. Она снова вышла замуж... а потом началась война... Все это было так трудно.

— Вы увидите их снова, когда война кончится.

Он кивнул, думая о том, когда это будет, когда фюрер позволит им вернуться домой, и разрешит ли ему его бывшая жена увидеть своих сыновей, не скажет ли она, что его слишком долго не было и что дети не хотят его больше видеть. Она вела с ним какие-то игры, и он по-прежнему был обижен и зол на нее.

— А ваш ребенок? — Он переменил тему. — Вы говорили, что он родится в августе. Это очень скоро. — Ему было интересно, насколько все будут потрясены, если он позволит ей рожать в замке и его доктора помогут ей, и не вызовет ли это слишком много разговоров. Может быть, лучше послать одного из докторов вниз, в коттедж. — Вы легко рожали вашего сына?

Было так странно обсуждать с ним такие подробности, но пока они сидели в лесу одни, пленная и захватчик, какая разница, о чем они разговаривали? Кто узнает об этом? Кто узнает, даже если они станут друзьями, если никто не будет обижен и ничего не будет разрушено?

— Нет, очень трудно, — призналась Сара. — Филипп весил десять фунтов. Мой муж спас нас обоих.

— Доктора не было? — Он был потрясен. Конечно, герцогиня должна рожать ребенка в частной клинике, в Париже, но она удивила его.

— Я хотела рожать здесь. Он родился в тот день, когда была объявлена война. Доктор уехал в Варшаву, и больше никого не было. Только Вильям... мой муж. Я думаю, он был напуган больше, чем я. Я даже не помню, что происходило после какого-то момента. Это продолжалось так долго, и... — Она воздержалась от деталей, смущенно улыбнувшись ему. — Это не имеет значения. Он прелестный мальчик. — Она растрогала его своей невинностью, откровенностью и красотой.

— Вы не боитесь рожать в этот раз?

Сара колебалась, ей хотелось быть честной с ним, хотя не знала, почему. Но она понимала, что нравилась ему, несмотря на то, кем он был, где жил и как они познакомились. Он был добр к ней и при этом сдержан. И ему уже дважды пришлось вмешаться, чтобы защитить ее.

— Немного, — призналась она, — но не очень сильно. — Она надеялась, что на этот раз все произойдет быстрее и что ребенок будет не таким крупным.

— Женщины всегда кажутся мне такими храбрыми. Моя жена родила обоих мальчиков дома. Это было прекрасно, но у нее были легкие роды.

— Ей повезло, — улыбнулась Сара.

— Вероятно, с помощью немецких специалистов вам не придется так страдать. — Он тихо засмеялся, но Сара была серьезна.

— В тот раз они собирались делать кесарево сечение, но я не захотела.

— Почему?

— Мне хотелось иметь больше детей.

— Восхитительно. Вы такая храбрая... я как раз говорил, что женщины кажутся мне очень мужественными. Если бы мужчинам пришлось рожать, то детей не было бы совсем.

Она рассмеялась, потом они заговорили об Англии. Он расспрашивал ее о Вайтфилде. Сара намеренно была с ним рассеянна. Ей не хотелось выдавать некоторые секреты, но его интересовал дух Вайтфилда: истории, традиции. Кажется, он действительно любил все английское.

— Мне следовало возвратиться в Англию, — задумчиво проговорила она. — Вильям хотел, чтобы я вернулась, но я считала, что мы будем здесь в безопасности. Я никогда не думала, что Франция капитулирует перед Германией.

— Никто не думал. Даже мы были удивлены, насколько быстро это произошло, — признался он ей, а затем Иоахим сказал ей то, о чем, он знал, говорить не следовало, но он доверял ей. И у нее не было возможности предать его. — Я думаю, что вы правильно поступили, оставшись во Франции. Вы и ваши дети будут здесь в большей безопасности.

— Чем в Вайтфилде? — Она была удивлена, ей показалось странным то, что он сказал ей, и она, нахмурившись, изумленно посмотрела на него, удивляясь, что он имел в виду.

— Не именно в Вайтфилде, а вообще в Англии. Рано или поздно люфтваффе повернет все свои силы против Британии. Тогда окажется лучше, что вы находитесь здесь.

Ей было интересно, правда ли это. Сара предполагала, что британцы должны знать все о планах люфтваффе и, возможно, он был прав, что тогда будет безопаснее здесь. Как бы то ни было, у нее теперь нет выбора. Она была его пленницей. Сара не видела его несколько дней, а в самом конце июля снова столкнулась с ним в лесу. Он казался усталым и расстроенным, но немного повеселел, когда она поблагодарила его за продукты, которые находила рядом с коттеджем. Сначала это были ягоды для ребенка, затем корзина фруктов, буханки свежего хлеба, которые пекли их пекари в замке, и, аккуратно завернутый в газету и хорошо спрятанный от завистливых глаз килограмм настоящего кофе.

— Благодарю вас, — тихо произнесла она. — Вы не должны этого делать. — Он ничего не был им должен. Они были оккупационные войска.

— Я не могу есть, в то время как вы голодаете. — Накануне его повар сделал для него великолепный торт «Саше», и он собирался сам отнести ей сегодня вечером то, что осталось, но ничего не сказал об этом, когда они медленно брели к коттеджу. Он заметил, что она поправилась за прошедшую неделю.

— Вам нужно еще что-нибудь, ваша светлость?

Она улыбнулась ему. Он всегда так обращался к ней.

— Видите ли, я думаю, вы можете называть меня просто Сара.

Он уже знал ее имя. Он видел ее паспорт и знал, что через несколько недель ей исполнится двадцать четыре года. Он знал имена ее родителей и их адрес в Нью-Йорке, и то, как она относилась к некоторым вещам, но пока он знал о ней очень мало. И его интерес ко всему, что касалось ее, был безграничен. Он думал о ней больше, чем признавался сам себе. Но Сара не догадывалась об этом, когда шла рядом с ним. Она знала только, что он заботливый человек и что он хочет ей помочь.

— Очень хорошо, тогда Сара, — тихо сказал он, принимая это, как честь, улыбнувшись ей, и она в первый раз заметила, что он действительно был очень красив. Обычно он выглядел таким серьезным, что никто этого не замечал. Но когда они вышли на солнце, на мгновенье он показался моложе на несколько лет. — Вы будете Сара, а я Иоахим, но только когда мы одни. — Они оба понимали, почему, и она кивнула. И тут он снова повернулся к ней: — Вам ничего больше не нужно? — Он был искренен в желании помочь ей, но она отрицательно покачала головой. Она никогда не взяла бы у него ничего, за исключением превосходной еды, которую он оставлял для Филиппа. Но она была тронута его заботой и улыбнулась.

— Вы могли бы дать мне билет домой, — пошутила она. — Что вы скажете на это? Прямо в Нью-Йорк или, быть может, в Англию. — С тех пор как немцы обосновались в Шато де ля Мёз, это была ее первая шутка. Он улыбнулся.

— Если бы я только мог. — Его глаза стали серьезными. — Могу себе представить, как беспокоятся ваши родители, — посочувствовал он, всей душой желая помочь ей. — А ваш муж... — Он бы сходил с ума, если бы Сара была его женой и оказалась за линией фронта, но она отнеслась к этому очень сухо. Она только пожала плечами, в то время, как ему страстно хотелось протянуть руку и коснуться ее, но он знал, что даже этого он не может сделать.

— Вы будете в безопасности, если это будет зависеть от меня, — заверил он ее.

— Благодарю вас. — Она улыбнулась ему и тут вдруг споткнулась о корень дерева, протянувшийся через дорожку. Она чуть не упала, но Иоахим проворно подхватил ее своими сильными руками. Когда Сара снова твердо стояла на ногах, она поблагодарила его. Но в это мгновенье он почувствовал ее тепло, почувствовал, какой гладкой была кожа ее рук цвета слоновой кости, и ее темные волосы коснулись его лица, словно шелк. Она пахла мылом и духами, которые любил ее муж. Все в ней заставляло Иоахима чувствовать, как что-то тает у него внутри, и его все сильнее мучило то, что он не может рассказать ей об этом.

Он проводил ее до коттеджа, расставшись с ней у калитки, и вернулся за свой письменный стол, чтобы продолжить работать весь вечер.

После этого она не видела его целую неделю. Он ездил в Париж на встречу с послом Отто Абецом договориться о поставках медикаментов. Когда он вернулся назад, то был настолько занят, что у него не было времени для прогулок в лесу и других приятных вещей. А через четыре дня после своего возвращения произошел ужасный взрыв на продовольственном складе в Блуа. Привезли больше сотни раненых, и даже их медицинского персонала было недостаточно, чтобы помочь им. Два доктора перебегали от одного к другому. Они оборудовали в столовой небольшую операционную, но несколько человек так сильно обгорели, что помочь им было невозможно. Конечности были оторваны, лица изуродованы. Когда Иоахим вместе с медицинским персоналом осматривал в переполненных комнатах раненых, перед их глазами открылась страшная картина бойни. Один из докторов пришел требовать помощи. Он хотел, чтобы часть пострадавших перевезли в местные больницы.

— Здесь должен быть какой-то медицинский персонал, — настаивал он, но местная больница была закрыта, доктора уехали, а медсестер забрали в военные госпитали месяц назад или они бежали до начала оккупации. Во всей округе остались только люди с ферм, и большинство из них были слишком невежественны, чтобы оказать им помощь. — А хозяйка замка? Она придет? — Он, конечно, имел в виду Сару, и Иоахим подумал, что она могла быть полезна. Она гуманная женщина, но у нее приближался срок родов. Такая нагрузка могла только навредить ей, и Иоахим почувствовал, что должен ее защитить.

— Я не уверен. Она вот-вот должна родить.

— Скажите ей, чтобы она пришла. Нам нужна ее помощь. У нее есть служанка?

— С ней живет местная девушка.

— Приведите их обеих, — приказал ему доктор, как будто Иоахим находился у него в подчинении. Через несколько минут Иоахим отправил своих людей на фермы, чтобы найти кого-нибудь, кто мог бы им помочь и в случае необходимости доставить силой. А сам сел в джип и поехал к коттеджу. Он настойчиво постучал в дверь, зажегся свет, и через несколько минут Сара появилась в дверях в ночной рубашке, с суровым видом. Она слышала, как всю ночь прибывали машины «скорой помощи» и грузовики. Она не знала, что произошло, опасалась прихода распоясавшихся солдат.

Но когда Сара увидела Иоахима, она открыла дверь шире, и на ее лице появилось облегчение.

— Простите, что я беспокою вас, — извинился он. Он был в рубашке, без галстука, волосы растрепались, а лицо выглядело усталым. — Нам нужна ваша помощь, Сара, если вы сможете прийти. На военном складе произошел взрыв, и у нас невероятное количество раненых. Мы не справляемся. Не могли бы вы нам помочь?

Мгновение она колебалась, глядя ему в глаза, но потом кивнула. Он спросил, не возьмет ли она с собой Эмануэль. Но когда Сара поднялась по лестнице, чтобы спросить ее об этом, девушка сказала, что она останется с ребенком. И через пять минут Сара спустилась к Иоахиму одна.

— А где девушка?

— Она не совсем хорошо себя чувствует, — заступилась за нее Сара. — К тому же я не хочу оставлять сына одного. — Он больше ни о чем не спросил ее, и она пошла вслед за ним в джип в старом выцветшем голубом платье и простых туфлях, волосы были туго заплетены в косу. Она умылась и покрыла голову белым чистым шарфом, в котором она выглядела даже моложе.

— Спасибо, что вы согласились, — поблагодарил он, когда они ехали к замку, и взглянул на нее с уважением. — Я понимаю, что вы не обязаны делать это.

— Я знаю. Но умирающие мальчики всегда умирающие мальчики, независимо от того, англичане они или немцы. — Таково было ее отношение к войне. Она ненавидела немцев за то, что они сделали, но она не могла ненавидеть раненых и даже Иоахима, который был всегда так сдержан с ней. Она сочувствовала только тем, кто был в большей нужде, чем она сама.

В эту ночь Сара несколько часов провела в операционной, держа миски, наполненные кровью, и полотенца, пропитанные обезболивающими средствами. Она подавала инструменты и помогала обоим докторам. Она без устали работала до рассвета, а потом они спросили ее, не может ли она подняться с ними наверх. В первый раз, лишь войдя в собственную спальню, полную раненых, Сара внезапно поняла, где она, и как странно тут находиться. На полу были койки и матрасы, и по меньшей мере сорок человек лежали бок о бок, плечо к плечу, и дневальные едва могли, перешагивая через одного, подойти к другому.

Она делала то, что могла, меняя повязки, промывая раны. Только с наступлением дня Сара спустилась вниз, туда, где раньше была ее кухня. Полдюжины дневальных ели там, какие-то солдаты и две женщины, взглянувшие на нее, когда она вошла, о чем-то заговорили друг с другом по-немецки. Ее платье, руки и даже лицо были в крови, волосы падали на лицо прядями, но она, кажется, ничего не замечала. И тут один из дневальных сказал ей что-то. Она не поняла его, но невозможно было ошибиться, что он говорил с уважением и, кажется, благодарил ее. Она кивнула и улыбнулась им, когда ей подали чашку кофе. Тогда одна из женщин показала на ее живот и, кажется, спросила, все ли в порядке, и она кивнула и благодарно села с дымящейся чашкой кофе. Только теперь Сара почувствовала, как она измучена. Несколько часов она не думала ни о себе, ни о ребенке.

В этот момент вошел Иоахим и попросил ее пройти в его кабинет. Она последовала за ним через зал и, когда вошла, снова почувствовала себя странно, даже письменный стол и занавески были те же самые. Это была любимая комната Вильяма, и здесь ничего не изменилось, если не считать того, что теперь здесь жил другой человек.

Иоахим предложил ей сесть в кресло, которое было так хорошо ей знакомо, и ей пришлось преодолеть желание усесться поудобнее, как она делала всегда, когда они вели с мужем долгие беседы. Вместо этого она вежливо села на краешек и отпила глоток кофе, напомнив себе, что теперь в этой комнате она чужая.

— Спасибо за все, что вы сделали сегодня ночью. Я боялся, что это будет слишком тяжело для вас. — Он посмотрел на нее с беспокойством. Он много раз проходил мимо нее этой ночью, когда она, не жалея себя, работала, спасая чью-то жизнь, или закрывала глаза мальчику, которого им не удалось спасти, едва сдерживая слезы. — Вы, должно быть, измучены.

— Я устала, — честно призналась она, улыбнувшись, но глаза все еще были грустными. Они потеряли так много молодых солдат. И ради чего? Она баюкала одного, словно ребенка, он держался за нее точно так же, как Филипп, и умер у нее на руках из-за раны в живете. Она не в силах была спасти его.

— Спасибо, Сара. Я отвезу вас домой. Думаю, что худшее позади.

— Позади? — спросила она удивленно и так резко, что он вздрогнул. — Разве война окончена?

— Я имел в виду сейчас, — спокойно ответил он. Его взгляды не слишком отличались от ее, хотя он не мог себе позволить высказать их.

— Какое это имеет значение? — спросила она, ставя чашку на стол Вильяма. Она заметила, что они пользовались ее фарфором. — Это может случиться где-то снова сегодня, или завтра, или на следующей неделе. Не так ли? — В ее глазах стояли слезы. Она не могла забыть этих мальчиков, которые умерли, несмотря на то что они были немцами.

— Да, это случится, — грустно признал он, — пока все это не кончится.

— Это так бессмысленно, — сказала она, подходя к окну и разглядывая знакомый пейзаж. Все казалось обманчиво мирным. И Иоахим медленно подошел к ней и остановился вблизи.

— Это бессмысленно... и глупо... и неправильно... но прямо сейчас ни вы, ни я ничего не можем изменить. Вы несете жизнь в мир. Мы несем смерть и разрушения. Это ужасное противоречие, Сара, но я бессилен что-либо сделать.

Она не понимала, почему ей стало жаль его. Он не верил в правоту своего дела. Вильям по крайней мере мог находить утешение в том, что он делает правое дело, а Иоахим не мог. И когда она повернулась к нему лицом, ей захотелось протянуть

руку, коснуться его и успокоить, что все будет хорошо, что
когда-нибудь он будет прощен.

— Мне жаль, — тихо проговорила она и пошла за
ним к двери. — Ночь была долгая и трудная. Мне не
следовало говорить того, что я сказала. Это не ваша вина. —
Она стояла и смотрела на него, а он страстно хотел быть
рядом с ней. Ее слова тронули его.

— Иногда это не слишком утешает, — тихо признался он,
не отводя от нее взгляда. Она выглядела такой усталой, и ей
необходим был отдых, иначе могли начаться преждевременные
роды. Он чувствовал себя виноватым за то, что попросил ее о
помощи, но она прекрасно справилась с работой, и доктора
были ей очень благодарны.

Иоахим отвез ее домой, в это время Эмануэль как раз
спустилась вниз с Филиппом. Она взглянула на Сару и увидела, как она устала, и ей стало стыдно, что она не пошла с ней.

— Мне жаль, — прошептала она, когда Сара тяжело
опустилась в старое кресло. — Я просто не могла... ведь
они — немцы.

— Я понимаю, — устало ответила Сара, удивляясь, почему для нее это не имеет значения. Это были мальчики... и
несколько взрослых мужчин... просто люди. Но она все поняла,
когда немного погодя пришел Генри. Они обменялись с сестрой
многозначительными взглядами, и он кивнул ей. Но тут Сара
заметила, что его рука была перевязана.

— Генри, что случилось с твоей рукой? — тихо спросила она.

— Ничего, мадам. Я сам поранился, когда помогал отцу
пилить дрова.

— Зачем тебе понадобились дрова? — удивленно спросила она. Было слишком тепло для того, чтобы топить, и
мальчик понимал это.

— О, мы просто собирались построить будку для нашей
собаки.

Но Саре уже стало ясно, что он не делал этого, и тут ее
вдруг осенило. Взрыв на военном складе не был несчастным
случаем, и почему-то, по каким-то причинам Сара даже не
хотела знать, был ли там Генри. Вечером, когда они собирались
спать и задержались на кухне, она взглянула на Эмануэль.

— Вы ничего не должны рассказывать, но я просто хочу предупредить тебя, чтобы ты передала Генри, что он должен быть осторожным. Если его поймают, они убьют его.

— Я знаю, мадам, — ответила Эмануэль, и в ее глазах отразился страх за младшего брата. — Я предупреждала его об этом. Мои родители ничего не знают. В Роморантине есть группа... — Но Сара остановила ее.

— Не рассказывай мне ничего, Эмануэль. Я не хочу знать. Я не хочу случайно подвергнуть кого-то опасности. Просто скажи ему, чтобы он был осторожен.

Эмануэль кивнула, и они разошлись по своим комнатам спать, но Сара в эту ночь долго лежала без сна, думая о мальчике и бойне, которую он учинил... все эти мальчики с оторванными конечностями, изуродованными лицами, прожившие такую короткую жизнь. И маленький Генри с обожженной рукой. Она удивлялась, понимал ли он и его друзья, что они сделали, или гордился этим. Официально то, что он сделал, считалось патриотичным, но Сара думала иначе. На какой бы стороне он ни был, в ее глазах он был просто убийцей. И все же она надеялась, что немцы не схватят Генри и не убьют его.

Иоахим был прав. Война ужасна. Ужасное время. Подумав об этом, она поднесла руку к животу, и ребенок толкнул ее. Это напомнило ей, что в мире еще существовала надежда и жизнь и что еще можно ожидать чего-то хорошего... и где-то там, далеко, был Вильям.

Глава 14

После этого Сара видела Иоахима почти ежедневно, без предварительной договоренности. Он знал теперь, когда она гуляет, и как бы случайно присоединялся к ней. Они теперь каждый день бродили не спеша по лесу, а иногда ходили к реке или к ферме. И мало-помалу он узнавал ее больше. Он пытался познакомиться с Филиппом, но мальчик был застенчивый, как и его собственный сын в этом возрасте. Но Иоахим, к большому неудовольствию Эмануэль, был невероятно добр к нему. Она неодобрительно относилась ко всему немецкому и самим немцам.

Но Сара знала, что он хороший человек. Она была не такой наивной, как Эмануэль, хотя любила немцев не больше, чем она. Временами ему удавалось рассмешить ее, а когда Сара становилась очень тихой, он догадывался, что она думает о муже.

Иоахим понимал, что для нее сейчас наступило трудное время. Прошел ее день рождения. Она не получила весточки ни от Вильяма, ни от своих родителей. Война разлучила ее со всеми, кого она любила. Все, что у нее было, это ее сын и ребенок, который должен вот-вот родиться.

Но в день рождения Иоахим принес ей книгу, которая очень много значила для него, когда он учился в Оксфорде, и была одной из немногих личных вещей, взятых им с собой. Это были поэмы Руперта Брука, которые она очень любила. День рождения в этом году оказался для нее несчастливым. До нее дошли ужасные вести о том, что бомбят Британию. Пятнадцатого августа началась бомбежка Лондона, и ее сердце разрывалось при мысли об их друзьях, о родственниках Вильяма... о детях... Иоахим предупреждал ее, что это произойдет, но она не ожидала, что все случится так скоро. Лондон разрушали.

— Я предупреждал вас, что здесь вы в большей безопасности. Особенно теперь, Сара. — Он говорил мягким голосом, помогая ей обойти выбоину на дороге, и немного погодя они сели на большой камень. Он понимал, что лучше не касаться войны, а побеседовать о чем-нибудь другом, чтобы не огорчать ее.

Он рассказал ей о том, как в детстве путешествовал в Швейцарию, и о проделках своего брата, когда они были детьми. Как странно, его еще раньше поразило сходство его брата с ее сыном. Филипп как раз начал ходить, у него были золотые кудри и большие голубые глаза, и он ужасно озорничал.

— Почему вы снова не женитесь? — как-то спросила его Сара, когда они сидели на камне и отдыхали. Ребенок вот-вот должен был родиться, и Сара с трудом двигалась, но она любила прогулки и не хотела прекращать их. Ей нравилось разговаривать с ним, и, не осознавая этого, она привыкла к его обществу.

— Я больше ни в кого не влюблялся, — честно признался он, улыбнувшись ей, ему хотелось добавить, — до сих пор. — Но он удержался от искушения. — Ужасно говорить такое, но я не уверен даже, что любил свою жену. Мы были так молоды и знали друг друга с детства. Думаю, что это было просто... то, что от нас ждали, — объяснил он, и Сара улыбнулась. Ей было так спокойно с ним, и она почувствовала, что может поделиться с ним своим секретом.

— Я тоже не любила своего первого мужа, — призналась она. Он удивленно взглянул на нее. Его поражало в ней то, как она сильна, справедлива, пряма, как предана своему мужу.

— Вы были замужем раньше?

— В течение года. За человеком, которого я знала всю свою жизнь, как и вы вашу жену. Это было ужасно. Нам не следовало жениться. Когда мы развелись, мне было так стыдно, что я пряталась целый год. После этого мои родители взяли меня с собой в Европу, и я встретилась с Вильямом. — Теперь все выглядело так просто. Сара вспомнила, как болезненно она переживала свой развод. — Сначала я страдала от безысходности. Но с Вильямом, — ее глаза засветились, когда она произнесла его имя, — но с Вильямом все стало совсем по-другому...

— Он, должно быть, замечательный человек, — грустно сказал Иоахим.

— Да, вы правы. А я — счастливая женщина.

— Ему тоже очень повезло. — Иоахим помог ей подняться, и они пошли к ферме, а потом он проводил ее домой. На
следующий день они никуда не пошли, а просто посидели в
парке. Сара казалась спокойнее, чем обычно, печальнее и за-
думчивее. Но прошел день, и она снова стала сама собой и
настояла на том, чтобы пойти к реке.

— Видите ли, иногда вы беспокоите меня, — сказал он,
когда они шли по дороге. Сара чувствовала себя сегодня бод-
рее, и к ней вернулось чувство юмора.

— Почему? — заинтересовалась она, ей показалось
странным, что офицер, возглавляющий немецкие оккупационные силы в этом районе, беспокоится о ней, хотя Сара
понимала, что они теперь стали друзьями.

— Вы столько делаете. Столько взвалили себе на плечи. — Он теперь уже знал, как много в замке она вос-
становила своими руками, и был поражен этим. Как-то
Сара провела его по комнатам, и он не мог поверить, что
она так точно и тщательно выполнила работу, и тогда она
показала ему все, что сделала в конюшнях.

— Не думаю, что я позволил бы вам делать все это,
если бы вы были моей женой, — строго заметил он, а
она рассмеялась.

— Значит, я правильно поступила, выйдя замуж за
Вильяма.

Он улыбнулся ей, снова позавидовав Вильяму, тем не
менее благодарный за то, что ему довелось познакомиться с ней. Они задержались у ее калитки, и в этот вечер
Сара словно не хотела, чтобы он уходил. И в первый раз
перед тем, как расстаться, она коснулась его руки и поблагодарила его.

Этот жест заставил его вздрогнуть, и он почувствовал, как внутри у него все потеплело, но он постарался
ничем не выдать своих чувств.

— За что?

— За то время, которое вы проводите со мной... за
ваши беседы. — Для нее много значило то, что у нее
была возможность с ним поговорить.

— Я жду встреч с вами... может быть, больше, чем вы предполагаете, — тихо произнес он. Сара отвела взгляд, не зная, что ответить. — Может быть, нам обоим повезло, что мы здесь, — нежно сказал он. — Своего рода рок... Высшее предназначение. Эта война была бы для меня еще хуже, если бы вас не было здесь, со мной, Сара. — По правде говоря, он не был так счастлив много лет, и единственное, что пугало его — это предстоящая разлука с ней. Он должен будет однажды уехать, а она вернется к Вильяму, не зная, какие чувства он испытывает к ней и что она значит для него. — Спасибо, — сказал он, и ему хотелось протянуть руку и коснуться ее лица, волос, ее рук... но он не решился.

— Увидимся завтра, — тихо произнесла она. Но на следующий день он наблюдал за коттеджем из окна и беспокоился, почему Сара не выходит. Ему хотелось узнать, как она себя чувствует, но он дождался темноты, прежде чем направиться к ее дому. Везде горел свет, в окне кухни он увидел Эмануэль. Иоахим постучал в одно из окон, и девушка, нахмурившись, подошла к двери с Филиппом на руках, мальчик капризничал.

— Ее светлость больна? — справился он по-французски, она покачала головой. Поколебавшись, Эмануэль все же решила сказать Иоахиму. Она понимала, что, несмотря на ее отношения к нему и немцам вообще, Саре он нравился. Эмануэль никогда не сомневалась в этом. Между ними существовало странное, на ее взгляд, взаимное уважение.

— Она рожает. — Но было что-то в ее глазах, едва заметная тень страха, которую он скорее почувствовал, чем увидел, и он вспомнил то, что Сара рассказывала ему о первых родах.

— Все идет хорошо? — спросил он, пытаясь заглянуть девушке в глаза. Эмануэль, поколебавшись, кивнула, и он почувствовал облегчение, потому что все его медсестры и оба доктора уехали на конференцию в Париж. В санатории сейчас не было тяжело раненных солдат, за больными ухаживали только дневальные. — Вы уверены, что все в порядке? — повторил он свой вопрос.

— Да, уверена, — отрезала она. — Я недавно заходила к
мадам. — Он просил передать Саре его наилучшие пожелания
и через минуту ушел, думая о ней, о боли, которую она испытывает, и о малыше, который вот-вот родится, и сожалея,
что этот ребенок не его.

Он вернулся в кабинет Вильяма и долго сидел, глядя на ее
фотографию, найденную им здесь. Фотография была сделана в
Вайтфилде, Сара смеялась над чем-то, что сказал Вильям, стоя
рядом с ней. Они были красивой парой, и он отложил фотографию и налил себе немного бренди. Он убрал стакан, когда один
из дневальных зашел к нему.

— Вас хотят видеть. — Было одиннадцать часов, и
он собирался лечь спать, но вышел и был удивлен, увидя
стоящую в прихожей Эмануэль.

— Что-нибудь случилось? — забеспокоился он. И Эмануэль, размахивая руками, взволнованно заговорила.

— Снова все идет не так, как надо. Ребенок никак
не родится. Прошлый раз... мсье герцог сделал все... он
кричал на нее... это заняло несколько часов... я давила на
нее... и в конце концов ему пришлось повернуть ребенка... — Он выругал себя за то, что не оставил здесь доктора. Он знал, что в прошлый раз у нее были трудные
роды, и даже не подумал об этом, когда они уезжали в
Париж. Иоахим схватил свой френч и вышел из замка
следом за Эмануэль. Он никогда не принимал детей, но
здесь не было совершенно никого, кто бы мог им помочь.
Он знал, что и в городе не осталось ни одного врача.
Когда они подошли к коттеджу, все огни по-прежнему были
зажжены. Поднявшись вверх по лестнице, он увидел, что
маленький Филипп спал в своей постели в соседней комнате. Взглянув на Сару, он тотчас понял, что имела в виду
Эмануэль. Она была совершенно измучена невыносимы-
ми болями. Французская девочка сказала, что роды начались рано утром, с тех пор прошло уже шестнадцать часов.

— Сара, — нежно позвал он, садясь рядом с ней на единственный стул, который находился в комнате, — это Иоахим.
Я прошу прощения за то, что пришел, но сейчас больше никого
нет, — вежливо извинился он, и она кивнула, поняв, что он

здесь, и, кажется, она не возражала. Она вцепилась в его руку, так как снова началась схватка и длилась бесконечно долго, Сара снова закричала.

— Ужасно... хуже, чем в прошлый раз... Я не могу... Вильям...

— Нет, вы можете. Я пришел, чтобы помочь вам, — Он говорил удивительно спокойно. Эмануэль вышла из комнаты за чистыми полотенцами. — Ребенок совсем не выходит? — спросил он, глядя на нее.

— Я не думаю... Я... — Теперь она вцепилась в обе его руки. — О, Боже... ох, я... простите... Иоахим! Не оставляйте меня. — Она в первый раз назвала его по имени, хотя он часто называл ее Сарой, ему захотелось обнять ее и сказать, как он любит ее.

— Сара, пожалуйста... Вы должны помочь мне... все будет хорошо. — Он объяснил Эмануэль, как обхватить ее ноги, а сам держал Сару за плечи, когда начинались схватки, чтобы ей легче было тужиться. Сначала она вырывалась, но его голос звучал спокойно и твердо, казалось, он знал, что делает. Спустя около часа появилась головка ребенка, на этот раз крови было гораздо меньше. И этот ребенок оказался очень крупный, потребуется немало времени, чтобы вытолкнуть его. Но Иоахим решил остаться и помогать столько, сколько будет необходимо. Уже почти рассвело, когда, наконец, вышла головка и появилось сморщенное личико. Но ребенок не дышал, и в комнате воцарилась тишина. Эмануэль взглянула на него с беспокойством, удивляясь, что бы это могло значить. А Иоахим посмотрел на ребенка, затем быстро повернулся к Саре.

— Сара, вы должны потужиться как следует, — настойчиво сказал он, бросая взгляды на синеватое лицо ребенка. — Давайте... теперь, Сара, тужьтесь! — скомандовал он. И на этот раз сделал то, что раньше делала Эмануэль, — нажал на ее живот, чтобы помочь ей. И мало-помалу ребенок вышел и теперь безжизненно лежал на постели между ее ног. Сара взглянула на него, в отчаянии вскрикнула.

— Он мертв! Боже мой, ребенок мертв! — закричала она. Иоахим взял ребенка, все еще связанного с матерью, на руки. Это была девочка, но она не подавала признаков жизни. Он помассировал ей спину, похлопал ее. Потом, держа за ноги, перевернул головой вниз и потряс. И когда он сделал это, огромный комок слизи вылетел из ее рта. Малышка судорожно вздохнула и закричала и продолжала кричать громче, чем те дети, которых он слышал до сих пор. Она была вся в крови, и он заплакал так же, как Сара и Эмануэль, испытывая облегчение и думая, как прекрасна жизнь. Затем он перерезал пуповину и отдал ребенка Саре, нежно улыбаясь. Он не мог бы любить Сару сильнее, даже если бы был отцом ребенка.

— Ваша дочь, — сказал он и осторожно положил ребенка, завернутого в чистую простынку, рядом с Сарой. Потом пошел помыть руки и по возможности привести в порядок рубашку. Немного погодя он вернулся к постели Сары. Она протянула ему руку и, взяв его руку в свою, поцеловала ее.

— Иоахим, вы спасли ее. — Они долго смотрели друг на друга, и он почувствовал, что вместе с ней в эти последние часы дал жизнь новому человеку.

— Нет, — скромно отказался он. — Я просто делал то, что мог. Такова воля Бога. Все в его руках. — Тут Иоахим посмотрел на мирно спящую девочку, такую розовую, пухленькую и красивую. Малышка была прехорошенькая, и, если не считать того, что у нее были светлые волосы, она очень походила на Сару. — Она красивая.

— Красивая, в самом деле?

— Как вы собираетесь ее назвать?

— Элизабет Аннабель Вайтфилд. — Они с Вильямом решили это давно, и Сара подумала, что имя очень подходит новорожденной.

После этого он ушел, но поздно вечером вернулся снова посмотреть, как у них дела. Филипп, прижимаясь к матери, зачарованно следил за сестричкой.

Иоахим принес цветы и большой кусок шоколадного торта, фунт сахара и еще килограмм драгоценного кофе. Сара сидела в постели и выглядела на удивление хорошо, учитывая то, что ей пришлось перенести. Но на этот раз роды было легче, чем в первый раз, и ребенок весил «всего» девять фунтов. Когда Эмануэль объявила это, они все рассмеялись. Трагедии не произошло благодаря Иоахиму. Даже Эмануэль стала обращаться с ним лучше. Когда Эмануэль вышла из комнаты, Сара, посмотрев на него, поняла, что, несмотря на все превратности судьбы, она всегда останется ему благодарна и никогда не забудет о том, что он спас ее ребенка.

— Я никогда не забуду, что вы сделали, — прошептала она Иоахиму, держа его за руку.

— Я говорил вам. Все в руках Бога.

— Но вы были со мной... Я так боялась... — На глаза ее навернулись слезы при воспоминании о пережитом. Она не вынесла бы смерти ребенка, но Иоахим спас его.

— Я тоже боялся, — признался он. — Нам очень повезло. — Тут он снова улыбнулся: — Довольно забавно, она очень похожа на мою сестру.

— На мою тоже, — тихо засмеялась Сара. Они выпили по чашке чая, а он достал припрятанную бутылку шампанского и поднял бокал за нее и долгую жизнь леди Элизабет Анабель Вайтфилд. Наконец он поднялся.

— Теперь вы должны поспать. — Не говоря ни слова, он остановился и поцеловал ее в голову. Он коснулся губами ее волос и на мгновение закрыл глаза. — Спи, моя дорогая, — прошептал он, а Сара погрузилась в сон еще до того, как он вышел из комнаты. Она слышала его слова, словно издалека, но ей уже снился Вильям.

Глава 15

К лету следующего года постоянные бомбардировки уничтожили значительную часть Лондона, но люфтваффе не удалось уничтожить британский дух. За это время Сара получила от Вильяма всего два письма, которые шли к ней кружным путем. Он уверял ее, что у него все в порядке, и упрекал себя за то, что не увез ее из Франции, когда это еще можно было сделать. Второе письмо он отправил после того, как получил письмо от Сары, и в нем он выражал свою радость, узнав о рождении Элизабет. Но он тяжело переживал разлуку с ней и беспокоился о том, что они оставались во Франции, и у него нет возможности увидеть их. Вильям ничего не сообщал ей о своих попытках получить разрешение у военного министерства проникнуть во Францию, чтобы повидаться с ними, но министерство возражало. И у Сары тоже не было ни малейшей возможности вырваться из Франции. Он писал, что они не сдадут своих позиций и что война должна скоро кончиться. Но осенью от него пришло третье письмо, в котором были новости, едва не убившие Сару. Но он не осмелился скрыть их от нее, пока это не дошло до Сары каким-нибудь другим путем. Ему написала об этом ее сестра Джейн, потому что она считала, что у нее нет возможности связаться с Сарой. Их родители погибли в Саутгемптоне. Они были с друзьями на яхте, когда начался сильный шторм. Яхта затонула, и все пассажиры, находившиеся на борту, утонули, прежде чем береговая охрана успела прибыть к месту катастрофы.

Сара была убита горем и целую неделю не разговаривала с Иоахимом. За это время он узнал, что его сестра погибла при бомбардировке Манхейма. Утраты были тяжелы для них обоих.

Новости приходили все хуже и хуже. Весь мир был потрясен, узнав о нападении на Пирл-Харбор.

— Боже мой, Иоахим, что это значит? — Эту новость сообщил ей он. К этому времени они стали близкими друзьями, и немалую роль в этом сыграло то, что он спас жизнь Элизабет. Он продолжал приносить им продукты и разные мелочи и всегда оказывался рядом, когда был им нужен. Он достал лекарства, когда у Филиппа был приступ бронхита. Сейчас эта новость, казалось, должна все изменить. Не для них. Для всего мира. В конце дня Америка объявила войну Японии и тем самым Германии. Это ничего не меняло для нее. Фактически она была пленной. Но ее пугала сама мысль, что на Америку могли напасть. Что, если следующим будет Нью-Йорк? Она подумала о Питере, Джейн, их детях. Прискорбно, что она не могла вместе с ними оплакивать погибших родителей.

— Это многое меняет, — тихо сказал Иоахим, когда они сидели у нее на кухне. Некоторые из его людей знали, что он иногда приходит навестить ее но, кажется, никто не придавал этому большого значения. Она была хорошая женщина и держалась с достоинством, как хозяйка замка, но для Иоахима она значила гораздо больше. Он нежно любил ее. — Могу себе представить, что очень скоро это будет иметь для нас серьезные последствия, — угрюмо заметил он. И он, конечно, оказался прав. Использовались все возможные способы ведения войны, и бомбардировка Лондона продолжалась.

Прошло не больше двух месяцев, когда Сара узнала, что ее зять — на Тихом океане, а Джейн осталась с детьми в Лонг-Айленде. Ей казалось странным, что дом теперь принадлежал ей и Джейн, так же, как и дом в Нью-Йорке, и что Джейн живет там теперь со своими детьми. Их разделяли многие мили и война, и Саре грустно было думать о том, что ее дети никогда не узнают ее родителей.

Но она оказалась совершенно не подготовлена к той новости, которая настигла ее весной. К тому времени Филиппу исполнилось полтора года, а Элизабет, ее чудесной малютке, как называл ее Иоахим, — семь месяцев, у нее прорезались четыре зуба, и она все время пребывала в хорошем расположении духа. Девочка постоянно смеялась и лопотала. Каждый раз при виде Сары она визжала от восторга и, обвив ее ручонками за шею, прижималась лобиком к ее щеке. Филипп тоже любил сес-

тренку. Он всегда целовал ее, пытался поднять и называл
«своим» ребенком.

Сара держала малышку на коленях, когда Эмануэль принесла ей письмо с почтовой маркой с Карибского моря.

— Как оно попало к тебе? — спросила Сара, но тут
же замолчала. Она уже давно поняла, что в жизни Эмануэль и Генри было много такого, о чем она не хотела бы
знать, и, возможно, их родители также были с этим связаны. До нее доходили слухи о людях, которых прятали в
отеле, а один раз она даже позволила им воспользоваться
старым сараем, расположенным недалеко от фермы, чтобы спрятать на неделю какого-то человека. Но Сара старалась знать как можно меньше, чтобы не причинить им
вреда. У Генри не один раз бывали небольшие раны. Но
еще больше ее беспокоило, что Эмануэль увлеклась сыном мэра, который был тесно связан с немцами. Сара справедливо считала, что ее увлечение было скорее политическим,
чем романтическим. Печально, что так начиналась чья-то
любовь. Она однажды попыталась поговорить об этом с
Эмануэль, но девушка оказалась скрытной. Она не хотела втягивать Сару в свои дела, связанные с Сопротивлением. Теперь она принесла письмо, и Сара увидела по
знаку на обороте, что оно от герцога Виндзорского. Она
не могла себе представить, почему он ей написал. Они
никогда не переписывались прежде, хотя она слышала по
радио, которое родители Эмануэль прятали в отеле, что
он теперь стал губернатором Багамских островов. Правительство боялось, что немцы могут сделать его заложником, если схватят, так что его хорошо спрятали, чтобы
ему не могли причинить вреда. Но до того, как он уехал,
его симпатии к немцам не были большим секретом ни для
кого в Англии.

Письмо начиналось дружеским приветствием, к которому,
как он уверял ее, присоединяется Уоллис, затем он выражал
глубочайшее сожаление по поводу того, что ему приходится
сообщить ей о том, что Вильям пропал без вести во время
проведения боевой операции. Существовала вполне определенная возможность того, что он был захвачен в плен, но это не

подтвержденные сведения, и ему грустно, что приходится сообщать ей об этом. На самом деле письмо, которое она прочитала, глядя потускневшими глазами, сообщало ей только одно — что Вильям пропал. Герцог описывал подробно, каким образом это произошло, и уверял ее, что Вильям всегда действовал разумно и осторожно. Вполне вероятно, что он был убит, падая вниз, но, может быть, он остался в живых. Он прыгнул с парашютом в расположение немецких частей с разведывательной миссией, которую Вильям добровольно вызвался выполнить, несмотря на возражения военного министерства, по известным причинам.

«Он очень упрямый молодой человек, и боюсь, нам всем это стоило очень дорого... — продолжал он. — Вам, моя дорогая, дороже всех. Вам надо быть очень мужественной. Он хотел, чтобы Вы были такой, и верили в то, что, если Богу будет угодно, он останется невредимым, или, может быть, он уже в руках нашего Творца. Надеюсь, у Вас все в порядке, и я посылаю Вам наши глубочайшие соболезнования и заверяю Вас в нашей искренней любви к Вам и Вашим детям».

Она уставилась на письмо, продолжая держать его в руках, затем перечитала его снова, рыдания подступили к горлу и начали душить ее. Эмануэль следила за выражением лица Сары, когда она читала письмо, и поняла, что новости были плохими. У нее было предчувствие, когда она несла письмо из отеля. Эмануэль быстро взяла у нее Элизабет и вышла из комнаты, не зная, что ей сказать. Когда она вернулась через несколько минут, Сара рыдала, сидя за кухонным столом.

— О, мадам... — Она посадила ребенка на пол и обняла свою безутешную хозяйку. — Что-нибудь с мсье герцогом? — спросила она дрогнувшим голосом, и Сара медленно кивнула, затем подняла на нее глаза, полные слез.

— Он пропал без вести... и предполагают, что его взяли в плен... а возможно, он мертв... точно неизвестно... Письмо от его кузена.

— О, pauvre* мадам... он не может быть мертв... не верьте этому!

---

* Бедная (фр.).

Она кивнула, не зная, чему верить. Она знала единственное, что не может жить на свете без Вильяма. Но
он хотел бы, чтобы она жила ради детей, ради него. Сара
просто не могла вынести этого. Она долго сидела и плакала, потом встала и ушла в лес и долго бродила там одна.
Иоахим не видел ее на этот раз, она знала, что он не
гуляет так поздно, в это время он уже обедает. Ей хотелось побыть одной. Ей необходимо было побыть одной.
Она села в тени на бревно и заплакала, вытирая слезы
рукавом свитера. Как она сможет жить без него? Как может
жизнь быть такой жестокой? И как они могли позволить
ему участвовать в такой опасной операции? Они послали
Дэвида на Багамы. Почему они не послали Вильяма в
какое-нибудь безопасное место? Ей невыносима была мысль,
что с ним что-то случилось. Она просидела в лесу до темноты, стараясь собраться с мыслями и молясь. Сара была
в оцепенении до поздней ночи, пока не легла в постель, в
которой они спали вместе с Вильямом, после того как переехали в замок. И вдруг внезапно, лежа в постели, она
почувствовала, что он жив. Она не знала, когда, где и
как они встретятся, но у нее появилась уверенность, что
однажды они снова будут вместе. Это было словно зна-
мение Господне, настолько сильное, что Сара не могла
отмахнуться от него, и оно успокоило ее. И после этого
она погрузилась в сон. А утром она проснулась посве-
жевшая и еще больше уверенная в том, что Вильям жив
и что он не убит немцами. Позднее, днем, она рассказала
обо всем Иоахиму, и он спокойно выслушал ее, но его не
совсем убедила ее религиозная вера.

— Я серьезно, Иоахим... Я ощущала эту силу... эту абсо-
лютную уверенность, что он жив где-то. Я знаю это. — Она
говорила с глубокой убежденностью, и он не стал разуверять
ее, зная, как мало попавших в плен остаются в живых.

— Возможно, вы правы, — спокойно сказал он. — Но
вы все же должны приготовиться к тому, что существует веро-
ятность того, что вы можете оказаться неправы, Сара. — Он
старался выразить это как можно мягче. Она должна признать,
что он пропал без вести и, возможно, мертв. Существовала

вполне определенная возможность, что в данный момент она уже была вдовой. Пока он не хотел заставлять ее посмотреть в лицо этому факту, но в конце концов несмотря на то, что она почувствовала прошлой ночью, ей придется смириться с этим.

Время шло, но никаких вестей от Вильяма не приходило, никаких сообщений о том, что он попал в плен или выжил. Иоахиму было ясно, что Вильям погиб, но Сара все время вела себя так, словно рассталась с ним только вчера, хотя видела его только во сне. Она была более спокойной, решительной и уверенной, чем в начале войны, когда еще получала редкие письма. Теперь писем не было, только молчание. Он ушел. Возможно, навсегда. И рано или поздно ей придется признать это. Иоахим все время ждал, он понимал, пока она не смирилась со смертью Вильяма, его время не настало, и он не хотел на нее оказывать давление. Он все время находился рядом, когда был ей нужен, когда ей хотелось поговорить или когда она грустила и чувствовала себя одинокой, или когда ей было страшно. Иногда трудно было поверить, что они принадлежали к разным воюющим сторонам. Для него они были просто мужчина и женщина, которые прожили рядом уже два года, и он любил ее всем сердцем, всей душой и отдавал ей все, что мог. Он не знал, как все сложится после войны, где они будут жить и чем заниматься, сейчас для него это не имело значения. Смыслом его жизни стала Сара. Он жил, дышал и существовал ради нее, но она не догадывалась об этом. Она знала, как он предан ей, и считала, что он очень привязался к ней и детям, особенно к Элизабет, после того, как спас ее при рождении, но Сара никогда не предполагала, что он так сильно любит ее.

В этом году на день рождения он хотел подарить ей великолепные серьги с бриллиантами, которые купил для нее в Париже, но она наотрез отказалась принять их.

— Иоахим, я не могу. Они сказочные. Но это невозможно. Я замужем. — Он не стал переубеждать ее, хотя думал, что это уже не так. Он был уверен, что она вдова, и при всем уважении к Вильяму нельзя было не учитывать то, что он отсутствовал уже полгода и она теперь была свободна. — И ради всего святого, я ваша пленница, — засмеялась она. — Что скажут люди, если я приму в подарок серьги с бриллиантами?

— Я вовсе не уверен, что мы должны им объяснять это. — Иоахим был разочарован, но он понимал ее. Они договорились, что он подарит ей новые часы, которые она приняла, и прелестный свитер, который ей был просто необходим. Подарки были очень скромные, и так похоже на нее отказаться от более дорогих вещей. Он уважал ее и за это. Казалось удивительным, что за прошедшие два года он не обнаружил в ней ничего, что бы ему не понравилось, за исключением того, что она по-прежнему была убеждена, что она замужем за Вильямом. Но это, пожалуй, ему тоже нравилось в ней. Она оставалась верна до конца, добрая, любящая и преданная. Раньше он завидовал Вильяму, теперь ему было жаль его. Бедняга погиб. И рано или поздно Саре придется посмотреть правде в лицо. Но на следующий год даже непоколебимая уверенность Сары стала рассеиваться, хотя она не признавалась в этом никому, даже Иоахиму. Но Вильям отсутствовал уже больше года, и никому из разведчиков не удалось ничего выяснить. Даже Иоахим предпринимал осторожные попытки кое-что разузнать, но при этом не вовлечь никого в беду. Но по обе стороны Ла-Манша, кажется, пришли к единому мнению, что Вильям был убит в марте 1942 года, когда его забросили в немецкий тыл. Сара все еще не могла этому поверить, но теперь, когда она думала о нем, то даже самые дорогие воспоминания, казалось, потускнели, и это пугало ее. Она не видела его почти четыре года, чудовищно долгий срок даже для такой большой любви, чтобы продолжать хранить столь малую надежду и испытывать огромную муку.

В этом году она спокойно провела Рождество вместе с Иоахимом. Он был невероятно нежным и любящим по отношению к ним. Это было особенно важно для Филиппа, который рос без отца. В его представлении Иоахим был особенным другом, и, естественно, он очень нравился Филиппу, так же, как и Саре. Она по-прежнему ненавидела все, что немцы олицетворяли для нее, но она не могла ненавидеть Иоахима. Он был хороший человек и много работал, помогая раненым, которых привозили в замок на поправку. У некоторых из них не было ни конечностей, ни надежды, ни будущего, ни дома, куда бы они могли вернуться. И каким-то образом он ухитрялся найти время для каждого, часами беседуя с ними, вселяя в них надежду, заставляя их вновь обрести желание жить, иногда он занимался этим вместе с Сарой.

— Вы изумительный человек, — тихо сказала она ему, когда они сидели на кухне в коттедже. Эмануэль была у себя дома, а Генри уже несколько недель пропадал где-то в Арденнах, по словам Эмануэль, и Сара больше не задавала никаких вопросов. Ему исполнилось уже шестнадцать лет, и он вел жизнь, полную волнений и опасности. Жизнь Эмануэль тоже становилась все труднее. Сын мэра относился к ней с крайней подозрительностью, и разразился большой скандал, когда она ушла от него. Теперь у нее был роман с одним из немецких офицеров, но Сара ничего ей ни разу не сказала, но она подозревала, что Эмануэль получает от него какую-то информацию и передает ее партизанам. Сара держалась в стороне от всего этого. Она делала, что могла, по восстановлению замка, помогала медицинскому персоналу, когда к ней обращались, а остальное время проводила с детьми. Филиппу исполнилось четыре с половиной года, а Элизабет была на год младше. Дети были прелестны. Филипп — высокий не по годам мальчик, а Элизабет удивляла ее своим изяществом и более тонкими, чем у мамы, чертами лица. С самого рождения она была хрупкой, однако отличалась непоседливостью и всегда была готова на озорство. И каждому, кто видел с детьми Иоахима, было ясно, что он их обожает. Накануне Сочельника он принес им красивые немецкие игрушки и помог украсить елку, а для Лиззи ухитрился найти куклу, которую девочка тотчас схватила обеими руками и начала баюкать.

А Филипп вскарабкался на колени к Иоахиму и обнял его руками за шею, прижимаясь к нему, Сара сделала вид, что не замечает этого.

— Вы не уедете от нас, как мой папа, не уедете? — с тревогой спросил он. Когда Сара услышала это, в ее глазах появились слезы. Но Иоахим поспешно ответил ему:

— Понимаешь, твой папа не хотел уезжать от вас. Если бы он мог, он был бы сейчас здесь с вами.

— Тогда почему он уехал?

— Он должен был уехать. Он — солдат.

— Но вы не уехали, — логично заявил ребенок, не
понимая, что Иоахиму тоже пришлось уехать от своих
собственных детей, из дома, и приехать сюда. Мальчик
не сходил с коленей Иоахима, пока он не отнес его наверх в постель, а Сара отнесла малышку. Филипп обожал
сестричку, что приводило Сару в восторг.

— Как вы думаете, в этом году все наконец окончится? —
с грустью спросила Сара, когда они выпили по глотку прекрасного «Курвуазье» после того, как уложили детей спать.

— Надеюсь. — Казалось, что войне не будет конца. —
Иногда я думаю, что бойня не закончится никогда. Я смотрю
на этих мальчиков, которых присылают к нам день за днем,
неделя за неделей, год за годом, и задаюсь вопросом, осоз-
нает ли кто-нибудь, насколько это все бессмысленно и стоит
ли таких жертв.

— Думаю, что именно поэтому вы здесь, а не на фронте, — улыбнулась ему Сара. Он ненавидел войну почти
так же, как и она.

— Я рад, что я попал сюда, — мягко ответил он.
Иоахим надеялся, что с ним ей было легче перенести все
невзгоды военного времени. Потом он протянул руку через стол и осторожно коснулся ее руки. Они знали друг
друга три с половиной года, и этот срок казался чуть ли
не целой жизнью.

— Вы для меня очень много значите, — тихо произнес
он, и тут, под действием бренди и сентиментальной ат-
мосферы этого дня, Иоахим не смог больше прятать свои
чувства. — Сара, — нежно произнес он, — я хочу, чтобы вы знали, что я люблю вас.

Она отвернулась, пытаясь скрыть свои чувства. Сара понимала,
что из уважения к Вильяму она не должна показывать их.

— Иоахим, не нужно... пожалуйста... — Она умоляюще
посмотрела на него, а он взял ее за руку и долго не отпускал.

— Скажите мне, что вы не любите меня, никогда не
полюбите, и я больше не повторю эти слова... но я действительно люблю вас, Сара, и мне кажется, что вы тоже
любите меня. Что же нам делать? Зачем нам скрывать
это? Зачем нам оставаться только друзьями, если мы мо-

жем дать друг другу гораздо больше? — Он страстно хотел
ее. Он столько ждал этого момента.

— Я люблю вас, — прошептала Сара, ужаснувшись
тому, что сказала, так же как и самому чувству, которое
она испытывала. Но любовь к нему родилась в ней давно, и она сопротивлялась, как могла... ради Вильяма. —
Но мы должны оставаться друзьями.

— Почему? Мы взрослые люди. Наступает конец света. Разве мы не можем позволить себе немного счастья? Немного радости? Немного солнечного света... прежде, чем он
наступит? — Они оба видели так много смерти, так много
боли, и оба так устали.

Сара улыбнулась его словам. Она тоже любила его, ей нравилось, как он обращался с ее детьми и с ней самой.

— У нас есть дружба... и любовь... мы не имеем права на
большее, пока Вильям жив.

— А если его нет в живых?

Сара отвернулась, как делала это всегда. Представить
Вильяма погибшим было еще слишком мучительно.

— Я не знаю. Я не знаю, что бы я чувствовала тогда. Но
сейчас я по-прежнему ощущаю себя его женой. И, может быть,
это чувство еще долго не покинет меня. Может быть, останется
навсегда.

— А я? — спросил Иоахим, первый раз что-то требуя от
нее. — А я, Сара? Что мне теперь делать?

— Я не знаю. — Она печально посмотрела на него, а он
поднялся и подошел к ней. Он сел рядом с ней и заглянул ей в
глаза, и там он увидел печаль и желание. Не удержавшись, он
коснулся ее лица.

— Я всегда буду здесь с вами. Я хочу, чтобы вы знали
это. И когда вы сумеете примириться с тем, что Вильяма
нет в живых, я по-прежнему буду здесь. У нас есть время, Сара... у нас целая жизнь. — Тут он нежно поцеловал ее в губы, сказав, наконец, то, что хотел сказать ей
долгое время, и она его не остановила. Сара не могла
остановить его. Ей хотелось этого так же, как и ему. Прошло
больше четырех лет с тех пор, как она не видела мужа, и
три с половиной года она прожила рядом с этим челове-

ком, бок о бок, день за днем, испытывая к нему все большую любовь и уважение. Однако она понимала, что они не имели права на то, чего так хотелось им обоим. Для нее это значило больше, чем жизнь. Она дала клятву человеку, которого любила.

— Я люблю вас, — прошептал Иоахим, снова поцеловав ее.

— Я тоже люблю вас, — сказала она. Но она все еще любила Вильяма, и они оба понимали это.

Немного погодя он ушел от нее, полный уважения к ней и ее желанию. На следующий день он снова навестил их и поиграл с детьми. Их жизнь продолжалась, как и прежде, словно не произошло никакого разговора.

Весной у немцев дела пошли хуже. Иоахим заходил поговорить с Сарой о своих опасениях. В апреле он был уверен, что их переведут ближе к Германии, и боялся, что ему, возможно, придется оставить Сару и ее детей. Он обещал вернуться сразу, как только война будет выиграна или проиграна, ему это было безразлично, если они оба выживут. Он оставался сдержанным с ней, и хотя время от времени они целовались, дальше этого они не заходили. Так было лучше, и он понимал, что им не о чем сожалеть, что Саре необходимо время. Ей по-прежнему хотелось верить, что Вильям жив и, может быть, вернется. Но Иоахим понимал, что даже, если Вильям уцелел, Саре будет теперь трудно расстаться с ним. Она советовалась с ним, нуждалась в его помощи и поддержке, и она его уважала. Несмотря на то что она все еще любила Вильяма, они теперь были больше, чем друзья.

Но если его огорчали новости из Берлина, то Сара не обращала на них внимания. Ее беспокоила Лиззи, у которой с марта не проходил жестокий кашель, и на Пасху она все еще болела.

— Я не понимаю, что у нее, — пожаловалась она ему однажды вечером на кухне.

— Наверное, грипп. В деревне болели всю зиму. — Он взял ребенка в замок, чтобы показать доктору, и тот уверял, что это не пневмония, но лекарство, которое он дал ей, тоже не помогло.

— Как вы думаете, это не туберкулез? — с тревогой спросила она Иоахима, но он не разделял ее опасений. Он попросил у доктора еще какое-нибудь лекарство, но в последнее время они ничего не могли достать. Поставки медикаментов были полностью прекращены, один из докторов был отправлен на фронт, другой собирался уехать в мае. Незадолго до этого Лиззи снова слегла в постель с явной лихорадкой. И маленький Филипп изо дня в день сидел в ногах ее постели, пел ей и рассказывал сказки.

Днем Эмануэль занималась с Филиппом, но теперь он безумно беспокоился о Лиззи. Она все еще была «его» малышкой, и его пугала ее болезнь. Он видел, как встревожена его мать. Филипп все время спрашивал, поправится ли она. Сара успокаивала мальчика, обещая, что сестричка выздоровеет. Иоахим приходил к ним каждый вечер. Он клал ей на лоб влажное полотенце, пытался уговорить ее попить, а когда она слишком сильно кашляла, растирал ей спину точно так, как делал это, когда она только что родилась, чтобы заставить ее дышать. Но на этот раз он, кажется, был бессилен. С каждым днем Лиззи становилось хуже. Первого мая она лежала в лихорадке. Оба доктора уже уехали. Запас лекарств в замке истощился. Иоахим не знал, что предложить. Он мог только сидеть вместе с ними, молясь, чтобы ребенку стало лучше.

У него появилась мысль отвезти ее к доктору в Париж, но девочка была слишком слаба, чтобы перенести это путешествие. Американцы наступали во Франции, и немцы начали паниковать. Париж был разоружен, и большинство личного состава оккупационных войск было отправлено на фронт или обратно в Берлин. Для рейха наступили мрачные времена, но Иоахим больше тревожился о Лиззи.

В начале мая он, как всегда, пришел вечером в коттедж и увидел Сару, сидящую возле девочки, она смачивала ей лобик влажным полотенцем, но на этот раз Лиззи не двигалась. Он сидел с ней несколько часов и в конце концов вернулся к себе в кабинет. У него было слишком много дел, и он не мог так долго отсутствовать без объяснений. Поздно вечером он вернулся и застал Сару лежащей в детской постели вместе с девочкой, которая дремала у нее на руках. Сара подняла глаза, и Иоахим увидел в них боль и страдание.

— Никакого улучшения? — прошептал он. Сара покачала головой. С утра девочка не просыпалась. Но пока он стоял, глядя на них, Лиззи шевельнулась и первый раз за день открыла глаза и улыбнулась своей матери. Она была похожа на ангела, со светлыми кудрями и огромными зелеными глазами, как у Сары. Ей было три с половиной года, но теперь, когда она была так больна, она выглядела старше, словно все тяготы мира легли на ее плечи.

— Я люблю тебя, мамочка, — прошептала она и закрыла глаза. Внезапно Сару поразила страшная мысль. Она словно почувствовала, что девочка засыпает навсегда. Ей хотелось удержать ее здесь, в этом мире. Ей отчаянно хотелось сделать что-то, чтобы вернуть малышку, но она была бессильна. Не осталось врачей, медсестер, лекарств, которые давали ей в госпитале... только любовь и молитвы, и тут, когда Сара посмотрела на нее, девочка снова вздохнула. Сара коснулась прекрасных кудрей и прошептала малютке, что она безумно любит ее.

— Я люблю тебя, милое дитя... Я так сильно люблю тебя... Мама тебя любит... и Бог тоже любит тебя... Ты теперь в безопасности... — шептала она снова и снова, а Иоахим плакал. И Лиззи в последний раз взглянула на них с нежной улыбкой, и ее маленькая душа взлетела на небеса.

Сара почувствовала, когда ее не стало, и через мгновение Иоахим тоже понял это. Он сел рядом с ними на постель и зарыдал, обняв и укачивая их обоих. Он помнил, как Лиззи появилась на свет, а теперь она умерла так скоро и так внезапно. Сара смотрела на него, убитая горем, она долго держала маленькую Лиззи и, наконец, положила ее на кроватку. Иоахим свел ее вниз по лестнице и пошел вместе с ней в замок, чтобы дать распоряжение о приготовлениях к похоронам.

Но в конце концов он все сделал сам. Иоахим поехал в город, чтобы достать для нее крошечный гроб, и вместе, тихо плача, они положили в него ребенка. Сара причесала ей волосы, одела хорошенькое платьице и положила вместе с ней ее любимую куклу. Это было самое ужасное из всего, что когда-либо случалось с ней. У нее разрывалось сердце, когда гроб опускали в могилу. Она могла только плакать, вцепившись в Иоахима, а бедный Филипп стоял рядом, ухватившись за ее руку, не в силах поверить в то, что произошло.

Филипп был рассержен и напуган, а когда начали засыпать могилу, он бросился вперед, пытаюсь остановить их. И пока Иоахим нежно удерживал его, он в бешенстве посмотрел на свою мать.

— Ты обманула меня! Обманула, — пронзительно закричал он, сотрясаясь от рыданий. — Ты позволила ей умереть... моей малышке... моей малышке... — Он был безутешен, вцепившись в Иоахима, он не подпустил Сару к себе. Он так сильно любил Лиззи и теперь не мог вынести ужасной потери.

— Филипп, пожалуйста... — Сара с трудом сумела выдавить эти слова, в то время, как он молотил руками, а она пыталась поймать и удержать их, чтобы он не бил ее. Она забрала его у Иоахима и ласково повела домой, оба они плакали. Она долго сидела с ним, крепко прижав к себе, пока он рыдал по «своей малышке». Всем им, Филиппу, Эмануэль, Иоахиму... Саре... трудно было поверить в случившееся. Только что она была с ними... и вот ее нет. Сара несколько дней находилась в трансе, как и Филипп. Они бесцельно бродили вокруг коттеджа, словно ожидая, что сейчас они вернутся домой, поднимутся по лестнице, и окажется, что все это просто злая шутка, а она озорничает наверху. Сара была так ослеплена болью, что Иоахим даже не осмелился сказать ей о том, что должно произойти. Только через месяц он сообщил, что они уезжают.

— Что? — Она сидела, уставившись на него, одетая в старое черное платье, которое не снимала несколько недель. Сара чувствовала себя древней старухой. Платье висело на ней, словно на вешалке. — Что вы собираетесь сделать? — Казалось, что она на самом деле не поняла его.

— Мы уезжаем, — мягко повторил он. — Сегодня утром мы получили приказ. Завтра мы отправляемся.

— Так скоро? — Она выглядела несчастной, когда он сказал это. Это была еще одна потеря, еще одна печаль.

— Прошло четыре года. — Он грустно улыбнулся. — Довольно долгий срок для того, чтобы находиться в гостях. Вы так не считаете?

Она тоже с грустью улыбнулась ему. Она не могла поверить, что он уезжает.

— Что это значит, Иоахим?

— Американцы в Сент-Ло. Они скоро будут здесь, а потом двинутся на Париж. Вы будете в безопасности. Они позаботятся о вас. — По крайней мере это приносило ему облегчение.

— А вы? — спросила она, беспокойно нахмурившись. — Вы не окажетесь в опасности?

— Меня вызывают в Берлин, а потом мы переводим госпиталь в Бонн. Очевидно, кто-то доволен тем, что я делаю. — Но они не знали, как мало души он вкладывал в это. — Я думаю, что там меня продержат до конца войны. Одному Богу известно, сколько это будет еще продолжаться. Но я вернусь обратно, как только смогу.

После четырех лет, которые он провел здесь, трудно свыкнуться с мыслью, что он уезжает. Сара понимала, как сильно ей будет не хватать его. Он так много значил для нее, но она понимала, что не может обещать ему будущее, о котором он мечтал. В глубине души ее жизнь по-прежнему принадлежала Вильяму. Возможно, после смерти Лиззи, даже еще больше, она словно потеряла часть его, и больше чем всегда ей не хватало Вильяма. Они похоронили ее в дальней части имения, недалеко от леса, где она всегда гуляла с Иоахимом, и она знала, что бы ни случилось теперь в ее жизни, это не будет так ужасно и болезненно, как потеря Лиззи.

— Я не смогу написать вам, — сказал он, и она понимающе кивнула.

— Я не привыкла к этому. Я получила четыре письма за последние пять лет. Одно от Джейн, два от Вильяма, одно от герцога Виндзорского и еще одно от матери Вильяма, и ни в одном из них не было хороших новостей.

— Я свяжусь с вами, как только смогу. — Он подошел к ней и обнял. — Боже милостивый, как мне будет вас не хватать. — Когда он сказал это, Сара поняла, как ей будет не хватать его, как ей будет одиноко, даже по сравнению с ее теперешним положением. И она грустно посмотрела на него.

— Мне тоже будет не хватать вас, — призналась она. Она позволила ему поцеловать себя, а Филипп стоял, наблюдая за ними с сердитым видом.

— Вы позволите мне взять с собой вашу фотографию? — спросил он.

— Вот. эту? Боже мой, Иоахим, я ужасно выгляжу.

Но он собирался взять другую, ту, где она была сфотографирована вместе со своим мужем в Вайтфилде, когда они оба были молоды и беспечны, и жизнь еще не обрушила на них столько несчастий. Ей еще не исполнилось двадцати восьми, но она выглядела гораздо старше.

Он дал ей свою маленькую фотографию, и они провели всю ночь за разговором. Ему хотелось бы провести эту ночь с ней в постели, но он не просил ее об этом, зная, что она не согласилась бы. Она была редкая женщина необыкновенной чистоты, человек, обладающий исключительными достоинствами, и настоящая леди.

На следующий день они с Филиппом провожали Иоахима. Филипп цеплялся за него, как утопающий хватается за соломинку, но Иоахим объяснил ему, что он должен уехать. Саре казалось, что Филипп чувствует, словно обрывается еще одна нить, связывающая его с Лиззи. Расставание было трудным для них всех, мучительным и болезненным. Только у Эмануэль был довольный вид, когда он приготовился к отъезду. Первыми уехали солдаты, затем грузовики с оставшимися медикаментами, среди которых не оказалось лекарств, необходимых для спасения Лиззи. Затем машины неотложной помощи с пациентами.

Перед отъездом Иоахим пошел с Сарой на могилу Лиззи. Он на мгновение встал на колени и положил маленький букетик желтых цветов. Оба они плакали, он в последний раз обнял Сару, подальше от глаз подчиненных, которые все знали. Они видели, как сильно он любил ее, но как солдаты, живущие рядом, они знали также, что между ними ничего не было. И они тоже уважали ее за это. Она была для них олицетворением надежды, любви и благопристойности. Она всегда была вежли-

ва и добра, и не важно, что она думала о войне и на какой была
стороне. И в глубине души они надеялись, что их жены были
такими же сильными, как она. Большинство мужчин, которые
знали ее, готовы были умереть за нее так же, как и Иоахим.

Он стоял и смотрел на нее, не отрывая глаз. Последний
джип ждал его, а водитель предусмотрительно отвернулся в
другую сторону. Иоахим привлек Сару к себе.

— Я люблю вас больше всех на свете, — признался он,
опасаясь, что по воле судьбы он никогда не увидит ее снова, а
ему хотелось, чтобы она знала это, — даже сильнее, чем своих
детей. — Тут он нежно поцеловал ее, и Сара на миг ухвати-
лась за него, желая высказать все, что она чувствовала по отношению к нему, но теперь было слишком поздно.

Но Иоахим заглянул в ее глаза и увидел все, что она
не смогла сказать.

— Спаси вас Бог... — прошептала она. — Берегите себя. Я
люблю вас... — При этих словах она запнулась и быстро наклонилась
к Филиппу, крепко держащему ее за руку, он тоже хотел что-то
сказать Иоахиму. Они все так много пережили вместе.

—. До свидания, маленький мужчина. — Иоахиму сдавило
горло при этих словах. — Заботься о своей маме. — Он
поцеловал его в макушку и взъерошил ему волосы, Филипп обнял его и, наконец, отпустил. Иоахим еще несколько
мгновений стоял и глядел на Сару. Затем отпустил ее руку
и забрался в джип. Он махал им, пока машина не выехала из ворот. Сара видела, как его скрыли клубы дорож-
ной пыли. Он исчез, а она стояла, рыдая.

— Зачем ты позволила ему уехать? — Филипп сердито
смотрел на нее, пока она плакала.

— У нас нет выбора, Филипп. — Политическая ситуация
была слишком сложной, чтобы объяснить ее ребенку его возраста. — Он прекрасный человек, хотя и немец, но сейчас он
должен вернуться домой.

— Ты любишь его?
Она колебалась всего лишь мгновение.

— Да, люблю. Он был для нас хорошим другом, Филипп.

— Ты любишь его больше, чем моего папу?
На этот раз она не колебалась даже мгновения.

— Конечно, нет.

— А я больше.

— Нет, это не так, — твердо сказала она. — Ты просто не помнишь своего папу, но он чудесный человек. — Ее голос стал тише, она задумалась о Вильяме.

— Он умер?

— Думаю, что умер, — осторожно произнесла она, не желая его обманывать, но стремясь передать ему свою веру, что, возможно, когда-нибудь они найдут Вильяма. — Если нам повезет, то в один прекрасный день он вернется.

— А Иоахим вернется? — с грустью спросил он.

— Не знаю, — честно ответила она. И молча, держась за руки, они побрели домой.

Глава 16

Когда семнадцатого августа прибыли американцы, Сара, Филипп и Эмануэль наблюдали, как они идут. Они неделями слышали об их приближении, и Саре страстно хотелось увидеть соотечественников. Они поднимались по дороге к замку в колонне джипов точно так же, как немцы четыре года назад. Было какое-то безумное ощущение уже виденного однажды. Но американцы не целились в нее из автоматов, и она понимала все, что они говорят. А когда они узнали, что она американка, раздались одобрительные возгласы. Она продолжала каждый день думать об Иоахиме, но не могла себе представить, что он благополучно добрался до Берлина. А Филипп постоянно вспоминал о нем. Только Эмануэль никогда не упоминала о немцах.

Командующим американских войск был полковник Фоксворт, из Техаса. Он был очень милым и расточал извинения за то, что он расположил часть своих людей в конюшнях. Остальные натянули палатки, заняли коттедж управляющего, который она недавно освободила, и даже местный отель. Они не стали выгонять ее из дома, куда она недавно переехала с Филиппом и Эмануэль.

— Мы уже привыкли к этому, — улыбнулась она по поводу того, что в ее конюшнях расположились солдаты. Полковник уверял ее, что они постараются причинить как можно меньше ущерба. Он хорошо справлялся со своими людьми, они были дружелюбны, но при этом держались почтительно. Они не флиртовали с Эмануэль, а она не проявляла к ним интереса. Филиппу они всегда приносили сладости.

Когда американцы освободили в августе Париж, все они услышали перезвон колоколов. Это произошло двадцать пятого августа. Франция наконец была освобождена. Немцы были изгнаны из Франции, и дни ее позора кончились.

— Войне конец? — недоверчиво спросила Сара полковника Фоксворта.

— Как только мы войдем в Берлин, все будет кончено. Но здесь по крайней мере началась новая жизнь. Если вы хотите, то можете теперь вернуться в Англию.

Сара не была уверена в том, что ей хочется покидать Шато де ля Мёз, но она считала, что должна съездить в Вайтфилд и повидаться с матерью Вильяма. Сара не выезжала за пределы Франции с тех пор, как пять лет назад началась война. Это было поразительно.

За день до дня рождения Филиппа Сара отправилась вместе с ним в Англию, оставив Эмануэль присмотреть за замком. Она была ответственная девушка, ей тоже пришлось дорого заплатить за войну. Ее брат Генри был убит прошлой зимой в Арденнах. Но он был героем Сопротивления.

Полковник Фоксворт и его коллега в Париже договорились, чтобы Сару и Филиппа доставили в Лондон на военном самолете. Среди летчиков прошел слух, что прибывает герцогиня Вайтфилд и ее сын, лорд Филипп.

Американцы отвезли ее в Париж на джипе. Они прибыли за несколько минут до отлета. Сара схватила Филиппа за руку, в другой держа небольшую сумку. Но когда они подбежали к самолету, солдат сделал шаг вперед и остановил ее.

— Простите, мадам. Вы не можете сесть в этот самолет... Это военный самолет... militaire... — сказал он по-французски, думая, что она не понимает его. — Non... non...

Он поднял палец, а она закричала, чтобы перекричать гул моторов.

— Они ждут меня! Нас ждут!

— Этот самолет только для военных, — прокричал он в ответ, — и старых... — И тут он понял, кто она, и покраснел до корней волос. — Я подумал... Я искренне прошу прощения, мадам... Ваше... величество... — До него не сразу дошло, что это и есть обещанная герцогиня.

— Не стоит, — улыбнулась она и вошла за ним в самолет.

Он ожидал увидеть какую-нибудь старую каргу, и ему даже в голову не пришло, что герцогиней Вайтфилд может оказаться молодая женщина с маленький мальчиком. Уходя, он еще раз извинился.

Полет до Лондона не занял много времени, им понадобилось меньше часа, чтобы пересечь Ла-Манш. Во время полета несколько офицеров почтительно разговаривали с ней, восхищенные тем, что она перенесла оккупацию. Саре было странно слушать их, она вспоминала, какой относительно мирной была ее жизнь, годы, прожитые в коттедже под защитой Иоахима. Когда они приземлились в Лондоне, их ждал огромный «роллс-ройс». Ее отвезли прямо в министерство воздушных сил на встречу с сэром Артуром Гаррисом, главнокомандующим отряда бомбардировщиков и личным секретарем короля, который был там по его приказу, сэром Аланом Ласкелем, он представлял также секретную разведывательную службу. Они подарили Филиппу маленькие значки и флажки, и все называли его ваша светлость. Он не привык к такой пышной церемонии и почестям, которые ему оказывали. Сара с улыбкой заметила, что, кажется, ему это понравилось.

— Почему дома меня так не называют? — шепотом спросил он свою мать.

— Кто? — изумилась Сара его вопросу.

— Ну... Эмануэль... Солдаты...

— Я им обязательно скажу об этом, — пошутила она, но он не заметил в ее голосе иронии и был доволен тем, что она с ним согласилась.

Несколько секретарей и два помощника занимались с Филиппом, когда Сара отправилась на встречу с сэром Артуром и сэром Аланом. Они были исключительно добры к ней, и то, что они хотели ей сказать, ей уже было известно, что два с половиной года от Вильяма нет ни слова.

Она помедлила, пытаясь успокоиться, и, набравшись мужества, задала им один вопрос. Глубоко вздохнув, она взглянула на них.

— Вы не исключаете возможности, что он еще жив? — тихо спросила она.

— Нет, — осторожно ответил сэр Артур. — Но маловероятно, — грустно добавил он. — До сих пор до нас не доходило о нем никаких сведений. Кто-нибудь видел бы его в одном из лагерей для военнопленных. А если бы они узнали, кто он такой, они непременно раззвонили бы об этом. Не думаю, что они не знают, кто он, если он у них в плену.

— Понимаю, — тихо сказала она.

Они еще немного поговорили с ней, и наконец все поднялись, поздравляя ее с тем, что она благополучно пережила оккупацию Франции, и восхищаясь ее мужеством, что она прошла через все это вместе с сыном.

— Мы потеряли маленькую девочку, — сказала она чуть слышно, — в мае... Вильям даже не видел ее...

— Нам очень жаль, ваша светлость. Мы не знали...

В конце аудиенции они проводили ее и вернули ей Филиппа, а затем торжественно отвезли ее в Вайтфилд. Вдовствующая герцогиня ждала их там, и Сара изумилась, как хорошо она выглядит. Она похудела и казалась хрупкой, но ей было восемьдесят девять лет. Однако, несмотря на возраст, во время войны делала все, что в ее силах, чтобы защитить Вайтфилд.

— Я так рада видеть вас, — сказала она, обнимая Сару, а затем, опираясь на трость, отступила на шаг, чтобы лучше рассмотреть Филиппа. Она была одета в светло-голубое платье под цвет ее глаз, и Сара почувствовала, как в ней поднялось волнение при мысли о Вильяме. — Какой красивый молодой человек. Он очень похож на моего мужа. — Она улыбнулась, абсолютно то же самое сказал Вильям, когда Филипп родился. Она повела их в дом и угостила Филиппа чаем и домашним песочным пирожным. Он с трепетом наблюдал за ней, но чувствовал себя удивительно по-домашнему. А позднее один из слуг повел его в конюшни, чтобы показать лошадей, пока вдовствующая герцогиня беседовала с Сарой. Она знала, что днем Сара была в министерстве, и беспокоилась, что же ей там сказали, но ее не удивило, что новости были неутешительными. На самом деле, она смотрела на все более философски, чем Сара, что ее удивило.

— Не думаю, что мы узнаем о том, что случилось, пока не падет Германия, а я надеюсь, что это скоро произойдет. Я полагаю, что должен быть кто-нибудь, кто знает об этом, но по каким-то соображениям молчит.

С другой стороны, он мог погибнуть, повиснув на дереве, спускаясь на парашюте или его мог застрелить солдат, который даже не представлял, кто он такой, и оставить его там, чтобы фермеры похоронили его. Существовало множество предположений, как он мог гибнуть, и гораздо меньше объяснений, как он мог остаться в живых. Сара понимала это. Она начала осознавать, что маловероятно, что ее муж все еще жив, но она цеплялась за крошечные осколки надежды, особенно теперь, когда она снова была в Англии. К большому огорчению, позвонив Джейн, она узнала, что ее зять погиб на Алеутах, и Джейн чувствовала себя такой же опустошенной, как Сара без Вильяма.

В Вайтфилде все напоминало Вильяма. Сару особенно тронуло, что ее свекровь подарила Филиппу на его день рождения пони. Мальчик был так взволнован и так счастлив. Сара не видела у него такой радостной улыбки с тех пор, как умерла Лиззи и уехал Иоахим. А здесь Филипп был частью мира его отца и жизни, для которой он был рожден. Ребенок здесь просто расцвел. И он твердо заявил ей, что хочет остаться здесь, когда она сказала, что в октябре они возвращаются во Францию.

— Могу я взять с собой своего пони, мама? — спросил он. Сара покачала головой. Они собирались лететь во Францию снова на военном самолете, и у них не было возможности везти с собой пони. Часть американцев еще оставалась в замке, в их жизни было еще слишком много суеты, чтобы даже подумать о том, чтобы взять с собой пони. За суматохой Сара начала по-настоящему горевать о том, что потеряла Вильяма. Возвращение в Вайтфилд сделало его отсутствие более реальным, и она скучала по нему больше, чем прежде.

— Мы скоро вернемся домой, милый, а бабушка позаботится о твоем пони.

Он загрустил из-за того, что не может взять пони во Францию. Хотя поразительно, что все это однажды будет принадлежать ему. Но ей резало слух, когда перед отъездом слуги стали называть его ваша светлость. Они считали, что Вильям умер, и герцогом теперь был Филипп.

— Я по-прежнему верю, что он даст о себе знать, — сказала Саре старая герцогиня вечером накануне ее отъезда. — Не теряй надежду, как не теряю я.

Сара пообещала ждать Вильяма, но в глубине души она начала оплакивать его.

На следующий день они вернулись во Францию. Военное министерство договорилось о транспорте для них. Все оказалось организовано лучше, чем полтора месяца назад, когда они уезжали. В замке все было в порядке. Эмануэль радостно встретила их. Большинство американских солдат уже уехали. Вернулся кое-кто из людей, которые работали у нее раньше, и Сара опять занялась деревянными панелями и восстановлением запущенного замка после стольких лет пребывания в нем немцев. Но благодаря бдительности Иоахима повреждений оказалось очень немного.

Она часто вспоминала о нем, но у нее не было возможности узнать о его судьбе. Временами она беспокоилась о нем. И постоянно молилась за него и Вильяма.

К Рождеству в этот год в замке все было спокойно. Сара чувствовала себя одиноко, как никогда. Все, казалось, возвращается к обычной жизни, но ненормально было то, что в мире все еще шла война. Однако силы союзников побеждали, и люди считали, что войне скоро конец.

Весной войска союзников выступили на Берлин, и в мае сражения в Европе наконец были закончены. Гитлер покончил с собой, многие его офицеры бежали. В Германии царил хаос, рассказывали ужасные истории о зверствах, совершенных в концентрационных лагерях, но Сара не получила никаких известий от Вильяма или Иоахима. Она не имела понятия, что произошло с тем и другим и живы ли они еще. Она просто жила день за днем в замке, пока однажды ее не вызвали в военное министерство.

— У нас для вас новости, ваша светлость, — раздался голос сквозь треск на линии, и она поняла, что плачет, еще не узнав, что это за новости. Филипп стоял на кухне, наблюдая за ней, и удивлялся, почему его мама плачет. — Мы полагаем, что, может быть, нашли нашего человека... э-э... то есть вашего мужа. Мы только вчера освободили один из лагерей для военнопленных, и там находятся четыре солдата, личность которых не установлена, в... э-э... довольно плохом состоянии... Боюсь, что один из них он... но он без сознания. Однако офицер, сопровождавший его в Сандхерст, клянется, что это он. Мы пока не уверены, но сегодня вечером его доставят самолетом. Мы хотели бы, чтобы вы прилетели в Лондон, если вы сможете.

Сможет ли она приехать? После того как три года не получала от него ни слова? Они шутят?

— Я буду там. Вы сможете обеспечить меня транспортом? Я сразу приеду.

— Не думаю, что мы сможем сделать что-то раньше завтрашнего дня, ваша светлость, — вежливо сказал он. — Повсюду такой беспорядок, страшная кутерьма в Берлине, в Италии, везде.

Хаос царил во всей Европе, но она готова была переплыть Ла-Манш, если бы это понадобилось.

Военное министерство снова связалось с американцами во Франции, и на этот раз за ней в замок приехал джип союзников. Сара пока не сказала Филиппу, зачем они едут в Лондон, она не хотела разочаровывать его, если это окажется не Вильям. Но мальчик был в восторге, что навестит бабушку и увидит своих лошадей. Она собиралась отправить его прямо в Вайтфилд, а военное министерство должно было прислать за ней автомобиль, чтобы ее доставили в госпиталь, куда поместили человека, привезенного из Германии. Ей сказали, что все четверо в тяжелом состоянии, а у одного из них страшные увечья. Но ей было все равно, только бы он был жив и его можно было спасти. И если он еще жив, Сара поклялась сделать все, чтобы вернуть его к жизни.

Полет до Лондона прошел спокойно, их уже ждал автомобиль, который должен отвезти Филиппа в Вайтфилд. Ему устроили торжественную встречу с военными почестями, и мальчику это понравилось. А Сару быстро доставили в королевский госпиталь в Чепец. Она молилась, чтобы этот человек действительно оказался Вильямом.

Только один из этих людей отдаленно напоминал Вильяма. Он был приблизительно такой же комплекции, как Вильям, но ей сказали, что он весит около 130 или 140 фунтов, у него седые волосы, и он казался значительно старше, чем герцог Вайтфилд. Сара не проронила ни слова, когда ей описывали привезенного из Германии человека по пути в госпиталь. Она была пугающе молчалива, когда они вели ее вверх по лестнице, мимо палат с тяжело больными и занятых докторов и медсестер. После всего, что произошло в Германии, они выбивались из сил. Людей доставляли самолетами как можно быстрее, доктора были вызваны со всей Англии.

Мужчину, которого считали Вильямом, поместили в маленькую палату. С ним постоянно находился санитар, наблюдающий за его дыханием. К его носу шли трубка и респиратор, над ним нависали многочисленные приборы, и его лицо скрывала кислородная маска.

Дневальный слегка приподнял маску, чтобы она могла лучше рассмотреть его лицо, а сопровождающие ее представители военного министерства встали поодаль. Госпиталь ожидал еще снимок его зубов, это могло с большей степенью вероятности помочь им дать положительный ответ. Его едва можно было узнать, он был таким худым, и выглядел как его отец. Сара подошла ближе и коснулась его щеки. Он вернулся к ней из мертвых, он даже не пошевельнулся, но у нее не было и тени сомнения. Это был Вильям. Она повернулась и посмотрела на сопровождающих, ее взгляд сказал им все, слезы покатились по ее щекам, и в глазах мужчин тоже появились слезы.

— Слава Богу... — прошептал взволнованный сэр Алан.

Она застыла на месте, не в состоянии отвести от Вильяма глаз, касалась его лица, его рук, поднесла его пальцы к губам и поцеловала их. Руки у него были цвета воска, как и лицо, но она знала, что врачи сделают все, чтобы спасти его. Санитар снова опустил ему на лицо кислородную маску, а через минуту вошли два доктора и три медсестры и попросили ее выйти из палаты. Бросив на него прощальный взгляд, Сара нехотя рассталась с Вильямом. Это было чудо. Она потеряла Лиззи... но теперь она обрела Вильяма. Может быть, Бог будет к нему милосер-

ден. Сара попросила представителей военного министерства
договориться о том, чтобы она могла позвонить матери Вильяма
в Вайтфилд. Ее немедленно проводили в кабинет начальни-
ка госпиталя, и вдовствующая герцогиня с облегчением вздохнула
и затем расплакалась так же, как и Сара.

— Слава Богу... бедный мальчик... как он?

— Боюсь, не очень хорошо, мама. Но ему скоро будет лучше.

Сара надеялась, что не обманывает ее, потому что ей
хотелось этому верить. Он не мог выжить для того, чтобы умереть теперь, когда они снова вместе. Она просто
не могла позволить ему умереть.

Люди из военного министерства уехали, а начальник госпиталя вошел в кабинет, чтобы поговорить с ней о состоянии
Вильяма. Он не тратил слов попусту и перешел прямо к тому,
насколько серьезно его состояние.

— Мы не знаем, выживет ли ваш муж, ваша светлость. У него гангрена обеих ног, обширные внутренние
повреждения, и он долго будет болен. Возможно, не один
год. У него сложные переломы обеих ног, которые невозможно вылечить. Не исключено, что у него инфекция в
обеих ногах с тех пор, как он упал и получил переломы.
Мы не можем спасти его ноги, и, возможно, нам не удастся
спасти ему жизнь. Вы должны знать это.

Сара знала это, но отказывалась этому верить. Теперь,
когда он вернулся, она ни за что не хотела терять его.

— Вы должны спасти его ноги. Он проделал такой путь не
для того, чтобы потерять их.

— У нас нет выбора, во всяком случае, шансов очень мало.
Ноги не смогут служить ему, нервы и мускулы слишком сильно
повреждены, ему понадобится коляска.

— Прекрасно, но оставьте ему ноги, пусть он будет в
коляске с ногами.

— Ваша светлость, я не уверен, что вы поняли меня... здесь
тонкое равновесие... гангрена...

Она сказала ему, что прекрасно все поняла, но просила его
хотя бы попытаться спасти Вильяму ноги. Он раздраженно
пообещал ей, что они сделают все возможное, но она должна
здраво смотреть на вещи.

В течение следующих двух недель ему сделали четыре операции. Вильям едва перенес их. Он ни разу не пришел в сознание с тех пор, как его привезли в Лондон. Первые две операции были на ногах, третья — на позвоночнике, а последняя — для того, чтобы устранить внутренние повреждения, которые могли бы стоить ему жизни. И никто из лечащих его специалистов не мог понять, как он перенес все это. Он был ослаблен инфекцией и болезнью, истощен от недоедания, его кости были сломаны, и никто не лечил их, и были явные следы пыток. Он перенес все и выжил... но едва выжил.

Всю третью неделю они делали, что могли, и теперь оставалось только ждать, придет ли он в сознание, останется в состоянии комы или умрет. Никто не мог сказать, что будет. Сара изо дня в день сидела рядом с ним, разговаривала, держа его за руку, желая вернуть его к жизни, пока не стала выглядеть хуже, чем он. Она ужасно похудела и побледнела, глаза ее потускнели, пока она неотлучно сидела возле него и ухаживала за ним. Как-то днем одна из медсестер зашла, посмотрела на нее и, покачав головой, тихо сказал ей:

— Он не может услышать вас, ваша светлость. Не мучайте себя.

Она принесла Саре чашку чая, и Сара с благодарностью приняла ее, но она верила, что Вильям ее слышит.

В конце июля понадобилось еще одно хирургическое вмешательство, на его селезенке, и потом они снова ждали. Сара ухаживала за ним, разговаривала, ободряла, целовала его пальцы и наблюдала за ним, не отходя от его постели ни на минуту и не теряя надежды. Для нее в его палате поставили койку, и Сара одолжила у одной из медсестер халат. Она всего лишь раз оставила Вильяма, когда вдовствующая герцогиня привезла в госпиталь Филиппа, чтобы он повидался со своей матерью в приемной. Ему не позволили подняться наверх, чтобы увидеть Вильяма, и, по правде говоря, ему было страшно. Мальчику сказали, как болен его отец, и Филипп понимал это. Но Вильям был для него чужим. Прошло столько лет, и он не знал его. Сара обрадовалась сыну, она ужасно скучала, он тоже скучал без нее, но она не могла оставить Вильяма.

Наступило первое августа, когда главный хирург настоятельно рекомендовал ей прекратить дежурство и стал убеждать ее, что его светлость не выйдет из состояния комы. Он просто никогда не придет в сознание. Он может существовать в таком состоянии не один год, а может, только несколько дней, но если бы он мог прийти в сознание, это уже случилось бы, и ей придется примириться с этим.

— Откуда вы можете знать, что сегодня он не придет в себя? — спросила она немного истерично, как ему показалось.

Но Сара понимала, что им удалось спасти его ноги, а теперь они хотят отказаться от попыток спасти его и выбросить, словно какой-то мусор. Она пять недель спала урывками и не собиралась бросать его теперь, несмотря на то, что ей говорили.

— Я сорок лет проработал хирургом, — твердо сказал доктор, — и знаю, когда надо продолжать бороться, а когда отказываться от борьбы. Мы боролись... и мы проиграли... теперь пора прекратить борьбу.

— Он был военнопленным три с половиной года, и вы предлагаете бросить его? — закричала она. Ей было все равно, кто ее услышит. — Он не отказался от борьбы, когда был в лагере, а я не откажусь теперь. Вы слышите меня?

— Конечно, ваша светлость. Я прекрасно понимаю. — Он тихо вышел из комнаты и попросил медсестру, чтобы она предложила герцогине Вайтфилд успокоительное. Но та только закатила глаза. Женщина сохраняла самообладание. Она была просто одержима желанием спасти своего мужа.

— Бедняга едва жив. Нужно позволить ему спокойно умереть, — сказала она сестре, которая работала рядом с ней, но другая женщина только покачала головой, иногда случаются странные вещи. В одной из больничных палат лежал человек, который пришел в себя после шести месяцев комы, он был ранен в голову, принимая участие в воздушном налете.

— Никто не может знать, — сказала она и, повернувшись, пошла к Саре и Вильяму.

Сара сидела на стуле, тихо рассказывая ему о Филиппе и его матери, о Вайтфилде и о замке, и она даже вскользь упомянула Лиззи. Она бы сказала все, что угодно, если бы знала, что это поможет, но до сих пор ничего не помогало. Хотя она не призналась бы никому, ее силы были на исходе. Глядя на них, сестра нежно положила руку ей на плечо, и тут в какое-то мгновение ей показалось, что он шевельнулся, но она ничего не сказала. Но Сара тоже заметила, она сидела совсем тихо. Она снова заговорила и попросила его открыть глаза, чтобы взглянуть на нее хоть раз... всего на крошечный миг... просто для того, чтобы взглянуть, какие у нее волосы. Она в течение месяца не заглядывала в зеркало, и даже не могла представить себе, как она выглядит, но она продолжала просить его, а сестра, зачарованная, смотрела, и тут медленно его глаза открылись, и он улыбнулся, посмотрев на нее, потом он кивнул ей и снова закрыл глаза, а она беззвучно зарыдала. Им это удалось... он открыл глаза... Сестра тоже плакала, она сжала руку Сары, пока разговаривала со своим пациентом.

— Как приятно, что вы пришли в себя, ваша светлость, уже пора.

Некоторое время он не шевелился, потом медленно он повернул голову и посмотрел прямо на Сару.

— Это очень мило, — прошептал он хрипло.

— Что мило? — Она не представляла, о чем он говорит, но никогда в жизни она не была так счастлива. Ей хотелось закричать от радости, и она наклонилась, чтобы поцеловать его.

— Твои волосы... ты спрашивала меня об этом?

Сестра и Сара засмеялись, а на следующий день они усадили его, дали ему суп и слабый чай, а еще через день он уже разговаривал со всеми и начал медленно восстанавливать свои силы, хотя выглядел как привидение. Но он вернулся. Он был жив. Саре больше ничего не было нужно. Она жила только для этого.

Спустя некоторое время его пришли навестить из военного министерства и министерства внутренних дел. А когда Вильям достаточно окреп, он рассказал, что с ним случилось. И в это трудно было поверить. Его рассказ занял несколько дней. Все с болью слушали, что делали с ним немцы. Вильям не позволил Саре остаться в комнате, когда он рассказывал о своих мучениях. Они снова и снова ломали ему ноги, оставляя его в грязи, пока они не начали гноиться, пытали его раскаленным железом и электрическим током. Они делали все, но так и не узнали, кто он такой, он не назвал им своего имени. У Вильяма были

фальшивый паспорт и фальшивые военные документы, когда
его подобрали, и больше им ничего не удалось выяснить, он не
выдал, с какой целью он был заброшен в Германию.

За свой героизм Вильяма наградили крестом «За летные
боевые заслуги», но это было слабым утешением, так как он
потерял способность ходить. Сначала он был подавлен, осознав, что никогда не сможет ходить, но Сара оказалась права,
что боролась за то, чтобы ему сохранили ноги. Вильям был рад,
что удалось избежать ампутации.

Однажды перед его выпиской из госпиталя Сара рассказала ему о Лиззи, и они оба горько плакали.

— О, моя дорогая... и меня не было там, с тобой...

— Ты бы не смог ничего сделать, у нас не было доктора,
ни лекарств... у нас ничего тогда не было. Американцы были
еще в пути, а немцы приготовились к отъезду, у них ничего не
осталось к тому времени, а малютка оказалась недостаточно
сильной, чтобы выжить. Комендант, живший в замке, был очень
добр к нам, он, чем мог, помогал нам... но она была так слаба... — Сара всхлипнула, затем взглянула на своего мужа. —
Она была такой милой... такой прелестной малышкой... — Сара
с трудом могла выговорить эти слова. — Мне так хотелось,
чтобы ты узнал ее...

— Когда-нибудь я узнаю, — сказал он сквозь слезы. —
Когда мы снова все встретимся, в другом месте.

Филипп стал для них теперь еще дороже. Но иногда она
ужасно скучала по Лиззи, особенно когда видела маленькую
девочку, похожую на нее. Сара понимала, что другие матери
тоже потеряли во время войны своих детей, но эту боль едва
можно было вынести. Она благодарила Бога за то, что Вильям
был теперь с ней и мог разделить эту боль.

Иногда она думала об Иоахиме, но он теперь был частью
далекого прошлого. Среди ужаса, боли и потерь войны и одиночества он был ее единственным другом, не считая Эмануэль.
Но его образ постепенно тускнел в ее памяти.

Саре исполнилось двадцать девять лет, а Вильям все еще
находился в госпитале. За день до этого закончилась война с
Японией, и весь мир с радостью встретил долгожданную весть.
Вильям вернулся домой в Вайтфилд в тот день, когда японцы

официально подписали капитуляцию на линкоре «Миссури», накануне дня рождения Филиппа, ему исполнялось шесть лет. Вильям впервые увидел сына с тех пор, когда последний раз приезжал во Францию в начале войны. Встреча была волнующей для него и немного странной для Филиппа. Филипп стоял и долго и пристально разглядывал своего отца, прежде чем наконец приблизился к нему и обнял его, как просила его мать. Даже сидя в коляске, Вильям казался таким большим, что внушал Филиппу трепет. И больше, чем всегда, Вильям пожалел о потерянных годах, когда он мог бы лучше узнать своего сына.

Время, проведенное в Вайтфилде, оказалось полезным для них всех. Вильям научился лучше управлять своей коляской. Сара смогла наконец отдохнуть впервые за долгое время. Филипп просто обожал Вайтфилд и за это время ближе познакомился со своим отцом.

Однажды он заговорил с ним о Лиззи, и было видно, что ему больно говорить о ней.

— Она была очень красивой, — тихо сказал он, глядя куда-то вдаль. — Но когда она заболела, мама не могла достать для нее лекарства, и она умерла.

В его голосе промелькнул упрек. Вильям заметил это, но не понял, что это значит. Возможно ли, что он обвиняет ее в смерти ребенка? Но это казалось ему таким невероятным, что он не стал задавать вопросов. Конечно, он знал, что его мама делала все, что только было в ее силах... Но действительно ли он уверен в этом, интересовался Вильям.

Иногда Филипп рассказывал также об Иоахиме. Он не говорил много, но было нетрудно догадаться, что он нравился мальчику. И какова бы ни была его национальность, Вильям испытывал благодарность к этому человеку за то, что он был добр к его сыну. Сара никогда не рассказывала о нем, но когда Вильям однажды спросил, она сказала, что он был добрым и хорошим человеком. В этом году его матери исполнялось девяносто лет. Она была необыкновенная женщина, а теперь, когда вернулся Вильям, она выглядела лучше, чем всегда.

Они все немного оправились после пережитого. Но нельзя отрицать, что они потеряли очень много... времени... надежды... людей, которых любили... прелестную Лиззи, эта утрата была тяжелее остальных. Их потери и печали были данью, заплаченной войне. Временами Саре казалось, что труднее всех было Филиппу. Он потерял отца, шесть лет он не знал его, теперь ему надо узнать его и наладить с ним отношения, а это было для него не так просто. Когда уехал Иоахим, он потерял друга... и все еще никак не мог забыть свою сестренку и горевал о ней.

— Ты скучаешь по ней, правда? — тихо сказала она, когда они гуляли в лесу. Филипп кивнул, подняв на нее глаза, полные боли, как делал всегда, если они говорили о его сестре. — Я тоже скучаю, дорогой.

Она крепко взяла его за руку, и они пошли дальше, а Филипп отвернулся и ничего не ответил. Но его глаза говорили то, что Вильям уже понял, а Сара нет. Он винил свою мать в смерти сестренки. Она была виновата в том, что Лиззи умерла, потому что не было лекарства... так же, как она была виновата в том, что уехал Иоахим... Он не был уверен, что она навлекла эти бедствия, но знал, что она что-то сделала или... по крайней мере не остановила их. Но, во всяком случае, в Вайтфилде он был счастлив. Он ездил верхом, гулял в лесу, наслаждался обществом своей бабушки, мало-помалу он лучше узнавал Вильяма.

Глава 17

Они не возвращались во Францию до весны. К тому времени Вильям вновь взял бразды правления в свои руки. Он, кажется, примирился, что не может ходить. Он поправился и набрал свой обычный вес, и только седые волосы изменили его облик. Ему было только сорок два года, но пребывание в лагере для военнопленных прибавило ему лет. Даже Сара казалась гораздо серьезнее, чем до войны. Всем им, включая Филиппа, пришлось дорого заплатить за то, что произошло в мире. Он был серьезный маленький мальчик и так переживал, когда они уезжали из Вайтфилда. Он сказал, что хочет остаться с бабушкой и своим пони, но, конечно, родители не позволили ему.

Когда они приехали в замок, Вильям заплакал. Все выглядело точно так, как запечатлелось в его памяти и как он мечтал увидеть, если ему доведется вернуться домой. Он смог только обнять Сару и зарыдать, как ребенок. Везде царил идеальный порядок. Эмануэль и ее мать позаботились обо всем. Сара оставила Эмануэль вести хозяйство больше чем на год, и она великолепно со всем справилась. Не осталось никаких следов пребывания армии ни в замке, ни в саду, ни даже в конюшнях. Эмануэль наняла два десятка работников, чтобы они вычистили все и приготовили к приезду Вайтфилдов.

— Все выглядит великолепно, — похвалила ее Сара, и Эмануэль засветилась от радости. Она была серьезна не по годам. Хотя ей исполнилось только двадцать три, но она прекрасно вела хозяйство и успевала проследить за всеми мелочами.

В тот же день, когда они приехали, Сара вместе с Вильямом отправились на могилу Лиззи. Он заплакал, увидев маленькую могилку, они плакали оба. А на обратном пути Вильям снова спросил Сару про немцев.

— Они были здесь очень долго, — сказал он небрежное. — Поразительно, что они не причинили большого ущерба.

— Комендант оказался приличным человеком и следил за своими людьми. Ему война не нравилась так же, как и нам.

— Вильям удивленно поднял брови.

— Он тебе сам сказал это?

— Не один раз, — спокойно ответила она, не понимая, почему он задает эти вопросы, но в его голосе слышалось беспокойство.

— Вы были с ним хорошими друзьями? — поинтересовался Вильям, зная, как часто Филипп упоминал о нем. Было время, когда он болезненно воспринимал то, что его сын предпочитает немецкого офицера своему собственному отцу. Конечно, для него это было ударом, но он справился с собой. Взглянув на него, Сара внезапно поняла его вопросы.

— Мы были только друзьями, Вильям. Не больше. Он жил здесь очень долго, за это время многое случилось с нами... родилась Элизабет. — Она решила быть честной с ним, она должна быть честной, она всегда была с ним честна. — Он принимал ее и спас ей жизнь, если бы он не помог, она умерла бы во время родов. — Но она все равно умерла, и, может быть, это теперь не имело значения. — Мы четыре года выживали здесь. Трудно об этом забыть. Но если ты спросишь меня, о чем я думаю, ты хотел бы меня спросить... нет, ничего не было.

Его дальнейшие слова заставили ее вздрогнуть.

— Филипп сказал, что вы целовались, когда он уезжал.

Ему не следовало говорить об этом своему отцу, но, может, он не понимал, что делает. Иногда она не была уверена в том, что понимает его. Он так сердился на нее после смерти Лиззи... и когда уехал Иоахим... и Вильям вернулся домой... иногда он казался таким отчужденным. Он многое должен принять и понять. Они все должны многое понять.

— Он прав, — спокойно ответила Сара, — я целовалась. — Она не должна ничего скрывать от Вильяма, и она хотела, чтобы он знал об этом. — Мы стали друзьями. Иоахим ненавидел то, что делает Гитлер, точно так же, как и мы. И он помогал нам и заботился о том, чтобы мы были в безопасности. Когда Иоахим уезжал, я знала, что никогда не увижу его снова. Я не знаю, жив он теперь или умер, но желаю ему добра. Я поцеловала его на прощание, но я не предавала тебя. — Когда она произнесла это, по ее щекам покатились слезы. То, что она сказала, было правдой, она была ему верна. Филипп поступил неверно, заставив его ревновать. Она поняла теперь, что мальчик рассердился на нее за то, что она поцеловала Иоахима, и за то, что позволила ему уехать. Он злился на многое, но Сара не ожидала, что он так поступит. Теперь она была рада, что могла честно ответить Вильяму, она не предала его. И все одинокие ночи стоили этого.

— Мне жаль, что я спросил, — виновато сказал он, а она встала возле него на колени и взяла его лицо в руки.

— Не надо жалеть. Нет ничего, о чем бы ты не мог спросить меня. Я люблю тебя. Я всегда тебя любила. Я никогда не откажусь от тебя. Никогда. Я никогда не перестану тебя любить. И я всегда верила, что ты вернешься домой. — Она говорила правду, и он мог прочесть это в ее глазах — как сильно она его любила.

Тут он вздохнул, почувствовав облегчение, он верил ей. Он ужаснулся, когда Филипп рассказал ему. Но он понимал также, что по-своему Филипп наказывал его за то, что он уехал от них.

— Я никогда не думал, что вернусь обратно. Я продолжал говорить себе, что я вернусь только для того, чтобы прожить еще час, еще ночь, еще день... но я никогда не думал, что мне удастся это. Столько людей не смогло выжить. — Он видел, как многие умирали, замученные немцами до смерти.

— Это нация чудовищ, — сказал он ей, когда они вернулись обратно домой, но она не осмелилась опять заметить ему, что Иоахим был другим, что он критиковал войну. Слава Богу, она кончилась.

Они прожили в замке несколько недель. Однажды, когда Сара и Эмануэль пекли на кухне хлеб, девушка стала расспрашивать Сару.

— Вы должны быть очень рады, что мсье герцог вернулся домой, — начала она. Этого нельзя было не заметить. Сара столько лет была несчастна, а сейчас они заново открывали для себя сексуальную жизнь. Некоторые перемены огорчали, но к восторгу Вильяма у него сохранилась способность наслаждаться интимными отношениями.

— Это чудесно, — улыбнулась Сара со счастливой улыбкой, замешивая хлеб, в то время как Эмануэль наблюдала за ней.

— Он много привез из Англии денег? — Вопрос показался Саре странным, и она удивленно взглянула на нее.

— Зачем? Конечно, нет. Почему ты спрашиваешь?

— Мне просто интересно. — Она выглядела несколько смущенной, казалось, ее занимала какая-то мысль, но Сара не могла понять, что было у девушки на уме. Раньше Эмануэль никогда не задавала подобных вопросов.

— Почему ты задаешь такие вопросы, Эмануэль? — Она знала, что и прежде у нее случались денежные затруднения, связанные с участием ее брата в Сопротивлении, во время войны, позднее — с черным рынком, но сейчас она понятия не имела, что замышляет Эмануэль.

— Есть люди... которые иногда нуждаются в деньгах. Мне интересно, не мог бы мсье герцог одолжить им деньги?

— Ты имеешь в виду, просто дать им деньги. Просто так? — Сара немного удивилась, и Эмануэль, казалось, задумалась.

— Возможно, не просто так. Что, если они продадут что-нибудь?

— Ты имеешь в виду продукты? — Сара все еще не могла понять, чего она добивается. Она кончила месить хлеб и вытерла руки, недоуменно глядя на Эмануэль. Она всегда относилась к ней с доверием, но сейчас у Сары появилось какое-то предчувствие. — Ты говоришь о продуктах или оборудовании для фермы, Эмануэль?

Она покачала головой и понизила голос, когда заговорила снова:

— Нет... я имею в виду драгоценности... Есть люди... dan les alentours... в округе, которым нужны деньги, чтобы отремонтировать свои дома, восстановить жизнь... Они прятали вещи... иногда золото... серебро... или драгоценности... и теперь хотят их продать. — Эмануэль думала о том, как заработать для себя значительную сумму денег теперь, когда кончилась война. Она не хотела всю жизнь убирать в доме, даже для Вайтфилдов, хотя она их очень любила. И ей в голову пришла эта идея. Она знала, что люди беспокоились, как бы продать золото, серебро, портсигары работы Фаберже, предметы роскоши, которые они спрятали. Например, она знала женщину в Чамболде, которая хотела продать за любую сумму великолепное жемчужное ожерелье. Немцы разрушили ее дом, и ей нужны были деньги, чтобы его отремонтировать.

Это было своего рода посредничество. Эмануэль знала нуждающихся людей, у которых были драгоценности, а у Вайтфилдов были деньги, чтобы помочь этим людям. Она хотела свести их, но не знала, как это сделать. Однако все больше и больше людей обращались к ней, зная, что она свой человек в доме герцога, они просили ее о помощи. Женщина, у которой было жемчужное ожерелье, приходила к ней уже дважды, приходили еще многие.

Были евреи, которые прятались во время войны, а сейчас выбрались из своих тайников. Женщины, принимавшие от нацистов дорогие подарки, а теперь желающие избавиться от них. Были драгоценности, которыми оплачивали жизнь или информацию для Сопротивления. И Эмануэль хотела помочь всем этим людям, не забывая при этом о себе. Она тоже имела бы от этих сделок небольшие комиссионные. Но Сара все еще смотрела на нее в замешательстве.

— Но что я буду делать с драгоценностями? — Только сегодня они достали из-под половых досок ее украшения, спрятанные в комнате Филиппа.

— Носить их. — Эмануэль улыбнулась. Она хотела бы сама купить их, но пока она не могла себе этого позволить. Может быть, когда-нибудь. — Вы сможете потом продать их. Есть много возможностей, мадам.

— Когда-нибудь ты станешь великой женщиной, — улыбнулась ей Сара. Их разделяло всего шесть лет, но Эмануэль отличалась невероятной предприимчивостью и умела выживать таким способом, который Саре никогда не пришел бы в голову. Сара обладала внутренней силой и выносливостью. У Эмануэль Сурже была хитрость.

— Вы не спросите мсье герцога, — сказала она, когда Сара выходила из кухни, неся ему на подносе ленч. Сара заметила, что в голосе Эмануэль прозвучало беспокойство.

— Я скажу ему, — пообещала она, — но ручаюсь тебе, он подумает, что я сошла с ума.

Как ни странно, но оказалось, что Вильям вовсе так не думал. Он был изумлен.

— Какая увлекательная идея. Исключительная девушка, не правда ли? Неплохой способ помочь людям и дать им деньги. Мне это нравится. Я недавно размышлял о том, чем мы могли бы помочь местным жителям. Но мне в голову не пришло ничего подобного. — Он усмехнулся. — Это возможно. Почему бы тебе не сказать Эмануэль, что я принимаю ее предложение, посмотрим, что будет дальше.

А через три дня у входной двери замка в девять утра позвонили. Когда Сара спустилась по лестнице, она увидела стоящую там женщину в потертом черном платье, когда-то модном и очень дорогом, поношенных туфлях и с сумкой от Гермеса, которую Сара сразу узнала. Женщина была ей незнакома.

— Qui... Да?.. Чем я могу помочь вам?

— En effet... je m'excuse... Я... — Она выглядела испуганной и все время оглядывалась, словно боялась, что кто-то схватит ее. Приглядевшись к ней внимательнее, Сара догадалась, что она, по-видимому, еврейка. — Я должна извиниться... моя подруга предложила... У меня ужасные проблемы, ваша светлость, моя семья... — Когда она начала объяснять, в ее глазах появились слезы. Сара ласково пригласила ее пройти на кухню и дала ей чашку чая. Незнакомка объяснила, что вся ее семья во время войны была депортирована в концентрационные лагеря. Ей единственной удалось уцелеть. Соседи четыре года прятали ее в погребе. Ее муж был врачом, директором крупного госпиталя в Париже. Но он был депортирован нацистами так же, как ее родители, две сестры и даже сын... Она снова заплакала, а Сара, слушая ее рассказ, едва сдерживала слезы. Женщина сказала, что ей нужны деньги, чтобы попытаться разыскать их. Она хотела поехать в Германию и в Польшу, в концлагеря, может быть, ей удастся найти их в списках тех, кто выжил.

— Мадам, я думаю вам может помочь Красный Крест. Они занимаются оказанием помощи по всей Европе. — Сара знала, что Вильям уже пожертвовал большую сумму Красному Кресту в Англии.

— Мне хочется поехать самой. А частные организации очень дороги. И после того, как я найду их, или... — Она не могла выговорить эти слова. — Я хочу поехать в Палестину. — Она сказала это так, словно там и в самом деле была земля обетованная. Женщина достала из сумки два больших футляра. — Я могла бы кое-что продать... Эмануэль сказала, что вы можете... она сказала, что вы очень добры. — И что ее муж очень богат, но мадам Вертхайм была хорошо воспитана, чтобы упоминать об этом. Она принесла два футляра от Ван Клифа, в одном лежало огромное колье с бриллиантами и изумрудами, в другом такой же браслет. Украшения были сделаны словно из кружева. Они великолепно дополняли друг друга. При взгляде на них захватывало дух, так прекрасны были они.

— Я... Боже мой! Какое великолепие! У меня нет слов... — Она не могла представить, что будет носить даже что-то отдаленно напоминающее эти драгоценности. Перед ней были настоящие произведения искусства, и, конечно, они стоили той суммы, которую просила мадам Вертхайм, но как можно было назначить цену за что-либо подобное? И пока Сара любовалась украшениями, ей все больше и больше хотелось приобрести их. А бедная женщина дрожала, молясь, чтобы их купили. — Можно я покажу их своему мужу? Всего на минуту. — Она взбежала вверх по лестнице, держа в руках оба футляра, и ворвалась в его спальню — Ты просто не поверишь этому, — сказала она, задыхаясь. — Там внизу женщина... — Она открыла футляры и вытряхнула содержимое ему на колени. — И она хочет продать нам это. — Она помахала перед ним волшебными драгоценностями, и он присвистнул.

— Очень хорошо, дорогая. Они будут прелестно выглядеть на тебе в саду. Чудесно подойдет к зелени...

Она рассказала ему историю этой женщины, и ему тоже стало жаль ее.

— Мы можем выписать ей чек? Я чувствую себя подлецом, отбирая у нее эти вещи. Хотя должен сказать, что на тебе они будут выглядеть изумительно.

— Спасибо, любимый. Но что нам делать с мадам Вертхайм?

— Я сам поговорю с ней. — Вильям уже побрился. Он был в брюках и рубашке. Он одевался сам и хорошо справлялся с этим. Он спустился вниз по скату, который они сделали для него.

Мадам Вертхайм по-прежнему нервничала, ожидая их на кухне. Она была так напугана, что готова была убежать без своих драгоценностей, так как боялась, что владельцы замка могут сделать с ней что-нибудь ужасное. Однако Эмануэль убедила ее, что Вайтфилды очень милые люди. Эмануэль знала людей, которые прятали мадам Вертхайм, она встретила их среди участников Сопротивления.

— Доброе утро, — с улыбкой приветствовал ее Вильям, и она попыталась расслабиться, ожидая, что он скажет о ее изумрудах. — Должен признаться вам, что раньше мы не занимались ничем подобным. — Он решил не мучить женщину загадками, а сразу перейти к делу. — Сколько вы хотите за эти украшения?

— Я не знаю. Десять? Пятнадцать?

— Это смешно.

Она задрожала и сказала шепотом:

— Простите, ваша светлость... Пять? — Она готова была продать их за ничтожную сумму, так отчаянно она нуждалась в деньгах.

— Я думаю более подходящая цена тридцать. Вам не кажется это разумным? То есть тридцать тысяч долларов.

— Я... о... Боже мой... — Она расплакалась, не в состоянии справиться с собой. — Благослови вас Бог... Благослови вас Бог, ваша светлость. — Она приложила к глазам старый кружевной платок и поцеловала их обоих, уходя с чеком в сумке. Даже Сара прослезилась, глядя ей вслед.

— Бедная женщина.

— Да, — грустно отозвался Вильям, а затем надел на Сару ожерелье и браслет. — Носи их, моя дорогая. — Однако оба были рады, что смогли помочь оказавшейся в нужде женщине.

А в конце недели им предоставилась возможность сделать еще одно доброе дело.

Сара помогала Эмануэль убираться после обеда, а Вильям сидел у себя в кабинете, который все еще слегка напоминал Саре об Иоахиме, когда у дверей кухни появилась женщина. Она была молода и выглядела еще более напуганной, чем мадам Вертхайм. Ее волосы были коротко пострижены, но не так коротко, как сразу после оккупации. Саре показалось, что она видела ее с немецкими офицерами, которые жили в замке и работали с Иоахимом. Девушка была красива и перед войной работала моделью у Джина Пата в Париже.

Эмануэль едва не зарычала, когда увидела ее, однако пригласила ее войти, хотя на этот раз она пообещала себе взять комиссионные побольше. У мадам Вертхайм она почти ничего не взяла, но пожилая женщина убедила ее принять хоть что-то.

Девушка, нервничая, взглянула на Эмануэль, а потом на Сару. И все началось сначала.

— Могу я поговорить с вами, ваша светлость? — Она хотела продать браслет с бриллиантами. Он был от Бушерона и выглядел очень мило. Она сказала Саре, что это подарок. Но немец подарил ей не только этот браслет, она осталась с ребенком. — Он все время болеет... Мне не на что кормить его... и я не могу купить лекарства. Я боюсь, у него может быть туберкулез... — Эти слова проникли прямо в сердце Сары, когда она вспомнила о Лиззи. Она посмотрела на Эмануэль и спросила ее, правда ли это, и та утвердительно кивнула.

— Она встречалась с немецким негодяем... на два года старше ее и всегда больным.

— Ты обещаешь купить для него еду и лекарства, и теплую одежду, если я дам тебе денег? — строго спросила ее Сара, и девушка поклялась, что сделает это.

Тогда Сара пошла за Вильямом и вернулась вместе с ним, чтобы он посмотрел на девушку и браслет. И девушка, и украшение произвели на него впечатление, и, поговорив с ней немного, он понял, что она говорит правду. Он не хотел быть замешанным в скупке краденых драгоценностей.

Они купили у нее браслет за приличную цену, возможно, за такую же, какую заплатил за него немец, и она ушла, рассыпаясь в благодарностях. А потом, когда позднее Сара и Эмануэль сидели на кухне, Сара посмотрела на нее и рассмеялась:

— Как назвать то, чем мы занимаемся?

Эмануэль широко улыбнулась:

— Возможно, я собираюсь разбогатеть, а вы приобрести множество прелестных драгоценностей.

Сара не могла сдержать улыбку. Это казалось ей в какой-то степени безумием, но в то же время трогательным и забавным. А на следующий день они приобрели превосходный жемчуг у женщины из Шамборда, чтобы она могла отремонтировать свой дом. Жемчуг был сказочный, и Вильям настаивал, чтобы она носила его.

К концу лета у Сары было шесть изумрудных браслетов, три парных браслета, три комплекта с рубинами, чудесные сапфиры и несколько колец с бриллиантами, не говоря о прекрасной тиаре, украшенной бирюзой. Они достались им от людей, которые потеряли дома или детей и которым нужны были деньги, чтобы отыскать потерянных родственников, или от тех, кому просто не на что было купить еду. Это была филантропия, которую трудно было объяснить их друзьям и не выглядеть при этом глупо. И пока они помогали людям, покупая у них драгоценности. Эмануэль действительно стала понемногу богатеть, получая комиссионные. Теперь она делала прическу в городе и покупала платья в Париже, которых у нее появилось больше, чем у Сары перед войной. И рядом с Эмануэль она чувствовала себя плохо одетой.

— Вильям, что мы будем делать со всем этим хламом, — спросила она, опрокинув у себя в шкафу полдюжины футляров от Ван Клифа и Картье, которые посыпались ей на голову, но он только рассмеялся.

— Понятия не имею. Может быть, нам следует устроить аукцион?

— Я серьезно.

— Почему бы нам не открыть магазин? — Но Сара считала эту идею абсурдной. Однако в течение года у них, кажется, скопилось больше ювелирных изделий, чем у Гаррарда.

— Может быть, нам, в самом деле, следует продавать их? — предложила на этот раз Сара, но теперь сомнения появились у Вильяма. Он увлекся разбивкой виноградников вокруг замка, и у него не было времени заниматься драгоценностями. Пока они продолжали покупать их и стали известны своим великодушием и добротой. В конце 1947 года Сара и Вильям решили на несколько дней вдвоем съездить в Париж, оставив Филиппа с Эмануэль. Вернувшись из Англии домой, они полтора года никуда не выезжали из замка, так как были очень заняты.

Париж выглядел еще чудеснее, чем ожидала Сара. Они остановились в «Рице» и проводили много времени в постели, словно у них опять был медовый месяц. Однако они с удовольствием занимались и покупками, пообедали у Виндзоров, которые жили на бульваре Саше в доме, прелестно отделанном Буденом. На Саре было шикарное черное платье, которое она купила у Диора, эффектный жемчуг и дивный бриллиантовый браслет.

Кто-то из гостей поинтересовался во время обеда, где она купила браслет. Но Уоллис оказалась мудрее, обратив внимание на жемчуг, и любезно заметила Саре, что никогда не видела ничего подобного. Ее также заинтересовал браслет, а когда она спросила, чья эта работа, Вайтфилды ответили:

— Картье, — без дальнейших объяснений. Даже украшения Уоллис померкли рядом с ее драгоценностями.

К большому своему удивлению, во время их поездки в Париж Сара была очарована некоторыми работами ювелиров. Однако драгоценности у них в замке были ничуть не хуже, а отдельные экземпляры даже лучше. Фактически большинство их украшений превосходили все, увиденное в Париже.

— Знаешь, может быть, как-нибудь нам действительно придется что-нибудь сделать с ними, — небрежно сказала она, когда они возвращались домой в сделанном на заказ «бентли».

Но прошло еще полгода, прежде чем они снова вернулись к этому разговору. Сара была занята Филиппом, ей хотелось как можно больше времени проводить с ним, так как на будущий год он отправится в Итон.

Вильям был слишком занят своим вином и виноградниками, чтобы много думать о драгоценностях. Было уже лето 1948 года, когда Сара стала категорически наставить на том, что надо что-то делать с горой драгоценностей, которую они собрали к тому времени. Это перестало быть хорошим вложением денег. Они просто обременяли их, за исключением нескольких украшений, которые были подлинными произведениями искусства и которые она носила. Драгоценности были прелестны, но не все.

— После того как уедет Филипп, мы поедем в Париж и продадим их, обещаю, — огорченно сказал Вильям.

— Подумают, что мы ограбили банк в Монте-Карло.

— Очень похоже, — усмехнулся он. — Не так ли?

Но, собравшись осенью снова ехать в Париж, они вдруг обнаружили, что драгоценностей слишком много, чтобы все их взять с собой. Они отобрали несколько экземпляров, остальное оставили в замке. Сара скучала после отъезда Филиппа. Однажды, когда они на два дня приехали в Париж, Вильям объявил, что он принял решение.

— Какое? — Она разглядывала вместе с ним новые модели в салоне Шанель, когда он сказал это.

— Проблема с драгоценностями. Мы откроем свой магазин и будем продавать их.

— Ты сошел с ума? — Она удивленно посмотрела на него. — Что мы будем делать с магазином? Замок в двух часах езды от Парижа.

— Мы поручим это Эмануэль. Теперь, когда Филипп уехал, ей нечего делать. К тому же она стала слишком модной, чтобы заниматься домашним хозяйством. — Эмануэль покупала одежду у Джина Пата и мадам Крое и выглядела очень элегантно.

— Ты серьезно? — Саре никогда не приходила в голову эта мысль, и она не могла сразу решить, нравится ей его предложение или нет. Но потом она забеспокоилась. — Ты не думаешь, что твоей матери эта затея может показаться вульгарной?

— Иметь собственный магазин? Да, вульгарно. — Он засмеялся. — Но так интересно. Почему бы и нет? Это такое увлекательное занятие. Думаю, ей это понравится. — Герцогине исполнилось девяносто лет, но с годами она стала снисходительнее к условностям света. И она была в восторге от того, что Филипп будет проводить у нее каникулы и выходные. — Кто знает, быть может, однажды мы сможем называться поставщиками двора Его Королевского Высочества. Для этого мы должны продать что-нибудь королеве. Думаю, Уоллис будет сходить с ума и захочет получить скидку. — Это была безумная идея, но они обсуждали ее по дороге в замок, и Сара должна была признаться, что она ей все больше нравилась.

— Как мы назовем наш магазин? — взволнованно спросила она, когда они вечером лежали в постели.

— Конечно, «Вайтфилд». — Он гордо посмотрел на нее. — Как еще ты хотела бы назвать его, моя дорогая?

— Прости, — она перевернулась и поцеловала его. — Мне следовало догадаться.

— Тебе, конечно, следовало бы догадаться.

Это напоминало рождение ребенка. Новый проект был великолепен. Они сформулировали и записали все свои идеи, составили опись всех драгоценностей и оценили их у Ван Клифа, который был потрясен их коллекцией. Они переговорили с адвокатом, а перед Рождеством вернулись в Париж и арендовали маленький, но элегантный магазин в предместье Сен-Оноре, договорились с архитекторами и рабочими и даже нашли квартиру для Эмануэль. Она была вне себя от волнения.

— Неужели мы сошли с ума? — спросила его Сара, когда в Сочельник они лежали в постели в отеле «Риц».

— Нет, моя дорогая. Мы помогли многим, а теперь немного развлечемся, продавая эти вещи. Здесь нет ничего плохо. И кто знает, может быть, наша затея окажется успешной.

Они рассказали обо всем Филиппу и матери Вильяма, когда приехали в Вайтфилд, чтобы провести там Рождество. Старой герцогине их идея понравилась, и она обещала первой купить у них какое-нибудь украшение, когда они откроют магазин. А Филипп заявил, что когда-нибудь он откроет филиал в Лондоне.

— А ты не хотел бы управлять нашим магазином в Париже? — поинтересовалась Сара, удивленная такой реакцией. Для ребенка, который вырос за границей и был англичанином только наполовину, он был в удивительной степени британцем.

— Я не хочу жить во Франции, — заявил он, — только во время каникул. Я хочу жить в Вайтфилде.

— В самом деле? — удивился Вильям. — Рад это слышать. — Он не мог себе представить, что когда-нибудь снова поселится в Вайтфилде. И подобно своему кузену герцогу Виндзорскому, он был счастливее во Франции, так же, как и Сара.

— Вы должны рассказать мне все об открытии магазина, — вдовствующая герцогиня заставила их дать обещание, когда они уезжали. — Когда оно состоится?

— В июне, — робко сказала Сара, с волнением глядя на Вильяма. Сара окунулась в это дело со всей ее энергией, и через полгода магазин мог принять первых покупателей.

Глава 18

Открытие магазина имело огромный успех. Отделку интерьера поручили американцу Элей Вольфу, который в это время жил в Париже. Весь магазин был обит бледно-серым бархатом и выглядел, словно шкатулка с драгоценностями, стулья эпохи Людовик XVI. Вильям привез из Вайтфилда несколько небольших картин Дега и замечательные эскизы Ренуара. Еще была прелестная Мари Кассат, которую Сара очень любила. Но внимание посетителей прежде всего привлекали драгоценности. У каждого украшения были свои достоинства, у сказочного бриллиантового ожерелья или крупного жемчуга, удивительных серег с бриллиантами или рубинового ожерелья, которое принадлежало когда-то царице. На всех драгоценностях можно было хорошо рассмотреть клеймо ювелира, даже на тиаре, украшенной бирюзой. Здесь были выставлены произведения Бушерона, Мобуссэна, Шамме, Ван Клифа, Картье и Тиффани из Нью-Йорка, Фаберже и Астрея. Они поразили воображение парижан. В прессе появилось немного сдержанное сообщение о том, что герцогиня Вайтфилд открыла магазин, названный «Вайтфилд» в предместье Сен-Оноре, где предлагаются уникальные драгоценности для экстраординарных женщин.

Герцогиня Виндзорская приехала на открытие так же, как и большинство ее друзей, и вдруг оказалось, что там собрался весь Париж, все высшее общество и даже несколько любопытных знакомых из Лондона. Вечером они устроили прием, во время которого продали четыре украшения, прелестный браслет работы Фаберже, с жемчугом и бриллиантами и маленькими птичками из голубой эмали, жемчужное ожерелье, одно из первых украшений, купленных Эмануэль. Изумрудный гарнитур, а также кольцо с огромным рубином, сделанное Ван Клифом для махараджи.

Сара стояла, с изумлением глядя на все это, не в состоянии поверить в то, что это не сон. Вильям тоже с удовлетворением смотрел на происходящее. Он гордился ею и был доволен тем, что они сделали. Они покупали драгоценности от доброго серд-

ца, желая помочь людям. И вдруг это превратилось в превосходный бизнес.

— Ты хорошо поработала, моя любимая, — похвалил
он Сару, в то время как официанты разливали по бока-
лам шампанское.

— Я просто не могу поверить в это! А ты? — Она снова
казалась девочкой, такая она была оживленная. А Эмануэль в
роскошном черном платье выглядела, как солидная дама, когда
прогуливалась среди сливок общества.

— Конечно, могу. У тебя исключительный вкус, а украшения очень красивы, — спокойно ответил он, отпивая
глоток шампанского.

— Мы имеем большой успех, не так ли? — усмехнулась она.

— Нет, моя дорогая, это ты имеешь большой успех.
Ты для меня дороже всего в жизни, — прошептал он.
Годы в плену научили его еще больше дорожить своей
женой, ребенком, свободой. Его здоровье было надлом-
лено. Но Сара хорошо за ним ухаживала, и силы постепенно возвращались к нему, он казался таким же
жизнелюбивым, каким был до войны, но порой выглядел
усталым и измученным, и она знала, что болят его ноги.
Раны со временем зажили, однако вред, нанесенный его
организму, невозможно было исправить. Но по крайней
мере он остался жив, и они были вместе. А теперь у них
замечательное дело, и Сара с головой окунулась в новое
для себя занятие.

— Ты веришь, что это наяву? — прошептала она Эмануэль спустя несколько минут. Эмануэль держалась с достоинством, показывая красивому мужчине очень дорогое
колье с сапфирами.

— Я думаю, — Эмануэль загадочно улыбнулась своей хо-
зяйке, — нам это доставит большое удовольствие.

Сара видела, что она уже получает удовольствие, искусно
флиртуя с некоторыми важными господами, и, кажется, для нее
не имело значения, что они женаты. Дэвид купил для Уоллис
очаровательное колечко с бриллиантом, на котором был лео-
пард Картье, гармонировавшее с теми, которые уже украшали

ее руки. Это была пятая покупка за вечер. К полуночи все разъехались по домам.

— О, дорогой, все прошло великолепно! — Сара захлопала в ладоши, и Вильям, сидя в коляске, усадил ее к себе на колени, пока охранники запирали дверь, а Эмануэль говорила официантам, куда убрать оставшуюся икру. Она собиралась взять ее домой и угостить на следующий день своих друзей. Сара позволила ей это. Эмануэль собиралась устроить у себя дома, на улице Фэзандери, вечеринку, чтобы отпраздновать начало новой деятельности в роли управляющей магазином у Вайтфилдов. Для нее это был долгий и тернистый путь. Это был долгий путь для них всех, долгая война, но теперь в Париже наступили другие времена.

Вскоре после окончания приема Вильям отвез Сару в их номер в «Рице». Они решили, что им следует найти небольшую квартиру, где они могли бы останавливаться, приезжая в Париж. Хотя Париж был всего в двух часах езды, все же было утомительно ездить все время туда и обратно.

Сара не собиралась все время находиться в магазине, так как были Эмануэль и еще одна девушка. Теперь, когда люди больше не приходили к ним за помощью, Сара хотела заняться пополнением своих запасов. Они ездили в Париж гораздо чаще, чем раньше, но в данный момент «Риц» был удобен. Сара, зевая, шла за коляской Вильяма, а через несколько минут она уже лежала рядом с ним в постели.

Когда она скользнула под одеяло, он повернулся и достал что-то из ящика тумбочки.

— Как глупо с моей стороны, — небрежно произнес он, но Сара достаточно хорошо знала его, чтобы понять, что он замышляет какую-то шалость. — Я совсем забыл... — Он вручил ей квадратный плоский сверток. — Просто маленькая безделушка, чтобы отметить открытие нашего магазина, — добавил он с улыбкой.

— Вильям, ты такой милый! — Сара всегда чувствовала себя с ним ребенком. Он так избаловал ее. — Что это? — спросила она, разворачивая бумагу. И тут она увидела, что это шкатулка, а на ней итальянское имя. Буцелатти.

С горящими от волнения глазами она осторожно открыла ее. На бархатном ложе сверкало и переливалось всеми цветами радуги бриллиантовое колье, выполненное великим мастером.

— Боже мой! — Она закрыла глаза и мгновенно захлопнула шкатулку. Он и раньше дарил ей прелестные вещи, но эта превзошла все его прежние подарки. Колье напоминало кружевной воротник, причудливо вплетенные в платину бриллианты свисали, словно огромные капли росы. — О... Вильям! — Она снова открыла глаза и обвила его шею руками. — Я этого не заслуживаю!

— Не говори таких вещей, — возмутился он. — Кроме того, поскольку ты владелица ювелирного магазина, люди будут смотреть, что ты носишь. Мы должны покупать уникальные украшения, — заметил он с усмешкой, такая перспектива забавляла его. Ему нравилось баловать ее. Эту черту Вильям унаследовал от отца, которому нравилось покупать драгоценности жене.

Сара надела колье и снова легла в постель, а Вильям восхищался своей женой в новом украшении.

— Дорогая, тебе всегда следует ложиться в постель в бриллиантах, — пошутил он, целуя ее, потом провел губами по ожерелью.

— Как ты думаешь, оно будет иметь успех? — тихо пробормотала она, обнимая его.

— Оно уже имеет успех, — прошептал он, и они оба до утра забыли о магазине.

На следующий день газеты были полны сообщений об открытии магазина, перечислялись все важные персоны, почтившие своим присутствием это событие. Особо было отмечено присутствие герцога и герцогини Виндзорских. Приводились описания драгоценностей, рассказывалось, как элегантны были Сара и Вильям. Все было великолепно.

— У нас огромный успех! — заметила с усмешкой Сара, сидя за завтраком в одном бриллиантовом колье. Ей было почти тридцать три года, однако возраст не сказался на ее фигуре. Сара сидела на стуле, положив ногу на ногу, волосы были заколоты высоко на голове, а бриллианты сияли в лучах утреннего солнца. Вильям с довольной улыбкой любовался ею.

— Знаешь, моя дорогая, ты прекраснее этой безделушки, что у тебя на шее.

— Спасибо, любимый. — Она наклонилась к нему и поцеловала, и на этом закончился их завтрак.

Днем они заехали в магазин, дела, кажется, шли успешно. Эмануэль сказала, что они продали еще шесть украшений, некоторые из них были очень дорогими. Приходила также любопытствующая публика. Две очень влиятельных персоны сделали покупки, один для своей любовницы, другой для жены. С последним Эмануэль договорилась пообедать. Он крупный чиновник в правительстве, невероятно красив и был хорошо известен своими любовными связями. Эмануэль сочла, что было бы любопытно встретиться с ним хотя бы раз. Это никому не причинит вреда. Он взрослый человек, а она не девственница.

Вильям и Сара ненадолго задержались в магазине, чтобы посмотреть, как идут дела, а вечером, все еще взволнованные, они вернулись в замок. Дома, сидя в постели, Сара с воодушевлением принялась за эскизы украшений, которые ей хотелось бы сделать. Они не могут всегда рассчитывать на успех в поисках уже готовых уникальных экземпляров. Она хотела посетить аукционы в Нью-Йорке и Лондоне. Сара знала, что Италия славится своими ювелирами. Внезапно у нее появилась тысяча дел. Она всегда советовалась с Вильямом. У него прекрасный вкус и тонкое понимание прекрасного.

К осени их усилия принесли плоды. Магазин пользовался успехом, были выполнены несколько украшений по ее эскизам. Эмануэль сказала, что публика от них просто без ума. У Сары был опытный глаз, а Вильям разбирался в драгоценных камнях, и они тщательно выбирали их. Сара привлекала к работе лучших мастеров. Вещи моментально разлетались из магазина. В октябре она сделала больше рисунков, надеясь, что к Рождеству украшения будут готовы. Эмануэль сильно увлеклась Жаном-Шарлем де Мартеном, ее другом из правительства, но пресса еще не добралась до них, поскольку они проявляли исключительную осторожность. Встречи всегда происходили у нее дома.

Сара не могла поверить, что можно быть настолько занятой. Они все время ездили в Париж, по-прежнему останавливаясь в «Рице», у нее просто не было времени подыскать квартиру. К Рождеству она буквально выбилась из сил. В магазине дела шли превосходно. Вильям подарил ей изумительное рубиновое кольцо, принадлежавшее раньше Мэри Пикфорд. На Рождество они уехали в Вайтфилд и хотели взять Филиппа с собой в Париж, но были совершенно разочарованы, когда мальчик захотел остаться в Вайтфилде.

— Что нам с ним делать? — грустно спросила Сара, когда они снова вернулись домой. — Просто трудно поверить, что он родился и вырос во Франции, он хочет все время жить в Англии. — Ей невыносимо было терять его. Несмотря на свою занятость, у нее всегда нашлось бы для него время, но, кажется, родители его почти не интересовали. С Францией у него были связаны воспоминания о немцах и одиноких годах без отца.

— Вайтфилд у него в крови, — пытался утешить ее Вильям. — Он отвык от Франции. Ему десять лет, и он не хочет расставаться со своими друзьями. Через несколько лет ему снова будет хорошо здесь. Он может поступить в Сорбонну и жить в Париже. — Но Филипп уже говорил о том, что намерен поступить в Кембридж, как его отец, и Сара чувствовала, что в каком-то отношении они уже потеряли его. Отчуждение сына угнетало ее. Когда они вернулись в замок, она сильно простудилась. Месяц назад она тоже перенесла простуду и была измучена предрождественской суетой.

— Ты плохо выглядишь, — с беспокойством заметил ей Вильям, когда в новогоднее утро она спустилась вниз. Он был уже на кухне и готовил кофе.

— Спасибо, — угрюмо отозвалась Сара и спросила его, как он думает, не будет ли Филипп рад, если они купят еще лошадей.

— Сара, перестань о нем беспокоиться. У детей должна быть своя жизнь, независимая от родителей.

— Он еще маленький мальчик, — с горечью сказала она, и на глаза у нее неожиданно навернулись слезы. — И он единственный мой ребенок.

Тут она расплакалась по-настоящему, вспомнив о маленькой девочке, которую потеряла во время войны, дорогой малышке, которую так горячо любила, а этому мальчику она больше не нужна. Когда Сара думала об этом, ей казалось, что сердце разрывается на части. Он так далеко от нее, и у нее больше нет детей. Она не разу не забеременела с тех пор, как Вильям вернулся из Германии. Доктора говорили, что у них могут быть дети, но пока этого не произошло.

— Моя бедняжка, — утешал ее Вильям, обнимая. — Он гадкий мальчишка, раз он так ведет себя.

Вильяму самому не удалось сблизиться с сыном, хотя он изо всех сил старался. Очень трудно, вернувшись с войны, встретить шестилетнего мальчика и установить с ним дружеские отношения. Вильям чувствовал, что они теперь никогда не будут близки. И он полагал, что Филипп никогда не простит его. Мальчик словно обвинял Вильяма в том, что он ушел на войну, оставив их одних, так же, как Сару он винил в смерти сестренки. Он никогда не говорил об этом открыто после вспышки на похоронах, но Вильям чувствовал его настроение, однако никогда не делился своими ощущениями с Сарой.

Вильям заставил ее вернуться в постель. Она съела немного горячего супа, выпила чая и пролежала в постели весь день, плача о Филиппе и рисуя, и в конце концов задремала, когда Вильям поднялся наверх проведать ее. Она понимал ее состояние, она была совершенно измучена. Но когда Саре стало хуже, он позвонил доктору, чтобы тот посмотрел ее. Вильям страдал, видя ее больной, он всегда боялся потерять ее.

— Это глупо, я прекрасно себя чувствую, — спорила она с ним, сотрясаясь от кашля, когда Вильям сообщил ей, что вызвал доктора.

— Я хочу, чтобы он дал тебе что-нибудь от кашля, прежде чем у тебя начнется пневмония, — строго сказал Вильям.

— Ты ведь знаешь, я ненавижу лекарства, — раздраженно проговорила она. Но доктор все же пришел, милый старик из соседней деревни, поселившийся в этой местности после войны. Сару раздосадовал его визит, и она повторяла ему, что ей не нужен доктор.

— Bien sur, madame... но мсье герцог... нехорошо заставлять его беспокоиться, — дипломатично заметил он ей, и Сара смягчилась.

Вильям вышел из комнаты, чтобы принести для нее еще одну чашку чая, а когда вернулся, Сара выглядела покорной и немного напуганной.

— Так она будет жить? — весело поинтересовался у доктора Вильям.

Старик улыбнулся и, вставая, похлопал Сару по колену.

— Вполне определенно, и надеюсь, еще очень долго. — Он улыбнулся ей, потом принял строгий вид: — Вы должны оставаться в постели до тех пор, пока не почувствуете себя лучше, n'est pas?

— Да, сэр, — покорно ответила она, а Вильям удивился, как ему удалось сделать ее такой послушной. Сара вдруг перестала сопротивляться и выглядела очень тихой и спокойной.

Доктор не выписал ей никакого лекарства, он объяснил ей причину, пока Вильяма не было в комнате, но убедил ее, что она должна пить горячий бульон и горячий чай и лежать в постели. Когда он ушел, Вильям подумал, не слишком ли доктор стар и знает ли свое дело. Существовало много лекарств, которые следовало принимать, чтобы не подхватить пневмонию или туберкулез, и он не был уверен, что горячего супа было достаточно. Он даже подумал, не отвезти ли ее в Париж.

Она лежала в постели, задумчиво глядя в окно, пока Вильям снова поднимался наверх, он подъехал к ней поближе в своей коляске и коснулся ее щеки. Но лихорадка прошла и остался только неприятный кашель, однако он по-прежнему был обеспокоен.

— Я хочу отвезти тебя в Париж, если до завтра тебе не станет лучше, — тихо сказал он. Она была слишком дорога ему, чтобы рисковать ее жизнью.

— Я прекрасно себя чувствую, — отозвалась Сара и, улыбнувшись, посмотрела на него странным взглядом. — Просто прекрасно... только очень глупо. — Она поняла это сама. В прошлом месяце она была настолько занята, она думала только Рождестве, магазине и драгоценностях и больше ни о чем другом. А теперь...

— Что ты имеешь в виду? — Он посмотрел на нее, нахмурившись, а она с улыбкой повернулась на спину.

Потом села в постели, наклонилась к нему и нежно его поцеловала. Она никогда еще не любила его так сильно, как в этот миг.

— Я беременна.

Мгновение его лицо сохраняло прежнее выражение, затем он посмотрел на нее с изумлением.

— Что ты сказала? Сейчас?

— Глупый. — Сара вся сияла от счастья, тут она снова улеглась на подушки. — Я думаю, примерно два месяца. Я настолько была поглощена магазином, что забыла обо всем.

— Боже мой. — Он с улыбкой откинулся на спинку коляски и взял ее за руки, а затем наклонился, чтобы поцеловать ее. — Ты изумительна!

— Я не смогла бы сделать это сама, ты ведь понимаешь. Для этого мне понадобилась твоя помощь.

— О, дорогая... — Он снова наклонился к ней, понимая, как сильно ей хотелось иметь еще одного ребенка, и он тоже этого страстно хотел. Но оба уже смирились с неизбежным, когда за последние три года ничего не случилось.

— Надеюсь, что это девочка, — тихо проговорила она.

Вильям знал, что она хотела девочку не для того, чтобы заменить Лиззи, просто мальчик у них уже был. А Вильяму даже не довелось увидеть Лиззи, и он тоже мечтал о дочери. Сара втайне надеялась, что появление малыша может излечить Филиппа. Он так сильно любил Лиззи и так сильно изменился после ее смерти. Вильям выбрался из коляски и лег рядом с Сарой.

— Дорогая, как я люблю тебя.

— Я тоже люблю тебя, — прошептала она, крепко обнимая его, и так они долго лежали вместе, думая о том, какое им послано благословение и представляя себе будущее.

Глава 19

— Я не уверена. — Сара нахмурилась, разглядывая вместе с Эмануэль новые украшения. Их только что доставили из мастерской Шаме, но Сара еще не могла определить, нравятся ли они ей. — А ты что думаешь?

Эмануэль взяла в руки один из тяжелых золотых браслетов, украшенных бриллиантами и рубинами.

— Мне кажется, в нем есть шик, и работа неплохая, — наконец заявила она. Эмануэль выглядела в эти дни очень стильной, с рыжими волосами, собранными в узел и в черном костюме от Шанель. У нее был очень представительный вид, когда она сидела в кабинете Сары.

— Но, кроме того, они очень дорогие, — прямо сказала Сара, она не хотела переплачивать за них, однако хорошая работа стоила больших денег. Сара отказалась от услуг посредственных ювелиров и не приобретала плохих камней. В магазине «Вайтфилд» предлагают только самое лучшее, таково ее кредо.

— Не думаю, что стоит беспокоиться из-за цены, — заметила Эмануэль, улыбаясь Саре. Она подошла к зеркалу взглянуть, как смотрятся браслеты. — Публика платит за то, что покупают здесь, им нравится качество, дизайн и мастерство исполнения. Они похожи на старинные, а клиентам нравится старина, как и ваши работы, мадам. — После всех этих лет она по-прежнему называла ее так. С тех пор, как Эмануэль помогала Филиппу появиться на свет, прошло одиннадцать лет, и за это время они хорошо узнали друг друга.

— Может быть, ты права, — наконец согласилась Сара. — Они недурны. Я скажу, что мы их берем.

— Хорошо. — Эмануэль осталась довольна. Они провели целое утро, тщательно рассматривая драгоценности. Это был последний приезд Сары в Париж перед родами. Был конец июля, и ожидали, что роды будут через две недели. Но на этот раз Вильям категорически не хотел рисковать. Месяц назад он заявил ей, что он в первый и последний раз выступал в роли акушерки и чтобы она не заставляла его делать это еще раз, особенно после того, как он узнал, что вторые роды тоже были тяжелые.

— Но я хочу, чтобы ребенок родился здесь, — настаивала Сара перед отъездом из замка, но Вильям наотрез отказался ее слушать.

Они приехали в Париж и расположились в квартире, которую наконец купили этой весной. В ней было три прелестных спальни, две комнаты для прислуги, красивая гостиная, кабинет, будуар, соседствующий с их спальней, прелестная столовая и кухня. Сара каким-то образом ухитрилась найти время и сама занялась декором квартиры. Из окон открывался прелестный вид на сад Тюильри, а окна их спальни выходили на Сену.

Квартира располагалась вблизи от их магазина, чем Сара была очень довольна, а также от некоторых ее любимых магазинов. На этот раз они привезли с собой Филиппа. Он был взбешен тем, что должен жить не в замке, и постояно жаловался им, что в Париже ему скучно. Сара наняла для него воспитателя, который водил его в Лувр, на Эйфелеву башню, в зоопарк, когда она не могла заниматься с ним сама. В последние две недели она едва двигалась. Похоже, ребенок забрал у нее все силы.

И это тоже раздражало Филиппа. Они сообщили ему о ребенке во время весенних каникул, и он посмотрел на них со смятением и ужасом. А позднее она слышала, как он сказал Эмануэль, что считает это отвратительным.

Они были очень дружны с Эмануэль, и Филиппу нравилось ходить в магазин, навещать ее и рассматривать драгоценности, что он и делал в этот день, когда Сара оставила его с Эмануэль, чтобы самой заняться кое-какими делами.

Ему понравились некоторые драгоценности, а когда она попыталась сказать ему, что малыш тоже понравится ему, он ответил, что все дети очень глупые. И с грустью добавил, что Элизабет была совсем другой, не похожей на остальных детей.

— Ты не был глупым, — нежно заметила Эмануэль. Они ели печенье и пили горячий шоколад в ее кабинете, когда Сара ушла завершить свои дела перед тем, как она отправится в клинику. — Ты был чудесным маленьким мальчиком, — ласково продолжала Эмануэль, желая, как могла, утешить его. Он

вырос таким жестоким и таким ранимым. — И такой же была
твоя сестра. Его лицо исказилось, когда она упомянула Лиззи,
и Эмануэль решила переменить тему. — Может быть, родится
маленькая девочка.

— Я ненавижу девчонок... — Но затем он решил уточ-
нить. — Кроме вас. И тут он просто озадачил ее. — Как вы
думаете, вы сможете когда-нибудь выйти за меня замуж? Я
имею в виду, если вы еще будете свободны. — Он понимал,
что она была уже не совсем молодой. Ей исполнилось двадцать
восемь лет, а к тому времени, когда он сможет на ней жениться, ей будет уже сорок. Но Филипп считал ее самой красивой
женщиной, даже красивее, чем его мать. Его мать тоже была
довольно красивой, пока не стала огромной и толстой с этим
глупым ребенком.

— Я хотела бы выйти за тебя замуж, Филипп. Значит, мы теперь обручены? — Она ослепительно улыбнулась ему и дала еще одно печенье.

— Думаю, что так. Но я не могу купить вам кольцо. Отец
не позволяет мне иметь деньги.

— Все в порядке. Я на время одолжу какое-нибудь в
магазине.

Он кивнул и посмотрел на предметы, лежащие у нее на
столе, и тут он сказал то, что ее удивило, и еще больше была
бы удивлена его мать.

— Когда-нибудь мне хотелось бы работать здесь с вами,
Эмануэль... когда мы поженимся.

— В самом деле? — Ей было забавно, и она решила немного поддразнить его. — Я думала, ты будешь жить в Англии. — Может быть, он понял, что Париж в конце концов не
так плох. Ей захотелось узнать это.

— Мы могли бы открыть там магазин. В Лондоне.
Неплохая мысль.

— Когда-нибудь мы должны будем сказать об этом твоим
родителям, — отодвигая чашку заявила Эмануэль, как раз в
тот момент, когда в комнату вошла Сара.

— Что вы должны сказать? — спросила она, усаживаясь.
Сара казалась Эмануэль очень непривлекательной, и Эмануэль
надеялась, что у нее никогда не будет детей, и готова была

предпринять любые усилия, чтобы не иметь их. Она достаточно насмотрелась на роды Сары, чтобы прийти к заключению, что дети совсем не то, чего бы ей хотелось. Она не понимала, зачем это нужно Саре.

— Филипп хочет открыть такой же магазин в Лондоне, — гордо объявила Эмануэль и мгновенно почувствовала, что допустила оплошность.

— Неплохая идея. — Она улыбнулась ему. — Думаю, что твоему отцу это понравится. Однако не уверена, что переживу открытие еще одного магазина.

— Нам придется подождать, пока Филипп подрастет, чтобы самому вести дело.

— И я это сделаю, — пообещал он, глядя на Сару с упрямством, которое было хорошо ей знакомо. Она предложила ему прокатиться по Булонскому лесу, и он нехотя оставил Эмануэль, поцеловав ее в обе щеки, и сжал ей руку, чтобы напомнить об их помолвке.

После этого они мило погуляли в парке, и он был более разговорчив, чем обычно, болтая об Эмануэль и магазине, об Итоне и Вайтфилде. Он терпеливо относился к медленной неуклюжей походке Сары. Ему было жаль ее, она выглядела такой некрасивой. Вильям дождался их возвращения домой, а вечером они пообедали в ресторане. Филиппу всегда это нравилось. В следующие две недели Сара все время посвятила Филиппу, потому что знала, что новорожденный потребует к себе большого внимания. Они собирались вернуться в замок сразу после родов, и доктора сказали, что она сможет совершить двухчасовую поездку. Они хотели положить ее в клинику за неделю до рождения ребенка, но Сара наотрез отказалась, заметив Вильяму, что в Штатах это не принято. Во Франции ложатся в клинику за неделю или за две до родов и там нежатся и ждут. Она не собиралась сидеть в клинике, пусть даже самой лучшей, и ничего не делать.

Они ежедневно заглядывали в магазин, и Филиппа привела в восторг вновь поступившая партия браслетов с изумрудами. А на следующий день Эмануэль порадовала их тем, что утром купили два огромных кольца. Еще более поразительным оказалось то, что одно из них она продала своему любовнику Жану-

Шарлю де Мартену. Он приобрел его для Эмануэль и, пока выбирал его, безжалостно дразнил ее, делая вид, что покупает его для своей жены. А потом, когда она все больше и больше начинала сердиться на него, он вынул кольцо из коробочки и надел ей на палец. Теперь оно красовалось у нее на пальце. Сара удивленно подняла брови.

— Это означает что-нибудь серьезное? — спросила она, но знала, как много драгоценностей он покупал для жены и своих любовниц в других магазинах.

— Только то, что у меня теперь новое кольцо, — ответила Эмануэль, трезво глядя на вещи. У нее не было иллюзий. Но у нее было несколько солидных клиентов, в которых Эмануэль была заинтересована. Многие из тех, кто бывал у них в магазине, покупали драгоценности как для жен, так и для любовниц. Они вели запутанную жизнь, и все они знали, что Эмануэль Бурже была само благоразумие.

Позднее, когда они вернулись домой, Филипп пошел в кино со своим воспитателем. Это был милый молодой человек, студент Сорбонны, он бегло говорил по-английски, и, к счастью, он нравился Филиппу.

Между тем наступил июль, и в Париже было жарко и душно. Прошло уже две недели, и Сара стремилась поскорее вернуться домой. В это время года в замке было так красиво. Казалось, стыдно тратить впустую лето в Париже.

— Я не называл бы это пустой тратой времени. — Вильям смотрел на нее с задумчивой улыбкой, она выглядела, словно самка кита, выброшенная на отмель, когда лежала в постели в просторной розовой атласной сорочке. — Тебе не жарко в такой одежде? — Он чувствовал себя неуютно, глядя на нее. — Почему ты не снимаешь ее?

— Я не хочу, чтобы мой вид вызвал у тебя тошноту. — Когда она сказала это, он медленно подъехал к кровати.

— Ничто в тебе никогда не вызовет у меня тошноту. — Сейчас он выглядел немного грустным, он не сможет быть рядом с ней во время родов. Он испытывал некоторое недоверие к ее модному парижскому доктору и клинике, но он сам хотел, чтобы она рожала здесь, потому что так было намного безопаснее.

Этой ночью она спала глубоким сном, а он спал урывками. А в четыре часа утра у нее начались схватки. Он оделся и позвал служанку, чтобы та помогла одеться Саре, потом отвез ее в Нойи, в клинику, которую они выбрали. У нее были уже сильные схватки, и она почти не разговаривала с ним, пока они ехали в его «бентли». А потом ее увели, и он нервно прождал до полудня, опасаясь, что произойдет что-нибудь ужасное, как в первый раз. Они обещали дать ей маску и уверяли ее, что все будет в порядке. И легко, даже если женщина рожает ребенка в девять фунтов. И, наконец, в половине второго к нему вышел улыбающийся доктор, очень скромный и аккуратный.

— У вас красивый сын, мсье.

— А моя жена? — встревоженно спросил Вильям.

— Ей пришлось потрудиться, — на мгновение доктор стал серьезным, — но все прошло хорошо. Сейчас мы дали ей немного снотворного. Через несколько минут вы увидите ее.

Когда он вошел в палату, Сара лежала, завернутая в простыни, очень бледная и словно пьяная. Казалось, она не имеет представления, где она находится и почему она здесь. Она все время говорила ему, что они должны пойти днем в магазин и не забыть написать Филиппу в Итон.

— Я знаю, дорогая... все в порядке... — Он тихо просидел возле нее не один час, и около половины пятого она шевельнулась и, открыв глаза, посмотрела на него, потом смущенно оглядела комнату. Тогда он подвинулся к ней поближе, поцеловал в щеку и сказал ей о ребенке. Вильям еще не видел его, но медсестры говорили, что он прелестный. Он весил девять фунтов и четырнадцать унций и был почти таким же крупным, как Филипп. Глядя на нее, Вильям мог только воображать, как нелегко ей пришлось.

— Где он? — спросила она, оглядываясь по сторонам.

— В детской, его скоро принесут. Они хотели, чтобы ты поспала. — И тут он еще раз поцеловал ее. — Было очень тяжело?

— Скорее странно... — Она сонно на него посмотрела, держа его за руку и пытаясь собраться с мыслями. — Мне дали наркоз, и я почувствовала тошноту... и мне ка-

залось, что все где-то очень далеко, однако я чувствовала
боль, но не могла сказать им.

— Может быть, поэтому им нравится давать наркоз. —
Но по меньшей мере она и ребенок остались живы.

— Мне больше понравилось, когда я была с тобой, —
грустно сказала она, все было так странно, так чуждо и так
стремительно, они даже не показали ей ребенка.

— Благодарю за комплимент. Боюсь, что я неважный хирург.

Но тут им принесли новорожденного, и вся боль была
тотчас забыта. Малыш был красивый и пухленький, с темными волосами и большими голубыми глазами. Он был
очень похож на Вильяма. Сара плакала, держа его на руках и любуясь прелестным мальчиком. Ей хотелось девочку, но теперь она ничего не имела против сына. Самое
главное, что он родился и что с ним все в порядке. Они
решили назвать его Джулиан, в честь дальнего кузена
Вильяма. Сара настаивала, чтобы вторым его именем
было Вильям, на что Вильям-старший неохотно согласился. Когда ребенка опять унесли, Сара заплакала. Она
не могла понять, зачем они это делают, у нее была своя
няня, своя комната и даже гостиная и отдельная ванная
комната, но ей сказали, что оставлять его здесь надо-
лго антисанитарно. Он должен находиться в детской в
стерильных условиях. Сару переполнили впечатления про-
шедшего дня. Внезапно Вильям почувствовал себя виноватым за то, что привез ее сюда, но он обещал скоро
отвезти ее домой.

На следующий день он привел Филиппа и Эмануэль,
которая объявила, что Джулиан очень красив, когда увидела его через окно. Они не выносили новорожденных к
посетителям, и Сара еще больше возненавидела это место. А Филипп взглянул на маленького братика через стекло,
пожал плечами и отвернулся, было видно, что ребенок
не произвел на него впечатления. Сара разочарованно
смотрела на него. Он выглядел рассерженным и был
неласков с матерью.

— Ты не находишь, что он милый? — с надеждой
спросила Сара.

— Он такой, какой должен быть. Ужасно маленький, — пренебрежительно ответил Филипп. А его отец печально усмехнулся, зная, что пришлось перенести Саре.

— Не для нас, молодой человек. Девять фунтов и четырнадцать унций, это чудовище!

Но больше ничего чудовищного в нем не было, всякий раз, когда его приносили Саре кормить, она все больше убеждалась, что у него чудесный характер. После окончания кормления он лежал некоторое время рядом с ней, и как только звонил звонок, мгновенно появлялась няня и уносила его в детскую.

На восьмой день Сара с нетерпением ждала Вильяма. Он приехал с букетом цветов и застал ее в гостиной с горящими от гнева глазами.

— Если ты не заберешь меня через час, я возьму Джулиана и уйду отсюда в ночной сорочке. Я прекрасно себя чувствую, я не больна, а мне не позволяют быть вместе с ребенком.

— Хорошо, дорогая, — успокаивал ее Вильям, понимая, что она способна на это, — завтра, я обещаю.

И на следующий день он забрал их домой, а через два дня они уехали в замок. Сара держала Джулиана на руках, а он спокойно спал, чувствуя материнское тепло.

К своему дню рождения в августе Сара была в прежней форме, похудевшей, здоровой и сильной и в восторге от малыша. Они на месяц закрыли магазин. Эмануэль отдыхала на яхте на юге Франции, а Сара даже не думала о бизнесе. Но в сентябре, когда Филипп пошел в школу, они поехали на несколько недель в Париж, и Сара взяла Джулиана с собой. Они нигде не расставались с ним, иногда он мирно спал в маленькой корзине у нее в кабинете.

— Какой чудесный малыш! — говорили все. Он все время улыбался, смеялся и ворковал. А в Сочельник, когда он бодрствовал, кажется, весь мир был очарован им, весь мир, кроме Филиппа. Он выглядел рассерженным каждый раз, когда видел брата. И всегда старался сказать что-нибудь неприятное о нем. Это больно задевало Сару, она так надеялась, что Филипп полюбит Джулиана. Однако братские чувства к малышу, на которые она так надеялась, в нем не пробудились, и он оставался отчужденным и недовольным.

— Он просто ревнует, — старался успокоить ее Вильям, принимая все, как есть, так он делал всегда в отличие от Сары. — Так он выражает свою ревность.

— Но это несправедливо. Такой милый ребенок не заслуживает этого. Его любят все, кроме Филиппа.

— Если только один человек не будет любить его всю жизнь, ему очень повезет, — трезво заметил Вильям.

— Но этот один человек — его брат.

— Иногда в жизни случается такое. Никто никогда не говорил, что братья должны быть друзьями. Вспомни Каина и Авеля.

— Я не могу этого понять. От Лиззи он был без ума. — Она вздохнула. — А мы с Джейн обожали друг друга, когда были детьми. — И они по-прежнему любили друг друга, хотя давно не виделись.

После войны Джейн снова вышла замуж и переехала в Чикаго, а потом в Лос-Анджелес, и они ни разу не приезжали в Европу. А Саре не удалось после войны выбраться в Соединенные Штаты. Трудно было даже представить себе, что Джейн теперь замужем за человеком, которого Сара ни разу не видела. Они были так близки, а теперь жизнь разъединила их. Но она по-прежнему любила ее, и они часто писали друг другу, и Сара все время убеждала ее приехать в Европу.

И что бы там ни думали его родители, Филипп по-прежнему не испытывал теплых чувств к брату. Всякий раз, когда Сара пыталась поговорить с ним об этом, он отмахивался от нее, пока она не заставила его выслушать ее, и тогда он взорвался:

— Пойми, мне не нужен никакой ребенок. У меня уже была сестра. — Казалось, что он боится опять полюбить кого-то, чтобы не рисковать потерять его снова. Он любил Лиззи, может быть, слишком сильно, и он потерял ее. И поэтому он решил никогда не любить Джулиана. Это было печально для обоих детей.

Вильям и Сара взяли Джулиана в Вайтфилд, чтобы познакомить его с единственной бабушкой вскоре после его рождения, и теперь они все вместе праздновали Рождество. Вдовствующая герцогиня была очарована малышом. Казалось, он излучал солнечный свет. Она призналась, что никогда не видела ребенка счастливее его. Он вызывал улыбку у каждого, кто наблюдал за ним.

В этом году Рождество в Вайтфилде было особенно приятным, они все собрались вместе. Матери Вильяма было уже девяносто шесть лет. И хотя она передвигалась в коляске, она всегда была в приподнятом настроении. С ней было весело, и Сара не знала женщины добрее ее, и она по-прежнему обожала Вильяма. Он привез ей в подарок бриллиантовый браслет, и она проворчала, что слишком стара для таких прелестных вещей, но было ясно, что он ей понравился, и она не снимала его, пока они гостили в Вайтфилде. А когда после Нового года они уезжали, она сказала, что он хороший сын, и всегда был хорошим сыном, и всегда приносил ей радость, и крепко обняла его.

— Как ты думаешь, почему она сказала это? — спросил Вильям, когда они отъехали, в его глазах блестели слезы. — Она всегда была невероятно добра ко мне, — сказал он, отворачиваясь, смущенный, что Сара увидит его слезы.

Он был растроган словами матери. Она поцеловала Джулиана в маленькую пухлую щечку, потом поцеловала Сару и поблагодарила ее за прелестные подарки из Парижа. А через две недели она спокойно умерла во сне, ушла, чтобы встретиться со своим мужем и с Творцом, прожив в Вайтфилде счастливую жизнь.

Вильям был потрясен этой потерей, но даже он должен был признать, что она прожила долгую и счастливую жизнь. В этом году ей должно было исполниться девяносто семь лет, и всю жизнь она отличалась крепким здоровьем. И они были благодарны за это, стоя на кладбище в Вайтфилде. На похороны прибыли король Георг и королева Елизавета, пережившие ее родственники и друзья и все те, кто знал ее.

Казалось, Филипп очень остро переживает ее уход.

— Значит, я больше не смогу сюда приезжать? — спросил он со слезами на глазах.

— Некоторое время, — грустно ответил Вильям. — Здесь всегда все будет ждать тебя и однажды станет твоим. Мы постараемся приезжать в Вайтфилд каждое лето. Но ты не сможешь проводить здесь каникулы и выходные, как делал, когда была жива бабушка. Будешь приезжать в Ля Мароль или в Париж, или гостить у кого-то из кузенов. Тебе пока рано жить здесь одному со слугами.

— Мне не нравится ни одно из этих мест, — обиженно сказал он. — Я хочу останавливаться здесь. — Но Вильям не видел возможности для этого. Со временем Филипп сам сможет приезжать сюда, когда поступит в Кембридж. Но это будет только через семь лет, а до того времени ему придется довольствоваться тем, что он сможет проводить здесь только лето.

Но весной Вильяму стало очевидно, что он не сможет подолгу находиться вдали от Вайтфилда, как предполагал. Только теперь он осознал, как много делала его мать, без нее оказалось очень трудно управлять имением.

— Мне так не хочется заниматься этим, — признался он как-то Саре, читая страницу за страницей жалобы управляющего имением. — Но думаю, мне придется уделять Вайтфилду больше времени. Тебя это не пугает?

— Почему меня это должно пугать? — Она улыбнулась. — Я могу взять Джулиана куда угодно хоть сейчас. — Ему исполнилось восемь месяцев, и он легко переносил переезды. — А Эмануэль прекрасно справится одна с магазином. — Она наняла еще двух девушек, и их теперь стало четверо, дела шли исключительно успешно. — Я не возражаю немного времени проводить в Лондоне. — Лондон всегда нравился ей. А Филипп сможет приезжать в Вайтфилд на выходные, она знала, что он будет доволен этим.

Они провели там весь апрель, не считая короткой поездки на Антибы на Пасху. На званом обеде они встретили Виндзоров, и Уоллис упомянула, что купила в Париже в магазине Сары несколько красивых вещей. Кажется, их драгоценности произвели на нее впечатление, особенно выполненные по последним рисункам Сары. Кажется, весь Лондон говорил об их магазине «Вайтфилд».

— Почему бы тебе не открыть еще один магазин здесь? — спросил ее Вильям, когда они вернулись домой с вечера, где дамы просто засыпали ее вопросами.

— В Лондоне? Так скоро?

Прошло всего два года со дня открытия магазина в Париже. Сару беспокоило, что ей придется разрываться между Лондоном и Парижем. Одно дело, когда они жила здесь с Вильямом, и совсем другое, если ей придется носиться туда-сюда через Ла-Манш. К тому же ей хотелось проводить побольше времени с Джулианом, пока он не вырос и не ушел из ее жизни, как Филипп. Теперь она, как никогда, остро ощущала быстротечность времени.

— Тебе нужно найти хорошего управляющего. Действительно, — Вильям задумался, словно пытаясь вспомнить что-то давно забытое, — у Гаррарда был изумительный человек. Благоразумный, знающий, он молод, но, возможно, немного старомоден, это как раз то, что нравится англичанам, хорошие манеры и старые традиции.

— Почему ты считаешь, что он захочет оставить свое место? У них там самые престижные драгоценности. Его может шокировать наше предложение.

— У меня всегда было такое впечатление, что его там недооценивают, считая заурядностью. Я загляну туда через неделю, может быть, мне удастся встретиться с ним. Если ты не возражаешь, мы можем пригласить его на ленч.

Сара усмехнулась, не в состоянии поверить тому, что они замышляют.

— Ты всегда стараешься втянуть меня в еще большие неприятности, не так ли? — Но ей понравилось его предложение. Ей нравилось то, как Вильям подбадривал и помогал ей. Она понимала, что без него она никогда бы не взялась за это.

Как Вильям и обещал, он заглянул к Гаррарду на следующий день и купил ей прелестное старинное кольцо с бриллиантом. И пока он покупал его, ему удалось переговорить со своим человеком, Нигелем Хольбруком. Они договорились встретиться в четверг в полдень за ленчем в «Савое».

Как только Сара вошла в ресторан, она мгновенно узнала его по описанию Вильяма. Он был высокий, худой и очень бледный, со светлыми волосами и коротко подстриженными усами. На нем был хорошего покроя костюм в мелкую полоску, и он внешним видом походил на банкира или адвоката. Его отличал изящество и сдержанность, и

он был невозмутим, когда Вильям и Сара рассказывали
ему о своем замысле. Он сказал, что проработал у Гаррарда семнадцать лет, с двадцати двух лет, и ему трудно
представить себе, что он уйдет от него, но он должен был
признать, что перспектива подобного рискованного пред-
приятия заинтересовала его.

— Особенно, — тихо добавил он, — если учесть репутацию
вашего магазина в Париже. Я познакомился с работой, которую
вы проделали там, ваша светлость, — сказал он Саре, — она
великолепна. Я был изумлен. Французы бывают, — он
поколебался, затем продолжил, — иногда неестественны... если
вы позволяете им.

Она рассмеялась над его шовинизмом, но поняла, что он имеет
в виду, если бы она не наблюдала за отделкой рабочего кабинета,
которым она пользовалась, они готовы были срезать углы, чего она
никогда не позволила бы им сделать. Сара осталась довольна его
оценкой, было ясно, что у них заслуженная репутация.

Хольбрук был вторым сыном британского генерала и
вырос в Индии и Китае, и драгоценности приводили его
в восторг с детства. Молодым человеком он недолго работал в Южной Африке с алмазами. Он знал свое дело.
И Сара полностью разделяла мнение о нем с Вильямом.
Он был именно тем человеком, который был нужен им
в Лондоне. Здесь царила совершенно другая атмосфера, и она инстинктивно чувствовала, что им следует войти
в нее с большим тактом, меньшим щегольством и тем
достоинством, которое мог предложить Нигель Хольбрук. Они попросили позвонить его, когда он все обду-
мает, и через неделю Сара пришла в уныние, так как
Хольбрук молчал.

— Дай ему время. Он может не позвонить целый месяц.
Но будь уверена, он о нашем предложении думает.

Они предложили ему очень выгодные условия, и, несмотря
на его преданность Гаррарду, трудно было поверить, что он не
соблазнится их предложением. Если же нет, Вильям приготовился поразиться верности Хольбрука своим нынешним хозяевам, поскольку вряд ли тот сможет когда-либо получить
жалованье, которое они ему предложили.

Он позвонил им в Вайтфилд перед их отъездом. Сара нетерпеливо ждала, пока Вильям разговаривал по телефону, когда он повесил трубку, он улыбался.

— Хольбрук согласен, — объявил он. — Ему хотелось бы дать за два месяца уведомление своим хозяевам, что чертовски порядочно с его стороны, потом он твой. Когда ты хочешь открыть магазин?

— Боже мой... Я даже не думала об этом... Я не знаю... В конце года... на Рождество? Как ты думаешь, нам действительно стоит затевать все это?

— Конечно, тебе просто необходимо новое дело. — Он все время настаивал на том, чтобы отдать все в ее руки. — В любом случае через две недели я должен вернуться, тогда мы можем поискать место для магазина и поговорить с архитектором. У меня есть уже один на примете.

— Я лучше займусь покупкой новых украшений. — Она использовала доход, который давал магазин в Париже, на покупку новых драгоценностей. Однако теперь ей нужен был какой-то капитал, и она решила использовать деньги, оставшиеся у нее от продажи дома ее родителей в Лонг-Айленде. Если Лондон хоть немного похож на Париж, она знала, что они быстро получат прибыль.

И тут Вильям заговорил о том, о чем она даже не подумала.

— Посмотрим, как Филипп отнесется к этому магазину, — заметил он, вяло улыбаясь, когда они заговорили о возвращении в Лондон.

— Ему понравится это, не так ли? Как ты думаешь, он действительно когда-нибудь займется этим?

— Вполне возможно.

— Я совершенно не могу представить, что он войдет в наше дело. Он так безразличен... И так холоден и отчужден... и так рассержен из-за Джулиана...

— Однажды он может удивить тебя. Никогда нельзя сказать, чем займутся дети. Кто мог когда-нибудь представить, что я стану ювелиром? — Он рассмеялся, а она поцеловала его, а завтра они поехали обратно в Париж.

В следующие несколько месяцев Нигель несколько раз прилетал в Париж, чтобы встретиться с ними, поговорить с Эмануэль и посмотреть, каким образом поставлена работа в Париже. Они серьезно стали обсуждать переезд в новое помещение, дела шли весьма успешно, но Саре не хотелось торопить события, особенно теперь, когда они собирались открыть филиал в Лондоне.

На Нигеля произвела сильное впечатление постановка дела в Париже. Ему все больше нравилась Эмануэль, которая давно догадалась, что женщинам он отводил скромное место в своей жизни. На самом деле, они вовсе не занимали его мысли, она была права, но ее восхищали его безупречный вкус, его превосходные деловые качества и его хорошие манеры. Последние несколько лет она старалась приобрести более изысканные манеры, и ее особенно восхищали спокойная элегантность Нигеля и его безупречные манеры. Всякий раз, когда он приезжал в Париж, они вместе обедали, и Эмануэль познакомила его с некоторыми своими друзьями, включая очень известного дизайнера, который занял важное место в жизни Нигеля. Но большую часть времени они посвящали делу.

Они нашли небольшой красивый магазин на Нью-Бонд-стрит. Архитектор предложил отделать все темно-синим бархатом и белым мрамором.

Магазин предполагали открыть первого декабря, и они работали не покладая рук, чтобы все было готово к сроку. Эмануэль приехала из Парижа, чтобы помочь им, оставив вместо себя в магазине лучшую продавщицу. Магазин в предместье Сен-Оноре мог теперь сам позаботиться о себе. Новым ребенком стал филиал в Лондоне.

Сара привезла с собой в Лондон Джулиана, и они снова поселились в «Кларидже». Джулиан оставался с няней. Они слишком уставали, чтобы вечером проделывать долгий путь в Вайтфилд.

Вильям и Сара получали массу приглашений от знакомых и друзей, но у них не было времени на визиты. Они не тратили зря ни минуты, пока, наконец, двери их магазина не распахнулись перед покупателями. Они при-

гласили четыреста человек родственников и друзей, и еще
сто человек, лучших покупателей Нигеля у Гаррарда. Собрался весь цвет общества, и открытие их магазина два с
половиной года назад померкло по сравнению с этим блис-
тательным праздником. Драгоценности, купленные Сарой
для продажи, потрясли всех. Она боялась, что прогорит
из-за того, что ювелирные украшения были слишком ро-
скошными и дорогими. В Париже она продавала шикар-
ные изделия, которые можно носить, не нанимая вооруженной
охраны, в Лондоне Сара отбросила все предосторожности. Она потратила все деньги, полученные от продажи имения
в Лонг-Айленде до последнего пени, но оглядывая все,
пока прибывали первые гости, она понимала, что это стоило таких затрат.

А на следующее утро, когда пришел Нигель, ошеломлен-
ный и бледный, она подумала, что произошло что-то ужасное.

— Что случилось?

— Здесь только что был секретарь королевы.

Сара испугалась, не совершили ли они какой-то ложный шаг,
и, нахмурясь, посмотрела на Вильяма, пока Нигель продолжал объяснять цель ее визита. — Ее Королевское Высочество желает приобрести что-нибудь из того, что ее
придворные дамы видели здесь вчера вечером. Утром мы
отослали драгоценности во дворец, и они ей очень понравились. — Сара с изумлением слушала его. Они добились этого. — Ей хочется купить большую заколку,
украшенную бриллиантами. — Она была очень похожа на
герб принца Уэльского, и Сара совершенно случайно купила ее у дилера в Париже. Цена на ярлыке смутила ее,
когда она сама проставляла ее.

— Боже мой! — воскликнула Сара, находясь под впечатлением от продажи, но на Нигеля произвело впечатление нечто более важное.

— Это значит, ваша светлость, что в наш самый первый день, когда мы начали свое дело, мы поставили драгоценности Короне. — Это означало, что они продали что-то
королеве. Драгоценности Короне поставлял Гаррард, который являлся официальным ювелиром королевы, и еже-

годно реставрировал драгоценности Короны, которые хранились в лондонском Тауэре. Это было очень важно для начала их дела в Лондоне и вызывало законную гордость. — Если королева пожелает, через три года она может сделать вас королевским ювелиром. — Он был ошеломлен, и даже Вильям приподнял бровь. Они выиграли большой кубок, даже не пытаясь сделать это.

Приобретение королевы положило хорошее начало, а остальные несколько предметов, проданные ими в этом месяце, обеспечили их дело на год. Сара была довольна, что она могла уехать в Париж, оставляя все в умелых руках Нигеля. Она едва могла поверить этому, когда после Нового года летела во Францию. Эмануэль вернулась в Париж уже давно, после открытия лондонского филиала, и ее рождественские цены были поразительны.

Сара также заметила, что между двумя магазинами возникло дружеское соперничество, каждый из них старался превзойти другой. Но это не причиняло вреда. Нигель и Эмануэль испытывали друг к другу искреннюю симпатию. Кроме того, Сара хотела, чтобы два магазина были в чем-то схожи и одновременно отличались друг от друга. В Лондоне они продавали роскошные старинные драгоценности, многие из которых принадлежали раньше европейской знати, а также украшения современного дизайна. В Париже также были представлены антикварные драгоценности, однако большую часть французской коллекции составляли современные изделия оригинального рисунка.

— Где будет следующий магазин? — поддразнивал ее Вильям, когда они возвращались в замок. — Буэнос-Айрес? Нью-Йорк? Антибы? — Возможности безграничны, но Сара была удовлетворена тем, что они уже имели. Она постоянно была занята, однако находила время для своих детей. Джулиану исполнилось уже полтора года, и за ним приходилось все время следить, он забирался на столы, раскачивался на стульях, падал с лестницы и исчезал в саду. Саре приходилось не выпускать его из виду, и Джулиан доставлял немало хлопот местной девушке, которая приходила помогать Саре. Они всегда брали ее с собой в

Париж, чтобы она присматривала за малышом, а в Лондоне временно нанимали няню. Но большую часть времени Сара предпочитала заботиться о нем сама, и он любил сидеть у Вильяма на коленях и разъезжать повсюду с ним в коляске.

— Vite! Vite! — выкрикивал Джулиан, настаивая, чтобы отец ехал скорее, это было одно из нескольких слов, которые он научился говорить, и он с удовольствием часто повторял его. Это было счастливое для них время. Все мечты осуществлялись. Жизнь была полной и счастливой.

Глава 20

В течение следующих четырех лет Джулиан и два магазина занимали у Сары и Вильяма все время. Дело в Париже и Лондоне расширялось. Сара уступила, наконец, и согласилась увеличить магазин в Париже. Но лондонский филиал оставили без изменений, несмотря на то что торговля шла превосходно, внутреннее убранство импонировало чопорным британцам. Эмануэль и Нигель прекрасно справлялись с работой. Сара чувствовала себя счастливой, когда в свой тридцать девятый день рождения задувала свечи на праздничном пироге. Филипп гостил в замке, ему исполнилось уже шестнадцать лет, он был почти одного роста со своим отцом, и ему не терпелось вернуться обратно в Вайтфилд. Он собирался навестить друзей и остался на день рождения Сары только по настоянию отца. Ей хотелось, чтобы они в семейном кругу отпраздновали ее день рождения, но ему это было неинтересно. Он ухитрился забыть про день рождения Джулиана, который был тоже в июле. Семья как бы не существовала для Филиппа. Казалось, он старается избегать их. Словно между ними существовала преграда, которую он никогда не позволял никому перейти. На этот раз, когда он уехал, Сара была настроена философски. В течение всех этих лет она узнала кое-что от Вильяма.

— Я думаю, нам повезло, что он вообще приезжает сюда, — сказала она Вильяму в тот день, когда он уехал. — Он хочет только все время играть в поло, проводить время со своими друзьями и жить в Вайтфилде. — Они наконец разрешили ему ездить туда одному на выходные и каникулы, и он мог брать с собой друзей. Пока он пригласил одного из учителей. Такое решение проблемы, кажется, всех устраивало, и больше всех, конечно, Филиппа. — Не правда ли, забавно, насколько Филипп — британец, а Джулиан — француз?

Все в маленьком мальчике было невероятно галльским. Он говорил с ними по-французски, любил жить в замке и предпочитал Париж Лондону.

—Les anglais me font peur, — всегда жаловался он. — Англичане пугают меня.

Сара говорила ему, что это глупо, поскольку его отец — англичанин, и он тоже англичанин, хотя не наследовал титул, так как был вторым сыном. Когда он вырастет, он будет просто лорд Вайтфилд. Иногда британские традиции казались невероятно донкихотскими. Но она считала, что Джулиа на это никогда не будет беспокоить. Он рос таким добродушным, его никогда ничего не раздражало, даже безразличие старшего брата. Он привык еще маленьким мальчиком сторониться его и заниматься своими собственными делами, что, кажется, превосходно устраивало обоих. Он обожал своих родителей, друзей, людей, которые работали в замке, домашних животных, он любил, когда приезжала Эмануэль. Джулиан любил все и всех, и, в свою очередь, все, кто знал его, платили ему тем же.

Сара как-то задумалась об этом сентябрьским днем, когда ухаживала за цветами на могиле Лиззи. Она регулярно приходила в этот тихий уголок парка и следила, чтобы могила выглядела опрятно. Сара никогда не могла удержаться от слез. Спустя одиннадцать лет она все еще скучала по ней. Сейчас Лиззи исполнилось бы пятнадцать... такой любимой и такой дорогой... Она была немного похожа на Джулиана, только была нежнее и не такая сильная... Сара не слышала, как Вильям подъехал на своей коляске. В последнее время он чувствовал себя не очень хорошо. Его беспокоили боли в спине и ногах, но он никогда не жаловался.

Она почувствовала его руку на своем плече и обернулась. По ее щекам текли слезы, она подвинулась к нему, и он нежно вытер ее слезы и поцеловал ее.

Вильям посмотрел на ухоженную могилку.

— ...Бедная маленькая Лиззи. — Он тоже сожалел, что у Сары не родилась другая дочь, чтобы утешить ее, хотя Джулиан стал источником радости для них обоих. Филиппа он принимал таким, каким он был. Ему даже не пришлось увидеть свою маленькую дочь, но, несмотря на это, ему все же не хватало ее.

Закончив работу, Сара села рядом с Вильямом, взяв у него свой помятый носовой платок.

— Прости... Мне не следовало плакать... Прошло столько времени... — Но она сохранила воспоминание о маленьком теплом тельце, лежащем рядом с ней, о маленьких ручках, обвивших ее шею, пока девочка не затихла и не перестала дышать...

— Мне тоже жаль. — Он нежно улыбнулся ей. — Может быть, нам нужен еще один ребенок?

Она понимала, что он шутит, и улыбнулась ему.

— Филиппу это понравилось бы.

— Может быть, это пошло бы ему на пользу. Он очень эгоистичный молодой человек. — На этот раз Филипп досадил ему, он был так нетерпим и так жесток по отношению к своей матери.

— Я не знаю, в кого он пошел, ты совершенно не такой, надеюсь, и я тоже... Джулиан обожает всех... а твоя мать была такой ласковой. Мои родители тоже были неплохими людьми и сестра.

— Должно быть, среди моих давних предков был король вестготов или свирепый норманн. Я не понимаю, в чем дело.

Филиппа занимали только Вайтфилд, Кембридж и ювелирный магазин в Лондоне, который завораживал мальчика. Когда бы Филипп ни был там, он всегда задавал Нигелю тысячу вопросов, что забавляло управляющего. Он отвечал на вопросы мальчика, учил его всему, что сам знал о драгоценных камнях, и обращал его внимание на то, что было наиболее важно: на размер, качество, прозрачность и оправу. Но Филиппу предстояло серьезно обдумать выбор карьеры, прежде чем принять решение работать в магазине «Вайтфилд».

— Может быть, нам съездить куда-нибудь в этом году? — Сара посмотрела на Вильяма, и ей показалось, что он выглядит усталым. За пятьдесят два года ему многое пришлось пережить, и теперь это было заметно. Он без устали ездил вслед за ней из Парижа в Лондон и обратно. Но на будущий год, когда Джулиан пойдет в школу в Ля Марало, они будут больше времени проводить в замке. Это был последний год, когда они могли путешествовать. — Мне хотелось бы поехать в Бирму и Таиланд, чтобы посмотреть на драгоценные камни, — задумчиво проговорила она.

— В самом деле? — удивился Вильям. Последние шесть лет она стала интересоваться всем, что связано с драгоценными камнями, с тех пор, как они начали свое дело. Сара очень придирчиво относилась к приобретению камней. Но благодаря этому магазин «Вайтфилд» имел безупречную репутацию. Их дело расширялось как в Лондоне, так и в Париже. В Лондоне королева еще несколько раз делала у них покупки, так же, как и герцог Эдинбургский. Вильям и Сара надеялись, что скоро станут королевскими ювелирами.

— Мне хотелось бы съездить куда-нибудь. Мы даже могли бы взять с собой Джулиана.

— Как романтично, — подразнил ее Вильям. Но он знал, что Сара любила, чтобы он был рядом с ней. — Почему бы мне тогда не организовать что-нибудь для нас троих? И нам придется взять с собой няню, чтобы она помогла нам присматривать за Джулианом. Возможно, мы успеем побывать на Востоке и вернуться во Францию перед Рождеством. — Поездка предстояла долгая, и Сара знала, что это будет утомительно для Вильяма, однако она понимала, что им необходимо развеяться, смена обстановки и новые впечатления пойдут им на пользу.

Они уехали в ноябре, а вернулись в Сочельник и встретились в Вайтфилде с Филиппом. Они путешествовали полтора месяца и без конца рассказывали ему об охоте на тигров в Индии, о поездке на морское побережье в Таиланде и Гонконге, о храмах, о рубинах... изумрудах... и о сказочных драгоценностях. Саре повезло, она приобрела великолепные камни. Филипп был очарован ими и всеми историями, которые он услышал от родителей. В первый раз он был мил со своим младшим братом.

На следующей неделе, когда Сара показала сокровища Нигелю, они привели его в трепет, и он похвалил ее за прекрасное приобретение. А Эмануэль заинтересовали некоторые драгоценности индийского маха раджи, она взяла их в Париж, и они вскоре были куплены.

Это было сказочное путешествие и весьма плодотворное, но все они были счастливы возвратиться в замок. Девушке, которую они брали с собой, было что рассказать своим родственникам, а Джулиан радовался встрече с друзьями. Сара тоже была рада возвращению домой. В Индии она подхватила какую-то инфекцию и никак не могла от нее избавиться. Она постоянно опустошала ее живот, и Сара всеми силами старалась не жаловаться. Но когда они вернулись в замок, ее охватило беспокойство. Она уже едва могла есть. Сара не хотела говорить Вильяму, чтобы не огорчать его, и старалась не принимать это всерьез.

Наконец, в следующий свой приезд в Париж, это было в конце
января, она пошла к доктору. Он сделал несколько анализов, не
нашел ничего серьезного и попросил ее зайти к нему еще раз.
Но к тому времени она чувствовала себя немного лучше.

— Как вы думаете, что это может быть? — спросила Сара.

— Я думаю, все очень просто, мадам, — спокойно ответил доктор.

— Это утешительно. — Однако она была раздосадована
на себя за то, что подхватила инфекцию. Слава Богу, Джулиан
не пострадал. Сара внимательно следила за тем, что он ел и
пил, чтобы он там не заболел. Но по отношению к себе она не
проявила должной осторожности.

— У вас есть какие-то планы на будущее лето, мадам? —
спросил доктор с улыбкой, и Сара начала паниковать. Не собирается ли он предложить операцию?

Но до лета оставалось еще семь месяцев, и тут внезапно она поняла. Но этого не может быть. Не сейчас.
Не в таком возрасте.

— Я не знаю... а в чем дело? — небрежно спросила она.

— Я думаю, в августе у вас родится ребенок.

— У меня? — В ее возрасте, она не могла поверить этому.
В августе ей должно было исполниться сорок лет. Она слышала
раньше о таких странных случаях, и все же в ее возрасте. Сара
по-прежнему хорошо выглядела, но нельзя обмануть календарь.
Сорок лет — это все-таки сорок лет.

— Вы уверены?

— Думаю, что да. Мне хотелось бы сделать еще несколько анализов, чтобы убедиться, что они дадут положительный результат.

Анализы сделали, и они подтвердили предположение доктора.
Как только доктор позвонил ей, Сара сообщила об этом Вильяму.

— Но в моем возрасте... разве это не абсурдно? — На
этот раз она почему-то была немного смущена.

— Это вовсе не абсурд. — Он выглядел взволнованным. —
Моя мать была намного старше тебя, когда родила меня и
осталась жива. — У него был счастливый вид. — Кроме того,
я уже говорил тебе, что нам нужен еще один ребенок. — На
этот раз он тоже хотел дочь.

— Ты снова собираешься отправить меня в эту ужасную клинику, не так ли? — Сара уныло посмотрела на него, и он рассмеялся. Временами она все еще казалась ему молоденькой девушкой.

— Я не собираюсь снова принимать ребенка сам в твоем возрасте! — сказал он, дразня ее.

— Вот видишь! Ты тоже считаешь, что я слишком стара для этого. Что скажут люди?

— Они скажут, что нам очень повезло... и боюсь, подумают, что мы не очень хорошо себя вели, — продолжал он дразнить ее, и Саре пришлось рассмеяться над собой. Ей казалось немного глупо рожать ребенка в сорок лет, но в глубине души была довольна. Джулиан приносил ей столько радости, но в сентябре он должен был пойти в школу. Эмануэль немного испугалась, когда Сара сообщила ей об этом в марте, а Никель был слегка смущен этой новостью, но очень вежливо поздравил ее. Оба магазина работали хорошо и не нуждались в постоянном внимании Сары. В этом году она много времени провела в замке, и, как всегда, летом к ним приехал Филипп. Он почти ничего не сказал по поводу беременности матери. Он считал это состояние таким отвратительным, что даже не хотел упоминать о нем.

На этот раз Сара убедила Вильяма не отправлять ее так далеко. Они пришли к компромиссу, было решено, что она поедет в госпиталь в Орлеане, который не был таким роскошным, как клиника в Париже, и ей понравился местный доктор.

Им удалось на этот раз отпраздновать день ее рождения так, что Филипп остался доволен, и они хорошо провели время. На следующий день он уехал в Вайтфилд, чтобы провести там оставшиеся каникулы перед тем, как вернуться в Кембридж. Вечером, в день отъезда Филиппа, Сара чувствовала себя очень неуютно, и после того, как Джулиан лег в постель, она странно посмотрела на Вильяма.

— Я не уверена, что начинаются роды, но я чувствую себя как-то странно. — Она подумала, что следует предупредить его.

— Может быть, позвонить доктору?

— Мне кажется, не стоит. У меня нет схваток. Я просто чувствую, что... — Она попыталась описать ему, а он, волнуясь, наблюдал за ней. — Я не знаю... какую-то тяжесть... больше, чем тяжесть... мне все время хочется передвинуться или что-то в этом роде. — У нее было странное ощущение давления.

— Может быть, ребенок давит на что-то. — Он был не такой большой, как предыдущие, но все же достаточно крупный, чтобы заставить ее почувствовать неудобства. Это продолжалось неделями. Ребенок постоянно находился в движении.

— Почему бы тебе не принять ванну и не лечь в постель, посмотрим, как ты тогда будешь себя чувствовать. — Тут Вильям строго на нее посмотрел, он хорошо знал ее, чтобы полностью доверять ей. — Но ты должна мне сказать, когда это начнется. Я не хочу, чтобы ты дождалась до последней секунды и тебя нельзя было отвезти в госпиталь. Ты слышишь меня, Сара?

— Да, ваша светлость, — мрачно ответила она. Он улыбнулся ей и оставил ее одну, чтобы она могла принять ванну. А через час Сара лежала в постели, по-прежнему испытывая то же давление, но к этому времени она решила, что это несварение, а не родовые схватки.

— Ты уверена? — спросил он, заглянув к ней, чтобы проверить, как она. Что-то в ее взгляде заставляло его нервничать.

— Я обещаю, — усмехнулась она.

— Ладно. Смотри. Держи ноги скрещенными. — Он снова вернулся в другую комнату просмотреть листы платежного баланса, присланные из магазинов. Позвонила Эмануэль из Монте-Карло узнать, как дела у Сары, и они немного поболтали. Ее связь с Жаном-Шарлем де Мартеном закончилась два года назад, и она вступила в новую, куда более опасную, с министром финансов.

— Дорогая, будь осторожна, — предупредила ее Сара, ее подруга рассмеялась.

— Вы только посмотрите, кто это говорит! — Эмануэль подсмеивалась над ее беременностью.

— Очень забавно.

— Как ты себя чувствуешь?

— Прекрасно. Надоело быть толстой. И мне кажется, Вильям немного нервничает. Я приеду в магазин, как только смогу, когда ты вернешься из отпуска. — В августе они закрыли магазин, как они делали каждый год, но в сентябре собирались открыть его.

Они поболтали еще немного, и, повесив трубку, Сара стала расхаживать по комнате. Она совершала бесконечные путешествия из спальни в ванную комнату и обратно. Потом спустилась по лестнице и опять поднялась наверх. Она все еще расхаживала по спальне, когда вошел Вильям.

— Ради Бога, что ты делаешь?

— Очень неудобно лежать, и мне неспокойно.

И тут она почувствовала острую боль в правом боку, и ее живот словно потянуло к полу. Она снова пошла в ванную, и вдруг, когда она возвращалась к себе в спальню, сильнейшая боль пронзила ее и заставила вскрикнуть, острая боль появилась в спине и согнула ее. И тут вдруг она почувствовала, что ей хочется тужиться прямо здесь. Боль не прекращалась, она усиливалась в спине и животе. Она едва могла стоять, вцепившись в стул, и Вильям мгновенно бросился к ней, увидев выражение ее лица. Он втащил ее к себе на коляску и в ужасе уложил ее в постель.

— Сара, ты не собираешься снова поступать так со мной! Что случилось?

— Я не знаю. — Она едва могла говорить. — Я думала... это несварение... но теперь такие сильные схватки... это... о, Боже... Вильям... Ребенок выходит!

— Нет, нет! — Он отказывался верить, что это случится снова. Он оставил ее на минуту, чтобы позвонить в госпиталь и попросить их прислать машину «скорой помощи». На этот раз ей было не двадцать три года, а сорок, и он не собирался играть в те же игры с еще одним десятифунтовым ребенком. Но когда он повесил трубку, она пронзительно кричала и звала его. Вильяму обещали сразу же прислать машину. Доктор будет у них всего через двадцать минут.

Когда он снова был рядом с ней, она ухватила его за рубашку и вцепилась ему в руку. Она не плакала, но, похоже, испытывала ужасные муки, и вид у нее был удивленный и испуганный.

— Я чувствую... он выходит, Вильям... Я чувствую это! — закричала она ему. Все случилось так быстро, а она не почувствовала никаких признаков. Или, во всяком случае, едва заметила. — Я чувствую голову ребенка... она сейчас выйдет! — пронзительно закричала она, и, лежа в кровати, она то тужилась, то кричала. Он быстро стащил ее сорочку и увидел, что показалась голова ребенка, как он уже видел раньше. Только в тот раз понадобилось несколько часов и столько усилий, а сейчас ничего не могло остановить ребенка. — Вильям... Вильям... нет! Я не могу это сделать... останови его!

Головка постепенно продвигалась вперед, и через мгновение на Вильяма смотрело крошечное личико и два светлых глаза, а прекрасный розовый ротик кричал. Вильям попытался помочь Саре расслабиться, а потом потужиться снова, и внезапно через минуту освободились плечи, ручки и невероятно быстро остальное тельце. Это была красивая маленькая девочка, и она, казалось, сердилась на них обоих, а Сара лежала в постели, с изумлением глядя на нее. Они были ошеломлены быстротой происшедшего. Все случилось так неожиданно. Только что она разговаривала с Эмануэль, и теперь вдруг она уже родила ребенка. И все роды заняли не больше десяти минут.

— Напомни мне больше никогда не доверять тебе, — хрипло сказал Вильям, глядя на нее, а потом поцеловал. Они подождали доктора, чтобы он перерезал пуповину и завернул их обеих в чистые простыни и полотенца. Новорожденная дочь немного успокоилась к этому времени и сосала грудь матери, бросая на нее сердитые взгляды, словно была недовольна тем, что ее так грубо выдворили из ее уютной квартиры.

Когда через двадцать минут приехал доктор, оба они улыбались и смеялись. Доктор расточал извинения и уверял их, что он старался ехать как можно быстрее.

Он поздравил их обоих, заявив, что ребенок превосходный, перерезал пуповину, которую Вильям умело перевязал чистым шнуром, который нашел у себя в кабинете. Он похвалил их за то, что они так хорошо справились со всем, и предложил забрать Сару в госпиталь, хотя признал, что она в этом не нуждается.

— Я предпочла бы остаться дома, — спокойно ответила Сара, а Вильям посмотрел на нее, все еще делая вид, что он рассержен.

— Я знаю, что бы ты предпочла! В следующий раз я отправлю тебя в госпиталь в Париже за два месяца!

— В следующий раз! — воскликнула она. — В следующий раз! Ты шутишь? В следующий раз я буду бабушкой! — Она рассмеялась над ним и внезапно почувствовала себя лучше. Она была потрясена, испытав такую боль, но на самом деле все оказалось очень легко.

— Я не уверен, что могу доверить тебе даже это, — парировал он и пошел проводить доктора. А потом он принес ей бокал шампанского и долго сидел, наблюдая за своей новорожденной дочерью.

— Она такая красивая, правда? — Он смотрел, как малютка лежит на груди у матери, и медленно подъехал к ним.

— Она красивая, — улыбнулась Сара. — Я люблю тебя, Вильям. Спасибо за все...

Он наклонился и поцеловал ее. Они назвали девочку Изабель. А на следующее утро Джулиан заявил, что это будет «его» малышка, только его, и они все должны просить у него разрешения, если хотят подержать ее. Он все время держал ее на руках со всей нежностью нового отца. Он проявлял все чувства, которые Филипп тщательно скрывал в себе, всю нежность и всю любовь. Он обожал свою маленькую сестренку. С возрастом между ними крепли узы, которых никто не мог нарушить. Изабель обожала Джулиана, он навсегда остался ее любимым братом и горячим защитником. Даже родители никогда не могли встать между ними, они быстро поняли, что не стоит даже пытаться делать это. Изабель принадлежала Джулиану, а Джулиан принадлежал Изабель.

Глава 21

Когда в 1962 году Филипп окончил Кембридж и заявил, что собирается работать в Лондоне, в магазине «Вайтфилд», ни для кого в семье это не было неожиданностью. Всех, однако, удивило, когда он заявил, что собирается управлять магазином.

— Я не думаю, что тебе следует браться за это, дорогой, — спокойно сказала Сара. — Сначала нужно войти в курс дела. — Летом он окончил курсы по экономике, и ему казалось, что он достаточно подготовлен, чтобы управлять магазином.

— Ты должен сначала поучиться у Нигеля, — поддержал ее Вильям. Филипп разозлился.

— Я знаю теперь больше, чем этот старый засохший фрукт узнает за всю свою жизнь, — бросил он со злостью.

Теперь рассердилась Сара:

— Я совсем так не думаю. И если ты не станешь прислушиваться к нему и относиться с должным уважением, я не позволю тебе работать в магазине, тебе понятно? С твоим отношением, Филипп, ты не сможешь внести какой-то вклад в это дело.

Через несколько дней он по-прежнему злился на нее, но согласился поработать у Нигеля. Ему хотелось оценить ситуацию.

— Это глупо, — бушевала после этого разговора Сара. — Он двадцатидвухлетний мальчик, хорошо, почти двадцатитрехлетний, но как он смеет заявлять, что он знает больше, чем Нигель? Он должен целовать землю, по которой Нигель ходит.

— Филипп никогда ничего и никого не целовал, — верно подметил Вильям, — если только это не приносило ему желаемого. Он считает, что Нигель ему бесполезен. Боюсь, что для Нигеля наступят трудные времена, когда он будет работать с Филиппом. — Они предупредили Нигеля перед тем, как в июле Филипп приступил к работе, что управление магазином полностью остается в его руках, и если он почувствует, что их сын не справляется с работой, то может его уволить. Он был глубоко тронут оказанным ему доверием.

Отношения между Вильямом и Филиппом оставались напряженными. Порой бывали моменты, когда он готов был убить его. Но должен был признать, что у юноши проявились превосходные деловые качества, некоторые его идеи были совсем недурны. И хотя Вильям был невысокого мнения о его человеческих качествах, он считал, что в дальнейшем он будет прекрасно вести дела. Ему не хватало воображения и художественного вкуса, которые были у его матери, зато он унаследовал деловую проницательность своего отца. Он проявил ее еще раньше, когда помогал Вильяму управлять Вайтфилдом.

Здоровье Вильяма за последние шесть-семь лет ухудшилось. Там, где были старые раны, у него развился ревматоидный артрит. Сара показывала его всем крупным специалистам, каких только смогла найти. Но они практически ничем не могли помочь ему. Он так сильно страдал, и его так долго мучили, что теперь врачи были почти бессильны. Вильям держался мужественно. Но когда в 1963 году ему исполнилось шестьдесят лет, он выглядел на десять лет старше, и Сару беспокоило его здоровье. Изабель уже исполнилось семь лет, и она была подвижной, словно ртуть. У нее были темные, как у Сары, волосы и такие же зеленые глаза. Она не терпела никаких возражений и имела собственное мнение. Ее желания были законом, и никто не мог ничего сказать ей наперекор. Единственным человеком, который мог ее переубедить, был ее брат Джулиан, обожавший ее. И она любила его с такой же неописуемой страстью, однако всегда поступала по-своему.

Джулиану исполнилось тринадцать лет, и у него сохранился такой же легкий характер, как в детстве. Что бы ни делала Изабель с ним или кем-то другим, его это только веселило. Когда она таскала его за волосы, когда кричала на него, когда брала вещи, которые он считал ценными, и, вспылив, ломала их, он целовал ее, успокаивал и говорил, как он сильно ее любит, и в конце концов она действительно успокаивалась. Сара всегда поражалась его терпению. Временами Сара сама готова была задушить свою дочь. Она была красивая девочка, но характер у нее не из легких.

— Чем я заслужила все это? — не раз спрашивала она Вильяма. — За что мне достались такие трудные дети? — Все эти годы Филипп был для нее словно бельмо на глазу, а Изабель порой доводила ее до бешенства. Один Джулиан радовал их, он словно бальзам успокаивал любой вздорный характер, он любил и целовал, он постоянно заботился обо всех. Он был очень похож на Вильяма.

Их дело по-прежнему процветало. Сара занималась тем и другим магазином, и каким-то образом ухитрялась находить время для детей, работая над рисунками драгоценностей, занимаясь поисками камней и изредка покупая редкие старинные украшения. К этому времени они стали любимыми ювелирами королевы и еще многих известных людей в Лондоне и Париже. Сару поражало, как внимательно Джулиан изучал ее эскизы и делал небольшие исправления, и то, что он изменял, было действительно очень хорошо. Время от времени он сам рисовал украшения в совершенно другом стиле, и они были прелестны. В то время, как Филипп совершенно не интересовался дизайном и полностью сосредоточивался на деловой стороне, у Джулиана проявилась настоящая страсть к драгоценностям. В один прекрасный день они, возможно, смогли бы прекрасно дополнить друг друга, так считал Вильям, а Сара с горечью добавляла, если при этом они не убьют друг друга. Она не могла представить, каким образом в этот план впишется Изабель, разве только она найдет себе богатого терпимого мужа, который позволит ей ежедневно изливать на всех свое раздражение. Сара всегда старалась проявлять твердость по отношению к ней и пыталась объяснить, почему девочка не может делать все, что она хочет. Только Джулиан умел привести ее в чувство, он мог успокоить ее и выслушать.

— Как могло случиться, что у меня только один разумный ребенок? — пожаловалась Сара Вильяму в конце ноября.

— Может быть, ты принимала во время беременности какой-нибудь витамин, — пошутил он, в то время как она включала радио на кухне. Они только что приехали из Парижа, после посещения еще одного доктора. Он рекомендовал теплый климат и побольше нежности, любви и заботы, и Сара собиралась предложить поездку на Карибское море или, может быть, в Калифорнию, чтобы увидеться со своей сестрой.

Но оба они вздрогнули, когда услышали новости. Убит президент Кеннеди. Это казалось просто невероятным, и бедная Жаклин, оставшаяся с двумя маленькими детьми. Сара плакала, глядя на них, когда позднее они с Вильямом смотрели новости по телевидению. Они были потрясены, как в мире может происходить подобное. Им пришлось пережить времена похуже, войну, пытки в концентрационных лагерях... Однако убийство одного человека оставило отпечаток на них обоих, как и на всем мире.

В рождественские каникулы они поехали посетить магазин в Лондоне и заодно посмотреть, как Филипп справляется с делом. И были приятно удивлены, что он ладит с Нигелем. У него хватило ума, чтобы понять, каким ценным человеком был для них Нигель, и теперь он меньше спорил с ним и, кажется, занял свое место в магазине. Доход от рождественской торговли превзошел все их ожидания как в Лондоне, так и в Париже.

И только в феврале Сара и Вильям смогли совершить путешествие, которое они планировали. Они провели месяц на юге Франции. Сначала было прохладно, но они отправились в Марокко и вернулись через Испанию, где навестили своих друзей, и везде, куда они приезжали, Сара дразнила Вильяма, что им надо открыть здесь еще один магазин. Она все время беспокоилась о нем. Он выглядел таким усталым и бледным, и его теперь так часто мучили боли. Через две недели они вернулись в замок. Несмотря на приятный отпуск, Вильям чувствовал усталость и слабость, и состояние его здоровья пугало Сару.

Они были в замке, когда у него случился слабый сердечный приступ. После обеда Вильям пожаловался на нездоровье. Он подумал, что это легкое несварение, но потом у него появились боли в груди, и Сара вызвала доктора. Он тотчас приехал, намного быстрее, чем во время ее родов, но Вильям к тому времени чувствовал себя уже немного лучше. А когда на следующий день его обследовали, оказалось, у него был слабый сердечный приступ: как сказали доктора, «своего рода предупреждение». Доктор объяснил Саре, что Вильяму пришлось перенести так много во время войны, что это отразилось на всем организме и что боль, которую он переносит теперь, только способствует дальнейшему его разрушению.

Он сказал, что Вильяму следует быть очень осторожным, вести спокойную жизнь и беречь себя. Она без колебаний согласилась, но Вильям был против.

— Что за чепуха, ты же не хочешь, чтобы я выжил для того, чтобы провести оставшуюся жизнь, сидя в углу под одеялом. Ради Бога, Сара, это ничего не значит. У людей часто бывают сердечные приступы вроде этого.

— Ладно, хорошо. Но я не позволю тебе изматывать себя. Я хочу, чтобы ты был рядом со мной еще сорок лет, так что будет лучше, если ты угомонишься и будешь слушать доктора.

— Какой ужас! — сказал он раздосадовано, и она засмеялась, испытывая облегчение, что ему стало лучше. Однако Сара не собиралась позволять ему переутомляться. После приступа она заставила его провести дома весь апрель, и так беспокоилась о нем все время, что теперь действительно неважно себя чувствовала. Ее состояние ухудшало отношение Филиппа к своему отцу. Двое других детей его обожали, особенно Изабель. Каждый день после школы она сидела с ним и читала ему, а Джулиан делал все, что мог, чтобы его развлечь. Филипп только раз прилетел из Англии, чтобы повидать его, и после этого только раз позвонил. Судя по отчетам светской хроники, он был слишком занят тем, что волочился за молоденькими девушками. Ему было не до отца.

— Он самый эгоистичный из всех, кого я знаю, — ругала его Сара, разговаривая с Эмануэль, которая всегда его защищала. Она так сильно любила его, когда он был ребенком, что обращала внимание на его недостатки меньше, чем все остальные. Нигель мог бы составить из них каталог, но тем не менее он, кажется, поладил с ним, и они очень хорошо работали вдвоем. Сара была благодарна за это и все же чувствовала, что он недостаточно внимателен к отцу. А когда Филипп приехал, то взглянул на нее с тревогой и сказал, что она выглядит хуже, чем Вильям.

— Ты выглядишь просто ужасно, дорогая мама, — сказал он холодно.

— Спасибо, — Сара была обижена этим замечанием. То же самое сказала Эмануэль, когда она в следующий раз приехала в Париж. Она была совершенно зеленой. Увидев ее, Эмануэль встревожилась не на шутку. Но Сара была напугана сердечным приступом Вильяма. Она знала одно, что без него она не может жить.

В июне, во всяком случае внешне, все, казалось, было в порядке. Вильям по-прежнему чувствовал боли, но он привык к ним и редко жаловался и казался здоровее, чем прежде, когда он упоминал о своих «маленьких проблемах».

Но проблемы Сары, похоже, увеличивались с каждым днем. Это была полоса, когда все идет не так, как надо, и ты все время плохо себя чувствуешь. У нее болела спина, живот, и первый раз в жизни у нее появились ужасные головные боли. Началась полоса, когда на ней сказалось пережитое за последние несколько месяцев.

— Тебе нужно отдохнуть, — посоветовала ей Эмануэль. И Саре действительно хотелось съездить в Бразилию или Колумбию и посмотреть изумруды, но она думала, что Вильям недостаточно хорошо чувствует себя для такого путешествия. А оставлять его одного ей не хотелось.

На следующий день она упомянула об этом в разговоре с ним, и он ответил уклончиво. Ему не нравилось, как она выглядела, и он считал, что с нее достаточно путешествий.

— Почему бы нам не поехать вместо этого в Италию? Мы можем для разнообразия купить там какие-нибудь драгоценности.

Она засмеялась, но должна была признаться, что его предложение ей понравилось. В последнее время она чувствовала себя подавленной, и ей нужны были свежие впечатления. В последнее время она казалась себе старой и непривлекательной. Поездка в Италию взбодрила бы ее, и она почувствовала себя моложе.

Они чудесно провели время, вспоминая прошлое, когда он сделал ей предложение в Венеции. Казалось, все это было так давно. Жизнь была к ним в основном добра, и годы пролетели быстро. Ее родителей нет в живых, сестра переехала и начала новую жизнь. Сара слышала несколько лет назад, что Фредди погиб в автомобильной катастрофе в Палм-Бич после того, как он вернулся с Тихого океана. Все это было частью другой жизни, ее законченная глава. Теперь в течение стольких лет Вильям был всей ее жизнью. Вильям... и дети... и ювелирные магазины... Она чувствовала себя обновленной, когда вернулась из путешествия, но ее раздражало, что она поправилась после того, как две недели ела сдобное.

Она еще больше поправилась в следующем месяце, и решила показаться доктору, но совершенно не могла найти времени. Она чувствовала себя хорошо, намного лучше, чем два месяца назад. Но однажды ночью, лежа в постели, у Сары внезапно возникло странное, но знакомое ощущение.

— Что это такое? — спросила она Вильяма, как будто он мог это почувствовать.

— Что такое?

— Что-то шевельнулось.

— Это я. — И тут он повернулся и улыбнулся ей. — Зачем так нервничать ночью? Я думаю, мы обсудим это завтра утром. — Она теперь ко многому относилась спокойнее. Благодаря Вильяму время, проведенное в Италии, оказалось невероятно романтичным. Она больше ничего не сказала, но на следующее утро немедленно пошла показаться доктору в Ля Мароль. Она описала все симптомы и те перемены в ее жизни, которые произошли четыре месяца назад, а затем она описала чувство, которое она испытала сегодня ночью, когда лежала рядом с Вильямом.

— Я знаю, это может показаться ненормальным, — объяснила она, — но у меня такое ощущение... я чувствую себя так, словно жду ребенка... — Она чувствовала себя подобно старому человеку с ампутированными ногами, которому кажется, что у него болят колени.

— Это не исключено. Последний раз я принимал ребенка у женщины пятидесяти шести лет. Ее восемнадцатого ребенка, — ободряюще заметил он, и Сара застонала при мысли о такой перспективе. Она любила своих детей, доставляющих ей столько беспокойства, и было время, когда она хотела бы иметь еще, но это время прошло. Ей было почти сорок восемь лет, и она нужна была Вильяму, она слишком стара, чтобы родить еще одного ребенка. Этим летом Изабель исполнится восемь лет, и у Сары хватало забот с ней.

— Мадам герцогиня, — официально объявил доктор, когда он осмотрел ее, — я имею удовольствие сообщить вам, что у вас действительно будет ребенок. — В какое-то мгновение ему даже показалось, что у нее будет двойня, но теперь он был уверен, что это не так. Ребенок будет один, но довольно крупный. — Я думаю, возможно, это произойдет в Рождество.

— Вы серьезно? — Вид у нее был потрясенный, она побледнела, и у нее закружилась голова.

— Я очень серьезно и совершенно уверен в этом. — Он улыбнулся ей. — Мсье герцог будет очень доволен, я уверен. — Но на этот раз она не была в этом уверена. Может быть, после сердечного приступа он думает иначе. Она даже не могла себе представить это сейчас. Когда этот ребенок родится, ей будет сорок восемь лет, а ему — шестьдесят один. Как глупо. И вдруг она поняла совершенно определенно, что она не может родить этого ребенка.

Она поблагодарила доктора и поехала обратно в замок, думая, что же ей теперь делать и что сказать Вильяму. Все это привело ее в подавленное состояние, даже больше, чем мысли о переменах, происшедших в ее жизни. Это было глупо. В ее возрасте не следовало делать этого. Она не могла снова рожать. И она подозревала, что он, вероятно, решит то же самое. Это может быть даже ненормальным, она слишком стара, убеждала она себя. Первый раз в жизни она решила сделать аборт.

Она сказала об этом Вильяму после обеда, и он спокойно выслушал все ее возражения. Он напомнил ей, что его родители были точно в таком же возрасте, когда он родился, и это не причинило никакого вреда ни ему, ни им, но он понимал, как Сара была огорчена. Более того, она была напугана. За свою жизнь она родила четверых детей, один умер и еще один оказался поздним сюрпризом... и теперь этот, такой неожиданный, такой поздний, и все же в его глазах такой великий дар. Он не мог понять, как она могла отказываться от него. Но он выслушал ее, лег рядом с ней и обнял ее. Он был немного потрясен тем, как она восприняла это, но ему хотелось знать, может, она просто боится.

— Ты на самом деле не хочешь этого ребенка? — с грустью спросил он, когда лежал рядом с ней этим вечером, держа ее за руку, как делал всегда, когда они ложились спать... Ему было грустно, потому что она не хотела ребенка, но он не мог принуждать ее.

— А ты? — ответила она вопросом на вопрос, сама не зная ответа.

— Я хочу, чтобы ты поступала так, как считаешь нужным, любимая. Я приму то, что ты решишь.

Услышав его слова, она прослезилась, он всегда был так добр к ней, это делало его еще дороже.

— Я не знаю, что делать... как поступить... какая-то часть меня хочет его... а другая не хочет...

— В прошлый раз ты чувствовала то же самое, — напомнил он ей.

— Да, но тогда мне было сорок... а теперь мне двести лет. — Он ласково засмеялся, и она улыбнулась сквозь слезы. — Это все твоя вина. Соседи будут пугаться тебя, — сказала она, а он рассмеялся. — Я буду удивлена, если они позволят тебе выйти на улицу. — Но ему было приятно слушать ее, и она знала это. На следующий день они долго гуляли по саду и незаметно дошли до могилки Лиззи и остановились. Сара смела несколько листьев и внезапно почувствовала Вильяма совсем близко. Она подняла глаза и увидела, что он с грустью смотрит на нее.

— После этого... можем ли мы погубить жизнь, Сара? Имеем ли мы на это право?

Внезапно она снова ощутила Лиззи у себя на руках, двадцать лет прошло с тех пор... ребенок, которого Бог забрал у нее и теперь он дает ей еще одного. Имеет ли она право отвергать этот дар? И после того, как она едва не потеряла Вильяма, как она может решать, кому жить, а кому умирать? Внезапно она поняла, что она знает, чего хочет, и она растаяла в его объятиях и расплакалась о Лиззи, о нем, о себе, о ребенке, которого она могла убить... где-то в глубине души она поняла, чего хочет.

— Прости, прости, дорогой...

— Тсс... все в порядке... Теперь все в порядке. Они долго сидели вместе, разговаривая о Лиззи, о том, какой милой она была, о ребенке, который должен родиться, и о своих детях, и о том, как Бог благословил их. А потом они медленно направились обратно к замку, он ехал в своей коляске, а она шла позади него. Они чувствовали странное умиротворение и были полны надежд на будущее.

— Когда, ты сказала, это должно произойти? — спросил он, внезапно почувствовав гордость и удовлетворение.

— Доктор сказал, на Рождество.

— Хорошо, — радостно произнес он. Затем усмехнулся. — Я едва могу дождаться момента, когда скажу об этом Филиппу. — Они оба рассмеялись и пошли дальше, смеясь, разговаривая и подшучивая друг над другом, как делали это в течение двадцати пяти лет.

Глава 22

На этот раз Сара большую часть времени, пока она была беременна, провела в замке. Своими делами она могла заниматься и там, она не хотела появляться в Лондоне или Париже. Несмотря на то что говорил Вильям о возрасте его родителей, когда он родился, Сара все же чувствовала себя неловко, забеременев в сорок восемь лет, хотя должна была признаться, что теперь она с радостью воспринимала свое положение.

Как они и предполагали, Филипп разъярился, когда ему сообщили об этом. Он сказал, что никогда не слышал ничего более вульгарного, его отец громко рассмеялся. Но двое других детей были довольны. Джулиан искренне считал, что это чудесная новость, а Изабель едва могла дождаться, когда она сможет поиграть с малышом, так же, как и Сара, которая с нетерпением ждала рождения ребенка.

Перед Рождеством она нарисовала несколько эскизов драгоценностей и была очень довольна тем, как их сделали, а Нигель и Филипп купили несколько превосходных экземпляров драгоценных камней, и она была под большим впечатлением от их удачного выбора.

На этот раз она не стала спорить с Вильямом о том, чтобы рожать дома. Они поехали в Париж, и она осталась в клинике, в Нойи, за два дня до предполагаемой даты рождения ребенка. Вильям сказал, что ей вообще повезло, что он позволил ей так долго оставаться дома после того, как она родила Изабель за десять минут. Ей было невероятно скучно в клинике, и она говорила ему, что она в два раза старше остальных матерей, и это забавляло их обоих. Вильям просиживал с ней часами, играя в карты и обсуждая дела. Джулиан и Изабель остались в замке со слугами. Прошла уже почти неделя после Рождества.

На Новый год Сара и Вильям выпили шампанского, она находилась там уже пять дней, и это ее так утомило. Она сказала ему, что, если на следующий день ребенок не родится,

10*

она поедет в ювелирный магазин. Она даже сомневалась, стоило ли ей так рано ложиться в клинику. Но днем у нее пошли воды, а ночью начались сильные схватки, и она выглядела расстроенной. Когда ее увозили от Вильяма, она взяла его за руку и посмотрела на него.

— Спасибо... за то, что ты позволил мне родить этого ребенка...

Ему очень хотелось остаться с ней, но доктор возражал. Правила запрещали это, но, учитывая возраст мадам и высокий риск, связанный с этим, он считал, что будет лучше, если мсье герцог подождет где-нибудь в другом месте.

К полуночи еще ничего не было известно, а к четырем утра он уже начал паниковать. С тех пор как ее увезли, прошло уже около шести часов, что казалось ему странным после того, как Изабель родилась так быстро, но с каждым ребенком все было по-разному.

А к семи часам утра, когда вышел доктор, Вильям уже сходил с ума. Он делал все, что мог, чтобы не думать о времени, даже молился. Он уже сомневался, правильно ли он поступил, позволив ей рожать этого ребенка. Может быть, это оказалось для нее слишком тяжело. Что, если это убьет ее?

Когда доктор вошел в комнату, вид у него был серьезный, у Вильяма упало сердце.

— Что случилось?

— Нет, — он решительно покачал головой. — Мадам герцогиня делала все, как надо, все, что можно от нее ожидать. У вас прекрасный сын, мсье. Очень большой мальчик, больше десяти фунтов. Мне жаль, но нам пришлось сделать кесарево сечение. Ваша жена очень старалась, но она просто не могла родить его.

Это было подобно тому, когда она рожала Филиппа, и он вспомнил, как это было ужасно. Доктор тогда говорил ей о кесаревом сечении. И теперь, наконец, в сорок восемь лет, для Сары прошло время, когда она могла родить сама. Это была карьера, заслуживающая уважения. Вильям с облегчением улыбнулся, потом посмотрел на доктора.

— С ней все в порядке?

— Она очень устала... Во время операции ей пришлось перенести боль... Конечно, мы делали для нее все, что могли... чтобы она чувствовала себя лучше. Она сможет поехать домой через одну-две недели.

Он вышел из комнаты, а Вильям сел и задумался о своей жене, о том, как много она для него значила, о детях, которых она родила... и вот теперь еще один ребенок.

Только к вечеру он наконец увидел ее, она была в полусне, но улыбнулась ему, она знала о ребенке.

— Это мальчик, — прошептала она, и он кивнул, улыбнулся и поцеловал ее.

— Все хорошо?

— Чудесно, — заверил он ее, и она погрузилась в сон и вдруг открыла глаза.

— Мы можем назвать его Ксавье? — спросила она.

— Хорошо, — согласился он. Позднее она категорически отказалась выбрать какое-нибудь другое имя. Она сказала, что это имя всегда ей нравилось. Они назвали его Ксавье Альберт, в честь его кузена, последнего короля, отца королевы Елизаветы, которого Вильям всегда очень любил.

Она пролежала в госпитале целых три недели, и они торжественно принесли ребенка домой, хотя Вильям безжалостно подшучивал над ней, что она не сможет больше родить. Он сказал ей, что его это ужасно огорчает, он надеялся, что в свое пятидесятилетие она подарит ему шестого ребенка.

— Конечно, мы могли бы усыновить малыша, — заметил он, когда они возвращались в замок, а она угрожала, что разведется с ним.

Дети пришли в восторг от Ксавье. Это был крупный, жизнерадостный мальчик с покладистым характером. Казалось, его ничего не беспокоило, и он всем нравился, однако ему недоставало того очарования, которым обладал его брат Джулиан. Он был открытый и добродушный по натуре. Но, кажется, у него было свое собственное мнение, хотя, к счастью, не такое категоричное, как у его сестры.

На следующее лето Ксавье постоянно кто-нибудь куда-то уносил. Он всегда был на руках или играл с Джулианом, Изабель или своими родителями.

Но Сара меньше занималась ребенком, чем ей хотелось бы. Вильяму нездоровилось, и к концу лета она все свое внимание отдавала ему. Сердце снова причиняло ему беспокойство, и доктор в Ля Марало сказал, что ему не нравится, как он выглядит и у него сильно развился артрит.

— Так нелепо быть для тебя такой обузой, — жаловался он ей, когда мог, брал Ксавье к себе в постель. Но по правде говоря, большую часть времени сильные боли не давали ему насладиться обществом младшего сына.

Рождество в этом году было грустным. Сара два месяца не была в Париже, а в Лондон последний раз наведывалась летом. Сейчас она не могла заниматься бизнесом и доверила все Нигелю, Филиппу и Эмануэль, передав им все управление. Она хотела все свое время целиком посвятить Вильяму.

Джулиан все каникулы провел с ними. А Филипп даже прилетел из Лондона в сочельник, и они в столовой устроили прелестный обед и даже ухитрились пойти в церковь, хотя Вильям чувствовал себя не совсем здоровым, чтобы присоединиться к ним. Филипп заметил, что он как-то сморщился, у него был болезненный, изможденный вид, но он по-прежнему был силен духом. Он сохранил такт и чувство юмора. По-своему он был великим человеком, и за короткое время в этот день Филипп понял это.

Эмануэль приехала на Рождество из Парижа. Она не стала говорить Саре, как она потрясена состоянием Вильяма. Она проплакала всю обратную дорогу в Париж.

Филипп уехал на следующее утро, а Джулиан должен был поехать кататься на лыжах в Куршевель, но ему очень не хотелось уезжать, и он сказал своей матери, что, если он ей понадобится, он немедленно вернется домой. Она должна только позвонить ему. Изабель уехала, чтобы провести оставшиеся каникулы в Лиане с друзьями, с которыми познакомилась прошлым летом. Для нее это было настоящим приключением, первый раз она уезжала из дома на такой долгий срок. Но Сара считала, что в девять лет она была достаточно взрослой для такого путешествия. Она должна была вернуться через неделю, и, может быть, к тому времени ее отец будет чувствовать себя лучше.

Но, казалось, с каждым днем ему становилось все хуже. И, когда наступил Новый год, он был слишком слаб, чтобы отпраздновать первый день рождения Ксавье. Она испекла для него маленький пирог, и за ленчем Сара пропела ему «Счастливого дня рождения», а потом бросилась вверх по лестнице, чтобы побыть с Вильямом.

Последние несколько дней большую часть времени он спал, но когда он слышал, как она входит в комнату, он открывал глаза, как бы тихо она ни входила. Ему нравилось, когда она была рядом. Она думала, не положить ли его в госпиталь, но доктор сказал, что это не принесет пользы, они ничего не могут сделать. Тело, которое разрушалось в течение двадцати пяти лет, было совершенно изношено, и его уже нельзя было восстановить, и оставалось только плыть по течению, пока все не будет кончено.

Ночью после дня рождения Ксавье она тихо лежала в постели рядом с Вильямом, держа его в своих объятиях, и почувствовала, что он прильнул к ней, почти как ребенок, как когда-то Лиззи, и тогда она поняла. Она прижала его к себе, накрыла одеялом и попыталась отдать ему всю любовь и все силы. А перед рассветом он посмотрел на нее, поцеловал в губы и вздохнул. Она нежно поцеловала его в лицо, он вздохнул последний раз и тихо умер в объятиях жены, которая всегда любила его. Так она долго сидела, обнимая его, и слезы катились по ее лицу. Она не хотела, чтобы он умирал, не хотела жить без него. Ей хотелось умереть вместе с ним, и тут она услышала плач Ксавье и поняла, что не может это сделать. Он заплакал, словно почувствовал, что умер его отец. И как ужасна была для него эта потеря, как ужасна она была для всех них.

Она нежно уложила его, еще раз поцеловала, и, когда взошло солнце и его лучи проникли в комнату, она плача вышла из комнаты и тихо закрыла дверь. Герцог Вайтфилд умер. А она стала вдовой.

Глава 23

Похороны были мрачными, хор местной церкви в Ля Мароль пел «Аве Мария». Из Парижа приехали близкие друзья, но основное поминовение должно было состояться в Лондоне через пять дней.

Она похоронила его рядом с Лиззи. Они с Филиппом спорили об этом всю ночь. Он говорил, что семь столетий герцогов Вайтфилдов хоронят в Вайтфилде. Но Сара не могла с этим согласиться. Она хотела, чтобы он был похоронен здесь, недалеко от нее, в том месте, которое он любил, где жил и трудился вместе с ней.

Они вышли из церкви, она держала за руку Изабель, а Джулиан поддерживал ее. Эмануэль тоже приехала в Ля Мароль, она вышла из церкви под руку с Филиппом. Их было немного, и Сара для всех устроила в замке ленч. Пришли местные жители, чтобы выразить ей свое соболезнование. Их Сара тоже пригласила на ленч, тех, кто работал у него, знал его и любил. Она не могла даже вообразить себе, как теперь она будет жить без него.

Она казалась окаменевшей, когда проходила по комнате, предлагая людям вино, пожимая руки и слушая, что они рассказывали о мсье герцоге, истории из его жизни, которую они делили с ним больше двадцати шести лет. И теперь было невозможно представить, что все кончено. Нигель тоже прилетел из Лондона. Он, как и Сара, плакал, когда хоронили Вильяма. Она не могла видеть его там, рядом с Лиззи. Казалось, только вчера они приходили сюда и вспоминали о ней... говорили о предстоящем рождении Ксавье, который стал теперь для нее такой отрадой. Но малышу никогда не придется узнать своего отца. У него есть два брата, которые могут позаботиться о нем, и мать с сестрой, обожающие его, но он никогда не узнает, каким человеком был Вильям, и, думая об этом, она чувствовала, как сердце ее разрывается на части.

Через два дня все вместе отправились в Лондон на поминальную службу. Это была пышно обставленная церемония. На ней присутствовали все его родственники, а также королева со своими детьми. После службы все они поехали в Вайтфилд, где на поминальный обед собралось около четырехсот человек. Сара автоматически пожимала всем руки и резко обернулась, услышав, как кто-то позади нее произнес «ваша светлость», потом чей-то голос ответил. На миг ей пришла в голову безумная мысль, что в комнату вошел Вильям, и она вздрогнула, когда поняла, что это Филипп. Только сейчас она осознала, что ее сын стал герцогом.

Это было трудное время для них всех, время, которое она запомнила навсегда. Она не знала, куда пойти и что делать, чтобы избавиться от душевных мук. Когда она приезжала в Вайтфилд, все напоминало ей о нем, а в замке это ощущалось еще сильнее. Когда Сара останавливалась в отеле в Лондоне, она думала только о нем, а в их квартире в Париже ее просто охватывал ужас, они были так счастливы там, а в отеле «Риц» они останавливались, когда проводили в Париже медовый месяц... некуда было пойти, некуда убежать. Он был повсюду, в ее сердце, в ее душе, в ее мыслях и в каждом из ее детей, когда она смотрела на них.

— Что ты собираешься делать? — спокойно спросил ее Филипп, когда она сидела как-то в Вайтфилде, глядя в окно. У нее не было никаких мыслей, и вдруг она поняла, что потеряла всякий интерес к своему делу. Она охотно передала бы его Филиппу. Но ему было всего двадцать шесть лет и еще многому нужно было научиться. А Джулиану исполнилось только пятнадцать, и пройдет еще очень много времени, даже если он захочет когда-нибудь управлять магазином в Париже.

— Не знаю, — честно ответила она. Он уезжал на месяц, но Сара все еще не могла разобраться в своих мыслях. — Я пытаюсь понять это и не могу. Я не знаю, что делать. Я стараюсь представить, что он хотел бы, чтобы я делала.

— Я думаю, что папе было бы приятно, если бы ты продолжала заниматься тем же, — откровенно сказал Филипп, — я имею в виду дело... и все остальное, чем ты занималась, когда он был жив. Ты не можешь перестать жить.

— Иногда мне приходят в голову такие мысли.

— Я понимаю, но ты не можешь это сделать, — тихо произнес он. — У всех нас есть обязанности.

И его обязанности были сейчас тяжелее, чем у большинства. Он наследовал Вайтфилд, Джулиану никогда не придется разделить с ним эту ответственность.

Он останется в замке и будет жить там вместе с Изабель и Ксавье, но такова была несправедливость английской системы. И теперь на плечи Филиппу легло еще и бремя титула и все, что с этим связано. Его отец нес его с изяществом и достоинством, но Сара не была уверена, что Филипп так же хорошо справится с этим.

— А что ты думаешь? — нежно спросила она его. — Что ты собираешься теперь делать?

— То же самое, что делал раньше, — ответил он уверенно, и тут он решил сказать ей то, что раньше не собирался говорить. — В ближайшие дни мне хотелось бы кое с кем тебя познакомить.

Казалось странным говорить ей об этом, и поэтому он до сих пор молчал. Он хотел рассказать ей о Сесиль на Рождество, но отец был так болен, и Филипп счел неуместным даже упоминать об этом.

— С кем-то особенным?

— Более-менее, — небрежно ответил он и покраснел.

— Может быть, мы пообедаем вместе перед моим отъездом из Англии.

— Мне бы очень хотелось этого, — смущенно сказал он. Он был безразличен ко всем остальным членам семьи, но Сара все же была его матерью.

Она напомнила ему об их разговоре через две недели, когда решила, что пора возвращаться в Париж. У Эмануэль возникли какие-то затруднения с магазином, а Изабель должна была идти в школу.

— Так как насчет обеда с подругой, о которой ты говорил?

— А, это... возможно, у тебя не найдется времени до отъезда.

— У меня есть время, — возразила Сара. — У меня всегда найдется время для тебя. Когда тебе хотелось бы это сделать?

Он уже пожалел, что упомянул об этом, но она, как могла, старалась его успокоить, и они договорились о дне, когда пообедают в ресторане. Девушка, с которой она познакомилась на следующий вечер, совсем не произвела на нее большого впечатления. Она была типичной англичанкой — высокой, худощавой и бледной, и почти все время молчала. Ее отличали исключительная благовоспитанность, абсолютная порядочность. Это была самая скучная девушка из всех, с которыми Сара была когда-либо знакома. Ее звали леди Сесиль Хауторн. Ее отец был членом совета министров. Сара никак не могла понять, как Филипп выносит ее. Она не располагала к себе, в ней не было теплоты и уюта, и с ней невозможно даже посмеяться. Когда на следующее утро Сара уезжала, она постаралась, как можно мягче, упомянуть об этом.

— Она прелестная девушка, — сказала она за завтраком.

— Я рад, что она тебе понравилась.

Он выглядел довольным, и Саре хотелось узнать, насколько это серьезно и следует ли ей беспокоиться. У нее на руках был ребенок в пеленках, а ей еще приходилось думать о своей невестке. Саре так недоставало Вильяма. Судьба обошлась с ней так несправедливо, она едва не застонала, стараясь говорить небрежно.

— Это серьезно? — спросила она, стараясь не подавиться тостом, когда он кивнул. — Очень серьезно?

— Вполне возможно. Она из тех девушек, на которых хотелось бы жениться.

— Я могу понять, почему ты так думаешь, дорогой, — сказала она, стараясь, чтобы это прозвучало спокойнее, и интересуясь, поверит ли он ей. — И она прелестная девушка... но достаточно ли с ней весело? Здесь есть, о чем подумать. Мы с твоим отцом всегда так хорошо проводили время вместе. Это очень важно в супружестве.

— Весело? — переспросил он с удивленным видом. — Весело? Какое это имеет значение? Мама, я тебя не понимаю.

— Филипп, — она решила быть с ним откровенной и надеялась, что ей не придется пожалеть об этом. — Одних хороших манер недостаточно. Нужно что-то большее... что-то особенное... чтобы рядом с тобой был человек, способный разделить с тобой все радости жизни.

Он уже достаточно взрослый, чтобы услышать от нее правду. И в конце концов был 1966 год, а не 1923-й, когда молодые люди вели себя так пуритански. Разумеется, Филипп не мог быть таким пуританином. Но, к ее удивлению, он оказался именно таким. Филипп посмотрел на мать с ужасом.

— Я, конечно, могу понять, что вы с отцом придавали этому огромное значение, но это не означает, что я намерен выбирать жену по тем же критериям.

И в этот самый момент Сара поняла, что, женившись на этой девушке, он совершит ужасную ошибку, но она также понимала, что, если она сейчас начнет отговаривать его, он все равно сделает по-своему.

— Ты веришь в двойные нормы поведения, Филипп? Считаешь, можешь развлекаться в постели с одной, а жениться на другой? Или тебе на самом деле нравятся серьезные, благовоспитанные девушки? Но если тебе нравится общество сексуальных и веселых молодых особ, а женишься ты на пристойной девушке, у тебя может быть масса неприятностей.

Это все, что Сара могла сказать при данных обстоятельствах.

— Я должен думать о своем положении, — сказал он раздраженно.

— Твой отец тоже не забывал о своем положении, Филипп. И он женился на мне. И я не думаю, что он сожалел об этом. По крайней мере, я надеюсь, что он не сожалел.

Она грустно улыбнулась старшему сыну, такому далекому и чужому.

— Ты из хорошей семьи, хотя и была разведена. — Она рассказала ему о своем первом браке очень давно, чтобы это не сделал кто-нибудь другой. — Значит, если я правильно тебя понял, Сесиль тебе не нравится? — ледяным тоном спросил он, вставая и собираясь выйти из-за стола.

— Она мне очень нравится. Я просто считаю, что если ты собираешься жениться на ней, то тебе нужно серьезно подумать о том, какие качества ты хотел бы видеть у своей жены. Она очень милая девушка, но чересчур серьезная и не представляет из себя ничего особенного.

Сара знала, что у него всегда была страсть к девушкам хорошего происхождения. Ему нравилось, чтобы его видели и фотографировали с приличными девушками, но в то же самое время он наслаждался обществом других молодых особ. Сара не сомневалась в том, что Сесиль была одной из самых приличных и благовоспитанных, но очень скучных представительниц женского пола.

— Она будет превосходной герцогиней Вайтфилд, — сурово заявил Филипп.

— Я не отрицаю, что это важно. Но достаточно ли? — Она чувствовала себя обязанной предостеречь его.

— Полагаю, что мне лучше судить об этом, — ответил он.

— Я забочусь о твоем благе, — сказала она и поцеловала его. Потом он уехал в город, а Сара улетела днем в Париж с двумя младшими детьми. Она отвезла их в замок и оставила там с Джулианом, а сама отлучилась на несколько дней в Париж, чтобы заняться делами. Но душа ее больше не лежала к бизнесу. Ей хотелось одного — вернуться в замок и пойти на могилу, но Эмануэль говорила ей, что это ненормально.

Саре понадобилось много времени, чтобы снова обрести душевное равновесие. Только летом она почувствовала себя лучше. И тогда Филипп объявил, что женится на Сесиль Хауторн. Саре было жаль его, но она не обмолвилась об этом ни словом. Они собирались жить в его лондонской квартире, но большую часть времени проводить в Вайтфилде. Сара собиралась держать там своих лошадей, Филипп заверил свою мать, что она может приезжать и жить в охотничьем домике, когда ей только захочется. Они с Сесиль, конечно, собирались занять большой дом. О своих братьях и сестре он даже не упомянул.

Саре не пришлось заниматься подготовкой к свадьбе. Все сделали Хауторны. Свадьба состоялась в их родовой усадьбе, в Стаффордшире. Вайтфилды прибыли все сразу, Сара держала под руку Джулиана.

Изабель была в нарядном белом бархатном платье и таком же пальто, отделанном горностаем, а на Ксавье был черный бархатный костюмчик. Джулиан выглядел необыкновенно красивым в своей визитке, как и Филипп. Невеста была мила в кружевном платье своей бабушки. Оно было ей немного коротко, и вуаль сидела у нее на голове как-то странно. И если бы рядом с Сарой оказалась Эмануэль, с которой можно было бы посплетничать, она сказала бы, что невеста выглядит ужасно, как длинная сухая жердь, и в ней нет ни очарования, ни сексуальной привлекательности. Она даже не удосужилась воспользоваться косметикой. Но, кажется, Филипп был очень доволен ею. Свадьба состоялась за неделю до Рождества, а медовый месяц они провели на Багамах.

Сара задавалась вопросом, что подумал бы о них Вильям. Она вернулась в Кларидж в подавленном настроении. Ей не понравилась первая невестка, и она вдруг задумалась, повезет ли ей с остальными.

Жизнь такая странная. И дети поступают так странно. Живут своей собственной жизнью, по-своему, и выбирают таких людей, которые не нравятся никому, кроме них. От этих мыслей она почувствовала себя еще более одинокой без Вильяма. Это было первое Рождество без него... год с тех пор, как он умер... В день Нового года Ксавье исполнится два года. Воспоминания переполняли ее. Но когда в сумерках они медленно подъехали к замку, Сара увидела стоящего там мужчину. Что-то в нем показалось ей таким знакомым. Она подумала, не сон ли это. Присмотревшись внимательно, она убедилась, что не ошиблась. Это был он... и на мгновение ей показалось, что он почти не изменился. Он медленно подошел к ней с нежной улыбкой, а она только молча смотрела на него... Перед ней стоял Иоахим.

Глава 24

Когда Сара вышла из «роллс-ройса», у нее был такой вид, словно она увидела привидение. Прошло почти двадцать три года с тех пор, как они расстались. Двадцать три года с тех пор, как она поцеловала его на прощание, и он отправился со своей частью в Германию. Она ни разу не слышала о нем после войны и не знала, жив он или мертв. Но она часто о нем думала, особенно когда вспоминала о Лиззи.

Он долго и пристально смотрел на нее. Она изменилась очень мало и по-прежнему была красива. Она держалась теперь с еще большим достоинством, только волосы слегка поседели. В этом году ей должно было исполниться пятьдесят лет, но, глядя на нее, трудно было поверить в это.

— Кто это? — прошептал Джулиан. Мужчина показался ему очень странным. Он был худой и старый и пристально смотрел на их мать.

— Все в порядке, дорогой. Это старый друг. Отведи детей в дом.

Он взял с собой Ксавье и Изабель, и они направились в замок, оглядываясь через плечо, а Сара медленно подошла к Иоахиму.

— Иоахим? — прошептала она, когда он медленно шел ей навстречу с улыбкой, которая была ей так хорошо знакома. — Что ты здесь делаешь?

Он так долго мечтал об этой встрече. Ему так много нужно сказать и задать столько вопросов.

— Здравствуй, Сара, — сказал он тихо, беря ее руки в свои. — Прошло столько времени... но ты очень хорошо выглядишь.

Она и правда хорошо выглядела. Как только она увидела его, ее сердце учащенно забилось.

— Спасибо. — Она знала, что ему исполнилось шестьдесят лет, но годы отнеслись к нему сурово. Хотя лучше, чем к Вильяму. Он был жив. А Вильяма уже не было с ними. —

Хочешь зайти к нам? Мы только что вернулись из Англии, — объяснила она, неожиданно заговорив с ним, как хозяйка с долгожданным гостем, — со свадьбы Филиппа. — Она улыбнулась, и их глаза снова встретились.

— Филипп? Женился?

— Ему уже двадцать семь лет, — напомнила Сара, когда Иоахим открывал перед ней дверь. Очутившись в доме, они оба вдруг болезненно почувствовали, что он когда-то жил здесь.

— И у тебя есть еще дети?

— Трое, — кивнула она, он улыбнулся. — Один родился совсем недавно. Ксавье исполнится два года через две недели.

— Ты родила его два года назад? — Он явно был поражен, и она рассмеялась.

— Я была удивлена точно так же, как и ты. Вильям шутил по этому поводу.

Сара не хотела говорить ему, что Вильям умер, не сейчас по крайней мере. И тут вдруг она поняла, что Иоахим не знает, что Вильям вернулся. Она так много должна была сказать ему.

Она предложила ему присесть в гостиной. Иоахим оглядел комнату, с которой у него было связано так много воспоминаний. Но все его внимание было приковано к Саре. Он не мог оторвать от нее глаз. Он был потрясен, узнав, что, если бы он приехал всего на день раньше, она была бы в Англии.

— Что привело тебя сюда, Иоахим?

Ему хотелось сказать «ты», но он не стал это говорить.

— У меня брат в Париже. Я приехал проведать его на Рождество. Мы оба одиноки, он написал мне и попросил навестить его. — Потом добавил: — Я давно хотел увидеть тебя, Сара.

— Ты ни разу не написал мне, — тихо произнесла она. Она тоже не написала ему. Но, оглядываясь назад в прошлое, Сара не была уверена, что написала бы ему, даже если бы знала, где его найти. Возможно, один раз, но это казалось ей нечестным по отношению к Вильяму.

— После войны было трудное время, — объяснил он. — Берлин долго напоминал сумасшедший дом, и когда у меня наконец появилась возможность приехать сюда, я прочитал о чудесном спасении герцога Вайтфилда. Тогда я очень обрадовался за тебя, я знаю, как сильно ты ждала его возвращения. И я подумал, что мне не следует писать или приезжать повидать тебя. Иногда я думал об этом. Я бывал во Франции несколько раз за эти годы, но мне казалось, что не стоит ворошить прошлое, поэтому я так и не приехал ни разу.

Сара кивнула. Она прекрасно все понимала. Ей было несколько странно видеть его опять в замке. Нельзя отрицать, что в те далекие годы они испытывали друг к другу теплые чувства. К счастью, им удалось не выйти за рамки дружеских отношений, но никто не пытался сделать вид, что никаких чувств не существовало.

— Вильям умер год назад, — печально сообщила она ему. — Точнее, в этом году, второго января. — По ее глазам он понял, как одиноко ей было без него. И снова он не смог сделать вид, что ничего не знал. Поэтому он и приехал теперь. Он никогда даже не помышлял вторгнуться в их жизнь, зная, как она любила своего мужа, но теперь, когда Вильям умер, он приехал, чтобы осуществить мечту всей своей жизни.

— Я знаю. Я тоже прочитал это в газете.

Она кивнула, все еще не понимая причины его визита, но тем не менее она была рада видеть его.

— Ты женился второй раз?

Он отрицательно покачал головой.

— Нет. — Ее образ преследовал его больше двадцати лет, и он не встретил ни одной женщины, похожей на нее.

— Ты знаешь, я теперь занимаюсь ювелирным делом. — Она повеселела, и он поднял бровь.

— В самом деле? — На этот раз он казался искренне удивленным. — Это что-то новое, не так ли?

— Сейчас уже не новое. Все началось после войны. — Она рассказала обо всех тех людях, которые приходили к ним, чтобы продать свои драгоценности, и как позднее это переросло в дело. Она рассказала ему о парижском магазине, и что им управляет Эмануэль, и о магазине в Лондоне.

— Просто поразительно. Я должен непременно зайти посмотреть на Эмануэль, когда буду в Париже. — Но, сказав это, он подумал, что не стоит этого делать. Он знал, что Эмануэль никогда его не любила. — Могу себе представить, что цены там немного высоки для меня. Мы все потеряли. — Он сказал это небрежно. — Все наши земли теперь на Востоке.

Ей стало жаль его. В нем чувствовались безнадежность и грусть. Он выглядел измученным и одиноким. Сара предложила ему бокал вина и пошла проверить детей. Изабель и Ксавье обедали на кухне со служанкой, а Джулиан поднялся наверх, чтобы позвонить своей подружке. Она хотела представить их Иоахиму, но сначала ей хотелось немного поговорить с ним. У нее было странное ощущение, что какие-то причины заставили его приехать повидаться с ней.

Она снова вернулась к нему в гостиную и увидела, что он осматривает книги. И через мгновение она заметила, что он нашел книгу, которую двадцать лет назад подарил ей на Рождество.

— Она все еще у тебя. — Он выглядел довольным, и она улыбнулась в ответ. — Я до сих пор храню твою фотографию. У себя на письменном столе в Германии.

Ей стало грустно. Прошло столько лет. Теперь на его столе должна быть чья-то еще фотография, а не ее.

— У меня тоже есть твоя. Но я убрала ее. — Этой фотографии не было места в ее жизни с Вильямом, и Иоахим это понимал.

— Что ты теперь делаешь? — Он выглядел человеком со средним достатком.

— Я профессор английской литературы в университете в Гейдельберге. — Иоахим улыбнулся, когда они вспомнили долгие разговоры о Китсе и Шелли.

— Уверена, ты преуспеваешь в этом.

Тут он поставил свой бокал и подвинулся к ней поближе:

— Может быть, я неправильно поступил, что приехал, Сара, но я так часто думал о тебе. Мне кажется, что я только вчера уехал отсюда. Я должен был увидеть тебя снова... узнать, помнишь ли ты меня, так же много для тебя значит наше чувство, как для меня, как это было тогда для нас обоих.

— Это было очень давно, Иоахим... Я всегда помнила о тебе. — Она должна быть с ним откровенной. — И я любила тебя тогда. Действительно, любила, и, возможно, если бы жизнь сложилась по-другому, если бы я не была замужем за Вильямом... но я была замужем... и он вернулся домой. И я очень любила его. Я не могу себе представить, что смогу полюбить другого человека.

— Даже того, которого ты любила когда-то? — В его глазах была надежда и потерянные мечты, но она не могла дать ему ответ, который ему хотелось услышать. Она грустно покачала головой.

— Даже тебя, Иоахим. Я не могла тогда и не могу сейчас... Я замужем за Вильямом навсегда.

— Но теперь его нет, — мягко сказал он, думая, не приехал ли он слишком рано.

— В моей душе он не умер. И я благодарна за это... Я не могу быть другой, Иоахим.

— Мне жаль, — произнес он с совершенно подавленным видом.

— Мне тоже, — тихо проговорила она. В этот момент вошли дети. Изабель выглядела обворожительно, делая реверанс, а Ксавье бегал по комнате, сметая все на своем пути. Наконец, пришел Джулиан спросить, может ли он уйти с друзьями, и Сара представила его Иоахиму.

— У тебя прекрасная семья, — сказал он, когда дети ушли. — Малыш немного похож на Филиппа. — Во время оккупации Филипп был как раз в таком возрасте, и она видела в его глазах любовь к ее сыну... и к Лиззи... Она понимала, что он вспоминал и о ней тоже, и кивнула ему. — Иногда я вспоминаю и о ней... она казалась мне нашим общим ребенком.

— Я понимаю. — Вильям тоже так считал. Он говорил ей, что ревнует к Иоахиму, потому что он знал Элизабет, а ему не пришлось узнать ее. — Она была такой милой... Джулиан немного похож на нее. И Ксавье временами тоже похож... Изабель — самостоятельная личность.

— Да, это сразу видно. — Он улыбнулся. — Так же, как и ты, Сара. Я по-прежнему люблю тебя и всегда буду любить. Ты точно такая, какой я тебя представлял... может быть, только еще красивее... ты все так же хороша. Может быть, мне хотелось, чтобы ты была не так красива.

В ответ она тихо засмеялась:

— Мне жаль.

— Вильяму очень повезло. Я надеюсь, он знал об этом.

— Я думаю, мы оба это знали. Время прошло так быстро... Мне хотелось бы, чтобы он прожил дольше.

— Как он чувствовал себя после войны? В газетах писали, что он выжил чудом.

— Это верно. Он сильно пострадал, его пытали.

— То, что происходило тогда, было ужасно, — сказал он, не раздумывая. — Порой мне стыдно, что я немец.

— Ты только помогал своим людям, когда был здесь. Остальное делали другие. Тебе нечего стыдиться. — Она любила его и уважала, несмотря на то что отвергала сейчас.

— Нам нужно было остановить это в самом начале. Мир никогда не простит нам того, что мы сделали. Совершенные преступления были бесчеловечны.

Она не могла не согласиться с ним, но по крайней мере оба понимали, что его совесть чиста. Он был хорошим человеком и честным солдатом.

Наконец, он встал и еще раз оглядел комнату, словно желая запечатлеть в памяти каждую деталь перед тем, как уйти навсегда.

— Я должен вернуться в Париж. Брат будет ждать меня.

— Приезжай еще, — пригласила она, провожая его, но они оба знали, что он больше не приедет. Она медленно дошла с ним до его автомобиля, они остановились. Иоахим еще раз посмотрел на нее. В его глазах отразилось желание, которое было в его сердце, и ему страстно хотелось коснуться ее.

— Я рад, что приехал повидать тебя еще раз... Мне давно хотелось сделать это. — Он улыбнулся и нежно коснулся ее щеки, как когда-то давно. А она поцеловала его в щеку, коснувшись его лица, затем медленно отступила назад. Это был словно шаг из прошлого в настоящее.

— Береги себя, Иоахим...

Он помедлил, а потом кивнул и сел в свой автомобиль, махнув ей на прощание. Сара не видела, что в его глазах были слезы, когда он отъезжал от замка. Она могла видеть только его автомобиль... и мужчину, которым он был когда-то. А думать она могла только о Вильяме, Иоахим ушел из ее жизни много лет назад. Он умер. И больше для него не было места. Не было все эти годы. А когда автомобиль скрылся из вида, Сара повернулась и пошла к своим детям.

Глава 25

Когда в 1972 году Джулиан окончил Сорбонну, Сара очень
гордилась им. Они все поехали на церемонию вручения дипломов, за исключением Филиппа, который был очень занят в
Лондоне приобретением знаменитой коллекции драгоценностей.
Эмануэль появилась на торжестве в темно-голубом костюме и
чудесном гарнитуре с сапфирами. Ее связь с министром финансов давно перестала быть для всех секретом. Они были вместе
уже несколько лет, он успел привязаться к ней и относился с
уважением. Его жена долгое время болела, дети выросли, и их
связь никому не причиняла вреда. Он был бесконечно добр к
ней, а она действительно очень его любила. Несколько лет
назад он купил ей великолепную квартиру на авеню Фош, где
она принимала его. Люди мечтали быть приглашенными на их
вечера. У нее бывали все самые интересные личности Парижа,
а ее положение управляющей магазином «Вайтфилд» вызывало
большой интерес. Она одевалась безупречно и славилась своим
вкусом так же, как и драгоценностями, которые приобретала не
один год и получала в подарок.

Сара была благодарна ей, что она до сих пор у нее работает, особенно теперь, когда Джулиан собирался войти в дело. У
него был хороший вкус, превосходное чувство рисунка, он прекрасно разбирался в драгоценностях. Однако ему необходимо
освоить коммерческую сторону дела. Эмануэль больше не работала в торговом зале и не проводила там много времени. У
нее был свой кабинет наверху, напротив кабинета Сары. Иногда они оставляли двери открытыми и перекликались через холл,
словно две девочки в студенческом общежитии, выполняющие
домашнее задание. Они оставались близкими подругами, и только
их дружба, дети и все увеличивающаяся нагрузка по ведению
дела помогла Саре пережить смерть Вильяма. Прошло больше
шести лет, и эти годы для Сары были ужасно одиноки.

Жизнь без него стала совсем другой. Им было так
хорошо вместе. Весь смех и улыбки, цветы и глубокое
взаимопонимание, общие или разные точки зрения, его

здравые суждения и беспредельная мудрость — все теперь ушло, и боль, которую она ощущала, была почти физической, так болезненна была эта потеря.

Все эти годы она постоянно была занята детьми, Изабель исполнилось шестнадцать лет, а Ксавье — семь. Он везде совал свой нос, и Сара боялась за него. Сара находила его на крыше замка или в пещере, которую он выкопал около конюшен, изучал электрические провода и строил такие сооружения, которые могли обрушиться на него и раздавить. Но каким-то образом ему удавалось оставаться целым, и его энергия и изобретательность поражали ее. У него была страсть к разным камням, и он всегда считал, что нашел золото, серебро или алмазы. Когда он видел, как что-то блеснуло на земле, он хватал это и заявлял, что нашел драгоценность для ее магазина «Вайтфилд».

У Филиппа уже были свои дети, мальчик пяти лет и девочка — трех, Александр и Кристина, но Сара призналась Эмануэль, что они так похожи на Сесиль, и поэтому ее очень мало интересовали. Они были милыми, но очень бледными и невзрачными, не очень волновали Сару и не вызывали в ней любви.

Они были отчужденными и застенчивыми даже с ней. Иногда Сара привозила Ксавье в Вайтфилд, чтобы они поиграли вместе, но он был подвижным ребенком и всегда затевал какое-нибудь озорство, втягивая их. Было очевидно, что Филипп не слишком рад их приезду. На самом деле, Филипп не любил никого из своих братьев и сестер, и его просто не интересовал никто из них, кроме Джулиана, которого, как казалось Саре, Филипп ненавидел.

Он без всякого повода ревновал к нему, и она опасалась, что Филипп может каким-то образом повредить Джулиану, когда тот войдет в дело. Она подозревала, что Эмануэль тоже опасается этого, и убеждала ее последить за Филиппом. Когда-то Филипп был ее другом, ее подопечным, когда она была молода и ее жизнь не была такой сложной, как теперь, и в каком-то отношении она знала его даже лучше, чем Сара. Она знала, на какую злобу он был способен, каким бывал пренебрежительным и каким делался мстительным, если считал, что кто-то встал ему поперек пути. Эмануэль поражалась, что в течение стольких лет Филипп ладит с Нигелем. Это был необычный союз, своего рода брак по расчету.

Филипп ненавидел Джулиана за то, что все его любили, его семья, друзья и даже женщины. Джулиан встречался с самыми привлекательными девушками. Все они отличались красотой, веселым нравом и обаянием, и все обожали его. Когда Филипп до свадьбы встречался с женщинами, все они были низкопробными. Эмануэль знала, что его по-прежнему привлекает этот тип женщин, которых не было в кругу его жены. Как-то она встретила его с одной из них в Париже, и он сделал вид, что это его секретарша и что они приехали в Париж по делу. Они остановились на площади Афин, и он одолжил несколько самых броских драгоценностей, чтобы она несколько дней поносила их, и попросил Эмануэль ничего не говорить его матери. Драгоценности на ней совсем не смотрелись. Она выглядела усталой и потрепанной. Ее дурацкие короткие платья были совсем немодными. Она смотрелась дешевкой, но Филипп, кажется, не замечал этого. Саре было жаль его. Она понимала, что его брак не был счастливым.

Однако Филипп не пропустил окончание Джулианом Сорбонны.

— Итак, дружище, — спросила Джулиана Эмануэль, когда они все вышли из Сорбонны, — когда ты начнешь работать? Завтра, n'est ce pas?

Он знал, что она шутит, так как он собирался на прием, который его мать давала этим вечером в замке, и все его друзья должны были приехать туда.

Юноши расположились в конюшнях, а девушки в главном доме и коттедже, и еще кое-кто из гостей остановился в местном отеле. Всего ожидали около трехсот человек. После приема он собирался на несколько дней на Ривьеру, но обещал матери, что в понедельник он приступит к работе.

— Обещаю, в понедельник, — он посмотрел на нее своими огромными глазами, которые разбили уже не одно сердце. Он был так похож на своего отца. — Клянусь...

Он церемонно протянул ей руку, и Эмануэль рассмеялась. Будет забавно, когда он начнет работать в ювелирном магазине. Он так красив, что женщины купят у него все, что угодно.

Она только втайне надеялась, что он не станет тратиться на них. Он был невероятно великодушен, так же как и Вильям, и так же мягкосердечен.

Сара предложила ему пожить в ее парижской квартире, пока он не подыщет себе собственную. Он с радостью принял ее предложение. В честь окончания университета она подарила ему «альфа-Ромео», который наверняка произведет впечатление на девочек. В этот день Джулиан предложил Эмануэль отвезти ее в замок после того, как они пообедали в ресторане в «Плаза», но она уже обещала поехать вместе с Сарой. Вместо Эмануэль ему составила компанию Изабель, и он всю дорогу подшучивал над ее длинными ногами и короткой юбкой. Девочка выглядела старше своих шестнадцати лет.

Изабель флиртовала со всеми его друзьями, а с некоторыми встречалась. Его всегда поражало то, что мать терпимо относилась к ее проделкам. А после смерти отца она стала более мягкой со всеми. Казалось, что у нее нет больше сил и желания бороться с ними. Джулиан считал, что Изабель распустила Ксавье, но самая страшная его проказа — это пугать хлопушками лошадей в конюшнях или охотиться за домашними животными. О проделках Изабель было известно меньше, но они были намного опаснее, если то, что рассказывал его друг Франсуа было правдой. Недавно она довела его до безумия во время уик-энда в горах в Сант-Марине, а потом захлопнула перед ним дверь. Джулиан был благодарен ей за это, но он знал также, что очень скоро она не будет хлопать дверьми, а станет оставлять их открытыми.

— Итак, — начал он, когда они ехали на юг по шоссе № 20 в сторону Орлеана. — Что новенького у тебя с твоими приятелями?

— Ничего особенного. — Ответ прозвучал сухо, что было нехарактерно для нее. Обычно она любила похвастаться своими победами, но в последние дни Изабель была замкнута. Она хорошела с каждым часом и была похожа на мать, отличаясь только темпераментом. Все в ней заставляло предполагать страстность и желание немедленного удовлетворения. Ее не бросающаяся в глаза невинность вызывала только большее искушение.

— Как дела в школе? — Она еще посещала учебу в Ла Мароль, что Джулиан считал ошибкой. Он полагал, что ее следовало отдать в другую школу, возможно, в монастырскую. По крайней мере у него в ее возрасте хватало ума проявлять осторожность. Он был сама невинность и делал вид, что играет после школы в теннис, в то время как у него была связь с одной из учительниц. Никто так и не узнал об этом, но учительница не на шутку увлеклась им и грозила покончить с собой, когда он оставил ее, что его действительно огорчило. Место учительницы заняла мать одного из его друзей, но там возникли сложности. После этого он понял, что проще домогаться девственниц, чем иметь дело со зрелыми женщинами. Однако они по-прежнему привлекали его. Он отличался всеядностью, когда дело касалось женщин. Он обожал их всех: старых и молодых, простых и интеллигентных, красивых, а иногда даже безобразных. Изабель обвиняла брата в отсутствии вкуса, а друзья утверждали, что его никогда не покидает сексуальный голод, что было правдой, но большого греха он в этом не видел. И в любой момент был счастлив оказать услугу женщине.

— В школе так скучно, — раздраженно ответила ему Изабель, — но слава Богу, летом это кончится.

Ее приводило в ярость то, что до августа они никуда не поедут. Мать обещала ей путешествие на Капри, но до тех пор собиралась остаться в замке. У нее были какие-то дела, они хотели кое-что изменить в парижском магазине, нужно сделать ремонт на ферме и заняться виноградниками.

— Здесь такая тоска, — жаловалась она, зажигая сигарету. Затянувшись несколько раз, она выбросила ее в окно. Он не думал, что она курит по-настоящему, она просто пыталась произвести на него впечатление.

— Мне в твоем возрасте это нравилось. Там всегда так много дел, а мама позволяет приглашать друзей.

— Только не мальчиков, — выпалила она. Она обожала его, но иногда он совершенно ничего не понимал, особенно в последнее время.

— Забавно, — безжалостно поддразнивал он ее, — мне она всегда позволяла приглашать мальчиков.

— Очень остроумно.

— Спасибо. Ладно, по крайней мере сегодня вечером не будет скучно, моя дорогая. Но тебе следует лучше вести себя, или я тебя отшлепаю.

— Премного благодарна. — Она закрыла глаза и откинулась на сиденье его «альфа-Ромео». — Кстати, мне нравится твой автомобиль. — Она одарила его улыбкой.

— Мне тоже. Очень мило со стороны мамы сделать такой подарок.

— Она, вероятно, заставит меня ждать, пока мне не стукнет девяносто.

Изабель считала, что мать поступает с ней неразумно. Всякий, кто становился у нее на пути, когда она чего-то хотела, казался ей чудовищем.

— Может быть, к тому времени ты получишь водительские права.

— О, замолчи. — Это была излюбленная шутка в семье. О том, как она водит автомобиль. Она уже разбила две старых развалины в замке и уверяла, что это случилось потому, что ими было невозможно управлять и что в этом нет никакой ее вины.

Но Джулиан лучше знал, как было на самом деле. Он никогда бы не позволил ей взяться за руль своего драгоценного «альфа-Ромео».

Они были в замке задолго до того приезда гостей. Джулиан успел искупаться, а потом пошел посмотреть, не может ли он чем-нибудь помочь матери. Сара воспользовалась услугами местных поставщиков провизии. Повсюду были накрыты длинные столы с легкой закуской, несколько баров и установлен тент над большой танцевальной площадкой. Пригласили два оркестра, один местный, другой из Парижа. Джулиан был взволнован и тронут заботой матери.

— Спасибо, мама, — сказал он и обнял ее, еще не обсохнув после купания. Он стоял рядом с ней, высокий и красивый, в мокрых купальных трусах. Эмануэль, которая тоже была рядом, сделала вид, что падает в обморок.

— Прикройся, мой дорогой, я не уверена, что смогу держать себя в руках на работе. — Она отметила в уме, что ей следует приглядеть за его девочками. Эмануэль не сомневалась, что Джулиан будет приводить их после ленча в свою квартиру. Ей было известно о его слегка подпорченной репутации. — Придется что-нибудь придумать, чтобы на работе ты не выглядел так сногсшибательно. — Но, по правде говоря, его изменить было невозможно. Он изучал очарование и был сексапильным. Джулиан был полной противоположностью сдержанного и скованного Филиппа.

— Тебе следует одеться до приезда гостей, — улыбнулась ему мать.

— А может быть, не стоит, — прошептала Эмануэль. Ей всегда доставляло удовольствие видеть красивое тело, и она любила немного подразнить его. В конце концов это вполне безобидное занятие. Он для нее был просто ребенок. Ей как раз исполнилось пятьдесят.

Джулиан снова спустился вниз задолго до появления гостей, проведя полтора часа с Ксавье, пока одевался, рассказывал ему о ковбоях и Диком Западе. По каким-то причинам Ксавье увлекся Дэви Крокетом. Он был без ума от всего американского и рассказывал всем в школе, что на самом деле он из Нью-Йорка, или Чикаго, или даже из Калифорнии. Он постоянно говорил о своей тете Джейн и двоюродных братьях и сестрах, которых даже не знал, что забавляло Сару. Она часто беседовала с ним по-английски. Он говорил по-английски очень хорошо, так же, как и Джулиан, однако с французским акцентом. Джулиан владел английским лучше, чем Ксавье, но по нему было видно, что он француз, не то что Филипп, британец до мозга костей. А Изабель было все равно, откуда она родом, поскольку она была так далека от всех своих родственников и хотела быть подальше, чтобы ей не мешали жить, как ей хочется.

— Я хочу, чтобы сегодня вечером ты был пай-мальчиком, — предупредил Джулиан Ксавье. — Никаких диких выходок, никаких ушибов и падений. Я хочу, чтобы на моем вечере было весело. Почему бы тебе не посмотреть телевизор?

— Я не могу, — ответил он небрежно. — У меня его нет.

— Ты можешь посмотреть в моей комнате, — улыбнулся брату Джулиан. Ксавье был невозможен, но Джулиан любил его таким. Он был ему вместо отца и получал удовольствие от его общества. — Мне кажется, там сейчас футбол.

— Замечательно! — закричал он и побежал в комнату брата любоваться ударами Дэви Крокета.

Джулиан улыбнулся про себя, когда Ксавье врезался на лестнице в Изабель. Она была в белом, почти прозрачном платье, которое едва прикрывало ей попку.

— Карден? — поинтересовался он, стараясь казаться невозмутимым.

— Куррэж, — поправила она, глядя лукаво и гораздо опаснее, чем ей казалось. Она попадет в беду.

— Узнаю.

Сара тоже узнала стиль знаменитого кутюрье. Когда она увидела дочь, она отправила ее наверх надеть что-нибудь другое. Изабель хлопала всеми дверьми, которые были у нее на пути, пока Эмануэль смотрела ей вслед, а Сара вздохнула и налила себе бокал шампанского.

— Этот ребенок уложит меня в могилу. А если ей не удастся, это сделает Ксавье.

— Ты то же самое говорила про остальных, — напомнила ей Эмануэль.

— Я не говорила этого, — поправила ее Сара. — Филипп огорчает меня, потому что так отчужден и холоден, а о Джулиане я беспокоилась, потому что он спал с матерями своих друзей и думал, что я не знаю об этом. Но Изабель совершенно иное создание. Она отказывается подчиняться, вести себя как следует и выслушивать разумные доводы. Эмануэль не могла не согласиться с этим. Она не хотела бы оказаться матерью этой девочки. Когда она наблюдала за Изабель, она благодарила Бога, что у нее нет детей. Хотя Ксавье совсем не походил на Изабель, он был по-своему невозможен, но при этом настолько нежен и ласков, что на него просто невозможно было сердиться. У него было сходство с Джулианом, но Ксавье был более непринужденным и безрассудным. Все они составляли интересную компанию, называемую семья Вайтфилдов. Никто из них не заметил, как появилась Изабель в белой кожаной

юбке и полосатом, словно зебра, трико, что выглядело даже
хуже, чем ее предыдущий наряд. Но к счастью для нее, на этот
раз она не попалась на глаза Саре.

— Развлекаешься? — спросила Сара Джулиана, когда увидела его через час. Он немного захмелел, но она
знала, что это не принесет ему вреда. Никто не собирался никуда ехать на автомобиле, а он так много занимался
и окончил Сорбонну. Он заслужил это.

— Мама, ты великолепна! Это лучший из вечеров в
моей жизни. — Он выглядел счастливым и разгоряченным. Он танцевал не один час с двумя девушками, которые вынуждали его принять невозможное решение. Это
был вечер блаженных дилемм.

Изабель тоже стояла (вернее, лежала) перед дилем-
мой. Она распростерлась в кустах за конюшнями с молодым человеком, с которым познакомилась сегодня вечером.
Она знала, что он друг Джулиана, но запамятовала его
имя. Но он целовался лучше всех ее прежних поклонни-
ков и только что признался ей в любви.

В конце концов один из слуг заметил ее и шепнул что-то
герцогине, которая неожиданно чудесным образом появилась
там с Эмануэль, сделав вид, что они прогуливаются, увлечен-
ные разговором. Когда Изабель услышала голос матери, она
стремительно умчалась прочь, а две женщины переглянулись и
засмеялись, чувствуя себя старыми и молодыми одновременно.
В августе Саре должно было исполниться пятьдесят шесть лет,
хотя она выглядела моложе.

— Ты занималась чем-нибудь подобным? — поинтересовалась Эмануэль.

— Я грешила.

— У тебя это было только с немцами во время войны, —
поддразнивала ее Сара, а Эмануэль решительно поправила ее.

— Это требовалось в интересах дела, чтобы получить от
них информацию, — гордо ответила она.

— Удивительно, что они не убили всех нас за это, — от-
ругала ее Сара через тридцать лет.

— Я была готова убить каждого из них, — с чувством сказала она.

Тогда Сара рассказала ей о том, что Иоахим приезжал сюда после свадьбы Филиппа. Она никогда не упоминала об этом прежде, и Эмануэль возмутилась.

— Удивляюсь, как он остался жив. Очень многие из них погибли, когда возвращались в Берлин. Он был довольно неплохим для нациста, но нацист есть нацист...

— Он выглядел таким печальным и старым... думаю, я его разочаровала. Он, вероятно, считал, что после смерти Вильяма все будет по-другому. Но по-другому не может быть никогда.

Эмануэль кивнула. Она знала, как Сара любила Вильяма. Она ни разу не взглянула на другого мужчину с тех пор, как он умер, и, похоже, что этого уже не случится. Эмануэль пыталась осторожно познакомить ее с некоторыми из своих друзей через несколько лет после его смерти, но было очевидно, что они ее не интересовали. Сара посвятила жизнь детям и ювелирному бизнесу. Прием закончился в четыре часа утра, когда несколько оставшихся молодых людей попадали в бассейн, пока уходил оркестр, и, наконец, завершился на кухне, на рассвете, где Сара приготовила им яичницу-болтунью и кофе. С ними было весело, и ей нравилось, когда они гостили в замке. В последнее время Сара радовалась, что поздно родила своих детей. Многие из ее подруг остались одни и страдали от одиночества, а ее все время окружали дети. Они, возможно, считали ее ненормальной, но те, кто хорошо ее знал, видели, что она счастлива в их обществе.

В восемь часов Сара направилась в свою комнату, заглянув по дороге к Джулиану. Она улыбнулась, увидев Ксавье, тихо спящего на кровати Джулиана. Телевизор все еще был включен, но все программы давно закончились, звучала только запись «Марсельезы». Она выключила телевизор, сняла с него шляпу Дави Крокета и пригладила сыну волосы, а потом она пошла в свою комнату и проспала до полудня.

После ленча Сара и Эмануэль поехали в Париж. Им нужно о многом поговорить. Они снова расширяли парижский магазин. Недавно Нигель говорил, что им следует подумать об этом и в Лондоне. Они имели королевский патент на торговлю и были официальными поставщиками драгоценностей Короны. За последние несколько лет их клиентами были главы многих государств, несколько королей и королев и десятки арабов. Дела шли превосходно в обоих магазинах, и Сара радовалась, что Джулиан приступил к работе.

Он начал, как обещал, на следующей неделе, и все шло гладко до тех пор, пока в августе они не закрылись. Он поехал в Грецию с компанией молодых людей, а она повезла Изабель и Ксавье на Капри. Им там понравилось. Им понравилась Марина Гранде, и Марина Пиккола, и площадь, и клубы на побережье, типа «Канзон дель Марс», и некоторые из общедоступных. Изабель изучала в школе итальянский, и, имея небольшой запас испанских слов, она считала себя великим лингвистом.

Они хорошо провели время, а Сара не могла удержаться и не зайти в ювелирные магазины. Она считала, что цены сильно завышены, но некоторые украшения ей показались очень милыми. Она отдыхала, читала и занималась с детьми. В один из дней она решила, что нет ничего страшного в том, если она позволит Изабель утром одной поехать в клуб. Они с Ксавье присоединились к ней немного попозже.

А однажды утром, когда Изабель ушла вперед, Сара и Ксавье остановились по дороге, чтобы сделать какие-то покупки. Они пришли в «Канзон дель Марс» как раз к ленчу. Сара оглядывалась по сторонам, пытаясь отыскать дочь, но ее нигде не было. Она начала беспокоиться, но Ксавье нашел под креслом ее сандалии и пошел по ее следу к маленькой кабинке на пляже. Они нашли ее там, со спущенным до талии купальником с мужчиной в два раза старше ее, который тискал ее грудь и стонал при этом, а она держала угрожающе торчащее из плавок его естество.

На мгновение Сара уставилась на нее, а потом, не раздумывая, схватила Изабель за руку и вытащила из кабины.

— Чем ты здесь занимаешься? — Она была в ярости, а Изабель разрыдалась. В это время появился мужчина, безуспешно пытаясь овладеть собой и завернуться в полотенце. — Вы понимаете, что моей дочери всего шестнадцать лет? — едва сдерживаясь, сказала ему Сара. — Я могла бы вызвать полицию. — Но она понимала, что ей следовало сдать полицейским свою дочь. Сара только хотела припугнуть его, чтобы этого не повторилось. По выражению его лица она видела, что ее угроза возымела действие. Это был очень привлекательный молодой человек из Рима, с внешностью повесы.

— Signora, mi dispiace... она сказала, что ей двадцать один. Простите, — он расточал извинения и с сожалением смотрел на Изабель, которая истерически рыдала, стоя рядом со своей матерью. Они пошли обратно в отель, и Сара ледяным голосом сказала ей, что остаток дня она проведет в своей комнате, а потом они поговорят об этом. Но когда она вернулась с Ксавье обратно на берег, она поняла, что разговоры уже бесполезны. Филипп и Джулиан оказались правы, Изабель следует отдать в какую-то другую школу. Но куда? Вот в чем вопрос.

— Что они делали там? — полюбопытствовал Ксавье, когда они снова прошли мимо кабинки на пляже, и Сара вздрогнула, вспомнив недавнюю сцену.

— Ничего, дорогой, они играли в глупые игры.

После этого она держала Изабель на коротком поводке, и оставшиеся каникулы уже не были такими веселыми. На следующий день Сара сделала несколько телефонных звонков, нашла для дочери чудесную школу недалеко от австрийской границы, близко к Картине. Она могла кататься там всю зиму на лыжах, говорить по-итальянски и по-французски, научиться лучше держать себя. Это была женская школа, и поблизости не было школы для мальчиков. Сара прямо спросила об этом.

В один из последних дней каникул она сообщила об этом Изабель. Как и следовало ожидать, она встала на дыбы, но Сара оставалась непоколебима, даже когда Изабель расплакалась. Это принесет дочери только пользу. Сара понимала, что если она не сделает этого, то в ближайшее время Изабель совершит какую-нибудь глупость, возможно, даже забеременеет.

— Я не поеду! — возмущалась она. Она даже позвонила Джулиану в магазин в Париже. Но на этот раз он встал на сторону матери. После Капри они поехали в Рим, чтобы купить ей все необходимое. Школьные занятия начинались через несколько дней, и не было смысла вести ее обратно во Францию, где она могла попасть в беду. Сара вместе с Ксавье отвезла ее в школу. Изабель со скорбным видом осматривалась в незнакомой обстановке. У нее была большая солнечная комната. Девочки выглядели очень мило. Среди них были француженки, англичанки, немки и итальянки, две девочки из Бразилии, одна из Аргентины и еще одна из Тегерана. Подобралась интересная компания. Всего в школе училось пятьдесят девочек. Школа в Ля Марало дала Изабель лучшую рекомендацию, и директор поздравила Сару с разумным решением.

— Я не могу поверить, что ты меня здесь оставишь, — рыдала Изабель, но Сару невозможно было переубедить. Они оставили ее в школе, и всю дорогу к аэропорту Сара сама плакала. А потом они с Ксавье полетели в Лондон навестить Филиппа. Она оставила его на ленч с племянником и племянницей и отправилась прямо в лондонский магазин. Казалось, там все было прекрасно. Они вместе с Филиппом пообедали, и она вздрагивала каждый раз, когда он делал гадкие замечания в адрес своего брата.

— Что ты ходишь вокруг да около? — прямо спросила Сара. — Что он сделал, чем ты так раздражен?

— Им с его чертовски глупыми идеями о дизайне. Я не понимаю, почему он должен вмешиваться не в свое дело, — напыщенно заявил Филипп. Сара спокойно ответила:

— Потому что я попросила его об этом. Он талантливый художник, намного талантливее, чем ты и я, и прекрасно разбирается в камнях.

По его эскизу недавно была сделана оправа для изумруда махараджи, в котором больше ста каратов. Любой другой не стал бы возиться с таким большим камнем, а просто разбил бы на мелкие. Но Джулиан точно знал, что надо делать, и все свободное время проводил в мастерской, наблюдая за работой ювелира.

— В том, что он делает, нет никакого вреда. Тебе лучше удается другое, — напомнила ему Сара. Он превосходно вел дела с королями, что позволяло им оставаться первыми на рынке. Им нравились его строгие манеры.

— Я не понимаю, почему ты все время защищаешь его, — раздраженно заметил Филипп.

— Если тебя это утешит, Филипп, — ответила она, огорченная тем, что он по-прежнему был ревнив. Даже хуже, чем всегда. — Тебя я тоже постоянно защищаю. Так уж случилось, что я люблю вас обоих. — Он не ответил ей, но, кажется, немного успокоился, когда спросил об Изабель и сказал ей, что слышал много хорошего об этой школе.

— Будем надеяться, что она сделает чудо с девочкой, — тихо ответила Сара.

Когда они шли обратно в его офис, Сара заметила, что из дома появилась очень хорошенькая девушка. У нее были длинные красивые ноги и очень короткая юбка, наподобие тех, которые носила Изабель. Девушка бросила на него хитрый взгляд. Филипп разозлился на нее и старался сделать вид, что не знает ее. Девушка появилась у него недавно и понятия не имела, что Сара его мать. Глупая сучка, подумал он про себя. Сара перехватила взгляд, которым они обменялись. Хотя она ничего ему не сказала, он почувствовал себя обязанным объясниться, после чего ситуация стала Саре еще понятнее.

— Это не имеет значения, Филипп. Тебе тридцать три года, и как ты поступаешь, твое дело. — Но затем она решила не быть слишком скромной. — А где Сесиль провела последние дни? — Он выглядел потрясенным и даже покраснел при этом вопросе.

— Прошу прощения. Она мать моих детей.

— И это все? — Сара холодно посмотрела на него.

— Конечно, нет, я... она... она ненадолго уехала. Ради Бога, мама... это просто шутка, девушка флиртует со мной.

— Дорогой, это не имеет значения. — Было очевидно, что он по-прежнему спит с проститутками, с девицами, с которыми ему «весело», по его собственному выражению, в то время как женился он на другой. Ей было жаль его, ему не удалось найти спутницу жизни, обладающую всеми необходимыми ему качествами, но он никогда ей не жаловался. Так что Сара оставила все, как есть, и он почувствовал облегчение.

А на следующий день они с Ксавье полетели обратно в Париж, и Джулиан встретил их в аэропорту. За время короткого перелета Сара рассказала своему младшему сыну о том, как она осматривала драгоценности короны в лондонском Тауэре, когда они первый раз встретились с его отцом.

— Он был очень сильным? — спросил Ксавье, он всегда любил слушать о своем отце.

— Очень, — заверила его Сара. — И очень добрый, очень умный, и он очень любил нас всех. Он был чудесным человеком, и когда ты вырастешь, ты будешь таким же, как он. В чем-то ты уже сейчас похож на него. — И таким же был Джулиан.

По пути домой они пообедали в Париже вместе с Джулианом. Он был очень рад видеть их и послушать об Изабель и лондонском магазине. Она ничего не сказала о своей стычке с Филиппом и его замечаниях о Джулиане. Ей не хотелось подливать масла в огонь. Сара поехала в замок на автомобиле, который она оставляла в Париже. Ксавье всю дорогу проспал. А она время от времени поглядывала на него, как он спит рядом с ней, и думала, как ей повезло, что он есть у нее. В то время, как другие женщины ее возраста проводили случайные выходные со своими внуками его возраста, у нее был очаровательный маленький мальчик, который жил вместе с ней. Она вспомнила, как она была расстроена, когда узнала о своей беременности, и как Вильям переубедил ее... И свою свекровь, которая назвала Вильяма великим благословением. И таким он был для каждого, кому повезло узнать его при жизни... теперь этот ребенок был для нее... ее собственным особым благословением.

Глава 26

Изабель писала им редко, и только тогда, когда наставники заставляли ее. В письмах она горько жаловалась, как плохо ей в этой школе. Но, по правде говоря, через несколько дней ей там понравилось. Она полюбила девочек, с которыми познакомилась, места, которые они посещали, и ей нравилось кататься в Картине на лыжах. Она встретила более интересных людей, чем во Франции, и хотя в школе за ней строго следили, она ухитрилась завести множество друзей, и ей все время присылали письма и звонили мужчины, что не поощрялось в школе, но запретить совсем не могли.

Но в конце первого года Сара заметила в ней существенную перемену, и Эмануэль тоже обратила на это внимание. Она стала более разумной и лучше понимала теперь, что можно делать и чего нельзя, и как следует вести себя с мужчинами, не завлекая их открыто. С одной стороны, Сара почувствовала облегчение, с другой — она была озабочена.

— Она опасная девушка, — сказала Сара однажды Джулиану, и он не мог с ней не согласиться. — Она всегда напоминает мне бомбу, которая вот-вот взорвется. Но теперь это очень сложная бомба... возможно, русская... или очень тонкий управляемый снаряд...

Джулиан рассмеялся над такой характеристикой своей сестры.

— Я не уверен, что тебе когда-нибудь удастся ее изменить.

— Я тоже. Это меня и пугает, — призналась его мать. — А как ты? — Она несколько недель не видела его. — Я слышала, что у тебя завязались деловые отношения с одной из наших лучших покупательниц. — Они оба знали, кого она имеет в виду. Джулиан удивился, не проговорилась ли ей Эмануэль. — Графиня де Бриз — очень интересная женщина, Джулиан, и она намного опаснее, чем твоя сестра.

— Я знаю, — ответил он с усмешкой, — я боюсь ее до смерти, но я ее обожаю. — Покойный граф был ее третьим мужем за последние пятнадцать лет, а ей только тридцать четыре года. Она буквально пожирала мужчин. Теперь ей нужен был только Джулиан. В прошлом месяце она купила драгоценностей на полмиллиона долларов. Она, конечно, могла себе это позволить, но продолжала приходить в магазин, и самая большая драгоценность, которую она хотела получить и сделать своей игрушкой, был он.

— Ты считаешь, тебе это удастся? — честно спросила она сына. Она боялась, что его могут обидеть, он тоже боялся и старался проявлять осторожность.

— Через некоторое время. Я очень осторожен, мама, уверяю тебя.

— Хорошо. — Она улыбнулась ему. Все ее дети были так заняты своими шалостями и своими связями. Она только надеялась, что Изабель пробудет в школе еще год и окончит ее. И на самом деле, через год она ее окончила и прилетела домой на прием в честь тридцать пятой годовщины магазина «Вайтфилд», который Сара давала в замке. На нем присутствовали семьсот человек со всей Европы. Приехали представители прессы, устроили фейерверк, и были приглашены большинство коронованных особ Европы. Эмануэль и Джулиан помогали ей в организации приема. Из Англии прилетели Филипп, Нигель и Сесиль. Вечер был восхитительный. Приехали все приглашенные, угощение подавалось изысканное, необыкновенной красоты фейерверк озарял ночное небо над замком, драгоценности великолепны, и большая их часть — из магазина «Вайтфилд». Это была большая победа для магазина. Пресса неистовствовала, и перед тем, как уехать, они пришли поздравить Сару с большим кубком, а она, в свою очередь, поблагодарила и поздравила всех тех, кто помогал ей организовать этот вечер.

— Кто-нибудь видел Изабель? — спросила Сара уже поздно вечером. Она не смогла сама встретить ее в аэропорту, но послала за ней машину. Сара видела дочь, ког-

да та только приехала и еще даже не переоделась, она
поцеловала ее, и с тех пор Изабель не попадалась ей на
глаза. Было слишком много гостей, и она все время была
занята. Сара едва смогла найти Филиппа и Джулиана в
конце вечера. Филипп бросил свою жену в самом начале приема и провел большую часть вечера с фотомо-
делью, которая снималась для него в нескольких рекламах.
Пока он танцевал с ней, он не переставал говорить ей,
как сильно она ему нравится. Джулиан тоже не терял
время даром, покоряя сердца дам, одна из них была
замужем, две — уже не первой молодости, а остальные — ослепительные девушки, от которых все мужчины сходили с ума, включая и его брата. Они отослали
Ксавье, чтобы он вместе с друзьями расположился на
ночь, так что ему не удалось слишком много озорничать, хотя после девяти лет он стал вести себя лучше.
Дэви Крокет перестал быть его кумиром. Теперь его
мысли занимал Джеймс Бонд.

Сара приготовила для Изабель платье из прозрачной
розовой кисеи. Она купила его в Лондоне и была уверe-
на, что Изабель будет в нём похожа на сказочную принцессу. Сара надеялась, что дочь не лежит в этом платье
где-нибудь под кустом. При этой мысли она рассмеялась
про себя. Но когда она, наконец, увидела свою дочь, ни
о каких кустах не могло быть и речи, Изабель степенно
танцевала с мужчиной старше ее, увлеченная разговором.
Сара одобрительно посмотрела на нее, потом помахала ей
и прошла дальше. Вся ее семья выглядела в этот вечер
чудесно, даже на ее невестке было платье, купленное у
Гард и Ами. Замок де ля Мёз казался в этот вечер ска-
зочной страной. Больше, чем когда-либо, ей хотелось, чтобы
Вильям мог увидеть это. Она так гордилась ими всеми,
и, может быть, даже собой... они так долго и упорно труди-
лись в замке. Трудно поверить, что когда-то здесь царило запустение, замок был заброшен и год за годом
разрушался, когда они с Вильямом нашли его. Как давно
это было. Двадцать пять лет прошло с открытия магазина
«Вайтфилд»... тридцать пять с тех пор, как они впервые

ступили на эту землю, путешествуя в медовый месяц. Куда
ушло время?

На следующий день в прессе появились восторженные
отзывы о приеме. Все пришли к единодушному мнению,
что это вечер века, и желали магазину «Вайтфилд» дальнейшего процветания. Несколько последующих дней Сара
грелась в лучах славы устроенного ею приема. Она видела Изабель очень мало. Дочь постоянно пропадала где-то
с друзьями. В восемнадцать она умела водить машину и
наслаждалась большей свободой, чем раньше. Но Саре все
же хотелось не выпускать ее из вида, и как-то днем, когда она не смогла найти ее, она встревожилась.

— Она уехала в «роллсе», — сообщил Ксавье, когда
она увидела его.

— Уехала? — удивилась Сара. Ей разрешили водить
«пежо», который держали для нее и других людей в замке. —
Ты не знаешь, куда она уехала, милый? — спросила его Сара,
думая, что, возможно, она отправилась в деревню.

— Мне кажется, в Париж, — сказал он и ушел. В конюшне появилась новая лошадь, и он хотел посмотреть на нее.
Временами ему по-прежнему нравилось изображать из себя
ковбоя, когда у него возникало такое желание. Все остальное
время он был исследователем.

Она позвонила Джулиану в магазин и попросила его
присмотреть за ней, если Изабель появится. Через час
Изабель вполне уверенно вошла в магазин, словно поку-
пательница, на ней было очень хорошенькое изумрудно-
зеленое платье и темные очки. Джулиан увидел ее с помощью
камеры в своем кабинете наверху и, как только заметил,
сразу спустился вниз в магазин.

— Могу я помочь вам, мадемуазель? — спросил он самым
очаровательным голосом, и она рассмеялась. — Может быть,
браслет с бриллиантами? Обручальное кольцо? Маленькая тиара? Корона очень мило смотрелась бы на вас. Ну, конечно. —
Он продолжал играть с ней. — Изумруды в тон к вашему
платью или бриллианты?

— Пожалуй, я возьму и то и другое. — Она сияла, глядя на него, а он, как бы между прочим, спросил ее, зачем она приехала в город.

— Просто встретиться с другом и выпить.

— Ты провела за рулем два часа десять минут для того, чтобы выпить? — поинтересовался он. — Должно быть, тебя мучает жажда.

— Очень забавно. Мне нечего делать дома, так что я решила съездить в город. В Италии мы делали это все время. Понимаешь, ездили в Картину на ленч или для того, чтобы купить что-нибудь. — Она выглядела искушенной в житейских делах и потрясающе красивой.

— Как шикарно, — пошутил он. — Позор, что у нас во Франции так не развлекаются. — Он знал, что через пару недель она уезжает на юг Франции, в Кап Ферра, чтобы отдохнуть там со школьной подругой. Она по-прежнему была избалованной, но, несомненно, очень повзрослела.

— Где у тебя встреча?

— В «Рице».

— Пойдем, — сказал он, обходя прилавок. — Я тебя подброшу. Я должен отвезти виконтессе ожерелье.

— У меня своя машина, — холодно ответила она, — ну на самом деле мамина. — Он не стал задавать ей никаких вопросов.

— Тогда ты меня подбрось. Я без машины. Моя сломана. Я собирался взять такси, — солгал Джулиан, он хотел посмотреть, с кем она встречается. Он вынул из ящика весьма впечатляющую шкатулку, положил ее в конверт и вышел за Изабель на улицу и сел в ее автомобиль прежде, чем она успела возразить. Джулиан болтал с ней, как будто в ее приезде в город в «роллс-ройсе» не было ничего необычного. Он поцеловал Изабель на прощание у конторки служащего отеля и сделал вид, что беседует со швейцаром, который хорошо знал его.

— Рено, не могли бы вы сделать вид, что берете у меня эту шкатулку? Просто выбросите ее после моего ухода, но сделайте это так, чтобы никто не видел.

— Я отдам ее своей жене, но, возможно, ей одной шкатулки будет мало. Что вы здесь делаете?

— Слежу за своей сестрой, — признался он, по-прежнему делая вид, что объясняет ему что-то. — Она встречается с кем-то в баре, и я хочу убедиться, что все в порядке. Она очень хорошенькая девушка.

— Я заметил. Сколько ей лет?

— Восемнадцать.

— О-ля-ля... — Рено сочувственно присвистнул. — Я рад, что она не моя дочь... простите... — Он поспешил извиниться.

— Не могли бы вы войти и проверить, с кем она там находится? А потом я могу войти и сделать вид, что столкнулся с ними случайно. Мне не хотелось бы появляться в баре до того, как он придет туда. — Он предполагал, что у нее свидание с мужчиной, маловероятно, что она ехала два часа для того, чтобы поболтать с подружкой.

— Конечно, — охотно согласился Рено в тот момент, когда чек на крупную сумму скользнул в его ладонь. На этот раз он рад был помочь. Лорд Вайтфилд славный парень и к тому же очень щедрый.

Джулиан сделал вид, что пишет за конторкой какую-то пространную записку. Через минуту Рено вернулся.

— Она там, мой друг, и у вас неприятности.

— Кто он? Вы его знаете? — Джулиан испугался, не была ли она с каким-нибудь мафиози.

— Конечно, знаю. Он постоянно останавливается у нас, по крайней мере два раза в год, обрабатывая какую-нибудь женщину. Иногда пожилых, иногда молодых, как сейчас.

— Я знаю его?

— Может быть. Он выписывает чеки дважды за поездку и никогда не дает чаевых, если только при этом на него не смотрит кто-нибудь.

— Забавно, — усмехнулся Джулиан.

— Он беден как церковная мышь. И я думаю, он охотится за деньгами.

— Великолепно. Как раз то, что нам нужно. Как его имя?

— Вам оно понравится. Он говорит, что он один из принцев Венеции. Может быть, так и есть. Там их около десяти тысяч. — Не то, что в Британии или хотя бы во Франции. В Италии принцев больше, чем дантистов. — Он просто ничтожество, но выглядит неплохо. Ваша сестра молода, она не сумеет понять, что он из себя представляет. Кажется, его зовут Лоренцо.

— Как оригинально. — Джулиан совсем не был воодушевлен тем, что только что услышал.

— Только не ждите чаевых, — напомнил его друг, и Джулиан еще раз поблагодарил Рено и не спеша вошел в бар с расстроенным и озабоченным видом, аристократ до мозга костей, настоящий аристократ, как всегда говорил о нем Рено, и он знал, что говорил. Рено, конечно, был прав, в Джулиане чувствовалось благородное происхождение. Не то, что этот макаронный принц, как называл его Рено.

— О, ты здесь... извини... — сказал Джулиан, словно случайно столкнувшись с ней, и улыбнулся. — Я просто хотел поцеловать тебя на прощание. — Он оглядел мужчину, с которым она была, и снова широко улыбнулся, сделав вид, что просто счастлив с ним познакомиться. — Здравствуйте... мне очень жаль, что я прервал вашу беседу... Я — брат Изабель, Джулиан Вайтфилд, — непринужденно произнес он, протягивая руку и не обращая внимания на недовольную мину на лице сестры. Но принца вторжение Джулиана совершенно не смутило. Он был само очарование и заговорил елейным голосом:

— Piacere... Лоренцо ди Сан Тебальди... Я так счастлив с вами познакомиться. У вас очаровательная сестра.

— Благодарю вас. Полностью разделяю ваше мнение. — Он поцеловал ее и извинился, что вынужден уйти, поскольку должен вернуться в магазин. Он ушел, даже не оглянувшись, и, несмотря на его сияющий вид, Изабель поняла, что ее ждут большие неприятности.

На обратном пути Джулиан подмигнул швейцару и поспешил в свой офис. Как только он приехал в магазин, он позвонил матери, разговор не был утешительным.

— Мама, мне кажется, у нас большая проблема.

— Что за проблема? Или вернее — кто?

— Она была с джентльменом, которому на вид около пятидесяти лет, по словам швейцара в «Рице» — он ему хорошо знаком — своего рода охотник за состоянием. Недурен внешне, но, как говорят, полное ничтожество.

— Вот дрянь, — резко сказала Сара на другом конце провода. — Что мне теперь с ней делать? Снова запереть ее?

— Она уже вышла из того возраста. На этот раз трудно будет это сделать.

— Я знаю. — Сара была раздражена. Изабель провела дома всего два дня и уже попала в беду. — Я действительно не знаю, что предпринять.

— Я тоже. Мне не понравились взгляды, которые бросал этот малый.

— Как его имя? — Как будто это имело значение.

— Принц Лоренцо ди Сан Тебальди. Думаю, что он из Венеции.

— Боже, как раз то, что нам нужно. Итальянский принц. Боже мой, какая же она глупая.

— Не могу с тобой не согласиться. Но она уверена, что она неотразима.

— Очень жаль! — в отчаянии воскликнула Сара.

— Что прикажешь мне делать? Вернуться и вытащить ее оттуда за волосы?

— Возможно, и следует попросить тебя об этом, но думаю, лучше оставить ее в покое. В конце концов она вернется домой, и я постараюсь ее вразумить.

— Ты у меня молодчина.

— Совсем нет, — призналась Сара. — Я просто устала.

— Ладно, не отчаивайся. Думаю, ты великолепно справишься.

Сара была тронута его участием, она нуждалась в этом перед битвой, которая, она знала, состоится, когда Изабель вернется домой. В полночь «роллс-ройс» подкатил к замку. Это означало, что из Парижа Изабель выехала в десять часов, что было разумно с ее стороны. Однако это не могло смягчить гнев ее матери. Сара слышала, как Изабель вошла через парадный вход в замок, и спустилась вниз, чтобы встретить ее.

— Добрый вечер, Изабель. Ты хорошо провела время?

— Очень хорошо, большое спасибо. — Она нервничала, но старалась сохранять хладнокровие, глядя в лицо матери.

— Как моя машина?

— Очень мило... Я... прости, мне нужно было спросить. Надеюсь, тебе она была не нужна.

— Нет, — спокойно ответила Сара, — не нужна. Почему бы тебе не пройти на кухню и не выпить чашку чая. Ты, должно быть, устала за рулем. — Это испугало Изабель еще больше. Это был конец, ее мать не кричала, она говорила ледяным тоном.

Они сели за кухонный стол, и Сара налила ей настойку мяты, но Изабель было безразлично, что пить.

— Твой брат Джулиан позвонил мне сегодня днем, — начала Сара немного погодя и посмотрела в глаза дочери.

— Я так и думала, что он позвонит, — нервничая, сказала Изабель, играя своей чашкой. — У меня просто была встреча со старым другом из Италии... с одним из учителей.

— В самом деле? — переспросила ее мать. — Какая интересная история. Я проверила список гостей, и он оказался в числе приглашенных здесь прошлым вечером. Принц ди Сан Тебальди. Я видела, как ты танцевала с ним, не правда ли? Он очень красив.

Изабель кивнула, не зная, что ей ответить. На этот раз она не осмелилась спорить с ней, она только хотела услышать, какое ее ждет наказание, но ее мать должна была еще поговорить с ней.

— К несчастью, — продолжала Сара, — у него сомнительная репутация... Он время от времени приезжает в Париж... чтобы найти леди с состоянием. Иногда ему это вполне удается, иногда ему везет меньше. Во всяком случае, моя дорогая, это не тот человек, с которым ты должна встречаться. — Она ничего не сказала о его возрасте или о том, что Изабель без разрешения уехала в Париж, она хотела привести ей разумные доводы и объяснить ей, что ее друг — охотник за состоянием. Сара думала, что, может быть, это произведет на нее впечатление, но этого не случилось.

— Люди всегда говорят о принцах подобные вещи, потому что они им завидуют, — невинно ответила она, все еще страшась вступить в открытый поединок со своей матерью. Кроме того, она инстинктивно чувствовала, что на этот раз она проиграет.

— Почему ты так думаешь?

— Он мне сказал об этом.

— Он сказал тебе об этом? — ужаснулась Сара. — Тебе не приходило в голову, что, сделав такое замечание, он хочет себя обелить, если до тебя вдруг дойдут слухи о его похождениях? Это дымовая завеса, Изабель. Ради Бога, ты же не глупа. — Но, когда дело касалось мужчин, Изабель теряла разум, так было всегда, и особенно на этот раз.

Джулиан в этот день сделал несколько телефонных звонков, и все говорили ему о новом друге Изабель то же самое.

— Он неприятный человек, Изабель. Можешь мне поверить. Он хочет воспользоваться тобой.

— Ты завидуешь.

— Не глупи.

— Ты завидуешь! — закричала она. — С тех пор как умер папа, у тебя никого не было, и это заставляет тебя чувствовать себя старой и безобразной, и ты завидуешь... ты просто хочешь, чтобы он был твоим! — Это был поток слов, и Сара смотрела на нее с изумлением, но она продолжала говорить спокойно.

— Надеюсь, ты не веришь тому, что говоришь, потому что мы обе знаем, что это неправда. Мне ужасно не хватает твоего отца, каждый миг, каждый час, каждый день, — в ее глазах появились слезы, когда она произнесла эти слова, — но ни на минуту мне не приходила в голову бредовая мысль заменить его охотником за состояниями из Венеции.

— Теперь он живет в Риме, — поправила ее Изабель, словно это имело значение, а ее мать была сражена потрясающей тупостью молодости. Иногда ее просто поражало, что они делают со своей жизнью. Но, с другой стороны, в таком же возрасте она вела себя ничуть не лучше, когда была замужем за Фредди и не хотела с ним разводиться, напомнила она себе, пытаясь быть благоразумной со своей дочерью.

— Мне все равно, где он живет. — Сара начала терять терпение. — Ты больше не увидишь его. Ты меня поняла? — Изабель ничего не ответила. — А если ты снова возьмешь мой автомобиль, я позвоню в полицию и попрошу привезти тебя обратно. Изабель, веди себя как следует, или у тебя будут неприятности.

— Ты больше не можешь указывать мне, что я должна делать. Мне восемнадцать лет.

— Но ты глупа. Этому человеку нужны твои деньги, Изабель, и твое имя, которое куда более знатное, чем его. Подумай о себе. Держись от него подальше.

— А если я не стану этого делать? — насмешливо спросила она. Но Сара не знала, что ей ответить. Может быть, ей следует послать ее на время в Вайтфилд, чтобы она пожила у Филиппа с его невероятно скучной женой и детьми. Но Филипп вряд ли окажет на нее хорошее влияние со своими секретаршами, любовницами и маленькими романами. Что происходит с ними со всеми? Филипп женился на женщине, которая ему безразлична, и возможно, была безразлична с самого начала, несмотря на то что он ее уважал. А Джулиан спит без разбора со всеми женщинами и их матерями, если это удается. А теперь еще Изабель обезумела от этого ловеласа из Венеции. Что они с Вильямом делали не так, что у них такие неразумные дети?

— Не делай этого, — предостерегла она Изабель. Затем поднялась наверх в свою комнату, а немного погодя она услышала, как Изабель хлопнула дверью.

Неделю Изабель вела себя хорошо, а потом снова исчезла, но на этот раз она уехала в «пежо». Она убеждала мать, что должна съездить в Гаршез повидаться с подругой. Сара не могла доказать, что это не так, но она не поверила ей. Пока Изабель не уехала в Кап Ферра, атмосфера в доме была напряженной. После ее отъезда Сара вздохнула с облегчением, хотя не понимала почему. Лазурный берег ведь не на другой планете. Но по крайней мере теперь она была с друзьями, а не с этим кретином из Венеции.

А потом Джулиан прислал ей газеты из Ниццы, Канн и Монте-Карло, где он провел уик-энд. Они были полны заметок о принце ди Сан Тебальди и леди Изабель Вайтфилд.

— Что нам с ней делать? — в отчаянии спросила его Сара.

— Не знаю, — откровенно признался ей Джулиан. — Но мне кажется, будет лучше, если мы поедем туда. — И на следующей неделе, когда у них обоих выдалось свободное время, они отправились на Лазурный берег и попытались вместе убе-

дить ее. Но она ничего не хотела слушать и упрямо твердила
им, что влюблена в принца, а он ее обожает.

— Конечно, обожает, глупышка, — пытался вразумить
ее брат. — Он может только догадываться, чего ты сто-
ишь. Заполучив тебя, он, сможет всю жизнь проводить
время так, как ему нравится.

— Вы доведете меня до тошноты! — пронзительно закричала она. — Вы оба!

— Не глупи! — закричал он в ответ. Они забрали ее к
себе в отель «Мирамар», но она убежала. На неделю она буквально исчезла с лица земли, а когда вернулась, с ней был
Лоренцо. Он расточал перед ними извинения за то, что не
догадался позвонить им сам... в то время, как Сара испепеляла
его взглядами. Она едва не заболела от переживаний и, только
боясь скандала, не стала звонить в полицию. Она знала, что
Изабель с Лоренцо.

— Изабель была так расстроена... — продолжал он... и
теперь он смиренно просит у них прощения... Но Изабель пре-
рвала его и обратилась прямо к матери.

— Мы хотим пожениться.

— Никогда, — резко ответила Сара.

— Тогда я снова убегу. И потом еще раз. Пока ты
мне не позволишь.

— Ты зря потратишь время. Я никогда этого не позво-
лю. — Потом она переключила свое внимание на Лоренцо. —
И более того, я урежу каждый цент, который она имеет. —
Но Изабель прекрасно знала, что это не так.

— Ты не сможешь. Не сможешь. Ты знаешь, то, что оставил мне папа, перейдет ко мне, когда мне исполнится двадцать
один год, несмотря ни на что. — Сара пожалела, что когда-то
сказала об этом. Лоренцо пришел в восхищение, услышав эту
новость, а у Джулиана был несчастный вид. Всем было ясно,
что нужно Лоренцо. Кроме Изабель, которая по молодости и
неопытности не могла понять это. — Я собираюсь выйти за
него замуж, — снова заявила она, и Сара была заинтригована
молчанием Лоренцо. Он предоставил возможность своей невесте выиграть битву за себя и за него без его вмешательства.
Сара решила еще раз напомнить ей:

— Я никогда не позволю тебе выйти за него замуж.

— Ты не сможешь мне запретить.

— Я сделаю все, что я смогу, — поклялась Сара, и Изабель посмотрела на нее с гневом и ненавистью.

— Ты не хочешь, чтобы я была счастлива. Ты никогда не хотела этого. Ты меня ненавидишь.

Но на этот раз Джулиан прервал этот поток:

— Скажи кому-нибудь другому. Ничего глупее я никогда не слышал. — Тут он повернулся к своему будущему родственнику, надеясь воззвать к его разуму или к его порядочности, если они у него имелись, однако было очевидно, что этими достоинствами принц не обладал.

— Вы действительно хотите жениться на ней таким способом, Тебальди? Какой в этом смысл?

— Конечно, нет. Моя душа обливается слезами, когда я вижу подобное. — Он закатил глаза, и вид у него был глупейший, но Изабель этого не замечала. — Но я должен сказать... я обожаю ее. Она говорит за нас обоих... мы хотим пожениться. — Он говорил, прерываясь словно от волнения, и Джулиан не знал, смеяться ему или плакать.

— Вы не чувствуете себя глупо? Ей восемнадцать лет, вы ей годитесь едва ли не в дедушки.

— Она — женщина моей мечты, — заявил он. И действительно, единственное, что было в нем примечательного — то, что он никогда не был женат. Он всегда откупался, чтобы не доводить дело до алтаря, но на этот раз состояние его очередной жертвы было столь велико, что он мог, наконец, остепениться с маленькой леди Вайтфилд, чья семья владела самым крупным бизнесом по продаже драгоценностей в Европе, а также поместьями, титулами, различными компаниями. Это были изрядные средства. Дилетанту не удалось бы завоевать этот приз. Но Лоренцо не был дилетантом.

— Почему бы вам не подождать, пока вы оба не будете уверены в своих чувствах? — попытался убедить их Джулиан, но они оба покачали головами.

— Мы не можем... и бесчестье... — У Лоренцо был такой вид, словно он вот-вот заплачет. — Я только что провел с ней неделю. Ее репутация... и что, если она забеременела?

— О Боже мой. — Сара тяжело опустилась на стул. Она буквально заболела от подобной мысли. Его ребенок в их семье, это даже хуже, чем два бесцветных ребенка Сесиль.

— Ты беременна? — прямо спросила она Изабель.

— Я не знаю, мы не предохранялись.

— Как чудесно. Не могу дождаться результатов через несколько недель. — Конечно, всегда можно сделать аборт, но аборт — не выход, теперь выходом было замужество.

— Мы хотим пожениться этим летом или самое позднее на Рождество. В замке, — заявила Изабель. Она говорила так, словно он научил ее, так оно и было. Он хотел большую, пышную свадьбу, чтобы они не смогли так легко от него избавиться. В любом случае им теперь это трудно сделать. Он был католик и хотел обвенчаться с Изабель в католической церкви в Риме, после чего они собирались сыграть свадьбу в замке. Он уже сказал Изабель, что это его единственное условие — быть обрученным в глазах Бога, и когда Лоренцо говорил это, он едва не плакал. К счастью, Сара не слышала этого.

Они обсуждали это, спорили и кричали полночи, пока Джулиан не охрип, у Сары раскалывалась голова, а Изабель была в полуобморочном состоянии, и Лоренцо давал ей нюхать соль, прикладывал лед и влажные полотенца. Наконец, Сара уступила. У нее не было выбора. Если бы она не согласилась, они могли бы сбежать снова. Она была в этом уверена. И Изабель поклялась, что они убегут. Сара пыталась добиться, чтобы они подождали год, но они даже не хотели слышать об этом. И Лоренцо продолжал настаивать, что было бы лучше сделать это теперь в том случае, если она действительно беременна.

— Почему бы нам не подождать, пока это не выяснится? — спокойно предложила Сара. Но они уже не соглашались подождать даже до Рождества. Лоренцо, точно оценивая всю меру их ненависти, знал, что если он не добьется результата сейчас, то позднее они найдут какой-нибудь способ избавиться от него.

Итак, до конца ночи они все согласились на конец августа, свадьба будет в замке в кругу самых близких друзей. Больше никаких гостей и никакой прессы. Лоренцо был разочарован тем, что не будет большой свадьбы, которой они заслуживали,

но он обещал ей сказочный прием в Италии, за который ее
мать платить отказалась.

Это была горькая ночь для нее и для Джулиана. А Изабель
вышла из комнаты и направилась с Лоренцо в его отель. Теперь ее никто не мог остановить. Она была одержима собственным уничтожением.

Свадьба была немноголюдная, но устроенная со вкусом в замке Шато де ля Мёз, и на ней присутствовали только близкие друзья. Изабель выглядела прелестно в коротком белом платье, заказанном у Марка Когана, и большой красивой шляпе. Сара была благодарна хотя бы за то, что она не беременна.

Из Англии на свадьбу приехали Филипп и Сесиль. Джулиан был посаженым отцом, а Ксавье нес кольцо, хотя Сара была бы рада, если бы он потерял его.

— У тебя взволнованный вид, — заметила Эмануэль, понизив голос, когда они пили в саду шампанское.

— Я могла отказаться от всего этого до ленча, — мрачно сказала Сара. Она наблюдала за церемонией венчания, которую проводили католический священник и епископ в саду ее замка. Это была двойная формальность, и это было вдвойне гибельно для Изабель. Весь день Лоренцо изливал свои чувства, смеялся и всех очаровывал, произносил тосты и говорил о том, как ему жаль, что он не успел познакомиться с великим герцогом, отцом Изабель.

— Он немного перегнул, не так ли? — заметил Филипп, первый раз вызвав у матери смех своим сдержанным высказыванием. — Он трогателен.

— Вдобавок ко всему остальному.

По сравнению с ним Сесиль была Грета Гарбо. Теперь Саре не нравились уже двое. Но Сесиль просто нагоняла на нее скуку, а Лоренцо она ненавидела, что разбивало ей сердце, потому что она знала, что никогда не будет близка с Изабель, пока она замужем за Лоренцо. И то, как она относится к мужу дочери, ни для кого не было секретом.

— Как только Изабель может так заблуждаться? — в отчаянии воскликнула Эмануэль. — С ним все так ясно... он отвратителен...

— Она молода. Она не знает пока, что есть подобные люди, — мудро заметила Сара. — К несчастью, за короткое время ей теперь придется многое узнать. — Она вновь вспомнила о своем неудачном браке с Фредди ван Дерингом. Она пыталась уберечь дочь, но это оказалось бесполезно. Изабель сделала выбор, и буквально все, кроме самой Изабель, понимали, что выбор неудачен.

Свадьба продолжалась до вечера, а затем Изабель и Лоренцо уехали. Медовый месяц они собирались провести в Сардинии, на новом курорте, и погостить у его друга в Ага Кхане, по крайней мере так он говорил. Но Сара могла себе представить, скольким людям он сказал, что должен исчезнуть бесследно на несколько лет, если он выдержит так долго. И она надеялась, что он не выдержит.

После того как они уехали в аэропорт в нанятом «роллс-ройсе» с водителем, семья мрачно сидела в саду, думая о том, какую глупость сделала Изабель, и чувствуя, что они потеряли ее навсегда. Только Филиппа, кажется, это не слишком беспокоило, как и обычно. Он спокойно болтал о чем-то с подругами Сары и Эмануэль, но, глядя на остальных, скорее можно было подумать, что это похороны, а не свадьба. Сара чувствовала себя так, словно она потеряла не только дочь, но и мужа. Он ужаснулся бы, если бы увидел Лоренцо.

Сара получила от нее короткую весточку, когда они прибыли в Рим, потом о ней не было слышно до Рождества. Сара звонила ей один или два раза и послала несколько писем, но Изабель не отвечала. Было ясно, что она сердилась на них. Но Джулиан разговаривал пару раз, и Сара знала, что с дочерью все в порядке. Однако никто из них понятия не имел, счастлива ли она. Весь следующий год Изабель не появлялась в замке и не хотела, чтобы Сара приезжала к ней. Сара не поехала. Джулиан один раз летал в Рим, чтобы повидать ее. Он сказал, что она стала очень серьезной и очень красивой и выглядит очень по-итальянски, и судя по их общим счетам, она истратила целое состояние. Она купила маленькое палаццо в Риме и виллу в Умбрии. Лоренцо купил яхту, новый «роллс» и «феррари». И, насколько Джулиан мог заметить, детей у них не предвиделось.

Они приехали в замок на Рождество через год, правда, неохотно. Изабель была со всеми сдержанна, Саре она подарила золотой браслет с жемчугом. На следующий день они с Лоренцо уехали кататься на лыжах в Картину. Трудно было догадаться, как они живут. Изабель не открылась даже Джулиану. И только Эмануэль удалось разузнать правду. Она летала в Рим после деловой поездки в Лондон, где она встречалась с Нигелем и Филиппом, и позднее рассказала Саре, что Изабель ужасно выглядит. У нее были круги под глазами, она сильно похудела и совсем не смеялась. И каждый раз, когда она с ней виделась, Изабель была без Лоренцо.

— Я думаю, что у нее неприятности, но не уверена, что она готова тебе в этом признаться. Просто постарайся держать дверь открытой, и в конце концов она вернется домой. Я в этом убеждена.

— Надеюсь, что ты права, — грустно ответила Сара. Эта потеря была так тяжела для нее, она потеряла свою единственную дочь.

Глава 27

Прошли три мучительных года, прежде чем Изабель снова вернулась в Париж. Они приехали, когда Сара пригласила их на тридцатилетний юбилей «Вайтфилда», который она устраивала в Лувре. Они заняли часть Лувра для приема. Прежде этого никогда не делалось. Эмануэль пришлось использовать свои связи в правительстве, чтобы получить разрешение. Весь прилегающий район собирались оцепить, и предполагалось для этого нанять не одну сотню музейных охранников и жандармов. Лоренцо знал, что это событие нельзя пропустить. Сара была поражена, когда они приняли приглашение. Их брак длился уже пять лет, и Сара почти смирилась с потерей Изабель. Всю свою энергию и привязанность она отдавала Джулиану, и в какой-то степени Филиппу, так как его она видела меньше. Он был женат на Сесиль уже тринадцать лет, и в прессе появились намеки на его связи, но никогда не утверждалось прямо. Сара подозревала, что из-за уважения к его положению. По утверждению некоторых, герцог Вайтфилд был заядлым игроком в кости.

Прием, который устраивала Сара, был самым ослепительным из всех, какие видел Париж. Женщины были так восхитительны, что захватывало дух, а мужчины так представительны, что за ее центральным столом можно было бы избрать пять правительств. Там присутствовал президент Франции, Онасисы, Рейнеры, арабы, греки, все сколько-нибудь важные американцы и все коронованные особы Европы. Каждый, кто носил драгоценности, был там, а также множество молодых женщин, которые надеялись, что будут носить драгоценности. Там собрались куртизанки и королевы, очень богатые и очень известные. В сравнении с этим прием пятилетней давности померк. Не останавливались ни перед какими затратами, Сара сама была поражена, когда увидела это. Она сидела, умиротворенная победой, любуясь праздником, в то время как тысячи гостей ели, танцевали, пили, стараясь при этом извлечь выгоду друг из друга и воспользоваться прессой, и некоторые не слишком красиво вели себя, хотя этого никто не понял.

Джулиан пришел с очень хорошенькой девушкой, актрисой, о которой Сара читала в связи с недавним скандалом. Это была интересная перемена в нем. В последнее время он приходил с хорошенькими бразильскими моделями. Джулиан никогда не испытывал недостатка в девушках, но всегда хорошо себя вел. Они любили его, когда появлялись и когда оставляли его, никто не мог бы пожелать большего. Саре хотелось увидеть, какую жену он себе выберет, но в двадцать девять лет он, кажется, не подавал признаков того, что собирается сделать это, и она его не принуждала.

Филипп, конечно, пришел с женой, но большую часть вечера он провел с девушкой, которая работала у Сен-Лорана. Он познакомился с ней год назад в Лондоне, и, кажется, у них было очень много общего. Он всегда заглядывался на девушек Джулиана. Актрису он тоже заметил, но ни разу не оказался поблизости, чтобы познакомиться с ней, а потом они затерялись в толпе. Позднее пришлось искать Сесиль целую вечность, она весело болтала с королем Греции о лошадях.

Изабель была одной из самых красивых женщин среди присутствующих на приеме, и Сара была довольна, отметив это. Она была в облегающем черном платье от Валентина, которое великолепно подчеркивало ее фигуру, длинные черные волосы струились по спине. Изабель одолжила у Джулиана бриллиантовое колье, браслет и такие же серьги. Но ей не нужны были драгоценности. Она и без них сверкала красотой, и публика не сводила с нее глаз. Сара была рада, что она приехала на прием и побывала дома. У нее не было заблуждения насчет цели их приезда. Лоренцо весь вечер прочесывал толпу, преследуя королей и постоянно позируя для газет. Сара заметила это так же, как и Изабель, которая наблюдала за ним, но Сара ничего не сказала. Нетрудно было понять, что между ними что-то произошло, и она ждала, не поделится ли с ней Изабель своими тревогами, но дочь хранила молчание. Она оставалась допоздна и танцевала со старыми друзьями, особенно с известным французским принцем, которому всегда нравилась. Было так много мужчин, готовых ухаживать за Изабель, но она уехала на пять лет, выйдя замуж за Лоренцо.

На следующий день Сара пригласила всех, кто помогал ей, на ленч к Фуко, чтобы поблагодарить их за оказанную помощь в организации приема. Конечно, там присутствовали Эмануэль и Джулиан, Филипп и Сесиль, Нигель и его друг, дизайнер, а также Изабель с Лоренцо. Ксавье уже уехал. Он попросил Сару отпустить его в Кению на несколько месяцев погостить у старого друга. Сначала она была против, но он настаивал, а она была так занята подготовкой к юбилею, что в конце концов уступила. Ксавье исполнилось четырнадцать лет, и больше всего ему хотелось посмотреть мир, и чем дальше уехать, тем лучше. Он любил ее общество и Францию, но его влекли экзотика и незнакомые страны. Он четыре раза перечитал книгу Тура Хейердала и, кажется, знал абсолютно все об Африке и Амазонке и еще о всевозможных уголках планеты, которые никто из его семьи никогда не хотел посетить. Он отличался самостоятельностью, в чем-то он походил на Вильяма, что-то унаследовал от Сары, был таким же ласковым, как Джулиан, и таким же веселым, как Вильям. Но в нем жили дух приключений и страсть к преодолению трудностей, которых больше ни у кого в семье не было. Все остальные предпочитали Париж, Лондон, или Антибы, или даже Вайтфилд.

— Мы очень скучная компания по сравнению с ним. — Сара улыбнулась. Он уже написал ей полдюжины писем с рассказами о сказочных животных, которых он видел. И собирался еще раз побывать в Кении, если она ему позволит.

— От меня он не дождался бы разрешения, — усмехнулся Джулиан. Он предпочитал софу, а не сафари.

— И от меня, — поддержал его Филипп. А Лоренцо тут же пустился в пространные рассказы о своем дорогом друге махарадже, которые всем скоро наскучили.

Но, несмотря на это, они очень приятно провели время за ленчем, а позднее Вайтфилды попрощались со своей матерью и отправились по своим делам. Джулиан соби-

рался с друзьями на несколько дней в Сайг Тропец, чтобы отдохнуть от проделанной гигантской работы по под-
готовке приема. Филипп и Сесиль летели обратно в Лондон.
Нигель на несколько дней оставался с друзьями в Париже. Эмануэль снова бралась за работу, так же, как и Сара.
Только Изабель медлила после ленча. Лоренцо сказал,
что он должен заехать за кем-то в «Гермес» и хотел бы
встретиться с друзьями. Они собирались пробыть в Париже еще несколько дней. Впервые за все эти годы Изабель, кажется, хотела поговорить с матерью. Когда они
наконец остались одни, возникла неловкая пауза, и Сара
спросила ее, не хочет ли она выпить еще чашечку кофе.

Они заказали кофе «экспрессо», и Изабель села рядом с матерью. За обедом она сидела на другом конце их
оживленного стола. Когда она наконец печально посмотрела на свою мать, ей на глаза навернулись слезы, и она
старалась сдержать их.

— Не думаю, что теперь имею право на что-то жаловаться, не так ли? — уныло спросила она, и Сара нежно
коснулась ее руки, желая облегчить страдания дочери, от
которых она хотела защитить ее с самого начала. Изабель получила жестокий урок, которого могло и не быть,
если бы она послушала мать. — Я действительно не могу
жаловаться, так как ты меня предупреждала.

— Нет, ты можешь жаловаться. — Сара улыбнулась. —
Каждый имеет право пожаловаться. — И тут она решила быть
с ней откровенной: — Ты ведь несчастна?

— Очень, — призналась Изабель, вытирая слезы, которые текли по щекам. — Я не могла себе представить,
на что это будет похоже... Я была такой молодой и такой
глупой... ты все понимала. А я была так слепа... — Это
была правда, но Саре все равно было грустно. На этот
раз ее не утешало то, что она оказалась права. Это касалось ее ребенка. Ее сердце разрывалось, когда она видела, как несчастна дочь. Она пыталась приговорить себя к
тому, чтобы почти не видеть ее столько лет, но это было
так мучительно. Теперь Сара понимала, что ее отчуждение от дочери оказалось совершенно напрасным.

— Ты была очень молода, — продолжала Сара. — И очень упряма. А он — очень хитер.

Изабель кивнула, и вид у нее был несчастный.

— Он играл с тобой, как с котенком, чтобы добиться того, что ему было нужно.

Он играл с ними со всеми, выкручивая им руки, и соблазнил Изабель, чтобы она вышла за него замуж. Изабель заслуживала прощения, но Лоренцо нельзя было простить.

— Он знал, что он делает.

— Лучше, чем ты можешь себе представить. Как только мы приехали в Рим и он получил все, что хотел, все изменилось. Оказывается, это он выбрал палаццо, он сказал, что это необходимо иметь каждому, каждому, имеющему право наследования, и им это необходимо для всех их детей, и вилла в Умбрии тоже необходима. А потом он купил «роллс»... и яхту... и «феррари»... потом внезапно я перестала видеть его. Его все время не было дома, он проводил время со своими друзьями, а мне оставалось только читать в газетах про него и других женщин. И каждый раз, когда я спрашивала его об этом, он только смеялся и говорил, что это его старые друзья или двоюродные сестры. Он, должно быть, в родстве с половиной Европы, — мрачно сказала она, глядя прямо на свою мать. — Он годами обманывал меня, а теперь он даже не скрывает этого. Он делает все, что хочет, но говорит, что я не могу ничего сделать. В Италии нет развода, он в родстве с тремя кардиналами и заявляет, что никогда со мной не разведется. — У нее был совершенно безнадежный вид, когда она рассказывала о пережитом.

Сара не могла себе представить, что он зашел так далеко и осмелился вести себя настолько вызывающе. И как он смел явиться сюда, сидеть среди них, общаться с ее друзьями после того, что он сделал с ее дочерью? Сара была в бешенстве.

— Ты просила у него развод? — озабоченно спросила она и похлопала дочь по руке. Изабель кивнула.

— Два года назад, когда у него была связь с хорошо известной в Риме женщиной. Я не могла больше этого вынести. Про них писали во всех газетах. Я не видела

смысла в том, чтобы продолжать эту игру дальше. — Тут
она расплакалась. — Мне было так одиноко. — Сара
прижала ее к себе, а Изабель продолжила свой грустный
рассказ: — В прошлом году я еще раз попросила его о
разводе. Но он все время отвечает отказом, так что мне
придется смириться с этим.

— Он хочет быть женатым на твоем банковском счете, а
не на тебе. — Он всегда хотел этого, и, судя по тому, что
рассказывал Джулиан, ему очень повезло. Он отложил много
денег, которые ему давала Изабель и продолжал заставлять ее
платить за все. Но ее это не беспокоило бы, если бы она
любила его. Но любви пришел конец. Когда угасла их первая
страсть, не осталось ничего, кроме горстки пепла. — По крайней мере у вас нет детей. Если тебе удастся избежать этого,
хотя бы с этой стороны будет проще. А ты еще молода, и у
тебя еще будут дети.

— Не от него, — уныло добавила Изабель совсем тише.
Они сидели за столом, и официанты держались в стороне
от них. — Мы даже не можем иметь детей.

Сара была ошеломлена этим.

— Почему не можете? — Он даже угрожал тем, что Изабель могла забеременеть, когда собирался жениться на ней.
Это была главная причина, по которой они отказались подождать до Рождества. И он не был стар. Ему исполнилось всего
пятьдесят четыре года. Вильям был старше, когда у них родился Ксавье, и кроме того, у него было плохое здоровье, подумала Сара. — У него что-то не в порядке?

— В детстве он перенес очень тяжелую свинку, и он
бесплоден. Мне сказал его дядя. Енцо сам никогда не говорил
мне об этом. А когда я спросила его, он рассмеялся и
заявил, что мне очень повезло. Он лгал мне, мама... Он
говорил, что у нас будет дюжина детей. — Слезы снова
покатились по ее щекам. — Я думаю, что, несмотря на
то что я его так ненавижу, я могла бы остаться замужем, если бы у нас были дети. — У нее было желание
заполнить как-то пустоту в ее сердце. Пять долгих лет
ей некого было любить, и никто не любил ее. Даже со
своей семьей он вынудил ее вступить в борьбу.

— Не стоит иметь детей таким образом, дорогая, — тихо заметила Сара. — Ты же не хочешь, чтобы они росли несчастливыми. — Но она также не хотела, чтобы ее дочь продолжала вести такую жизнь.

— Мы больше не спим вместе. Уже три года. Он больше не приходит домой, только сменить рубашки и получить деньги. — Что-то я словах Изабель привлекло внимание Сары, и она вспомнила об этом позднее. Принц ди Сан Тебальди вовсе не был так хитер, как она считала, хотя, несомненно, отличался хитростью.

— Мне теперь все равно, — продолжала Изабель. — Мне все безразлично. Я словно в тюрьме.

При свете дня Сара убедилась в справедливости замечания Эмануэль после ее возвращения из Рима. Теперь она знала, что произошло. Изабель была бледной, изнуренной и ужасно несчастной, и для этого были основательные причины.

— Ты хочешь вернуться домой. Возможно, здесь ты сможешь получить развод. Вы поженились в замке.

— Мы еще раз обвенчались в Италии, — безнадежно сказала она. — В церкви. Если я получу развод здесь, в Италии он будет считаться незаконным, во всяком случае, я не смогу снова выйти замуж. Это будет незаконно. Лоренцо говорит, что я должна смириться со своей судьбой. Он никуда не уйдет. — И снова, как и прежде, он ставил их в безвыходное положение. Саре это не нравилось. Это было хуже, чем ее первое замужество, намного, и все же очень похоже. Ее отец помог ей тогда. И она понимала, что должна найти какой-то способ, чтобы помочь своей дочери.

— Чем я могу помочь тебе? Что ты хочешь, моя дорогая? — с грустью спросила Сара. — Я сразу поговорю со своими адвокатами, но мне кажется, тебе придется потерпеть его еще какое-то время. — Но она должна была признаться, что это будет нелегко. Он был невыносим.

Изабель как-то странно посмотрела на нее. Было то, чего ей очень сильно хотелось. Даже так сильно, как развода или детей, во всяком случае, ее жизнь обрела бы какой-то смысл. Она долго размышляла об этом, но при том отчуждении, которое было между ними тогда, она не могла попросить мать об этом.

— Мне хотелось бы иметь магазин, — прошептала она, и Сара удивленно взглянула на нее.

— Что за магазин? — Сара не поняла, что она имеет в виду.

— Вайтфилд.

— В Риме? — Сара никогда даже не думала об этом. У итальянцев есть Буцелатти и Булгари. Она даже никогда не рассчитывала открыть магазин в Риме, но это определенно была интересная мысль, хотя Изабель была еще молода, чтобы управлять магазинами. — Неплохая мысль, но ты уверена, что хочешь этого?

— Абсолютно.

— А что, если тебе удастся получить развод, или ты просто решишь уйти от него, получишь ты развод или нет, тогда что мы будем делать?

— Я не уеду. Мне нравится Италия. Я ненавижу Лоренцо и нашу жизнь с ним. Но там чудесно. — Ее лицо в первый раз посветлело. — У меня замечательные друзья, а женщины такие нарядные, они носят самые модные драгоценности. Мама, у нас будет огромный успех, вот увидишь.

Сара не могла не согласиться с тем, что ее дочь сказала об итальянских женщинах. Однако ее предложение необходимо было обдумать.

— Дай мне время. И ты тоже все взвесь как следует. Не бросайся так опрометчиво. Это огромный труд и ответственность. Тебе придется много работать, бесконечные часы. Это требует больше времени, чем изысканная одежда. Поговори с Эмануэль... поговори с Джулианом... Ты должна быть уверена в себе, прежде чем взяться за это дело.

— Весь прошлый год я хотела этого больше всего на свете, я просто не знала, как попросить тебя.

— Ладно, у тебя будет магазин. — Сара улыбнулась ей. — Дай мне теперь немного подумать и поговорить с твоим братом. — Тут она снова стала серьезной. — И позволь мне подумать о том, чем я могу помочь тебе с Лоренцо.

— Ты не сможешь, — грустно ответила Изабель.

— Никогда нельзя знать заранее. — В глубине души Сара подозревала, что для этого требуются только деньги. В подходящее время, в подходящем месте. И она надеялась, что такой момент скоро наступит, так что Изабель не придется оставаться замужем за ним слишком долго.

Они сидели и разговаривали еще час, а потом медленно, рука об руку пошли в магазин. У Сары потеплело на сердце оттого, что они снова были близки с дочерью, этого не было столько лет. В каком-то смысле это было почти то же самое, что потеря Лиззи, потому что во многих отношениях Изабель словно умерла для нее. Но теперь она вернулась к ней, и на сердце у Сары стало легче.

Изабель рассталась с ней у магазина и пошла на встречу со школьной подругой, которая собиралась выйти замуж. Изабель завидовала ей. Как приятно было бы начать все сначала. Но она знала, что у нее нет на это надежды. Ее жизнь, такая бессмысленная сейчас, окончится только со смертью Лоренцо. По крайней мере, если мать позволит ей открыть магазин, у нее будет какое-то дело, и она сможет на нем сосредоточиться вместо того, чтобы сидеть дома и ненавидеть Лоренцо, и плакать каждый раз, когда видит ребенка, так как она считала, что у нее никогда не будет детей. Она могла бы жить без детей, если бы его любила, или без его любви, если бы в утешение у нее был ребенок, но не иметь ни того, ни другого было двойным наказанием. Иногда она удивлялась, что она сделала, чем заслужила такое.

— Она слишком молода, — категорически заявил Филипп, когда Сара ему позвонила. Она уже обсудила это с Джулианом, и он считал, что идея заслуживает внимания. Ему нравятся некоторые из старинных вещей Буцелатти, и многое из того, что было сделано молодыми итальянскими дизайнерами. Он полагал, что они могли бы создать в Риме филиал, отличающийся от парижского магазина и от лондонского, каждый из которых имеет свой собственный стиль и своих клиентов. В Лондоне — королеву и старую гвардию, в Париже — франтов с показным блеском, шикарных и очень богатых дам, а также нуворишей. А в Риме это были бы все алчущие модные итальянцы, которые поглощали бы драгоценности.

— Мы могли бы найти кого-нибудь, кто помог бы ей управлять магазином, — отмела Сара его возражение. — Вопрос в том, хорошо ли пойдет торговля в Риме.

— Думаю, хорошо, — спокойно заметил Джулиан, присоединившись к их разговору.

— А я думаю, что ты, как всегда, не представляешь того, о чем говоришь, — огрызнулся Филипп, и у Сары сжалось сердце. Он всегда вел себя так. У Джулиана было все, что хотелось иметь Филиппу и чего у него не было. Красивый, молодой, очаровательный, все его обожают, особенно женщины. Филипп с годами становился все обидчивее. Но вместо того, чтобы понимать и щадить чувства других, он был подлым. Ему было сорок лет, и, к большому своему сожалению, Сара видела, что он выглядит гораздо старше. Женитьба на Сесиль мало изменила его жизнь, но это был его выбор, и он по-прежнему хотел, чтобы его женой была женщина такого типа: респектабельная, с хорошими манерами, скучная и чаще всего отсутствующая. Большую часть времени она проводила за городом со своими лошадьми. И она как раз недавно купила ферму в Ирландии.

— Я думаю, нам надо собраться вместе, чтобы уладить это, — сухо сказала Сара. — Могли бы вы с Нигелем приехать сюда или ты хочешь, чтобы мы прилетели в Лондон?

Наконец, они решили, что будет проще, если Филипп с Нигелем приедут в Париж. К тому времени Изабель и Лоренцо уже уехали, а они впятером спорили три дня, но в конце концов выиграла Эмануэль. Она заявила, что если бы Сара и Вильям не были достаточно мужественны, чтобы попытаться начать что-то новое и необычное, едва ли не возмутительное, то никакого магазина «Вайтфилд» не было бы совсем. И если они не станут расти и расширяться, то в один прекрасный день может оказаться, что уже поздно делать это. Они вступают в восьмидесятые, эпоху экспансии. Она считает, что им надо подумать о Риме, может быть, даже о Германии... о Нью-Йорке... Мир не сошелся клином на Лондоне и Париже.

— Точки расставлены, — объявил Нигель. Он по-прежнему хорошо выглядел, что вообще было ему свойственно, и Сара с ужасом думала, что однажды он уйдет на пенсию. Ему уже было далеко за шестьдесят. Но не в пример ее сыну Нигель все еще думал о будущем, о расширении сети магазинов по всему миру, об опробовании новых идей, о том, чтобы двигаться вперед.

— Я думаю, она права, — добавил Джулиан. — Мы не можем самодовольно сидеть здесь. Это самый верный способ погубить дело. Я считаю, нам давно следовало об этом подумать без вмешательства Изабель. Сейчас как раз подходящее время для этого.

До наступления ночи они пришли к соглашению, хотя Филипп весьма неохотно. По его мнению, еще один филиал где-нибудь в Англии был бы лучше, чем в Риме, с чем все остальные не согласились. Почему-то он всегда считал, что другого места, достойного внимания, кроме Англии, нет.

Сара сама позвонила этим вечером Изабель и сообщила ей новости, и можно было подумать, что ей достали с неба луну. Бедная девочка так соскучилась по нормальной жизни, по любви, по привязанности. Сара обещала дочери навестить ее в Риме на следующей неделе и обсудить их планы.

Когда она приехала, ее очень удивило, что за все пять дней, которые она провела там, она ни разу не видела Лоренцо.

— Где он? — наконец осмелилась спросить Сара.

— В Сардинии с друзьями. Я слышала, у него новая любовница.

— Как мило с его стороны, — язвительно заметила Сара, вдруг вспомнив, как Фредди проехал на юбилее со своими проститутками по газону. Она в первый раз рассказала об этом Изабель, и ее дочь посмотрела на нее с изумлением.

— Я всегда знала, что ты развелась. Но я никогда не знала почему. Мне кажется, я даже никогда не задумывалась об этом, когда стала взрослой. Мне не приходило в голову, что ты могла ошибиться или быть несчастной... — Или выйти замуж за человека, который приведет проституток в дом ее родителей. Даже сорок лет спустя это казалось невероятным.

— Каждый может ошибиться. Я совершила большую ошибку. Ты тоже. Но мой отец помог мне выпутаться из этого. И я встретила твоего отца. И ты однажды тоже встретишь прекрасного человека. Подожди, — Сара нежно поцеловала ее и вернулась в «Эксельсиор», где она остановилась.

На будущий год они неистово работали в помещении, которое сняли на Виа Кондотти. Оно было больше, чем два других магазина, и исключительно эффектное. Настоящий демонстрационный зал, а Изабель была так взволнована, что едва могла дождаться открытия. Она говорила друзьям, что это напоминает рождение ребенка. Все ее помыслы были заняты магазином, и ей даже стало безразлично теперь, что она не видит Енцо. Его это забавляло, и он сказал, что собирается надеть на нее паранджу. Но он не принял во внимание Сару.

Сара наняла фирму, занимающуюся сбором общественной информации и поставляющей ее итальянской прессе, посоветовала Изабель устраивать приемы, и ее дочь оказалась вовлеченной в римское общество всевозможными способами, о которых даже не могла помышлять. Она организовывала благотворительные мероприятия, давала обеды и принимала участие в значительных событиях в Риме, Флоренции, Милане. Внезапно леди Изабель Вайтфилд, принцесса ди Сан Тебальди, стала одной из самых популярных личностей в Риме. К этому времени магазин был уже готов к открытию, что привлекло даже внимание ее мужа. Он рассказывал своим друзьям о магазине, толкуя при этом о сказочных драгоценностях, которые он сам собрал, и о людях, которые уже покупали у него драгоценности. Изабель слышала эти сказки, но не обращала на них внимания. Она была слишком занята, работая день и ночь, проверяя чертежи, беседуя с архитекторами, нанимая обслуживающий персонал. В последние два месяца в Рим приехала Эмануэль, чтобы помочь ей, и они наняли способного управляющего, сына одного из ее старых друзей, который работал у Булгари и последние четыре года занимал важное положение. Им удалось легко переманить его. Это был щеголеватый, любезный и милый молодой человек с великолепным чувством юмора. У него была жена и четверо детей. Его звали Марчелло Скури.

Прием, который они дали в день открытия, имел огромный успех, на нем собралась буквально вся Италия и несколько их преданных покупателей из Лондона и Парижа. Люди приехали из Венеции, Флоренции, Милана, Неаполя, Турина, Болоньи, Перуджи. Они съехались со всей страны. Год тщательно проделанной работы окупился, как и предвидела Сара, все прошло блестяще. Даже Филиппу пришлось признать, что магазин сказочный, а Нигель, когда увидел его, сказал, что он был бы счастлив умереть в это мгновение. Магазин имел свой стиль и отражал вкусы итальянской публики. Драгоценности потрясли воображение гостей. Великолепное смешение старинного и современного, броского и сдержанного, простого и уникального. Изабель, так же, как и ее мать, была взволнована таким успехом.

Молодой управляющий Марчелло проделал великолепную работу, Изабель тоже вложила немало сил. Эмануэль гордилась ими. И оба брата Изабель похвалили ее за превосходный результат ее трудов.

Эмануэль уехала уже через день из-за происшествия в парижском магазине. Была совершена попытка ограбления, но благодаря системе охраны ничего не похитили. Служащие магазина были потрясены. Эмануэль чувствовала, что она должна немного поднять всем настроение. Становилось все сложнее защищать их магазины от краж. Но до сих пор им везло.

Сара все еще думала о том, как удачно, что они открыли магазин в Риме, когда они с Джулианом уже садились на борт самолета, чтобы лететь в Париж. Она поинтересовалась, как он провел время, и он ответил, что хорошо. Она заметила, что сначала он беседовал с хорошенькой молодой принцессой, а позднее со знаменитой моделью Валентина. Женщины в Риме были просто великолепны, но иногда у Сары возникало чувство, что он стал спокойнее относиться к женщинам. Ему было почти тридцать, и временами Саре казалось, что он просто остепенился. Раньше, случалось, он бросался во все тяжкие, но судя по тому, что писали о нем газеты, в последнее время этого не было. А когда они готовились к посадке в Орли, он объяснил причину своего хорошего поведения.

— Ты помнишь Ивонну Шарль? — спросил он невинно. Сара отрицательно покачала головой. Минуту назад они говорили о деле, и она не могла вспомнить, была ли эта женщина их клиенткой.

— Только имя. Кто она? Я с ней знакома?

— Она актриса. Ты познакомилась с ней на юбилее в прошлом году.

— Так же, как и с тысячей других людей. Не могу ее вспомнить. — Но внезапно в памяти всплыла недавно прочитанная о ней в газетах заметка. — Это не у нее был очень скандальный развод несколько лет назад... и потом она снова вышла замуж? Мне кажется, я что-то читала о ней... Почему ты спрашиваешь?

Он выглядел очень смущенным в тот момент, когда самолет приземлился. К несчастью, его мать до сих пор отличалась такой хорошей памятью. В шестьдесят лет она по-прежнему оставалась такой же проницательной, какой была всегда, такой же сильной и красивой. Он был без ума от нее, но иногда ему хотелось, чтобы она не была так внимательна к мелким подробностям.

— Было что-то вроде этого... — небрежно ответил он. — Недавно она развелась снова. Я познакомился с ней между двумя замужествами, — или, возможно, во время замужества, — и мы снова случайно встретились несколько месяцев назад.

— Какая приятная встреча, — улыбнулась ему Сара, иногда он казался ей еще таким молодым. Все они казались ей молодыми. — Как тебе повезло.

— Да повезло, — внезапно в его взгляде появилось что-то, что напугало ее. — Она необыкновенная девушка.

— Должно быть, с двумя замужествами за спиной. Сколько ей лет?

— Двадцать четыре. Но она очень зрелая для своего возраста.

— Должно быть. — Она не знала, что ему сказать и к чему он клонит, но у нее было такое ощущение, что ей это не понравится.

— Я хочу на ней жениться, — спокойно сказал Джулиан,
и Сара почувствовала, как земля уходит у нее из-под ног, и
как раз в этот миг колеса самолета коснулись взлетной полосы.

— О? — Сара пыталась не показать своего замешательства, но она чувствовала, как тяжело бьется ее сердце, когда они
приземлились. — Когда ты решил это?

— На прошлой неделе. Но мы все были так заняты
открытием магазина, и я не хотел тебе ничего говорить,
пока все это не кончится. — Как он внимателен. Как мило
с его стороны жениться на девушке, которая уже два раза
разведена, и сказать ей об этом. — Ты полюбишь ее. —
Она надеялась, что он окажется прав, но пока ей не нравится никто из супругов ее детей, и ей хотелось быть хотя
бы терпимой. Пока ей это плохо удавалось.

— Когда я смогу с ней познакомиться?

— Скоро.

— Как насчет пятницы вечером? Мы могли бы пообедать
у «Максима» перед тем, как я уеду из Парижа.

— Прекрасно, — тепло улыбнулся он матери. И тут она
осмелилась спросить его о том, о чем, она знала, ей, может
быть, не следовало спрашивать.

— Ты хорошо обдумал это?

— Безусловно. — Этого она и боялась. — И тут он
увидел ее лицо и рассмеялся. — Мама... поверь мне...

Ей хотелось верить, но где-то в глубине души у нее
закралось сомнение в правильности выбора. А после того,
как они познакомились в пятницу вечером, встретившись
у «Максима», Сара была в этом уверена.

Девушка, несомненно, была красива той холодной, ледяной красотой блондинки, какими обычно представляют
шведок. У нее была кожа цвета сливок, большие голубые
глаза и светлые белокурые волосы, которые струились у
нее по плечам. Она сказала, что с четырнадцати лет она
работала моделью, а с семнадцати стала сниматься в кино.
За семь лет она снялась в пяти картинах, и Сара смутно
припоминала, что был какой-то скандал, связанный с тем,
что она спала с директором картины, будучи еще несовершеннолетней. А потом скандал в связи с ее первым

разводом с таким же испорченным молодым актером. Второй
муж у нее оказался еще интереснее, немецкий плейбой, и
она пыталась вытянуть из него побольше денег. Но Джулиан убеждал мать, что решение уже принято. И к Рождеству они смогут пожениться.

Сара не испытывала никакого желания отпраздновать это
событие. Ей хотелось пойти домой и поплакать. Ее сын был
настолько ослеплен этой девицей, что попался в ловушку и
наотрез отказывается прислушаться к материнскому совету. Почему бы ему просто не иметь с ней связь? Зачем он вбил себе
в голову, что должен обязательно жениться? Сара чувствовала,
что сын совершает большую ошибку.

Ивонна была прелестна и невероятно сексуальна, но глаза
ее поражали своей ледяной красотой, и все в ней говорило о
расчетливости, о том, что она только берет и ничего не дает
взамен. В ней начисто отсутствовали непосредственность, ис-
кренность, теплота и внимание к людям. И по тому, как она
смотрела на ее сына, Сара заподозрила, что он ей нравится, она
хочет его, но она его не любит.

— Ну что ты скажешь? — спросил он, когда Ивонна в
конце обеда ушла в дамскую комнату попудрить нос. — Разве
она не великолепна? Неужели она тебе не понравилась?

Он был так слеп, что это убивало Сару. Все они были
слепы. Она похлопала его по руке и сказала, что она красивая
девушка, это действительно так. А на следующий день, когда
он забирал у нее какие-то бумаги, она постаралась осторожно
завести разговор о его женитьбе.

— Я думаю, вступление в брак — очень серьезный шаг, —
начала она, чувствуя себя древней и невероятно тупой старухой.

— Согласен с тобой, — сказал он, с изумлением глядя на мать, удивляясь ее педантичности. Это было на нее
непохоже. Обычно она изъяснялась прямо, но сейчас она
остерегалась этого. Она уже раз получила урок, несмотря
на то, что тогда была права, и теперь боялась потерять
его. Но Сара понимала, что с Джулианом все обстоит по-
другому. Изабель была вспыльчива и молода, а Джулиан
обожал свою мать, и маловероятно, что он полностью от-
кажется от нее.

— Думаю, что мы будем очень счастливые, — оптимистично заявил он, и это дало Саре возможность сказать то, что она хотела.

— Я в этом не уверена. Ивонна — необычная девушка, Джулиан. У нее пестрая карьера, и она десять лет заботится о себе сама. — Сара объяснила ему, что девушка в четырнадцать лет убежала из дома, бросила школу, чтобы стать моделью. — Она уцелела. Она больше заботится о себе, чем, возможно, даже о тебе. Я не уверена, что она действительно хочет того, чего хочешь ты, когда думаешь о супружестве.

— Что ты имеешь в виду? Ты считаешь, что ей нужны от меня деньги?

— Возможно.

— Ты ошибаешься. — Он сердито посмотрел на мать. Она не имела права вмешиваться, ведь это касалось его. Но Сара считала, что имеет на это полное право, ведь она его мать. — Она только что получила полмиллиона долларов от своего мужа из Берлина.

— Как мило с ее стороны, — сухо заметила Сара. — И сколько они были женаты?

— Восемь месяцев. Она ушла от него, потому что он вынудил ее сделать аборт.

— Ты уверен? В газетах писали, что она ушла от него из-за сына греческого корабельного магната, и он потом бросил ее ради какой-то француженки. Сложно разобраться с этой компанией.

— Она хорошая девушка, просто ей пришлось самой выбиваться в люди. У нее не было никого, кто мог бы о ней позаботиться. Ее мать была проституткой, и она даже не знает своего отца. Он ушел до ее рождения. А мать бросила ее, когда Ивонне было тринадцать лет. Как можно при таких обстоятельствах ожидать, чтобы она окончила школу, как моя сестра?

— Надеюсь, ты прав. Я только хочу, чтобы ты был счастлив.

— Ты должна позволить нам самим распоряжаться своей собственной жизнью, — сердито ответил он. — Ты не должна вмешиваться.

— Я постараюсь не делать этого.

— Знаю. — Он заставил себя успокоиться. Он действительно не хотел спорить с ней. Но ему было грустно, что Ивонна не произвела на нее хорошего впечатления. Он был от нее без ума с первой минуты, как увидел ее. — Просто ты всегда считаешь, что знаешь, что нам нужно, но иногда ты ошибаешься.

Хотя ему не хотелось признаваться, но мать ошибалась редко. Но все же он имеет право поступать так, как хочет.

— Надеюсь, что на этот раз я ошибаюсь, — с грустью произнесла она.

— Ты дашь нам свое благословение? — Это много для него значило.

— Если ты хочешь этого. — Она наклонилась и поцеловала его со слезами на глазах. — Я так сильно люблю тебя... Я не хочу, чтобы тебе когда-нибудь пришлось страдать.

— Этого не случится. — Он ослепительно улыбнулся. Потом он ушел, а Сара долго сидела одна в своей квартире, думая о Вильяме, о своих детях, огорченно удивляясь, почему они все такие глупые.

Глава 28

Церемония бракосочетания Джулиана и Ивонны состоялась в мэрии в Ля Мароле в Рождество. А затем они все отправились в замок, где был устроен роскошный прием. Присутствовало около сорока гостей, и Джулиан так и сиял от счастья. На Ивонне было короткое кружевное платье бежевого цвета, которое напомнило Саре ее собственное подвенечное платье, когда она выходила замуж за Вильяма, только это было более современным. Но этим все сходство кончалось. В девушке проступали суровость и холодность, которые пугали Сару.

Для Эмануэль это тоже было очевидно, и две женщины стояли вместе в тихом уголке и грустно посмеивались.

— Почему с нами все время случается такое? — спросила Сара, покачав головой и поглядев на старую подругу, которая нежно положила руку ей на плечо.

— Вот, что я скажу тебе... каждый раз, когда я смотрю на тебя, я думаю, что родилась под счастливой звездой, потому что у меня нет детей.

Но это было не совсем так. Временами она завидовала Саре, особенно с годами.

— Они, конечно, удивляют меня порой. Я не понимаю этого. Она, как лед, а он думает, что она его обожает.

— Надеюсь, что он никогда не узнает правду, — тихо заметила Эмануэль. Она не стала говорить Саре, что Джулиан купил ей на свадьбу кольцо с бриллиантом в тридцать каратов и сделал на заказ два парных браслета. Ивонна осталась очень довольна, а Эмануэль не сомневалась, что это только начало.

Изабель тоже приехала на свадьбу, на этот раз без Лоренцо, и ей не терпелось поделиться впечатлениями о работе нового магазина в Риме. Все шло превосходно, досаждало только то, что приходилось тратить уйму денег на охрану. Положение в Италии с террористами и Красной бригадой осложняло дело. Но бизнес процветал. Филипп даже проявил такое великодушие, что признался в том, что был не прав, однако у него не хватило духа приехать на свадьбу брата. Но Джулиан ничего не имел против. Вся его жизнь сосредоточилась в Ивонне. И теперь она принадлежала ему.

Медовый месяц они собирались провести на Таити. Ивонна сказала, что она никогда там не была и всегда мечтала посетить этот райский уголок. А по пути домой они собирались остановиться в Лос-Анджелесе и повидаться с тетей Джейн, сестрой Сары. Сара не видела ее много лет, но они продолжали поддерживать отношения, а Джулиан всегда стремился сохранять дух семьи. А заодно Ивонна хотела поехать в Беверли-Хиллз за покупками.

Сара смотрела, как они уезжали вместе с остальными гостями. А Изабель осталась в замке до Нового года, чем порадовала Сару. Все вместе они отпраздновали шестнадцатилетие Ксавье. Изабель сказала, что просто не верится, что он стал таким взрослым, она до сих пор помнит его ребенком, и Сара рассмеялась.

— Представь, что я чувствую, когда смотрю на тебя, Джулиана и Филиппа. Мне кажется, что это было только вчера, когда вы все были маленькими... — На мгновение Сара мысленно перенеслась в те годы, и она вспомнила Вильяма. Какое это было счастливое время.

— Ты по-прежнему скучаешь по нему? — тихо спросила Изабель, и Сара кивнула.

— Это никогда не пройдет. Просто привыкаешь жить с этим. Так же, как и с потерей Лиззи. Она никогда не переставала любить ее и испытывать боль потери, просто день за днем она привыкла жить с этой болью, пока это не стало привычной ношей. Теперь Изабель тоже могла кое-что понять. У нее постоянно болела душа, потому что у нее до сих пор не было детей, и ее ненависть к Лоренцо, когда она позволяла себе думать о нем, тяжело давила на нее, хотя в последнее время это случалось все реже и реже. К счастью, она была слишком занята магазином, чтобы думать о чем-то другом. Сара радовалась, что они открыли в Риме магазин и теперь Изабель занята делом.

Она с грустью рассталась с дочерью, когда Изабель пришло время возвращаться в Рим, и жизнь мирно потекла после ее отъезда. Казалось, этот год просто пролетел, как было, впрочем, всегда. А потом неожиданно, это случилось летом, все ее дети собрались на ее день рождения. Саре должно было исполниться шестьдесят пять лет, и это приводило ее в ужас. Но дети настаивали, что они приедут в замок, чтобы отпраздновать ее юбилей, и предстоящая встреча с ними утешала ее.

— Мне просто невыносимо, что я такая старая, — призналась она Изабель. На этот раз, к неудовольствию Сары, Лоренцо приехал вместе с ней. Изабель всегда была в напряжении, когда он находился рядом, но ей нужно было многое обсудить с матерью, и в беседах она забывала о присутствии мужа.

Конечно, Филипп и Сесиль приехали тоже. Она была в приподнятом настроении и без конца рассказывала о своих новых лошадях. Она только что вернулась из Шотландии, где охотилась вместе с принцессой Анной. Они были старыми школьными подругами, и Сесиль, кажется, даже не замечала, что Филипп не слушает и не отвечает ей. Она продолжала рассказывать. Они привезли с собой детей, Александра и Кристину. Им было четырнадцать и двенадцать лет, и Ксавье удавалось даже развлекать их. Он водил их в бассейн, играл с ними в теннис и дразнил их, заставляя называть себя «дядя» Ксавье, что их забавляло.

А потом, наконец, приехали Джулиан и Ивонна в своем новом «ягуаре». Она выглядела приятнее, чем всегда, но была какой-то вялой, и Сара не могла понять — из-за жары или из-за скуки. Она думала, что скорее всего для них этот уик-энд не представлял особого интереса, и чувствовала себя немного виноватой, что им пришлось приехать сюда. По крайней мере она могла рассказать им о своем путешествии с Ксавье в Ботсвану, она даже навестила родственников Вильяма в Кейптауне. Сара привезла для каждого маленький подарок, а Ксавье нашел несколько уникальных окаменелостей и редких минералов и приобрел редкие, но грубо обработанные драгоценные камни, а также собрал коллекцию черных бриллиантов. У него была настоящая страсть к камням и наметанный глаз. Он мог мгновенно отличить ценный камень, даже в необработанном виде, и знал, какую следует сделать огранку, чтобы высветить всю красоту камня. Особенно ему понравились горные разработки, где добывали бриллианты, которые они посетили в Йоханнесбурге, и он пытался уговорить мать взять домой танзанит размером с грейпфрут.

— Я не представляла, что я буду с ним делать, — объясняла она, рассказав об этом.

— Они теперь очень модны в Лондоне, — заметил Филипп, находясь не в лучшем расположении духа. Нигель недавно болел и все время говорил о том, что собирается уйти на пенсию в конце этого года, а для Филиппа это была плохая новость. Он пожаловался матери, что после стольких лет работы Нигеля просто невозможно будет заменить, а она не стала напоминать ему о том, как он ненавидел управляющего, когда начинал работать с ним. Им всем будет не хватать его, если он уйдет, но она надеялась, что он еще останется.

Они продолжали обсуждать поездку в Африку еще некоторое время во время ленча в день их приезда, но затем Сара извинилась за то, что, наверно, наскучила им. Енцо смотрел на небо, и она видела, что Ивонна утомлена.

Сесиль сказала, что она хотела бы после ленча посмотреть конюшни, но Сара сообщила ей, что там нет никаких изменений, все те же старые усталые лошади, однако Сесиль все равно пошла посмотреть. Лоренцо отправился вздремнуть. Изабель хотела показать матери эскизы, которые она выполнила, а Джулиан обещал прокатить Ксавье и детей Филиппа в своем новом автомобиле, предоставив Филиппа и Ивонну самим себе, и они чувствовали себя немного неловко. Филипп видел ее в первый раз, с тех пор как Ивонна вышла замуж, и она произвела на него большое впечатление. Ее белокурые волосы были такими светлыми, что казались почти белыми в свете полуденного солнца. Он предложил ей прогуляться по саду. Во время прогулки она обращалась к нему ваша светлость, против чего он не возражал, а ей нравилось быть леди Вайтфилд. Она рассказала ему об одной своей короткой работе в Голливуде, и он, кажется, был восхищен, и пока они гуляли и разговаривали, она подвигалась все ближе и ближе к нему. Он чувствовал запах ее волос, а когда он посмотрел на нее, то увидел прямо перед собой вырез ее платья. Он едва мог справиться с собой, стоя рядом с ней, она была невероятно сексуальная.

— Вы очень красивы, — сказал он неожиданно, когда она почти смущенно посмотрела на него. Они находились в самом конце розария, и воздух был так тих и горяч, что ей хотелось раздеться.

— Спасибо. — Тут она опустила глаза, и ее длинные ресницы коснулись щек, и, не в силах удержаться, он протянул руки и коснулся ее. Это было сильнее его, желание, охватившее Филиппа, было так безмерно, что он не мог сдержать свой порыв. Его рука скользнула в вырез ее платья, и она застонала, прижавшись к нему.

— О, Филипп... — прошептала она, словно ей хотелось, чтобы он снова сделал это, и он, осмелев, стал ласкать ее соски.

— Боже мой, ты так прелестна, — пробормотал он, потом медленно увлек ее за собой на траву. Они лежали, чувствуя, как страсть нарастает в них, пока они оба не обезумели.

— Нет... мы не можем... — тихо произнесла она, когда он стягивал ее тонкое шелковое белье. — Мы не можем здесь... — Ивонна возражала не против него и не против того, что они делали, а против того, чтобы заниматься этим здесь. Но Филипп уже не мог остановиться. Он должен взять ее. В нем вспыхнуло желание к ней, и в этот миг, когда они лежали под ослепительным солнцем, ничто не могло его остановить. И когда он медленно, а потом страстно, с непреодолимой силой овладел Ивонной, она крепко прижалась к нему, соблазняя его, настаивая, чтобы он продолжал, возбуждая в нем еще большее желание и дразня его, пока он не вскрикнул в тишине, и тогда все было кончено.

Они лежали рядом, тяжело дыша, и Филипп смотрел на нее, не в состоянии поверить, что они сделали это и как это было великолепно. Он не встречал никого, подобного ей. И знал, что он должен быть с ней снова... и снова... И когда он посмотрел на нее, он вновь захотел ее, и, почувствовав желание, он овладел женой брата без слов. Единственный звук, который он слышал, был ее восхитительный стон.

— Боже мой, ты удивительна, — прошептал он ей, наконец заинтересовавшись, не видел ли их кто-нибудь, но не слишком об этом беспокоясь. Ему было безразлично все, кроме этой женщины, которая довела его почти до сумасшествия.

— Ты тоже, — выдохнула она, все еще ощущая его близость. — У меня никогда не было ничего подобного, — сказала она, и он ей поверил, и тут что-то пришло ему в голову, и он привлек ее ближе, чтобы лучше видеть.

— Даже с Джулианом? — Она покачала головой, но что-то в её взгляде сказало ему, что она чего-то не договаривала. — Что-нибудь случилось? — Он смотрел на нее с надеждой, а она пожала плечами и с обожанием прильнула к нему. Она уже выяснила для себя, что Джулиан не был герцогом, а второй сын это совсем не то, что его старший брат. Ей пришлась по вкусу мысль стать герцогиней, а не просто леди.

— Это... это совсем разные вещи... — грустно добавила она. — Я не знаю. — Она с огорченным видом пожала плечами. — Может быть, с ним что-то случилось... у нас нет сексуальной жизни... — прошептала она. Филипп взглянул на нее с удивлением, счастливо улыбаясь.

— Это правда? — У него был такой довольный вид. Джулиан притворщик. Его репутация ничего не значит. Все эти годы он ненавидел его. И напрасно. Потрясающе.

— Я думала... может быть, он... голубой. — Она выглядела пристыженной, и ее молодость растрогала его. — Я так не думаю. Скорее всего он просто ничто.

Несколько тысяч женщин залились бы смехом, услышав то, что она только что сказала, но она была лучшей актрисой, чем они предполагали, и особенно Филипп.

— Мне жаль. — Но ему совсем не было жаль. Он был взволнован. Ему совершенно не хотелось отрываться от нее и не хотелось, чтобы она одевалась. Он просто расстегнул «молнию» на брюках, но им пришлось немного поискать среди кустов роз ее шелковые трусики. И пока они занимались поисками, они веселились и строили догадки, что подумает мать, если когда-нибудь застанет их. — Осмелюсь заметить, она подумает, что здесь развлекался садовник. — Он усмехнулся, а Ивонна так рассмеялась над тем, что он сказал, что снова упала на землю и покатилась в мягкую траву, маня его своими стройными бедрами, и он, не колеблясь, овладел ею еще раз. — Нам пора возвращаться, — наконец с сожалением сказал он. Вся его жизнь теперь переменилась за эти прошедшие два часа. —

Как ты думаешь, ты сможешь на время убежать от него сегодня ночью? — спросил он, обдумывая, где бы им встретиться. Может быть, в местном отеле? Но потом ему в голову пришла идея получше. Старые бараки в конюшнях. Там по-прежнему была дюжина матрасов и одеяла, которые они использовали для лошадей. Ему невыносима была сама мысль, что придется провести ночь без нее, а запретность делала это приключение еще более заманчивым.

— Я попытаюсь, — обнадеживающе пообещала она. Поворот событий ей показался забавным. Это первый такой случай, подвернувшийся ей с тех пор, как она вышла замуж... в этот раз. А в делах подобного рода она была специалистом. У ее первого мужа был брат-близнец. И она спала с его братом и его отцом, пока он не ушел от нее. С Клаусом было сложнее, но очень забавно. А Джулиан такой милый, но так наивен. С мая она скучала. Случай с Филиппом — лучшее, что с ней произошло за последний год... может быть, лучшее за всю жизнь.

Они вышли обратно на дорогу, казалось, что они ведут обычный разговор, но, понизив голос, она продолжала говорить ему о том, как сильно она его любит... как это было хорошо... какой глупой она была... и что она едва может дождаться ночи... и к тому времени, когда они подошли к дому, она довела его до безумия. Он покраснел и выглядел рассеянным, когда Джулиан появился в своем «ягуаре».

— Привет! — Он помахал им. — Чем вы занимаетесь?

— Смотрели розы в саду, — нежно проворковала она.

— В такую жару? Вы храбрецы. — Молодые люди вышли из автомобиля, и он заметил, каким разгоряченным и несчастным выглядит его брат, и едва не рассмеялся над ним.

— Бедное дитя, он наскучил тебе до смерти? — спросил он у Ивонны после того, как Филипп ушел. — Это так похоже на него, потащить тебя по имению показывать сад в самый жаркий день в году.

— Он хотел, как лучше, — прошептала она, и они пошли наверх, заняться перед обедом любовью.

Обед был праздничным. Все хорошо провели день и были в приподнятом настроении. Сесиль ухитрилась отыскать в амбаре какое-то старое немецкое военное седло и пришла от него

в восхищение. Она даже спросила Сару, не может ли она взять
его с собой в Англию, и Сара сказала, что она может взять все,
что ей нравится. Джулиан позволил Ксавье вести его новый
автомобиль, младшие дети тоже хорошо провели время. И несмотря на то, что присутствовал Лоренцо, Изабель держалась
непринужденно и выглядела счастливой. Новобрачные, казалось, тоже были в прекрасном настроении. Филипп казался
притихшим, что было нехарактерно для него, и даже именинни-
ца смирилась с тем, что она называла «Эта ужасная дата». Она
была так счастлива видеть их всех, что неожиданно день рождения стал не так важен. Сара сожалела, что на следующий
день они все снова уедут. Их визиты всегда были такими ко-
роткими, но теперь, с возвращением Изабель в родное гнездо,
их посещения доставляли ей особое удовольствие. Этим вечером они долго сидели в гостиной, Джулиан расспрашивал ее о
войне и оккупации и с удовольствием слушал ее рассказы. Сесиль хотела знать, сколько и каких лошадей они держат здесь,
а Ивонна стояла позади Джулиана и поглаживала его плечи.
Лоренцо дремал, уютно устроившись в кресле, а Изабель играла в карты с младшим братом, в то время как Филипп пил
бренди, курил сигарету и смотрел в окно на конюшни.

Потом наконец Джулиан понял, что на уме у Ивонны, и они тихо исчезли наверху, поцеловав на прощание
мать. Следующей ушла Сесиль. Она сказала, что до сих
пор чувствует себя измученной после недавней поездки в
Шотландию. Наконец, и Филипп тоже исчез. Енцо продолжал дремать, а Изабель и Сара еще долго болтали после
того, как Ксавье отправился спать. В доме было тихо, за
окном светила полная луна. Стояла чудесная ночь в день
ее рождения. Они ели пирожные и пили шампанское, и
ей нравилось быть в окружении своих детей.

А в это время наверху Ивонна использовала самые экзоти-
ческие трюки, чтобы замучить своего мужа. Она научилась
некоторым вещам в Германии и вытворяла с ним такое, что
просто сводила его с ума. И через полтора часа он так устал и
пресытился, что погрузился в сон, а она с улыбкой тихо вы-
скользнула из комнаты. Когда она побежала в конюшни, на ней
были джинсы и майка.

В это время Сесиль уже спала. Она приняла снотворное, что любила делать, чтобы хорошо выспаться. И она уже храпела к тому времени, когда Филипп вышел из комнаты, все еще в той же одежде, в которой был за обедом. Он хорошо знал глухие тропинки, и только две веточки треснули у него под ногами, но не было никого, кто мог его услышать. Он вошел в конюшни через заднюю дверь, помедлив мгновение, пока глаза его не привыкли к темноте. И тут он увидел ее, всего в нескольких шагах от себя, красивую и бледную в мерцающем свете луны, похожую на привидение, совершенно голую, сидящую верхом в одном из немецких седел. Тогда он сел сзади нее и привлек к себе. Так он сидел, прижимал ее, чувствуя ее шелковистое тело, и желание поднималось в нем. И тогда он снял ее с седла и отнес на один из матрасов в стойло. Здесь жили немецкие солдаты, а теперь он занимался с ней любовью, погружаясь в нее и умоляя ее, чтобы она никогда его не покидала. Они пролежали вместе не один час, и, прижимая ее, он знал, что его жизнь теперь не будет такой, как· раньше. Она не может оставаться прежней. Он не допустит, чтобы Ивонна ушла... она была слишком необычной... и слишком редкой... слишком властной... словно наркотик, который необходим ему, чтобы жить.

Изабель пошла спать после часа, когда в конце концов сумела разбудить Лоренцо. Он извинился и сонно стал подниматься по лестнице, в то время как Сара сидела одна в своей гостиной, удивляясь, что же с ними будет дальше.

Так не могло продолжаться. Рано или поздно он должен позволить ей уйти от него. Он удерживал ее, словно заложницу, и Сара собиралась вырвать свою дочь из его алчных рук. Сама мысль о Лоренцо вызывала в ней гнев. Изабель так красива и имеет право на лучшую жизнь, чем та, какую он мог ей дать. Все оказалось именно так, как она и предполагала, даже еще хуже. Продолжая думать о судьбе Изабель, она вышла в освещенный лунным светом внутренний дворик. Это напомнило ей одну из ночей во время войны, когда здесь жил Иоахим, и они допоздна беседовали в такую же ночь о Рильке,

Шиллере и Томасе Манне... стараясь не думать о войне, о раненых, о том, жив или нет Вильям. И, вспоминая то время, она машинально направилась к коттеджу. Там больше никто не жил. Им долгое время не пользовались. Дом нового управляющего стоял ближе к воротам и был намного современнее. Но она из сентиментальности оставила старый. Сначала они жили там с Вильямом, когда они реставрировали замок, и Лиззи родилась и умерла в этом коттедже.

Она все еще перебирала в памяти события тех далеких лет, совершая небольшую прогулку перед сном, как вдруг услышала какой-то шум, проходя мимо конюшен. Это был глухой стон, и Сара испугалась, не ушиблось ли животное. Они держали там полдюжины лошадей на тот случай, если кому-нибудь захочется прокатиться верхом, но все они были старые и не слишком привлекательные. Она спокойно открыла дверь. Все животные вели себя тихо, но тут она снова услышала шум, он доносился из старых бараков. Это были странные потусторонние звуки. И она не могла понять, что же это такое. Она даже не испугалась, и ей не пришло в голову взять в руки вилы или еще что-нибудь, если там чужой человек или бешеное животное. Она просто вошла в стойло, откуда доносился шум, щелкнув выключателем, зажгла свет, и оказалась рядом с переплетенными телами Филиппа и Ивонны. Оба были совершенно голыми, и ни у кого не возникло бы вопросов, чем они здесь занимаются. Мгновение она с изумлением смотрела на них и увидела на лице Филиппа выражение ужаса. Сара отвернулась, чтобы дать им одеться, но потом повернулась к ним в ярости.

Сначала она обратилась к Ивонне, не колеблясь ни мгновения.

— Как ты посмела так обойтись с Джулианом? Как ты посмела с его родным братом, в моем доме, под моей крышей! Как ты осмелилась! — Но Ивонна только откинула назад свои длинные волосы и молчала. Она даже не потрудилась одеться, так и стояла обнаженная, во всей своей красе, не стыдясь.

— А ты! — Тут она повернулась к Филиппу. — Всегда делаешь подлости... все время обманываешь свою жену и завидуешь своему брату. Ты убиваешь меня. Мне стыдно за тебя, Филипп. — Она еще раз посмотрела на них, она была потрясена тем, что они делают со своей жизнью, полным отсутствием у них уважения к тем, кто живет рядом с ними. — Если вы продолжите это, если это случится снова, не важно где, я все расскажу Сесиль и Джулиану. А тем временем я буду следить за вами обоими. — Она не собиралась этого делать, но и не намерена была покрывать их неверность, особенно в своем собственном доме, да еще по отношению к Джулиану, который этого не заслужил.

— Мама, мне... мне очень жаль. — Филипп тем временем завернулся в одеяло, которое использовали для лошадей, и страдал от того, что его раскрыли. — Обычно такого не случается... Я не знаю, как это произошло... — воскликнул он, едва не плача.

— Она знает, — резко сказала Сара, глядя прямо на Ивонну. — Чтобы больше этого не было, — пригрозила она, глядя ей прямо в глаза. — Я предупреждаю тебя. — И тут Сара повернулась и ушла. Очутившись на улице, она прислонилась к дереву и заплакала от огорчения, от стыда, от смущения за них и за себя. Но когда она медленно побрела к замку, она думала только о Джулиане и о том, какую обиду нанес ему брат. Как глупы были ее дети. И почему она никогда не могла помочь им?

Глава 29

Ивонна была необычайно тихой, когда они с Джулианом возвращались из замка домой. Она не выглядела расстроенной, просто была не слишком разговорчива. В день их отъезда в замке царила какая-то странная атмосфера. После их отъезда Ксавье невинно заметил матери, что он чувствовал приближение бури. Но погода была жаркой и солнечной. Сара никому ничего не рассказала о том, что видела. Только Филипп и Ивонна понимали, в чем дело. А остальные уехали, так и не узнав ничего о том, что произошло ночью в конюшне, и это было к лучшему. Все были бы потрясены, возможно, кроме Лоренцо, который, вероятно, только изумился бы, и Джулиана, которого эта новость сразила бы.

По дороге в Париж Джулиан нежно спросил Ивонну, что ее огорчило.

— Ничего. — Она пожала плечами. — Мне просто было скучно. — Но когда этой ночью он попытался заняться с ней любовью, она отказалась.

— Что случилось? — Он настойчиво расспрашивал ее, прошлой ночью она была в ударе и вдруг теперь стала так холодна. Она все время была непредсказуема, подвижная, словно ртуть, но этим она и нравилась ему. Временами Джулиану нравилось, когда она отказывала ему, это только делало ее еще более желанной. Он так и воспринял сейчас ее отказ, но на этот раз она не играла.

— Перестань... Я устала... У меня болит голова. — Прежде она никогда не пользовалась таким предлогом, но она все еще была раздосадована тем, что произошло прошлой ночью, когда Сара вела себя так, словно ей принадлежит весь мир и угрожала им, а Филипп унижался перед ней и вел себя как ребенок. Она так разъярилась, что дала ему хорошую пощечину, от которой он пришел в такое возбуждение, что они опять занялись любовью. Они покинули конюшни только в шесть часов утра. Она устала и продолжала злиться на них за то, что они так привязаны к своей матери. — Оставь меня в покое, — повторила она. Они ничего из себя не представляют, просто маменькины сынки, и еще проклятый снобизм их сестры. Она знала, что ни одной из них она не нравилась. Но ей было все равно. Она получила то, что хотела. И теперь, может быть, она получит еще больше, если Филипп сделает то, что обещал, и приедет из Лондона, чтобы встретиться с ней. В ее распоряжении по-прежнему была старая студия на Иль Сен-Луи. Можно было пойти в отель, где он остановится, или же заняться любовью прямо здесь, в постели Джулиана, если ей захочется, несмотря на то что сказала старая сука. Но сейчас она была не расположена ни к одному из них, и меньше всего к своему мужу.

— Я хочу тебя сейчас... — дразнил ее Джулиан, возбужденный ее отказом и чувствуя что-то животное и незнакомое, словно хищник, который подошел к ней слишком близко. Он словно чуял инстинктивно, что кто-то еще напал на ее след, и хотел, чтобы она снова принадлежала ему. — Что случилось? — настаивал он, стараясь возбудить ее своими искусными пальцами, но на этот раз она не подпускала его, что редко с ней случалось.

— Сегодня я забыла принять пилюли, — ответила она, и он хрипло прошептал, слегка касаясь ее:

— Примешь позднее.

Но на самом деле позавчера они кончились, и теперь несколько дней она не хотела рисковать. В последнее время она сделала достаточно абортов, и ей совсем не хотелось забеременеть от Джулиана или кого бы то ни было еще. А если он будет настаивать, она собиралась пойти перевязать трубы. Это многое облегчит, но сейчас все было не так просто. Он играл с ней и повернул ее к себе лицом, точно так же, как этой ночью делал его брат, и тогда его переполнило желание, как это бывало со всеми мужчинами с тех пор, как ей исполнилось двенадцать лет и она узнала, чего от нее хотят. Она знала, чего сейчас хотел Джулиан, но она не собиралась уступать ему. Она предпочитала помучить его. Она лежала, раскинув ноги и широко раскрыв глаза, и была готова ударить его, если он приблизится к ней. Но он уже не мог остановиться. Она зашла слишком далеко, отвергая его и лежа с раскинутыми ногами, обнаженная и прелестная, ее тело манило его.

Он взял ее быстро и уверенно. Его сила удивила ее, и она задрожала от наслаждения, а потом тяжело вздохнула, удивляясь своей глупости. Но она всегда была глупа, а на этот раз она ни на шутку рассердилась.

— Дрянь! — крикнула она, откатившись от него.

— Что случилось? — Он выглядел обиженным, она очень странно вела себя.

— Я сказала тебе, что я не хочу. Что, если я забеременею?

— Так что же? — Он был изумлен. — У нас будет ребенок.

— Нет, не будет, — сердито ответила она. — Я слишком молода... Я не хочу сейчас ребенка. Мы только что поженились. — Она еще не была готова к тому, чтобы сказать ему больше, и она знала теперь, как сильно ему хочется иметь детей.

— Хорошо, хорошо. Иди прими горячую ванну или холодный душ, сделай промывание, или еще что-нибудь, или прими пилюли. Мне жаль, что так получилось. — Но по его виду нельзя было сказать, что он сожалеет. Больше всего ему хотелось, чтобы она забеременела.

А через три недели, когда он неожиданно пришел домой, он увидел, что ее рвет в туалете.

— О, бедное дитя, — посочувствовал он, помогая ей лечь в постель. — Ты что-нибудь съела или у тебя грипп? — Джулиан никогда не видел ее такой больной, но она с ненавистью посмотрела ему в глаза. Ивонна очень хорошо понимала, что с ней. Это было уже в седьмой раз. Она сделала шесть абортов за последние двенадцать лет, и на этот раз она собиралась сделать еще один.

— Ничего, — убеждала его она, — все прекрасно. — Но ему не хотелось оставлять ее и снова идти на работу. Вечером Джулиан сделал ей бульон, но ее снова вырвало. Утром состояние ее не улучшалось, поэтому он без предупреждения пришел домой пораньше, чтобы позаботиться о ней. Когда он подошел к телефону, она вышла, звонили из приемной ее доктора, чтобы подтвердить, что аборт ей сделают завтра утром.

— Что?! — закричал он в трубку. — Отмените это! Она не придет. — Тогда он позвонил на работу, чтобы сообщить, что его сегодня не будет, и стал ее ждать.

— Звонил твой доктор, — сообщил он. Ивонна взглянула на него, пытаясь понять, знает ли он, и сразу все поняла. Не было сомнений в том, что он знает и что он думает по этому поводу. Джулиан был оживлен. — Почему ты не сказала мне, что ты беременна?

— Потому что еще слишком рано... мы не готовы к этому... и... — Она посмотрела на него, думая, поверит он ей или нет. — Доктор сказал, что это слишком рано после аборта, который заставил меня сделать Клаус.

На мгновение он поверил этому, но потом вспомнил, что прошел уже год.

— Я еще не оправилась полностью после этого. — Она заплакала. — Я хочу, чтобы у нас был ребенок, но не сейчас.

— Иногда нам не приходится выбирать. Я не хочу, чтобы ты делала аборт.

— Я сделаю все равно, — упрямо посмотрела она на него. Она не должна позволять ему рассуждать об этом. Кроме того, время для беременности было неподходящее. Она ждала приезда Филиппа, и ей совершенно не хотелось предстать перед ним с большим животом, а потом еще и ребенок, ей не нужно было ни то, ни другое. Ивонна собиралась во что бы то ни стало избавиться от него.

— Я не допущу этого. — Они проспорили всю ночь.

На следующий день он опять остался дома, опасаясь, что она пойдет к доктору, и тогда, поняв, насколько он серьезен, Ивонна стала просто отвратительной. Она словно боролась за свою жизнь или считала, что борется.

— Послушай, черт побери, я избавлюсь от него, несмотря ни на что... Может быть, это даже не твой ребенок. — Ее слова оглушили его, это было как удар острым ножом в сердце. Джулиан попятился от нее, не в силах поверить ее словам.

— Ты хочешь сказать, что это не мой ребенок? — Он смотрел на нее с ужасом и изумлением.

— Может быть, — ответила она бесстрастно.

— Ты не возражаешь, если я поинтересуюсь, чей? Этот маленький паршивый грек вернулся к тебе? — Джулиан видел его два раза до того, как они поженились, и знал, что Ивонна считала его очень сексуальным. Но неожиданно ей пришло в голову, что это отличная шутка. Ее ребенок, возможно, на самом деле следующий герцог Вайтфилд, сын его светлости герцога Вайтфилда. Она залилась смехом и смеялась до тех пор, пока он не остановил ее. Она была в истерике, и тогда вне себя он дал ей пощечину. — Что с тобой? Почему ты смеешься? — Но Ивонна уже перестала, она поняла, что она потеряла вместе с Джулианом в тот момент, когда отказалась от его ребенка. Больше она ничего не сможет получить от него. Игра была окончена. Пора приняться за Филиппа.

— На самом деле, — зло усмехнулась она, — я спала с твоим братом. Возможно, это его ребенок, так что тебе не стоит больше о нем беспокоиться. — Джулиан с ужасом посмотрел на нее, сел на постель и расхохотался сквозь слезы, а она смотрела на него.

— Это и в самом деле очень забавно. — Он вытер глаза, но больше не смеялся.

— Неужели? Твоя мать тоже так думает. — Теперь она решила рассказать ему все. Ей было все равно. Она никогда его не любила. Некоторое время с ним было неплохо, но теперь оба понимали, что все кончено. — Она застала нас в конюшнях в замке.

Он пошатнулся при этих словах, представив такую картину.

— Моя мать об этом знает? — Он ужаснулся. — Кто еще знает? Жена Филиппа?

— Я не знаю. — Она пожала плечами. — Полагаю, что мы должны сообщить ей, если я буду рожать этого ребенка. — Она насмехалась над ним, потому что собиралась сделать аборт, если, конечно, Филипп не согласится развестись с Сесиль и жениться на ней. Тогда она, возможно, согласилась бы родить ребенка. Но Джулиан с горечью смотрел на нее.

— Мой брат сделал вазектомию* несколько лет назад, потому что его жена не хотела иметь больше детей, — заметил он бесстрастно. — Он сообщил тебе об этом? Или не потрудился? — Джулиан понял, когда это случилось и что это его ребенок. Это произошло в ту ночь, когда она забыла принять пилюли и он взял ее силой. Но тут ему в голову пришла одна

---

* Стерилизация.

мысль, и он посмотрел на нее с гневом и ненавистью. — Я не понимаю, как ты могла так обойтись со мной и зачем ты это сделала. Я никогда не смог бы поступить с тобой подобным образом. Но я должен тебе кое-что сказать, и ты можешь мне поверить. Если ты вышла за меня замуж из-за денег, то ты не получишь от меня ни цента, если не родишь этого ребенка. Ни от меня, ни от кого из моей семьи, и не обманывай себя, мой брат тебе не поможет. Этот ребенок — личность, настоящая жизнь... и он мой. И я хочу, чтобы ты родила его. Потом ты можешь уйти. Если хочешь, можешь уйти к Филиппу. Он никогда не женится на тебе. У него не хватит мужества оставить свою жену. Но ты можешь делать все, что хочешь, и я дам тебе порядочную сумму. Может быть, даже довольно большую. Но убей моего ребенка, Ивонна, и все будет кончено. Ты никогда ничего от меня не получишь. Клянусь тебе.

— Ты угрожаешь мне? — Она посмотрела на него с такой ненавистью, что трудно было представить, как он мог заблуждаться на ее счет.

— Да, угрожаю. Я обещаю тебе, что, если ты не родишь этого ребенка, если ты даже случайно потеряешь его, я не дам тебе ни цента. Береги его, роди, отдай мне, и ты получишь развод и расчет... достойный... Договорились?

— Я должна подумать.

Джулиан пересек комнату и подошел к ней, первый раз в жизни испытывая ярость по отношению к женщине. Он схватил ее за длинные светлые волосы и дернул за них.

— Тебе лучше думать быстрее, и если ты убьешь моего ребенка, клянусь, я убью тебя.

Тут он оттолкнул ее вышел из дома. Его не было несколько часов, он пил и плакал, а когда вернулся, был настолько пьян, что почти забыл, чем он так огорчен. Утром она сообщила ему, что согласна пережить все это и родить ребенка. Но сначала она хотела получить от него расчет. Он сказал, что вызовет своих адвокатов, и пошел на работу.

Но он дал ей понять, что хочет, чтобы она жила с ним, она может переехать в гостиную, но он хочет присутствовать при родах.

Ивонна ненавидящим взглядом посмотрела на него и сказала со злостью, так что не оставалось никаких сомнений в том, как она относится к нему и его ребенку.

— Я ненавижу тебя.

И она ненавидела каждое мгновение своей беременности. В первые несколько месяцев Филипп приезжал, чтобы встретиться с ней, но в конце концов после Рождества это стало неудобно, и положение было щекотливым. Он не возражал против того, чтобы Джулиан знал, чем он занимается на самом деле, это ему даже нравилось. Но он знал, что об этом также могла узнать его мать, и ему не хотелось случайно встретиться с ней. Он сказал Ивонне, что они проведут вместе отпуск в июне после того, как она родит ребенка.

Она возненавидела Джулиана еще больше. Он разрушал все в ее жизни и стоил ей всего, чего она хотела. Больше всего она хотела Филиппа и хотела стать герцогиней. Он пообещал что со временем ему придется уйти от жены, но сейчас он не мог этого сделать, потому что его мать была очень больна и ее огорчил бы его развод. И кроме того, ребенок... Он убеждал ее, что надо подождать, пока все уляжется, и когда она слышала это, она становилась только более истеричной и еще больше злилась на Джулиана. А потом она начала звонить Филиппу каждый день, насмехаясь над ним, дразня его, на работу, домой, возможно, в самые неподходящие моменты, и неожиданно он снова стал добиваться ее, волнуясь, требуя, и он едва мог дождаться июня. Они каждый день разговаривали по телефону, иногда несколько раз, и только о сексе. Она рассказывала ему о том, что будет делать с ним, когда они уедут после родов. Этого Филипп и хотел от нее, и ему это нравилось.

Они с Джулианом почти не общались. Ивонна переехала в другую комнату. Она выглядела почти так же плохо, как и чувствовала себя. Ее рвало в течение шести месяцев, а через два месяца это возобновилось. Джулиан считал, что причиной плохого самочувствия были отчасти ее гнев и злоба. И он постоянно получал счета за звонки Филиппу, но ничего не говорил ей. Он не имел представления, какие у них планы, и пытался убедить себя, что ему безразличны их отношения, хотя это ему с трудом удавалось. Единственное, что ободряло его, — это то, что ребенок, которого она согласилась родить, принадлежит ему. Она не хотела ни опеки, ни права посещения, у нее не было никаких претензий по отношению к будущему ребенку. Ребенок полностью принадлежал Джулиану. Всего за миллион. Обещал, так плати! И он согласился заплатить. После того как родится ребенок.

Он всего только раз обсуждал с матерью все это дело лишь для того, чтобы объяснить, для чего он намерен продать несколько акций их компании. Расплата с Ивонной полностью уничтожит все его сбережения, но он считал, что оно того стоило.

— Мне жаль, что я втянул себя в такую беду, — извинился он перед Сарой, но она сказала, что извиняться нелепо. И он не должен ни извиняться перед ней, ни объяснять ей что-то.

— Тебе она причинила такую боль. Мне жаль, что это произошло, — сказала она ему.

— Мне тоже... но по крайней мере у меня будет ребенок. — Он печально улыбнулся и вернулся в холодную атмосферу своей квартиры. Он уже нанял для ребенка няню, приготовил для него комнату, а Изабель обещала приехать из Рима, чтобы ему помочь. Он не имел представления, как ухаживать за ребенком, но хотел научиться. Ивонна уже заявила, что прямо из больницы она уедет в свою квартиру. Договор будет выполнен. А ее банковский счет увеличится на миллион долларов.

Ребенок должен был родиться не раньше мая, но в конце апреля она начала упаковывать вещи, словно не могла дождаться того дня, когда сможет уехать, и Джулиан как завороженный наблюдал за ней.

— Ты не испытываешь никаких чувств к этому ребенку? — с грустью спросил он. Но он давно уже знал ответ на этот вопрос. Ей нужен был только Филипп.

— Почему я должна что-то чувствовать? Я ни разу его не видела. — У нее не было материнского инстинкта и никакого раскаяния по отношению к нему. Сейчас ее интересовала только возможность продолжить свою связь с Филиппом. Он сказал ей, что забронировал номер на Майорке на первую неделю июня. Но ей было все равно, куда они поедут, только бы с ним. Она собиралась приложить все усилия, чтобы заполучить Филиппа и титул.

Первого мая Джулиану позвонили на работу и сообщили, что леди Вайтфилд только что доставили в клинику в Нойи. Это была та самая клиника, где родился он сам, не то, что его восхитительные брат и сестра, которых их отец принимал прямо в замке.

Эмануэль видела, как он уходит, и спросила, не хочет ли он, чтобы она пошла вместе с ним, но он покачал головой и поспешил к своему автомобилю. А через полтора часа он уже был в госпитале, расхаживая взад и вперед, ожидая, чтобы его впустили в родильную палату. Однако он опасался, что Ивонна может не позволить это. Но через несколько минут к нему вышла медсестра и вручила ему зеленый халат и такую же шапочку. Она показала ему, где он может переодеться, а затем отвела его в родильную. Ивонна между схватками смотрела на него с открытой ненавистью.

— Прости... — На мгновение ему стало жаль ее, и он попытался взять ее за руку, но она отдернула руку и вцепилась в стол. Схватки были ужасными, но медсестра сказала, что все идет хорошо, очень быстро для первого ребенка. — Надеюсь, роды не продлятся долго, — прошептал он Ивонне, не зная, что еще ей сказать.

— Я ненавижу тебя, — выдавила она сквозь сжатые зубы, пытаясь напомнить себе, что она получит за это миллион долларов, и ради этого стоит потерпеть. Это был немыслимый способ заработать состояние.

Но тут на время схватки затихли, ей сделали укол. Джулиан присел, нервничая и волнуясь, все ли идет как следует. Было так странно, что он находился здесь с женщиной, которую больше не любил и которая открыто его ненавидела, и они ждали ребенка. Это казалось противоестественным, и он пожалел, что не попросил кого-нибудь прийти вместе с ним. Внезапно он почувствовал себя очень одиноким.

Родовые схватки у нее снова усилились, и Джулиан должен был признаться, что ему жаль ее, она выглядела ужасно. Роды были долгими и тяжелыми, на мгновение она даже забыла о своей ненависти к Джулиану и позволила помочь ей. Он держал ее руками за плечи, и до темноты все, находившиеся в палате, подбадривали ее. Потом наконец внезапно раздался продолжительный тонкий крик, и появилось красное личико, сердито глядя на доктора. Когда Ивонна взглянула на ребенка, в ее глазах появились слезы, а по лицу скользнула улыбка. Но через минуту она отвернулась от него, и доктор вручил его Джулиану, который открыто, не стыдясь, плакал, прижимая маленькое личико к своей щеке, и малыш на мгновение перестал плакать.

— О, Боже, он такой красивый, — прошептал он в восторге от своего сына. Потом нежно протянул его Ивонне, но она покачала головой и снова отвернулась. Она не хотела его видеть.

Они позволили Джулиану отнести ребенка в комнату матери, и он долго не выпускал малютку из рук, пока, наконец, не привезли Ивонну. Но она попросила его уйти, чтобы она могла позвонить Филиппу. Она велела медсестре отнести ребенка в детскую и не приносить его ей больше. Потом она взглянула на человека, чьего сына она только что родила и за которым она была замужем, но ее лицо ничего не выражало.

— Думаю, мы можем попрощаться, — спокойно произнесла она, даже не протянув ему руки и не оставляя ни малейшей надежды. Джулиану стало грустно, несмотря на рождение сына. Для него это был волнующий день, и он с облегчением заплакал, когда посмотрел на нее и кивнул.

— Мне жаль, что все так получилось, — грустно сказал он. — Ребенок такой красивый, не так ли...

— Я догадываюсь. — Она пожала плечами.

— Я буду хорошо о нем заботиться, — прошептал он, потом подошел к ней и поцеловал в щеку. Она так трудилась для него, а теперь она от него уходит. У Джулиана разрывалось сердце, но Ивонна сохраняла спокойствие. Плакал только он. Она холодно посмотрела на него, когда он уходил.

— Спасибо за деньги. — Это было единственное, что имело для нее значение. И тогда он ушел жить своей жизнью.

Утром деньги были уже на ее банковском счету. Как и обещал, он заплатил ей за их ребенка миллион долларов.

Вместе с няней Джулиан взял сына домой. Он назвал его Максимилианом. Максом. И это имя ему подходило. Днем Сара приехала с Ксавье из замка, чтобы посмотреть на внука. А вечером из Рима прилетела Изабель, она не выпускала его из рук, сидя в кресле-качалке. За свою короткую жизнь он уже потерял мать, но приобрел семью, где его все обожали и ждали с нетерпением. А Изабель чувствовала, как сердце ее разрывается, когда держала малютку на руках.

— Тебе повезло, — прошептала она брату, когда вечером они смотрели на спящего Макса.

— Полгода назад я был другого мнения, — ответил ей Джулиан, — но теперь я тоже так считаю. Все это стоило ребенка. — Ему было интересно, куда ушла Ивонна, как она, не жалеет ли она о своем решении, но он полагал, что у нее нет никаких сожалений. И, лежа вечером в постели, он думал о своем сыне и о том, как ему повезло, что он у него есть.

Глава 30

В этом году семья снова собралась на день рождения Сары, хотя не вся. Конечно, не было Ивонны, и Филипп благоразумно держался на расстоянии. Он извинился, сославшись на занятость. Через Нигеля до Сары дошли слухи, что Филипп и Сесиль договорились о раздельном проживании, но она ничего не сказала Джулиану.

Джулиан, конечно, приехал с Максом и няней, но он очень много делал сам. Сара восхищенно наблюдала, как он менял Максу пеленки, купал, кормил и одевал его. Только больно было видеть, как смотрит на них Изабель. В ее глазах можно было прочитать неутоленную страсть материнства, что огорчало Сару до глубины души. На этот раз она приехала без Лоренцо, и они могли поговорить свободно. Это было особенное лето для них всех, потому что Ксавье последнее лето проводил дома. Сара гордилась им, год назад, в семнадцать лет, он поступил в Йельский университет. Главным его предметом была политология, а в качестве второй специальности он выбрал геологию. И он собирался сделать свою курсовую где-нибудь в Африке, работая над специальным проектом.

— Мы будем ужасно скучать, — призналась ему Сара, и все согласились с ней. Сама она собиралась проводить больше времени в Париже и меньше оставаться в замке, чтобы не чувствовать себя такой одинокой. В шестьдесят шесть лет она по-прежнему крепко держала все в своих руках, так же, как и Эмануэль, которой только что исполнилось шестьдесят, чему даже Сара верила с большим трудом.

Ксавье был очень взволнован предстоящим отъездом в Йель, и Сара не винила его. Он вернется на Рождество. Джулиан обещал повидаться с ним, когда ему придется по делу отправиться в Нью-Йорк. Вдвоем они стали обсуждать это, а Сара и Изабель вышли поболтать в сад. Изабель осторожно спросила, что случилось с Филиппом. До нее дошли слухи о его раздельном проживании с женой и кое-что о его связи с Ивон ной, она слышала об этом прошлым летом от Эмануэль.

— Грязное дело, — заметила Сара со вздохом, все еще потрясенная происшедшим. — Но Джулиан, кажется, неплохо справился с этим, особенно теперь, когда у него был ребенок.

— Мы усложняем тебе жизнь, мама, не правда ли? — печально спросила Изабель, и ее мать улыбнулась.

— Вы усложняете жизнь самим себе.

— Я хочу тебе что-то сказать.

— Енцо наконец согласился на развод?

— Нет. — Изабель медленно покачала головой, и их взгляды встретились. Сара обратила внимание, что дочь выглядит более умиротворенно, чем обычно. — Я беременна.

— Что ты сказала? — Сара была поражена, она считала, что на это нет никакой надежды. — Ты беременная? — Она взволнованно обняла свою дочь. — Моя дорогая, как чудесно! — Потом отстранилась от нее, слегка озадаченная. — Я думала... что сказал Лоренцо? Он, должно быть, вне себя от радости. — Но Сару не порадовала перспектива упрочения брачного союза ее дочери.

Изабель снова рассмеялась, несмотря на нелепость ситуации.

— Мама, это не его ребенок.

— О, дорогая. — Все снова усложнялось. — Что ты собираешься делать?

— Он чудесный человек. Я встречаюсь с ним уже год... Мама... Я ничего не могу сделать... Мне двадцать шесть лет, я не могу вести такую пустую жизнь... Мне нужно кого-то любить... с кем-то разговаривать...

— Я понимаю, — тихо ответила Сара. Ей тяжело было думать о том, как одинока Изабель и как мало у нее надежды. — Но ребенок? Енцо знает?

— Я сообщила ему. Я надеялась, что он оскорбится и уйдет, но он сказал, что ему все равно. Все будут думать, что это его ребенок. Он уже поделился новостью со своими друзьями, и они меня поздравили. Он сумасшедший.

— Нет, алчный, — сухо поправила ее Сара. — А отец ребенка? Что он говорит? Кто он?

— Он немец. Из Мюнхена. Он глава крупной фирмы. Его жена очень хорошо известна. К сожалению, она не хочет развода. Ему тридцать шесть лет. Они вынуждены были пожениться, когда ему было девятнадцать. Они живут раздельно. Но ее смущает развод. Пока.

— А его не смущает незаконнорожденный ребенок? — резко спросила Сара.

— Не слишком сильно. Так же, как и меня. Но какой у меня выбор? Ты думаешь, Лоренцо когда-нибудь уйдет?

— Мы попытаемся. А как ты? — Она испытующе посмотрела на свою дочь. — Ты счастлива? Это то, чего ты хотела?

— Да, я действительно люблю его. Его зовут Лукас фон Аусбах.

— Я слышала эту фамилию, но мне она ничего не говорит. Ты думаешь, он когда-нибудь женится на тебе?

— Если сможет. — Она была честной с матерью.

— А если не сможет? Если жена не позволит ему уйти? Тогда что?

— Тогда по крайней мере у меня будет ребенок. — Ей так хотелось иметь хотя бы одного ребенка, особенно после того, как она увидела Джулиана с Максом.

— Кстати, когда это должно произойти?

— В феврале. Ты приедешь? — тихо спросила Изабель, и мать кивнула.

— Конечно. — Она была тронута тем, что дочь спросила ее об этом, и тут вдруг она поинтересовалась: — Джулиан знает? — Они всегда были так близки, трудно было поверить, что он ничего не знает. Изабель ответила, что она как раз утром сообщила ему. — Что он сказал?

— Что я такая же сумасшедшая, как и он. — Она улыбнулась.

— Должно быть, это наследственное, — добавила Сара. По крайней мере одно было определенным — с ее детьми не соскучишься.

В сентябре Ксавье уехал в Йель, как и планировалось, а в октябре Джулиан полетел в Пью-Хейвен, чтобы повидаться с ним. Ксавье учился с удовольствием, у него были два очень милых товарища по комнате и привлекательная подружка. Джулиан пригласил их на обед, и они неплохо провели время. Ксавье нравилась жизнь в Америке. Он собирался поехать на День благодарения в Калифорнию навестить свою тетю.

Когда Джулиан вернулся в Париж, он услышал, что Филипп и Сесиль собираются развестись, а на Рождество он увидел фотографию своего брата и своей бывшей жены в «Татлере». Он показал ее матери, когда она была в магазине. Сара нахмурилась.

— Ты думаешь, он женится на ней? — спросила она Эмануэль позднее.

— Возможно. — Она больше не верила Филиппу, особенно в последнее время. — Он, должно быть, делает это просто для того, чтобы досадить Джулиану. — Его ревность к нему никогда не утихала, а, наоборот, стала еще сильнее.

Ксавье приехал домой на Рождество, и эти дни, как обычно, промчались незаметно. Когда он снова улетел в Америку, Сара отправилась в Рим присмотреть за магазином и помочь Изабель приготовиться к рождению ребенка.

Марчелло по-прежнему работал управляющим. Дела шли успешно. Сара улыбнулась, когда увидела, как ее дочь быстро говорила по-итальянски, давая всем указания. Она еще больше похорошела за время беременности и поправилась. Сара вспомнила то время, когда сама была беременна, ее дети всегда были очень крупными. Но Изабель вся сияла от счастья.

После приезда Сара пригласила своего зятя на ленч. Они пошли в «Эль Тула», и после первого блюда Сара коротко объяснила цель их встречи. На этот раз она не стала напрасно тратить слов с Лоренцо.

— Лоренцо, мы с вами взрослые люди. — Он был ненамного моложе ее, и Изабель была замужем за ним уже девять лет. Слишком высокая цена за ошибку молодости. И Сара была настроена решительно покончить с этим браком. — Долгое время вы с Изабель не были счастливы. Этот ребенок... Ладно, мы оба понимаем положение дел. Пора с этим кончать, что вы на это скажете?

— Моя любовь к Изабель никогда не кончится, — воскликнул он мелодраматично, в то время как Сара едва сдерживала себя.

— Не сомневаюсь. Но, должно быть, это очень болезненно для вас обоих и особенно для вас. — Она решила сменить тактику и обращаться с ним, как со стороной, потерпевшей поражение. — И теперь этот ужасный для вас конфуз с ребенком. Вам не кажется, что пора сделать мудрые инвестиции и согласиться на развод, чтобы Изабель могла начать новую жизнь? — Она не знала, как еще сказать ему это. «Сколько» — казалось ей немного грубо, хотя и соблазнительно. Сейчас ей больше, чем всегда, не хватало Вильяма, который помог бы ей. Но Енцо уловил суть.

— Инвестиции? — переспросил он многообещающе.

— Думаю, что вам в вашем положении неплохо было бы иметь американские акции. Или итальянские, если вы предпочитаете их.

— Акции? Сколько акций? — Он прекратил есть, чтобы не пропустить ни одного слова из того, что она скажет.

— Сколько вы считаете?

Он сделал небрежный итальянский жест, наблюдая за ней.

— Ма... Я не знаю... пять... десять миллионов долларов? — Он испытывал ее, и она покачала головой.

— Боюсь, что нет. Один или, может быть, два. Но, конечно, не больше. — Переговоры начались, и Сара была довольна, как они проходят. Лоренцо дорого обходился, его алчность не знала границ.

— А дом в Риме?

— Я должна обсудить это с Изабель, но я уверена, что она могла бы найти себе другой.

— Дом в Умбрии? — Он хотел получить все.

— Не могу пока ничего обещать, Лоренцо. Мы должны обсудить это с Изабель. — Он кивнул, соглашаясь с ней.

— Вы знаете, ювелирный магазин, бизнес идет здесь очень хорошо.

— Да, хорошо, — ответила она небрежно.

— Я был бы заинтересован стать вашим партнером.

— Вряд ли это будет возможно. Мы говорим о денежных инвестициях, а не о партнерстве.

— Понимаю. Я должен обдумать это.

— Я надеюсь, — спокойно закончила Сара. Когда она платила по счету, он даже не пошевелил пальцем, чтобы сделать это самому. Сара ничего не сказала Изабель о завтраке. Она не хотела раньше времени пробуждать в ней надежду на тот случай, если Лоренцо не схватит наживку, а решит оставить все, как есть. Но Сара страстно желала, чтобы он согласился.

До рождения ребенка оставался еще месяц, и Изабель хотела познакомить мать с Лукасом. Он на два месяца снял квартиру в Риме, чтобы быть с ней, когда она родит ребенка. На этот раз Сара одобрила выбор дочери. Его единственным недостатком были его жена и семья в Мюнхене.

Лукас был высокий и худой, с такими же темными волосами, как у Изабель. Он любил кататься на лыжах, обожал детей, живопись и музыку, и у него было превосходное чувство юмора. Лукас пытался уговорить Сару открыть магазин в Мюнхене.

— Я больше не решаю это, — ответила она, смеясь, но Изабель погрозила ей пальцем.

— О, нет, решаешь, мама, и не старайся сделать вид, что это не так.

— Во всяком случае, не я одна.

— А что ты думаешь? — настаивала ее дочь.

— Я думаю, еще рано принимать решение. И если ты собираешься открыть магазин в Мюнхене, кто будет управлять магазином в Риме?

— Марчелло и без меня будет заниматься этим с завязанными глазами. И все его любят. — Саре он тоже нравился, но открыть еще один магазин было все же очень серьезным делом.

Они чудесно провели вместе вечер, и позднее Сара призналась Изабель, что она без ума от Лукаса. После этого она еще раз встретилась с Лоренцо, но он до сих пор не принял окончательного решения. Сара осторожно спросила дочь о ее отношении к двум домам, и Изабель дала понять, что ей все равно, если они достанутся Енцо, лишь бы избавиться от него.

— Почему ты спрашиваешь? — поинтересовалась Изабель, но Сара прикинулась рассеянной и ничего не ответила.

Но в этот раз за ленчем она раскрыла свои карты и напомнила Лоренцо, что есть основания для того, чтобы католическая церковь аннулировала брак, если Изабель выдвинет одним из оснований то, что она была обманута. Он вступил в брак, зная, что бесплоден, скрыв это от Изабель. Сара смотрела на него спокойно, но твердо и едва не рассмеялась, ожидая, что он будет паниковать. Он пытался отрицать, что знал об этом, но Сара была тверда и не позволила ему обмануть себя. Она сократила предложенную сумму с двух миллионов до одного и предложила ему оба дома. И тогда он, уходя, сказал, что поставит ее в известность, и пропал.

Джулиан звонил им несколько раз в день узнать, как чувствует себя Изабель и не родился ли ребенок. А к середине февраля Изабель сходила с ума, Лукас через две недели должен был вернуться в Мюнхен, ребенок еще не родился, а она с каждой минутой становилась все больше. Она перестала работать и говорила, что ей ничего не осталось делать, как покупать дамские сумочки и есть мороженое.

— Какие дамские сумочки? — озадаченно спросил ее брат, удивляясь, не появилось ли у нее какое-то новое пристрастие.

— Это единственное, что осталось того же размера. Я даже не могу носить свои туфли.

Он рассмеялся, а затем, разговаривая с ней, спокойно упомянул о том, что ему звонила Ивонна, чтобы сообщить, что в апреле она выходит замуж за Филиппа.

— Интересно будет через несколько лет. Как я объясню Максу, что его тетя на самом деле его мама или наоборот?

— Не беспокойся об этом, может быть, к тому времени ты найдешь ему новую маму.

— Я занимаюсь этим, — добавил он, стараясь, чтобы это прозвучало беспечно, но оба знали, что он все еще переживает из-за того, как обошлись с ним Ивонна и Филипп. Это был страшный удар для него, оскорбительная пощечина от Филиппа. — Он, должно быть, всегда ненавидел меня гораздо больше, чем я предполагал, — грустно сказал он сестре.

— Больше всего он ненавидит самого себя, — мудро
заметила она. — Мне кажется, он всегда ревниво относился ко всем нам. Я не знаю почему. Может быть, ему
нравилось, когда во время войны мама принадлежала только
ему или что-нибудь в этом роде. Он несчастливый человек. И не будет счастлив с ней. Единственная причина,
по которой она выходит за него замуж, — его титул. Она
хочет быть герцогиней Вайтфилд.

— Ты так думаешь? — Он не был уверен, к лучшему это или худшему, но по крайней мере появилось какое-то объяснение.

— Я в этом абсолютно уверена, — не колеблясь, ответила Изабель. — В ту минуту, когда она встретилась с
ним, пробил ее звездный час.

— Ладно, тогда он ведет себя, как осел, — Джулиан рассмеялся, Изабель тоже усмехнулась.

— По голосу слышу, что ты немного повеселел.

— Надеюсь, что тебе скоро тоже будет легче. Рожай побыстрее этого ребенка, — пошутил он.

— Постараюсь.

Она делала все, что могла. Каждый день гуляла с Лукасом,
проходя не одну милю, ходила с матерью по магазинам. Делала
гимнастику, даже плавала в бассейне. Ребенок должен был родиться три недели назад. Изабель заявила, что начинает сходить с ума. И вот наконец, как-то днем после бесконечной
прогулки, она почувствовала, что это начинается. Они были у
Лукаса, где она теперь жила. Две недели она даже не разговаривала с Лоренцо и не имела представления, чем он занимается, ей теперь было все равно.

Как только вечером она сообщила Лукасу, что появились признаки приближения родов, он поднял ее и заставил расхаживать по квартире, сказав, что так все пойдет
быстрее. Она позвонила матери в отель. Сара приехала
на такси, и они просидели до полуночи, пили вино и разговаривали. Настроение Изабель ухудшалось. Она не смеялась над их шутками и не обращала внимания на то, что
они говорят, и Лукас уже стал раздражать ее своими бесконечными вопросами о ее самочувствии.

— Прекрасно. — Но выглядела она совсем не прекрасно. Сара размышляла, возвращаться ей в отель или
остаться. Ей не хотелось надоедать им, но, когда она уже
решила ехать, у Изабель отошли воды и схватки усилились. Это заставило Сару вспомнить то, как родилась сама
Изабель, как быстро все произошло, но она была четвер-
тым ребенком, а у Изабель — первый. Маловероятно, что
все произойдет так быстро.

Но когда она позвонила доктору в клинику Сальватора Мун-
ди, он сказал, чтобы они немедленно везли Изабель. Сара с
волнением посмотрела на свою дочь. Наконец она рожала ребенка, о котором так долго мечтала. Сара надеялась, что в один
прекрасный день Лукас тоже будет ее. Она это заслужила.

Медсестры в госпитале были очень внимательны и отвели Изабель в родильную палату, оборудованную по пос-
леднему слову техники. Это была большая, уютная комната,
и, пока занимались с Изабель, Саре и Лукасу предложили кофе. Изабель чувствовала себя очень плохо, а через
час у нее поднялось давление. Все это время Лукас успокаивал ее, держал ее за руку, вытирал ей лоб влажным
полотенцем. Он ни на минуту не оставил ее одну и, не
переставая, говорил ей что-то. Саре было приятно наблюдать за ними, видеть, что они так близки и так сильно любят друг друга, а раз или два он даже напомнил ей Вильяма.
Он не был таким видным, высоким и красивым. Но он был
хорошим, добрым и умным человеком и любил ее дочь. С
каждым разом он все больше нравился Саре.

Потом наконец Изабель начала тужиться, приподнявшись
на кровати, Лукас поддерживал ее за плечи, растирал ей спину.
Он был неутомим, и Сара чувствовала себя ненужной. Изабель
откинулась на кровать и внезапно принялась тужиться еще сильнее, и, кажется, все, кто был в комнате, помогали и ободряли
ее. И вот показалась головка. Сара была вне себя от счастья,
когда увидела маленькую девочку, очень похожую на Изабель.
Сара заплакала и посмотрела на свою дочь. От радости по лицу
Изабель текли слезы, Лукас держал ее за руку, а она прижи-
мала к себе малютку. Это были трогательная картина и незабы-
ваемый момент.

На следующее утро Сара позвонила Лоренцо и пригласила его к себе, она решила заплатить ему, сколько он попросит. Но за последним ленчем он принял решение. Он хотел оба дома, и они сошлись на трех миллионах долларов. Это была высокая цена за то, чтобы от него избавиться, но Сара ни на мгновение не сомневалась, что за это стоит заплатить.

Днем, когда она пришла в больницу, она сообщила об этом Изабель, и на лице дочери появилась улыбка огромного облегчения.

— Что это значит? Я свободна? — Сара кивнула, наклоняясь, чтобы поцеловать ее. Изабель сказала, что это самый лучший подарок, какой только можно придумать. А Лукас улыбался ей, держа на руках их дочь.

— Может быть, вам хотелось бы поехать со мной в Германию, ваша светлость? — с надеждой спросил он, и Сара рассмеялась.

Лукас решил остаться в Риме еще на две недели, но потом он должен был вернуться в Германию, чтобы заняться своим делом. Сара осталась до тех пор, пока Изабель не выписали из больницы и она не вернулась домой. Она помогла найти ей новый дом. А в малышку Сара была просто влюблена. Она призналась Эмануэль, что без ума от внука и внучки. Макс был самым привлекательным малышом с тех пор, как вырос Джулиан, а маленькая Адриана родилась настоящей красавицей.

В этом году на день рождения Сары собралась очень интересная компания. Изабель приехала одна с ребенком, а Джулиан — с Максом. Ксавье снова был в Африке, куда он уехал на лето, но он прислал для матери два уникальных изумруда, с точными указаниями, как их следует огранить. Они собирались сделать два больших кольца. Ксавье хотелось, чтобы она носила по одному на каждой руке. Сара объяснила все Джулиану, показывая ему изумруды. Они произвели на него большое впечатление.

Филипп приехал с Ивонной, что было неприятно для Джулиана. Но теперь они были мужем и женой. Сара считала, что низко с его стороны заявиться в замок с ней, чтобы предстать перед Джулианом. Но Джулиан держался очень хорошо, по крайней мере внешне. Ему с его врожденной порядочностью трудно было бы вести себя по-другому. И что интересно, Ивонна не проявляла совершенно никакого интереса к ребенку, которого родила год назад. Она даже ни разу на него не взглянула во время своего пребывания в замке. Большую часть времени она наряжалась и красилась или жаловалась на свою комнату, ей было то холодно, то жарко, или служанка плохо ей помогала. По мнению Сары, на ней было слишком много драгоценностей. Она, очевидно, заставляла Филиппа тратить на нее все деньги и постоянно заставляла называть ее «ваша светлость», что забавляло всех, особенно Сару, которая тоже к ней так обращалась, а Ивонна, кажется, не замечала, что все смеются, даже Джулиан. Но, как обычно, больше всех Сару удивила Изабель, когда как-то днем они играли с Адрианой на газоне. Девочке исполнилось полгода, и она только ползала и была очень занята тем, что пыталась съесть траву, когда Изабель сообщила матери, что она снова беременна. На этот раз ребенок должен родиться в марте.

— Я полагаю, это ребенок Лукаса, не так ли? — тихо спросила она.

— Конечно, — засмеялась Изабель. Она его обожала и никогда еще не была так счастлива. Он почти половину своего времени проводил в Риме, и все, кажется, обстояло хорошо, кроме того, что он по-прежнему был женат, хотя и формально.

— Есть надежда, что он скоро получит развод? — спросила ее мать, но Изабель покачала головой.

— Не думаю. Он делает все, что в его силах, чтобы добиться развода.

— Неужели она не знает, что у него есть другая семья и двое детей?

Изабель отрицательно покачала головой:

— Пока нет. Но он обещает, что скажет ей.

— Изабель, ты уверена? — спросила Сара. — Что, если он никогда не уйдет от нее, а ты останешься одна с двумя детьми?

— Тогда я буду любить их и буду счастлива, что они у меня есть, так же, как ты, когда растила Филиппа и Элизабет, а папа был на войне и ты не знала, увидишь ли ты его когда-нибудь еще. Иногда нет никаких гарантий, — мудро заметила она. Изабель с годами становилась умнее. — Я не хочу упустить эту возможность. — Сара почувствовала к ней уважение. Ее судьба складывалась непросто, но она вела достойную жизнь. И, кажется, даже римское общество проглотило то, что произошло. Часть своего времени она проводила в магазине, делала также рисунки новых украшений, и все шло хорошо. Она по-прежнему говорила о том, что надо открыть филиал в Мюнхене. Может быть, когда она выйдет замуж за Лукаса, они откроют там еще один магазин. Там были хорошо разбирающиеся в драгоценностях люди и настоящий рынок для высокохудожественных ювелирных изделий.

Ее развод должен был завершиться к концу года. Это означало, что второй ребенок не будет носить фамилию Енцо, и это было еще одним препятствием, которое ей предстояло преодолеть. Но Изабель, кажется, приготовилась к этому. Сара была спокойна за нее, когда дочь полетела с Адрианой обратно в Рим. А после того, как все разъехались, она задумалась о том, как часто бывало и раньше, какая интересная у них жизнь, интересная, но нелегкая.

Глава 31

Через три года Ксавье с отличием окончил Йельский университет. Почти все Вайтфилды собрались в Америке на торжественную церемонию вручения дипломов. Сара и Эмануэль приехали вместе. Джулиан взял с собой Макса, которому исполнилось четыре года и который деловито принимался разрушать окружающее, где бы он ни появлялся. Изабель прилетела без детей. Она ждала третьего ребенка, и они уже привыкли видеть ее в таком состоянии. Адриана и Кристиан остались с Лукасом в Мюнхене. Он все еще не развелся со своей женой, но Изабель, кажется, с этим смирилась. Само собой разумеется, Филипп с Ивонной не удосужились приехать. Она была на курорте в Швейцарии, а он по обыкновению сослался на занятость, но прислал Ксавье часы из их нового отдела «Вайтфилд», сделанные по рисунку Джулиана.

В Меле состоялась трогательная церемония, а после нее они все поехали в Нью-Йорк и остановились в «Карлиле». Джулиан подтрунивал над Ксавье, что ему пора открывать магазин в Нью-Йорке, а его младший брат дипломатично ответил, что, может быть, когда-нибудь он это сделает, но все знали, что сначала он хочет посмотреть мир. Из Нью-Йорка Ксавье снова собирался в Ботсвану. Он должен был лететь в Лондон, а оттуда прямо в Кейптаун. Больше всего на свете в ближайшие несколько лет ему хотелось найти редкие драгоценные камни для «Вайтфилд». После этого он, возможно, обоснуется где-то, но никому не давал обещания, что этот момент когда-нибудь наступит. Он был слишком счастлив в джунглях, с кайлом, ружьем и рюкзаком за спиной, чтобы взвалить на себя ответственность за магазин, подобный магазинам в Париже, Лондоне и Риме. Он предпочитал быть их представителем где-нибудь на разработках, в диких местах. Такая жизнь устраивала его, и они уважали его за это, хотя он совсем не был похож на них.

— Я думаю, что это Дэви Крокет повлиял на тебя в детстве, — подтрунивал над ним Джулиан. — Мне кажется, что-то перевернулось у тебя в голове.

— Должно быть, — улыбнулся Ксавье, совершенно невозмутимый. Он был красивый юноша и из них всех внешне больше всего походил на Вильяма. Он также унаследовал многие черты характера отца. В Йеле у него была интересная подружка. Осенью она собиралась поступить в Гарвардскую медицинскую школу, но пока согласилась вместе с ним поехать в Кейптаун. Но в настоящий момент он ничем серьезно не увлекался, кроме путешествий и драгоценных камней. Сара носила два кольца с огромными изумрудами, которые он нашел для нее, почти никогда не снимая, и очень любила их.

Изабель и Джулиан наняли сиделку для Макса и ухитрились сходить вечером в бар «Бемельманс». Мальчик играл в комнате, соседней с той, где расположились Сара и Эмануэль. Ксавье поехал пообедать со своей подружкой в Гринвич-Виллидж.

— Ты думаешь, он когда-нибудь женится на тебе? — прямо спросил Джулиан свою сестру, глядя на ее большой живот, но она только улыбнулась и пожала плечами.

— Кто знает? Меня это теперь не беспокоит. Мы все равно, что женаты. Он всегда со мной, когда он мне нужен, а дети привыкли к тому, что он приезжает и уезжает. — Она много времени проводила с ним в Мюнхене, когда ей хотелось этого. Их обоих устраивало такое положение, и даже Сара привыкла к такому образу жизни ее дочери. Последние два года жена Лукаса знала об Изабель, но она по-прежнему отказывалась развестись с ним. Их связывал очень сложный семейный бизнес, и они были совладельцами земельных участков на севере Германии, в которые вложили немалые средства. Она делала все, чтобы предотвратить развод. — Может быть, когда-нибудь. Пока мы счастливы.

— Ты выглядишь счастливой, — должен был признать Джулиан. — Я тебе завидую, у тебя столько детей.

— А как ты? До Рима долетели слухи, — подтрунивала она над братом.

— Не верь всему, что читаешь. — Но при этом он покраснел. В тридцать шесть лет он все еще не женился, но был сильно влюблен.

— Хорошо, тогда скажи мне правду. Кто она?

— Консуэло де ла Карга Кесада. Это имя тебе что-нибудь говорит?

— Смутно. Ее отец был послом в Лондоне несколько лет назад?

— Правильно. Ее мать американка, думаю, она могла бы быть дальней маминой кузиной. Консуэло чудесна, я познакомился с ней прошлой зимой, когда ездил в Испанию. Она художница. Она католичка, а я разведен. Не думаю, что ее родители будут в восторге, когда она скажет им.

— Но ты никогда не венчался в католической церкви, так что в их представлении ты никогда не был женат. — После развода с Лоренцо она стала экспертом в подобных делах. Окончилась, к счастью, та страница ее жизни.

— Это правда. Но я полагаю, они будут осторожны. Ей только двадцать пять лет, и, Изабель, она такая милая, ты полюбишь ее. Она обожает Макса и говорит, что хочет иметь дюжину детей. — Джулиан показал сестре ее фотографию, на которой она выглядела совсем девочкой. У нее были огромные карие глаза и длинные каштановые волосы, а гладкая оливковая кожа придавала ей экзотический вид.

— Это серьезно? — Похоже, это был первый серьезный роман после Ивонны.

— Мне хотелось бы. Но я не знаю, как отнесутся ко мне ее родители. Даже что решит она сама.

— Они подумают, что им повезло. Ты самый милый мужчина из всех, кого я знаю, Джулиан, — сказала она и нежно поцеловала его. Она всегда его горячо любила.

— Спасибо.

На следующее утро они все разлетелись точно птицы. Джулиан в Париж, а потом в Испанию, Изабель в Мюнхен, к Лукасу и своим детям, Сара и Эмануэль тоже в Париж. А Ксавье со своей подружкой в Кейптаун.

— Что мы за странствующая компания, разбрелись по всему миру, словно кочевники, — заметила Сара, когда они садились на борт «Конкорда».

— Я бы не назвала это так, — улыбнулась ей Эмануэль. Они с министром финансов собирались в долгий отпуск. Его жена умерла в этом году, и он сделал Эмануэль предложение. После стольких лет для нее это явилось настоящим потрясением. Они так долго были вместе, и она его действительно любила.

— Тебе следует выйти за него замуж, — убеждала ее Сара, когда они пили шампанское и ели икру.

— После стольких лет аура респектабельности будет слишком сильным потрясением для моего организма.

Сара похлопала ее по руке и усмехнулась:

— Попытайся.

Когда самолет приземлился, Сара поехала в замок, думая о всех своих детях. Ей оставалось только надеяться на то, что Изабель не придется так долго ждать, чтобы выйти замуж, как пришлось ждать Эмануэль. Ее забавляла перспектива предстоящего замужества Эмануэль... как долго они с ней были друзьями... сколько пережили... сколько узнали вместе.

Глава 32

Сара снова медленно подошла к окну, наблюдая за ними. Какими они были забавными... какими разными... какими дорогими. Она с улыбкой смотрела, как они выходили из автомобилей. Филипп и Ивонна из «роллса». Ивонна выглядела великолепно, но одета слишком нарядно, и, как обычно, на ней было слишком много драгоценностей. В тридцать пять лет она казалась намного моложе, и неудивительно, так как постоянно занималась собой. Она думала только о себе. Филипп получил хороший урок. Через девять лет он по-прежнему был увлечен ею, но его герцогиню нельзя было назвать даром Божьим. Временами он задавался вопросом, не был ли Джулиан на самом деле рад от нее избавиться. Это предположение приносило ему разочарование.

Сразу после них приехала Изабель в нелепом фургоне, который они наняли в аэропорту. Они с Лукасом выгружали лодки, велосипеды и детские вещи. С ними были их трое детей и еще двое от его первого брака. Изабель посмотрела на верхнее окно, словно чувствуя присутствие там матери, но она не видела ее. Изабель улыбнулась Лукасу, он отдал ей ребенка и понес в замок их багаж. Поднимаясь по лестнице, дети громко переговаривались, удивляясь, где же их бабушка, и все больше огорчаясь, пока не нашли ее. Изабель постояла минуту и улыбнулись Лукасу, слушая, как в залах замка звучат детские голоса. Они в конце концов поженились.

Джулиан прибыл в «Мерседесе-600», который его тесть убедил принять в подарок. Это был невозможный автомобиль, он постоянно требовал ремонта, зато очень красивый, и в нем помещались все его дети. Джулиан помог выйти Консуэло, которая держала за руки двух маленьких девочек. Очень похожих на своего отца. Он подтрунивал над Максом, которому исполнилось девять лет, он был очень красивый мальчик. А когда Консуэло повернулась, в глаза сразу же бросился большой живот, который выделялся на ее маленькой фигурке. Ребенок должен был родиться осенью. Джулиан и Консуэло не теряли времени.

А потом наконец появился загорелый Ксавье в старом джипе, который он нанял где-то. Он превратился в сильного, крепкого мужчину. Она смотрела на него, и ее переполняли воспоминания. Когда она чуть-чуть прищуривала глаза, ей казалось, что к ней идет Вильям.

Когда она смотрела на них, то думала о нем, о жизни, которую они прожили вместе, о мире, который они создали, о детях, которых они любили и которые ушли в свой мир, спотыкаясь и выпрямляясь снова. Они были сильными, хорошими, любящими людьми. Одни больше, другие меньше, кого-то было легче понять и легче любить. Но она любила всех их. И когда она проходила мимо стола, на котором стояли их фотографии, она остановилась, чтобы посмотреть на них на всех... Вильям... Иоахим и Лиззи... они тоже по-прежнему были в ее сердце. Они всегда будут там. А вот и ее фотография... Сара на руках матери... новорожденная... семьдесят пять лет назад.

Как быстро прошло время, как пролетели мгновения... хорошие и плохие, слабость и сила, трагедии и победы, выигрыши и поражения.

Тут она услышала тихий стук в дверь своей комнаты. Это был Макс с двумя маленькими сестричками.

— Мы ищем тебя, — взволнованно сказал он.

— Я рада, что вы приехали. — Сара с улыбкой направилась к ним, гордая, высокая и сильная, она обняла его и крепко прижала к себе, а потом поцеловала обеих девочек.

— С днем рождения! — сказали они, и, когда она подняла глаза, она увидела в дверях Джулиана и Консуэло... Лукаса и Изабель, Филиппа и Ивонну и Ксавье... и если бы она закрыла глаза, то увидела бы Вильяма. Она чувствовала его присутствие, он всегда был с ней, рядом, в ее сердце, каждое мгновение.

— С днем рождения! — дружно закричали они все, и она улыбнулась им, не в состоянии поверить, что семьдесят пять драгоценных лет пролетели так быстро.

Уважаемые читатели!
*Даниэла Стил готова ответить
на Ваши вопросы.*
Присылайте их по адресу:
**129085, Москва, Звездный бульвар, 21
Издательство АСТ, отдел рекламы.**

Литературно-художественное издание

Стил Даниэла

Драгоценности

Художественный редактор О.Н. Адаскина
Компьютерный дизайн: Е.Н. Волченко
Технический редактор Н.Н. Хотулева

Подписано в печать 23.09.99.
Формат 84×108 $^1/_{32}$. Гарнитура Академия.
Усл. печ. л. 22,68. Тираж 5000 экз.
Заказ № 1833.

**Налоговая льгота – общероссийский классификатор продукции
ОК-00-93, том 2; 953000 – книги, брошюры**

Гигиенический сертификат
№ 77.ЦС.01.952.П.01659.Т.98. от 01.09.98 г.

ООО «Фирма «Издательство АСТ»
ЛР № 066236 от 22.12.98.
366720, РФ, Республика Ингушетия,
г. Назрань, ул. Московская, 13а
Наши электронные адреса: WWW. AST. RU
E-mail: astpub@aha. ru

Отпечатано с готовых диапозитивов
в типографии издательства "Самарский Дом печати".
443086, г. Самара, пр. К. Маркса, 201.